Lilka

Majce

MAŁGORZATA KALICIŃSKA

Lilka

ZYSK I S-KA
WYDAWNICTWO

Redakcja
Jan Grzegorczyk
Tadeusz Zysk

Projekt okładki i stron tytułowych
Agnieszka Herman

Skład i łamanie
Teodor Jeske-Choiński

W książce wykorzystano wiersz o idiocie autorstwa Ryszarda Groseta

Na okładce wykorzystano zdjęcie © pressmaster/fotolia.com

Wydanie I

ISBN 978-83-7785-014-5

Zysk i S-ka Wydawnictwo
ul. Wielka 10, 61-774 Poznań
tel. 61 853 27 51, 61 853 27 67
Dział handlowy, tel./faks 61 855 06 90
sklep@zysk.com.pl
www.zysk.com.pl

Baranek… czyli kilka słów o mamie i tacie

Nazywam się Marianna Roszkowska, z domu Barańska.

Pospolite imię, nazwisko też, i uroda, i wszystko. Dzisiaj niewysoka, średniej budowy z nadmiarami tu i ówdzie, dama półwieczna i trochę. Taka byłam zwykła Marianna i najzwyklejsza Barańska… Nic szczególnego, ale jak byłam mała, bardzo mała, i przedstawiałam się nieznajomym, dygałam, zapominałam nazwiska, i mama mówiła:

— No, Maniu? Jak się nazywasz? Powiedz: „Marianna…???".

Widać byłam matołkowata, bo stale zapominałam i mówiłam:

— Naiwam się Majanna…

— No, Maniu, Ba-rań-ska, od baranka!

Więc czasem załatwiałam sprawę skrótowo:

— Naiwam się Majanna Bajanek! — wypalałam byle szybko, uważając to za świetny żart, i uciekałam zadowolona, że już po wszystkim.

Nie znosiłam tych publicznych przedstawianek, deklamacyjek, dygnięć i „powiedz wierszyk". Mama, niestety, lubiła. Byłam małym dziewcząteczkiem z blond warkoczykami i piegami. Jedynaczka, wychowywana przez mamę właściwie samotnie. To znaczy biologicznego ojca nie pamiętam, ale za to doskonale sobie przypominam, że przez długi czas mojego dzieciństwa wychowywały mnie dwie kobiety — moja mama i Pela, stara, dobrotliwa, kochana Pela.

Tatko, czyli Michał Dróżdż, pojawił się w naszym życiu później.

Mama wykładała na SGGW w Warszawie fizjologię zwierząt. Michał — mój przybrany ojciec — był jej studentem. Przeciągał studia, bo przeniósł się z biologii, powtarzał jeden rok, i drugi, i tak jakoś się porobiło, że został jej asystentem, a później się… zaprzyjaźnili już po tym, jak mama została sama.

Michał, jak to wiem ze skąpych relacji mamy, po prostu był. Opowiadała mi, jak już byłam dość duża, że Michał niezauważalnie wkleił się w jej zawodowe, a potem w nasze prywatne życie. Okazał jej wiele serdeczności, a mówiąc dzisiejszym językiem — wsparcia.

— No ale jak? — dopytywałam.

— Nijak, po prostu był, załatwiał za mnie masę spraw, brał ćwiczenia, wykłady, gdy trzeba było, ułatwiał mi ówczesną egzystencję. No… był!

Pamiętam, jak go poznałam. Mama zabrała mnie na uczelnię, nasza Pela nie mogła ze mną być, bo zachorowała jej siostra. Ja jeszcze nie chodziłam do szkoły, a w przedszkolu było trucie szczurów, więc mama westchnęła i zabrała mnie ze sobą. Siedziałam cicho na zapleczu pracowni, czekając, aż mama wróci z dziekanatu, i wtedy wszedł Michał. Kucnął i popatrzył na mnie, mówiąc:

— Cześć, krasnalku! Jak ci na imię?

Naturalnie, gdy się przedstawiałam Michałowi, jak zwykle stanęło na „Mariannie Baranek". Wtedy już jako duża panna, przedszkolak z ostatniej grupy, doskonale wiedziałam, że żartuję, i wymówiłam Baranek z udawaną powagą.

Michał patrzył na mnie też z taką uwagą i trzymając w dłoniach moją łapinkę, powtórzył poważnie, dla pewności:

— Ba-ranek? Ma-rianna?

— Tak — odpowiedziałam najpoważniej — Baranek.

Wtedy Michał powiedział:

— Witam panią, pani Baranek — i pocałował mnie w rękę!

Oczarował mnie i już. Młody, z wesołym usposobieniem i taki… ładny. Nie wiedziałam, co znaczyło „przystojny". Dla mnie ówczesnej ludzie byli ładni i nieładni. Michał był ładny, ciemnowłosy, ciemnooki. Nie śmiał się ze mnie, nie obraził i nie sprostował mojego „Marianna Baranek", i odtąd jako jeden jedyny mówił do mnie „Baranku" i mówi tak do dzisiaj! Nie pamiętam, żeby inaczej…

Bywałam u mamy na uczelni jako mała dziewczynka, bo niekiedy Pela, moja niania, musiała zająć się chorą siostrą albo sąsiadką. Czasem szłam z mamą do bufetu na gorące parówki, czasem musiałam zaczekać, aż skończy jakieś zajęcia, i wtedy opiekował się mną właśnie Michał, student, który przesiadywał u mamy na zapleczu pracowni godzinami. Nosił granatowy sweter na koszule i ładnie pachniał wodą kolońską. Nie napiszę „tanią" — bo skąd ja niby miałam wiedzieć — tanią czy nie? Zresztą wtedy chyba wszystkie, jakie były, to Lawendowa i Prastara — taka w wiklinie, która stała u mamy w łazience jako antidotum na zakażenie, gdy starłam sobie kolano albo drzazga jakaś wlazła. Mama zawsze wzdychała i mówiła:

— Trzeba pokolońskować.

— Koniecznie? — targowałam się bez wiary i nadstawiałam kolanko.

— Możesz krzyczeć — mówiła mama i kolońskowała, a ja krzyczałam:

— Aua! Aua, aua, aua!!!

Michał wprowadził mniej drastyczną metodę. Kiedyś, idąc do mamy z Pelą, przewróciłam się na Rakowieckiej i starłam skórę na dłoni i kolanie. Zaryczaną Pela wprowadziła mnie do maminego gabinetu, w którym miałam siedzieć godzinę, zanim nie pójdziemy do dentysty. Ponieważ mama kogoś egzaminowała, zajął się mną Michał. Wyjął coś z białej szafeczki wiszącej na ścianie i powiedział:

— Zobaczysz czary! Patrz, spienisz się jak oranżada w proszku!

— A mogę wrzeszczeć?

— Możesz, ale nie będzie potrzeby, bo to nie szczypie.

I nie szczypało! Ranki zakleił mi plastrem z opatrunkiem i dopiero wtedy Pela westchnęła i poszła sobie spokojna, że nie umrę.

Zawsze pokazywał mi preparaty w słoikach z formaliną — żabę z flakami na wierzchu i gołębia, też z flakami i żołądkiem wypełnionym grochem. Jakieś kościotrupy zwierzęce, szkielety kota i ptaka, psią czaszkę, i pozwalał mi rysować na tablicy, ustawiając trzy taborety obok siebie, żebym mogła sobie rysować, co chcę, nie złażąc z nich. Zresztą te taborety były drewniane, ciężkie i tworzyły coś w rodzaju podestu. Czasem znajdował mi kawałeczki kolorowej kredy i rysował ze mną... Zaśmiewaliśmy się, rysując Zwierzostrachy i Dziwaki.

Potem przychodziła mama, zbierała się i chłodno żegnała Michała. Zawsze jednak patrzyła na niego tak, że wiedziałam, że coś ukrywa. Uśmiechała się tak ledwo, ledwo, mówiąc:

— To... do zobaczenia jutro, panie Michale.

Podbiegłam do mamy i pokazałam jej moją dłoń już opatrzoną.

— Słyszałaś? Nie darłam się!

— Słyszałam — mama uśmiechnęła się powściągliwie i spytała:
— A czemu?

— Bo Michał mi pokolońskował taką, co nie piecze!

Mama spojrzała na niego i pokręciła głową.

— Cudotwórca! — i kazała mi się pożegnać.

— Mamo — spytałam w tramwaju, za głośno. — A czy Michał
będzie twój mąż? Bo ja bym chciała, żeby mąż!

Nie wiedzieć czemu, wysiadłyśmy na następnym przystanku...

Do dentysty szłyśmy pieszo. Mama nic nie mówiła, nie wytłumaczyła niczego, a Michał wpadał czasami do nas, zostawiając jakieś książki.
Podczas jego wizyt nikt nie marudził, że idę na podwórko, a Pelagia
mogła wyjść wcześniej. Podbiegałam do niej z piaskownicy albo z trze-
paka na pożegnalnego buziaka, a ona mówiła głośno i sztucznie:

— Mamusia ma teraz korepetycje, nie przeszkadzaj. No, do widzenia, dzieciaku, i umyj ręce, jak wrócisz, bo tu do piachu psy srają!

Po jakimś czasie poczułam sama, że mama za bardzo lubi towarzystwo
Michała, i zaczęłam być zazdrosna. Byłam krnąbrna, czasem wręcz
niegrzeczna i mama chyba musiała się poskarżyć Peli, bo ta opowiedziała mi bajkę o smutnej królowej, która usychała w swoim zamku
z samotności, nie wiedząc o tym, że na moście wiodącym do zamku
stała wredna jędza i nie wpuszczała do jej królestwa nikogo! Później
sprytnie wywołała u mnie współczucie i przyganiła, że ja mogę się
bawić z każdą koleżanką na podwórku, a sama zachowuję się jak pies
ogrodnika.

— Jaki pies? — spytałam.

— No jak taki pies, co nikogo do ogrodu nie wpuści. Przecież
ty masz swoje koleżanki i kolegów na podwórku, a mamusia sama
w domu i sama.

— I co?

— No, że jej bywa smutno, to choć ten cały Michał wpadnie, po-
gada... A ty się boczysz. Nieładnie tak!

Skoro Pela tak mówiła, to chyba miała rację. Wstyd mi się zrobiło,
bo Pela była dla mnie wielkim autorytetem!

W tym też czasie na podwórku pojawiła się nowa koleżanka —
Gosia — z pięknymi zabawkami, i często spędzałam u niej czas. Jej

lalki miały tyle ciuchów! Przebierałyśmy je stale, bo jej babcia co rusz podrzucała nam a to kaftanik, a to buciki. W kąciku Gosinym stała również mała kuchenka i garnuszki, i talerzyki dla lalek... Poza tym, ona miała taką fantazję! Zmieniłam swoje zapatrywania i przestałam się obrażać na mamę i Michała. Za to polubiłam bywanie u Gosi.

On wpadał do nas w soboty. Zostawał do późna. Gdy ja już zasypiałam, oni siedzieli w kuchni i grali w karty. W niedzielę rano znowu był i jadł z nami śniadanie, potem mama poprawiała prace studentów, a ja z Michałem szłam do parku nad sadzawkę, nad kanałek, a tuż przed obiadem zabierał nas obie na poranki do kina Sawa. Po obiedzie szliśmy na działki. Mama szła wolno, nucąc, i kupowała od działkowiczów jakieś kwiatki, a Michał się uśmiechał do niej i brał ją za rękę. Ja skakałam na skakance albo pchałam wiklinowy wózek z lalką. Byliśmy jak inne rodziny.

Podobno gdy się dziekan o tym dowiedział, dostał szału i zrobiło się niemiło. Za romansowanie z asystentem dostało się mamie i musiała zmienić pracę. Michał jeszcze pracował na uczelni.

Ze swoimi rodzicami Michał był skłócony. Wieczorami mama i on rozmawiali o tym długo. Słyszałam z łóżka, nie raz! Michał wreszcie pojechał pogodzić się z nimi i wrócił niezadowolony, bo znów się pokłócili, a kiedy dowiedzieli się, że Michał chce się ożenić ze starszą od siebie kobietą, i to z dzieckiem, powiedzieli, że całkiem mu rozum odebrało.

— Wandeczko, nic do nich nie trafia! — mówił do mamy rozczarowany po przyjeździe.

— Chcieli dla ciebie innej przyszłości, sam mi mówiłeś.

— Ale ile można zmuszać dorosłego człowieka i nie słuchać go?! Z matką to już kompletnie się nie mogę dogadać, nie przekrzyczę jej, a ona jak wpadnie w słowotok...

— Nie akceptują twojej decyzji? Nie chcą nas poznać?

— Kochanie, nie przejmuj się!

Nie chcieli.

Mama pocieszała Michała, bo to on się przejął. Mówiła do niego spokojnie, gładziła po twarzy. Lubiłam ich podglądać, gdy się przytulali, to było takie miłe! No i już wiedziałam, że się pobiorą! A oni, rodzice Michała, nie przyjechali nawet na ślub, bo był cywilny.

Kiedy to się stało, mama miała dobrze po trzydziestce, a Michał był jakoś przed, ale wyglądał znacznie młodziej. Mama dojrzała jak na swój wiek, no i ten status — pani z doktoratem i matka. Na nielicznych zdjęciach z tego okresu ma na sobie wąską spódnicę, szeroki pasek, koturny z cienkich paseczków i ciemne okulary, trwałą ondulację i poważny wyraz twarzy. Stoją ze mną w zoo. Mama jest wysoka jak Michał, a on chudziak, wesołek, trzyma mnie za jedną rękę, w drugiej ma lody, a grzywkę mu rozwiewa wiatr. Wygląda jak mój znacznie starszy brat...

Na drugim jest on, mama i jakieś jeszcze dwie studentki. Ja stoję na taborecie, a zdjęcie jest robione w laboratorium. Trzecie zdjęcie jest z ich ślubu. Stało zawsze w ramce na biurku ojca. Spłowiałe, czarno-białe. Mama w pięknej rozkloszowanej szmizjerce, na halkach, w kapeluszu, z goździkami w ręku, tata w za dużym garniturze. Sztucznie upozowani stoją przed Urzędem Stanu Cywilnego przy Nowym Świecie.

Na czwartej fotografii stoją podobnie, ze świadkami — wujkiem Gieniem, przyjacielem taty, i jakąś koleżanką mamy, a ja w środku, w sukience z falbanką i kokardami we włosach, trzymam ich za ręce.

— Mamo, to Michał będzie twoim mężem już?

— Tak, Maniu.

— To znaczy, że będzie też moim takim... tatą?

— No tak... ale ty masz już tatusia.

— Nie mam wcale tatusia. Prawdziwy tatuś to czyta dziecku bajki i kupuje prezenty, i chodzi w niedzielę na poranki. I kocha swoją córeczkę!... A tamten ma swoją nową córeczkę.

Mama uśmiechnęła się szeroko i kiwnęła głową. Chyba się ucieszyła. Nie wiedziała, że poprzedniego dnia odbyłam już naradę z Pelą.

— Pela, a w sobotę jest mamy ślub z Michałem!

— To wiem, bo zaproszenie mi dali.

— Pójdziemy?

— Ja pojadę tramwajem, a ty pojedziesz z mamusią. Wystroisz się ładnie, uprasowałam ci tę niebieską sukienkę z falbanami. Mama ci loka zrobi albo kokardy zawiąże.

— Pela, a jak mama się ożeni z Michałem...

— ...mówi się „wyjdzie za mąż" — poprawia mnie Pela.

— ...to wtedy już są mężem i żoną?

— Sama przecież wiesz, to po co pytasz?

— No bo mamę to mam, a wiesz, że Michał będzie moim nowym tatą.

— No... ojczymem się mówi. Bo przecież twój tata to żyje, tylko z wami nie jest.

— Ojczym? Pela?! Ojczym?! To nieładnie... Jak macocha. Macocha Kopciuszka była okropna!

Podczas ślubu stałam koło maminego fotela. Nie chciałam usiąść. Uważałam, że nie tylko mama bierze ślub z Michałem, ale ja też. Szczerze mówiąc, traktowałam to jak rodzaj bajki, że oto z sąsiedniego królestwa przyjechał do mnie całkiem nowy tato, więc od dnia ślubu „tatowałam" mu już zawsze i dość ostentacyjnie. Michała to bawiło, ja byłam zachwycona.

Czas jakiś mieszkaliśmy razem na Saskiej Kępie, na Niekłańskiej, w ładnych czteropiętrowych blokach. Pela przychodziła rzadziej i wcześniej wychodziła. Akceptowała Michała, ale nie okazywała mu wielkiego szacunku, o wszystko pytając mamę. Przyglądała się. Gdy musiała o coś spytać Michała, pytała przeze mnie.

— Idź, dzieciaku, idź, i spytaj go, czy coś zje, bo mama ma dziś... naradę pedagogiczną i wróci późno, i patrzaj mi tu, w kuchence obiad zostawiam, a wam co, kanapki teraz dać, zupy? Czy zjecie później, czy teraz, bo nie wiem...

Biegłam do taty, który przychodził do kuchni i mówił do Peli uprzejmie:

— Jeśli można, pani Pelagio, to zjadłbym teraz zupę z Marianką, a potem z żoną drugie danie, dobrze?

Trochę czasu minęło, zanim zaakceptowała mojego nowego tatę i chyba go polubiła, bo okazywał jej szacunek i sprawdził się jako mąż i ojciec. Przetestował się! Zdał egzamin.

Peli warkocz bardzo posiwiał, ona sama zrobiła się maleńka i sucha. Nadal lubiłam ją bardzo i jej miękkie ręce na mojej buzi, zrzędzenie i wszystko, co gotowała. Nawet kaszę na mleku.

Przychodziła najpierw codziennie, potem dwa razy w tygodniu, a później raz tylko...

Od dnia ślubu mama była zadowolona, wesoła i uśmiechała się często. Michał nas bardzo kochał. Ludzie w bloku najpierw zaszumieli, że „ta nauczycielka z własnym studentem", a potem zamilkli. Pogodzili się z tą sytuacją, jak to ludzie. Mama pracowała w liceum, ja uczyłam się w podstawówce, a Michał uczył w technikum matematyki i chemii, a wieczorami dorosłych, w wieczorówce, ale nie lubił tego. Wracał zmęczony. Nie powodziło nam się jakoś nadzwyczajnie, ale było normalnie.

Po czasie odezwali się jego niezbyt mili rodzice, że się starzeją, ojciec bardzo choruje, ich dom koło Otwocka i gospodarka niszczeje, a przecież Michał po to poszedł studiować na Rolnym, żeby przejąć gospodarkę i być rolnikiem z dyplomem, a nie „przydupasem jakiejś nauczycielki".

— Pela, co to „przydupas"? — spytałam kiedyś ją podczas nawijania wełny na kłębek. Musiałam trzymać motek na rozstawionych rękach, a Pelagia nawijała.

— Kto to ci powiedział? O Michale, tak?

— No... jego rodzice tak powiedzieli. Jak mamy nie było, to była jego matka i krzyczała na niego, że się zbłaźnił, że zmarnował ich pieniądze, i że się sam marnuje, i że jest tym, no... co powiedziałam.

— To brzydkie słowo. Nie powtarzaj. A Michał... Nie taki znów zły, skoro z twoją matką i z tobą jest jak... ojciec rodziny. Znaczy młodziak, młodszy od twojej matki, ale jak tak patrzę, nie pije, nie bije, i układny, i za wami bardzo...

— Co znaczy „za wami"? — nie rozumiałam.

— No, że wyście mu obie bliskie, ciebie jak dzieciaka swego traktuje, no tak? Trzymaj szerzej, napnij, bo, patrz, się splątało! — sarknęła.

Codzienność

Ach, co ja bym dała dzisiaj za moją kochaną Pelę! Wydaje mi się, że pewnego typu ludzi dzisiaj już nie ma. Zupełnie jakby zamknięto linię produkcyjną. Są różne bejbisiterki, opiekunki, supernianie, nianie Franie, ale takiej niani jak Pela to ze świecą... O, mam następny temat do naszego kolorowego magazynu. Mam zaszczyt pracować w czasopiśmie wysokonakładowym, które trywialnie jest określane mianem „kolorowe". Tak, kolorowo u nas jest nadzwyczaj: „Niania na wagę złota"! Dobre! Aż się odchyliłam na krześle z radością i popatrzyłam za okno, na niebo.

Do mojego warszawskiego mieszkania wpada ciepłe, nagrzane cichym podwórkiem powietrze. Cichym, bo kamienica, tak lubię mówić o naszym niewielkim bloku, postarzała się i dzieci tu nie ma. To znaczy lokatorzy są już starzy, a niegdysiejsze dzieci powyrastały, wyfrunęły w świat, więc podwórko zarosło trawą i nawet klomby zrobione przez dozorcę trzymają się ładnie. Wiśniowe dalie obsadzone dookoła aksamitkami. Trwaj, lato, trwaj! Zimę mam w pamięci na świeżo. W tym roku była paskudna, bardzo śnieżna, mroźna, długa. Na ulicach i podwórku wielkie zaspy, problemy z parkowaniem, odśnieżaniem... Mirek kupił od pana Litza, a właściwie od wdowy po nim, garaż, i w ten sposób mamy choć jedno miejsce, czasem dwa. W garażu i przed nim. Ale w tę zimę odśnieżania było dużo i nie wiadomo było, co robić z rosnącą hałdą śniegu.

Doskonale pamiętam nasze modły w redakcji o ciepełko, o wiosnę, o dłuższy dzień, bo już wszyscy byliśmy bardzo zmęczeni zimnem, ciemnymi i krótkimi dniami.

Pracuję w redakcji czasopisma od kilku lat. Przedtem przędłam jakieś ogony w radiu i w telewizji w *Rolniczym kwadransie*, zanim go nie zlikwidowali. Później trafiłam do „Przeglądu Rolniczego", a tam błysnęłam zdolnościami pisarskimi i wydałam kilka kulinarnych opowiastek w niezłym wydawnictwie. Od ponad pięciu lat jestem w kolorowym, damskim dobrym piśmie ze średniej półki jako pani redaktor.

Ostatnio miałam napisać reportaż z Indii o uprawach przypraw, o kulinariach etc., bo znalazł się sponsor. Poleciałam do Indii! I ja się w tych Indiach strułam czymś tak fatalnie, że właściwie cały pobyt przeleżałam w szpitalu, wymiotując i pocąc się w atakach gorączki. Coś tam jednak mi wyszło, bo już po powrocie kleciłam teksty z pomocą poznanej tam, w Kochinie, osiadłej na stałe Rosjanki. Ona mi wysyłała różne materiały netem, a ja składałam to w mój niby-reportaż.

Teraz obrabiam już ostatni tekst i zdobię zdjęciami. Przemiła jest ta Roksana, doprawdy, a moja naczelna nic nie komentuje, choć zdaje sobie sprawę, że tam chorowałam. Udaje, że nie wie, i jest OK.

Nie zmieniałam naszego pisma na inne, choć oczywiście chciałam, ale w moim wieku to niebezpieczne. Na rynku jest ciężko, bo młodych dziennikareczek teraz mnóstwo, szukają pracy i wygryzają starsze koleżanki na potęgę i bez pardonu. Zwyczajnie — boję się i dobrze mi tu. Nie rozwijam się, klecę stale właściwie to samo. Regina, moja naczelna, mówi, że jestem dobra, więc niepotrzebne mi zawirowania.

Jakiś czas temu koleżanka proponowała mi rozmowę kwalifikacyjną w kolorowym z tej „baaaardzo górnej półki". Czułam, że to nie moja liga! Tam jest taka nerwowa atmosfera, bitwa o każdą czytelniczkę, a przecież to proste — mało jest w Polsce kobiet, które zarabiają średnio tyle, co mały samochód miesięcznie. Kiedy się patrzy na to, co reklamują te magazyny dla elegantek, można sądzić, że wszystkie opływamy w luksusy.

Pierwsza ich reklama z brzegu, proszę: skromniutka jak worek sukienka w cenie miesięcznej pensji nauczycielki, także para bucików to cyferka i kilka zer, bluzeczka, kapelusik i mamy kilka pensji przeciętnie zarabiającej Polki. Zdjęcia piękne, wystudiowane, sesje na Maderze, na Korsyce, ale jak dla mnie to jakiś absurd... Modelki chude jak wykałaczki, drogie sesje, dla kogo? Dla przeciętnej pani Joasi z blokowiska to są zdjęcia totalnie niespójne z jej rzeczywistością i nawet jej marzeniami. W jej mieście ani tych sklepów nie ma, ani ona, mimo ukończonych studiów, nie ma takich ani nawet zbliżonych zarobków, chociaż pracuje i zarabia jak na nasz kraj dobrze.

No, nie. Nie umiałabym.

Rozmowa w redakcji była komiczna, choć zręczniej byłoby powiedzieć żałosna. Ja już od progu wiedziałam, że to pomyłka. Zastępcą szefowej jest facet, któremu się wydaje, że jest młody. Dziesięć lat młodszy ode mnie, fakt, ale maniery i język... Niby elegancja, niby kultura, ale w powietrzu już czułam nonszalancję, bo pierwsze pytanie było o mój... wiek.

— Czterdzieści pięć plus — odpowiedziałam wesoło, odejmując sobie dziesiątkę.

Nie chciałam wyjść na obrażalską, ale mnie to zmroziło. Przecież wiedział, kim jestem, bo byłam tu z polecenia koleżanki!

— Duży czy mały? — odpowiedział zaczepnie i wcale to nie było ani merytoryczne, ani miłe.

— To takie ważne? — spytałam. — W teczce są moje teksty.

— Tak, przeglądałem je.

Pan w kilku okrągłych zdaniach powiedział mi, że ich czasopismo jest tak kolorowe, tak eleganckie i tak bardzo lifestylowe, że powinnam spaść z krzesła z samego zachwytu, że tu teraz jestem. No ale w domyśle, że powinnam się stąd zabierać, bo moje teksty są zbyt zwyczajne, i szczególnie nie pasuje mu ten o dziewczynie, która mimo że z powodu raka ucięto jej nogę aż do pachwiny i ma protezę, radzi sobie doskonale w życiu. Jest młoda, piękna, ma wspaniałego, przystojnego męża, który zresztą zbierał z przyjaciółmi pieniądze na tę protezę, i kocha ją, i są szczęśliwi. Także wywiad z kapitalną bizneswoman, która wskutek ostrej białaczki straciła wzrok, a mimo to nie załamała się, dalej pracuje w biznesie, ma jak poprzedniczka kapitalnego męża, który ją kocha i wspiera, i na dodatek realizuje swoją ostatnią pasję — zaczęła pływać na żaglach! Dołączyłam miniwywiad z naszym mistrzem olimpijskim w żeglowaniu, wyrażającym się o tej Jagodzie w superlatywach i zachwytach.

— To znakomite bohaterki dnia codziennego — zachęcałam wicenaczelnego. — To dziewczyny z najwyższej życiowej półki! Używają dobrych perfum, pracują i afirmują siebie mimo swojego kłopotu, żyją pełnią życia!

Redaktorek skrzywił się sceptycznie. Odłożył moją teczkę na biurko i pokręcił głową.

— Nie rozumiemy się — powiedział. — To się dla nas absolutnie nie nadaje!

— Dlaczego? Teraz masa ludzi wychodzi z choroby zwycięsko, a kalectwo nie jest przeszkodą...

— Pani wybaczy, nasze czytelniczki za osiem złotych kupują sobie drzwi do lepszego świata, a ja nie zamierzam ich epatować ani straszyć kalectwem!

Odebrało mi mowę. Musiałam wyglądać jak kura, gapiąc się na niego bez zrozumienia i mrugając oczami.

Ala odprowadziła mnie do windy, milcząc.

— Zadzwonię — szepnęła.

Biedna. Zadzwoniła, sumitując się. Mówiła mi, że gdyby naczelna mnie przyjęła, to wszystko potoczyłoby się inaczej.

— Co ty, Alka! Ja do was pasuję jak dupa do jeża, ty tam też nie pasujesz, tylko się ukrywasz, maskujesz. Prawda? Piszesz i robisz tak, jak oni tego chcą. A ja tak nie umiem. Zawsze przed czymś takim uciekałam.

Nie wylądowałam w prestiżowym, cudnym, kolorowym, ale za to mam spokój w mniej lakierowanym, lecz o wyższym nakładzie, a mój materiał poszedł bez problemu. Mam wolną rękę, z powodu zainteresowań piszę teksty okołokulinarne, czasem robię wywiady. Naczelna zazwyczaj daje moje materiały do druku, nawet gdy zmieniam troszkę zadany temat. Ona rozumie, że czasem trzeba odejść od swoich zabawek i pobawić się całkiem innymi, a nasze czytelniczki za mniej niż osiem złotych kupują sobie widok z okna na świat, znany i nieszokujący cenami ani modelkami w rozmiarze chorobliwym. Ostatnie nasze sesje: „Babcia, Mama, Córka; Dziadek, Ojciec, Syn — jeansy na co dzień i od święta" zrobiły furorę. Normalni ludzie, doskonałe zdjęcia, zwyczajny temat. To był mój projekt, bo zobaczyłam w parku kapitalną parę — starsi państwo w jeansach, oboje w jasnych koszulach i blezerach, tacy nobliwi, fajni, i podbiegł do nich wnuczek też w jeansach. Pomysły są na ulicy!

Uwielbiam tę naszą redakcyjną robotę. Mamy dobrą atmosferę, lubimy się i tylko czasem są nerwówki, ale gdzie ich nie ma? Naczelna miewa humory, ale rzadko i do zniesienia, w ogóle fajna jest.

Piękne są te zdjęcia z Indii od Roksany! Szkoda, że mnie tak sieknęło. Mogłabym to wszystko oglądać własnymi oczami, a tak — straszyłam muszle w hotelu i piłam jakieś zioła, które zwracałam. Długaśny lot, potem drugi, do Kochin, a potem… kiedy kilka godzin po pierwszej kolacji rozbolała mnie głowa, to już wiedziałam, że to chyba jakieś zatrucie. Zawsze jak mi pulsuje w karku i tak okropnie boli, to wiem, że się strułam. Zazwyczaj pomaga Bactrim, Nifuroksazyd albo jeszcze lepiej orzechówka mojego taty, a tu nic! Pogarszało się z minuty na minutę i doprawdy nigdy w życiu czegoś takiego nie miałam; ciemno w oczach, osłabienie, gorączka i ból głowy, a potem ból wszędzie, torsje i „pływanie w nieświadomości". Omdlenia?! Co za cholera?!

W hotelu, w którym mieszkałam, była też część medyczna; mąż poznanej wcześniej Roksany, Hindus, jest tam lekarzem i zostałam z mety hospitalizowana, leczona i wyleczona, ale czas na zwiedzanie upraw pieprzu i gałki muszkatołowej minął i musiałam wracać. Cholera jasna. Szkoda, ale od czego wyobraźnia, Internet i Roksana? To ona mi napisała, że to też może być kapitalnym wątkiem poznawczo-dramatycznym. No tak, ale jednak chciałabym choć cokolwiek zobaczyć, poznać! A ja zdychałam kilka dni w szpitalu i potem jeden dzień na podróż do Delhi, dzień w Delhi i powrót! Powstało z tego kilka smacznych odcinków o Indiach, ale mam wyrzuty sumienia. Mój kolega Włodzio, dziennikarz starszy chyba od Noego, powiedział mi wprost:

— Oszustwo? Zwariowałaś? Dopóki nikt się nie zorientuje, nie piśniesz ani słowa! To się nazywa „mistrzowskie wykorzystanie niesprzyjającej sytuacji". Brawo, dziecko! Nie ty pierwsza i nie ostatnia!

Mnie się wydawało, że miałam najsłodsze dzieciństwo świata. No może nie wtedy, gdy się zaczęły kontakty z koleżankami i pojawili się wraz z ich matkami ich ojcowie… Jeden zabrał córkę na sanki, a drugi nosił spodnie na szelkach, a trzeci dorobił kij do roweru, żeby panna się nie wywracała podczas nauki jazdy… Może wtedy brakowało mi ojca. Chyba czułam jakieś szczypanie zazdrości czy żalu, że ja nie mam taty. Ale kiedy pojawił się Michał… Uważałam, że mój nowy tata jest fantastyczny! Do dzisiaj tak uważam, a po śmierci mamy dwudziestego szóstego maja jemu wiozę tort bezowy zamiast kwiatka, bo kwiatków to on ma cały ogród, a tort bezowy uwielbia. No i dziwne, że nie ma tak świętowanego Dnia Ojca. Niby jest zarezerwowana dla niego data 23 czerwca, ale to nie to… Może dlatego, że ojcowie zazwyczaj bywali odlegli? Nieokazujący ciepełka, uczuć? Wiem, że wielu ojców to potwory, ale i wśród matek potworów nie brakuje.

Tata Michał to moja główna nagroda od życia. Koleżanki mi go zazdrościły zawsze, zwłaszcza w liceum! Niektóre się podkochiwały, bo przystojny był i jest nadal, choć po swoim ukochanym sadzie zawsze paradował w sztruksowych spodniach na szelkach i flanelowej koszuli. Kiedyś zgrabne, opięte na jego szczupłej postaci, dzisiaj spore, workowate dla wygody, bo i taty sylwetka się zmieniła. Kręgosłup mu trochę usztywniło i ciut przegięło w lewą stronę. Ale uśmiech, urok, głos… Mój, mimo wszystko, przystojniak!

Mawiał, zakładając palce za szelki:

— Patrz, Baranku, jaka to smutna część odzieży…

— Czemu? — pytałam, a on mówił poważnie:

— …bo się mówi: „Precz smutek w szelki"!

Ja oczywiście się śmiałam i biegłam powiedzieć to mamie.

Moja kochana, piękna i mądra mama zmarła młodo. Po czterdziestym roku życia, już po wyprowadzce z Warszawy, zaczęła cierpieć na bóle głowy. Późno bardzo zdiagnozowano to jako hemikranię, bo te bóle bywały upiorne, a lekarze uważali, że może trochę przesadza, no, migreny może ma? Biedna, cierpiała katusze, później miała wylew, po którym poraziło jej lewą stronę ciała. Byłam już na studiach. Mama cierpiała dodatkowo ze wstydu, że tak wygląda, i często wyjeżdżała do ciotki Jadwigi, żeby nie obciążać taty zarówno swoim widokiem, jak i pomocą w wielu czynnościach. Na nic się zdały jego perswazje, zapewnienia. Dla jej dobrego samopoczucia godził się, tłumaczył mi to, że mama nie widzi siebie tak, jak on ją widział, więc trudno, jeśli tak cierpiała z tego powodu, że zbrzydła, zestarzała się i jest taka fizycznie spowolniona, i woli być u Jadwigi, trudno, nie mógł jej zatrzymywać, zresztą Jadzia załatwiła jej tam u siebie masaże i tatko sądził, że może to pozwoli jej szybciej wrócić do siebie, do nas.

Moja mama, osoba spokojna, zamyślona, wrażliwa, była i jest dla mnie wzorem, ale ja wyrosłam taka... inna! Może dlatego, że wcześnie umarła?

Mama czasami patrzyła na mnie z uśmiechem i mówiła: „Lecisz wyżej niż ja, Marianko". Wyżej? Jestem podobnie samodzielna jak była mama. Studiuję jak ona. No może miałam większą swobodę, odwagę, chęć do tańców z chłopakami? Jej młodość to okupacja, więc może porównywała nasz sposób życia ze swoim? Pokolenia Kolumbów uwikłanych w powstanie, tajne nauczanie, wieczny lęk? Mama zresztą spędziła ten czas w Puławach, z rzadka bywając w Warszawie, nie była w konspiracji, dlaczego zatem uważała, że „lecę wyżej"? Nie wiem... Tak chciałabym ją zapytać!

Do nieba powinna być jakaś linia telefoniczna. Oczywiście z limitem minut, bo zmarłym nie należy zawracać głowy byle czym. W ważnych sprawach by się dzwoniło. Na centrali mogłaby siedzieć jakaś święta Aniela z Salawy.

— Halo? Niebo?

I ta Aniela odpowiadałby:

— Pani do kogo?

— Ja... dzień dobry, do mamusi. Chciałam się zapytać...

A ona decydowałaby, mówiąc:

— Łączę, ale ma pani tylko cztery minuty. Czas start!

Albo:

— O pracy?! O, nie! Takimi duperelami zmarłym nie będziemy dupy zawracać! Proszę sobie poradzić samej!

Zabawa z talerzykiem i wywoływanie duchów to nie to samo. W talerzyk to ja nie wierzę! W Internet — tak. Są cmentarze wirtualne, a żadnego portalu do pogadania ze zmarłymi nie ma. Szkoda! To byłby dobry materiał na pierwszego kwietnia... Zapiszę sobie. I do szuflady.

Po śmierci mamy tata stał się moją najbliższą rodziną — jednoosobową, no trochę z wujkiem Gieniem do spółki, aż do mojego wyjścia za mąż. Do urodzin Grzegorka, czyli Grzesia, mojego syna, oczywiście, ojciec był mi najbliższym facetem świata.

Tak w ogóle to mężczyźni znaczyli w moim życiu wiele. Ale nie Mirek, czyli mąż. Mirek no... zawsze był, ale głównie na dyżurach, w domu je odsypiał, zbierał materiał i pisał doktorat, którego zresztą nie zrobił, nie dokończył. Mirek... Nie. Głównie tatko, wujek Gieniek, Grześ — któremu dałam masę swojego macierzyńskiego czasu i serca. A potem moje serce podbił Tadzinek, wnuk, wnusiu, no ale nie jestem raczej zwariowaną babcią, a tym samym namolną teściową.

Nie wiem, co jest, ale z wiekiem tęsknię za wielką rodziną, a tu w realu ta rodzina mi topnieje. Grześ wsiąkł w rodzinę Igi, wyjechali do Krakowa. Gdybyśmy mieszkali w jednym mieście, mogłabym ich chociaż zapraszać na niedzielne obiadki, może bylibyśmy bardziej związani. Co robić?! Właściwie to rację miał Kobyliński — współpracownik i pomocnik ojca na wsi — gdy mówił: „Teraz to rodziny są, pani Marianno, jakby kto granatem w gówno dał. Się rozpirzyły i weź się teraz i pozbieraj!". Prawda.

Tak, mama stanowczo za wcześnie zmarła! Za mało rozmawiałyśmy, ale ja studiująca nie miałam wtedy żadnej potrzeby rozprawiania z mamą o życiu. Uważałam, że pozjadałam wszystkie rozumy, że mama jest... że się nie zna. Później dopiero się okazało, że nie miałam racji, a za moją odwagę życiową zapłaciłam wysoką cenę.

A już jak wyszłam za mąż, urządzałam dom, urodziłam Grześka, przeżywałam jego dorastanie, pracowałam, to całkiem zabrakło czasu na spotkania rodzinne, znaczy z ojcem, wujem, Lilką — moją niby-siostrą, ciotkami i dalszymi jakimiś kuzynami. Z nimi całkiem się to urwało. To był czas tej najmniejszej rodziny, nazywanej „podstawową komórką społeczną". Zapomina się wówczas o dalszej i traktuje jak utrapienie. Stworzyliśmy z Mirkiem mimo wszystko dość ciasny, własny świat.

Z moim ojcem Mirek ma kontakt poprawny, a z mamą... O, podobni są, chyba lubiliby się. Mama... Pogadałbym z nią chętnie! Czasem tęsknię za nią niemożebnie! Byłaby urokliwą starszą panią. Jej zdjęcie wisi nad moim łóżkiem, w owalnej ramie. Ma na nim odchyloną do tyłu głowę, zalotne spojrzenie w obiektyw i ciemne włosy całe w falach. Wyglądają na miękkie i jedwabiste, i taki miły, ciepły uśmiech; jest łagodna i piękna! Tata nie ma tego zdjęcia. Kiedy bywa tu u mnie, w Warszawie, rzadko, popatruje na nią i uśmiecha się, czasem mówi:

— Jak myślisz, Baranku? Czy Wandeczka farbowałaby włosy?

Ja odpowiadam:

— Nie, byłaby dziś tak samo siwiutka jak ty.

Jest młody, zaledwie po siedemdziesiątce! Siedemdziesiąt plus! Ma eleganckie ruchy, jest wręcz młodzieńczy; ze zdrową cerą i błyskiem w oku. Umysł ma jasny. Od lat haruje jak wół, ale kocha te swoje uprawy ekologiczne — marchewki, kapusta, pomidory — no i sad, drzewka, chociaż ten sad już dawno nie jest dochodowy. Uprawy ojca nie dają wielkich pieniędzy, ale wystarcza mu to. Troskliwie wymienia materiał genetyczny i z żalem wycina zmarznięte drzewka, zastępując je nowymi, a właściwie starymi — to jego nowe hobby, stare polskie odmiany. Kocham go.

Przystojny, uroczy pan! Mój tatko! Michał Dróżdż.

Tak, zaproponuję naczelnej właśnie taki temat: ojcowie w naszym życiu, bo matki omówiłyśmy w maju.

I znów codzienność

Jestem z miasta. No, prawda, że koło piątej klasy podstawówki wyprowadziliśmy się pod Otwock, bo ojciec odziedziczył gospodarkę, ale ja — na krótko, na kilka lat. Wybrałam warszawskie liceum i studia i po ślubie też mieszkałam w Warszawie. Kocham mój rodzinny dom na wsi, ale na sadowniczkę ani ogrodniczkę to ja się nie nadawałam.

No wystrzeliło mi to SGGW, ale tak... z łaski na uciechę matce! A potem moje życie zawodowe skręciło. Może to zasługa Eulalii Struś, mojej korepetytorki z Otwocka, dziwacznej damy, starszej chyba od węgla, uczącej mnie nie tylko angielskiego, ale i mnóstwa innych rzeczy.

Stara pani Eulalia chodziła po swoim drewnianym domu typu świdermajer w swetrze narzuconym na plecy z zapiętym jednym, górnym guzikiem, żeby jej nie spadał z ramion. Zazwyczaj też w wełnianych spodniach narciarkach i futrzanych papuciach, bo jak mówiła: „Wiesz, jakoś marznę ostatnio. A może już stygnę?".

Paliła papierosy w fifce i, zupełnie jakby niechcący, nawrzucała mi do głowy, w duszę mnóstwo różności, tematów, spraw, które wedle własnej woli mniej lub bardziej rozwijałam. Ale to ona dawała zaczyn. Malarstwo, muzyka, obyczaje, no i języki obce.

Byłaby ze mnie dumna, bo ostatecznie wylądowałam blisko literatury — w dziennikarstwie. W moim czasopiśmie, które mnie karmi od kilku lat, wymyśliłam siebie w kulinariach na długo przed amerykańskim hołdem składanym niejakiej Julii Child. Ja składałam hołdy Helenie Ćwierciakiewiczowej, robiąc niejako przekład jej przepisów (wziąć ćwiartkę tylnią prosiaka, pięć funtów cielęciny i bażanta) na nasze realia. Miałam szczęście poznać kiedyś naszą własną Julię Child epoki PRL-u, Irenę Gumowską. Och, ona miewała pomysły znakomite! W czasach, gdy na półkach królował przysłowiowy ocet, ona wymyślała wszystko, co mogłoby zastąpić, udać coś, czego oczywiście nie było. Podśmiewano się z jej pasztetu z fasoli, a dzisiaj podobny pasztet z soi czy cieciorki kosztuje sporo w sklepie z ekożywnością dla wegetarian. Na tym wypłynęłam.

Wydałam osiem książeczek kulinarnych z opowiadaniami o potrawach, w których było ciepło domowego ogniska albo przygody, albo podróże, a w tle przepisy. Serdecznie zaprzyjaźniłam się z pewnym redaktorem PAP, Włodzimierzem, który był wówczas już na emeryturze, ale wcześniej pracował jako korespondent w Pekinie i Waszyngtonie, więc był kompendium wiedzy o wielkim świecie. Tyle mi opowiedział o kuchniach świata! Jako pierwsza wspominałam o kapuście pekińskiej w sosie słodko-kwaśnym, w ogóle o kuchni chińskiej, o kotlecie w bułce, czyli hamburgerze, i złapałam Pana Boga za nogi. Pisałam już nie tylko książki, ale w innym kolorowym, którego już nie ma, miałam własną rubrykę, a potem współpracowałam z następnym, nie całkiem kobiecym, i tam omawiałam już całkiem inne tematy. Na rozmowie wstępnej z moją obecną naczelną powiedziałam wprost:

— Kulinaria to mi wyszły całkiem niechcący, naprawdę to ja gotuję słabo, ale mam wiele innych rzeczy w głowie! Na przykład wywiad z moim globtroterem. Jeden z najlepszych korespondentów. Proszę dać mi szansę!

— Przepraszam. Kulinaria niechcący?... Jak to słabo?

— Wie pani, trzeba mieć tylko dobrą wyobraźnię, wyobrazić sobie kuchnię Ćwierciakiewiczowej i uważnie ją czytać. Podałam czytelniczkom wspaniały przepis na pasztet, ale go nie piekłam. Mając w ręku encyklopedię i znajomego globtrotera, można od biedy opisać Manhattan, nie mając nawet biletu do Stanów. Można...

— To trochę nieuczciwe.

— Zależy jak na to spojrzeć. Pani wybaczy, że powołam się na pewną bohaterkę z czasów dzieciństwa. Ania Shirley była biedna, ale bogata szaloną wyobraźnią i literaturą, którą czytała. Nelson Mandela, siedząc w pierdlu... przepraszam, w więzieniu, też czerpał swoją wiedzę z marnych donosów i z literatury.

— Też coś! Proszę przedstawić mi na piśmie jeszcze jakieś inne propozycje, a wywiad z tym korespondentem doskonały, ale nie na nasze czasy.

— Dlaczego?

— Z jakiej bajki pani się urwała? Pracował w reżimie. Do zobaczenia za tydzień. Czekam!

No, to znajomością z Włodkiem nie mogłam się chwalić, ale czerpać z pogaduszek z nim? Czemu nie?

Przedstawiłam jej moje artykuły z poprzedniego pisma. Za każdym razem bohaterem był przedmiot i jego historia. Poznawanie ludzi, którzy umieli mi powiedzieć kilka słów, np. o radiu, odkurzaczu, oponie samochodowej. Dostałam szansę i to dało mi wielką znajomość różnych ludzi i swobodę w robieniu dokumentacji. Regina okazała mi wiele cierpliwości, wsparcia i doprawdy sporo jej zawdzięczam. Czuję się zawodowo zadowolona, dużo umiem. Zarabiam... odpowiednio.

A życiowo?

Do wysokich nie należę, sylwetkę mam daleką od modelek na wybiegu. Od dwudziestu lat na dietach, jak połowa kobiet na świecie. Figura typu „ósemka", jak nasze gwiazdy sprzed lat, Kalina Jędrusik... Mam pupę, piersi, normalnie! Mogłabym być wyższa... Podobno babcia Lonia była malutka, a ktoś mi mówił, że „geny idą w co drugie pokolenie". No jasne, bo mama wysoka, szczupła, ciotka Jadwiga, jej siostra, też, i ich brat, którego prawie nie znałam, Józef, także szczupak (wiem ze zdjęć). A ja chyba w tę babcię Lonię, mało mi znaną. Może? Moje włosy... Kiedyś byłam mysioblond, mama mówiła „popielaty", a ja uważałam, że nie ma takiego koloru. Dzisiaj się farbuję na „sarni brąz". Z kilku różnych tubek idą do miseczki farby, żeby taki niby naturalny kolor osiągnąć, bo mój własny jest dziwaczny — sprana szmatka do kurzu.

Od trzydziestu lat jestem w związku z Mirkiem, lekarzem anestezjologiem. Małżeństwo... jak małżeństwo. Normalne. Z zapracowanym lekarzem, z nocnymi dyżurami mniej normalne, ale można się przyzwyczaić. Może nie była to jakaś szaleńcza miłość, ale związek oparty na wzajemnym zaufaniu i spokoju. Zawsze byłam z tego dumna, bo moje koleżanki miewały różne perturbacje małżeńskie, a my nie. Taki najzwyklejszy układ bez burz. Wiedziałam, że przystojni lekarze są narażeni na romansowe pielęgniareczki, samotne lekarki etc., a my wyjaśniliśmy to sobie, na spokojnie. Mirek, że to idiotyzm żyć z wiecznymi podejrzeniami i że każdy chłop, jak będzie chciał, to i tak skoczy w bok, więc mam dwa wyjścia — albo się udręczać, jeśli lubię, albo dać sobie spokój i żyć normalnie.

— A jak coś ci się przydarzy? — spytałam na koniec tych naszych rozmów.

— A jak tobie? — odpowiedział pytaniem na pytanie.

Pokusa

Nie mam pojęcia, czy Mirek miewał jakieś pokusy i czy z nich korzystał. Jeśli nawet, to nigdy o niczym się nie dowiadywałam z poczty pantoflowej. Odpuściłam, tym bardziej że nie czułam zazdrości. Kompletnie. Nawet gdy koleżanki mnie podpuszczały, że mam takiego przystojniaka — no bo niby się podobał, mimo że nie był wysoki — mnie to w ogóle nie spędzało snu z powiek. Na sylwestrach i imprezach towarzyskich szalałam na parkiecie z kim się dało, najchętniej z szefem Mirka albo jego kolegą chirurgiem, bo doskonale tańczyli, a on nic! Więc jemu chyba też zazdrość nie weszła do głowy. Koleżanki się dziwiły: „Nie jesteście zazdrośni?". Nie. Wielokrotnie rozmawialiśmy o znanych nam z opowiadań zachowaniach zazdrośników — przeszukania kieszeni, biurek, śledzenie... „Taki ktoś musi się czuć strasznie niedowartościowany! Karzełek emocjonalny" — mawiał Mirek.

Moje uczucia były do niego zawsze stałe, ale niedefiniowalne. Nigdy nie padały szepty: „kocham cię". No, raczej jak w Finlandii — oszczędnie. Tam podobno mąż mówi żonie przed ślubem, że ją kocha i dlatego chce ją poślubić, i ma jej to wystarczyć już do końca życia, bo po co ględzić po próżnicy? „Gdyby coś się zmieniło w tej kwestii, z pewnością cię poinformuję" — mówi Fin Fince.

Chociaż... Zdarzyło mi się być wystawioną na próbę. Raz, podczas wyjazdu szkoleniowego. Był z nami jakiś facet z centrali w Niemczech. Polak, ale tam osiadły. I coś się porobiło takiego między nami... Zaczęło się od spojrzeń. Rzucane zdawkowo podczas obiadu, a potem kolacji. Czułam wyraźnie, że jestem obiektem jego zainteresowania. Rozmawiał z kimś, a potem łowił mnie wzrokiem i uśmiechał się. Robiło mi się gorąco. Te spojrzenia i uśmiechy schlebiały mi. Dziewczyny komentowały jego urok, a ja czułam się wybranką. Spoglądał nienachalnie, dyskretnie, a wieczorem wreszcie na gorącym tarasie podszedł i przedstawił się.

— Jestem Hans, ale mów mi Janek, w Polsce moje niemieckie imię budzi grozę albo śmiech.

Towarzystwo zabawiało się w najlepsze. My zeszliśmy kilka schodków niżej, nad jezioro. Do dzisiaj nie mam pojęcia, co się stało. Nastrój gorącej letniej nocy? Czy ja po długim okresie macierzyńskim, taka pszenno-buraczana mateczka Polka, wyrwałam się na to szkolenie i właśnie wracała do mnie moja kobiecość, chęć podobania się? Mirek jakby już nie zauważał we mnie kobiety. Rutyna nie sprzyja żarowi uczuć. Zaloty zamarły już dawno, zastąpiła je codzienność: „Odebrać Grześka?", „Podaj sól", „O której wracasz?", „Wyniosę śmieci". Takie rozmowy... a tu mężczyzna mówi do mnie w dawno zapomniany sposób, uśmiecha się, zasuwając okulary i patrząc jakby uważniej, śmieje się z moich żartów i znów przygląda, z uśmiechem.

Senni nie byliśmy, knajpa nie interesowała nas w ogóle. Tafla jeziora jak szkło, cykanie świerszczy mącące ciszę, i w oddali ta muzyka, jak z innej planety. Siedzieliśmy na ławce, koło wielkich krzaków, już na plaży, koło pomostu. Temat jakiś się zakończył i siedzieliśmy w ciszy, ja podwinęłam kolana, bo tak lubię. Hans — Janek przysunął się, wyjął mi z rąk pustą szklankę i pocałował, ale jak! Nie miałam ochoty protestować, choć czułam, że powinnam. Oczywiście on miał dla siebie swój domek i błagał, bym z nim poszła.

Nie poszłam. Nie dałabym rady wywrócić do góry nogami wszystkiego, co się nazywało moim światopoglądem. Ale doświadczyłam „wodzenia na pokuszenie". O, bardzo chciałam! Nakręciłam się tym pocałunkiem jak wariatka. Pożycie małżeńskie z Mirkiem wystygło, pocałunki bez smaku jak zżuta guma, żadnego płomienia w spojrzeniach, słowach, w zachowaniu — nic... W łóżku, gdy był w miarę wypoczęty, okazywało się, że owszem, miałby ochotę, ale robił wszystko jak ze sztancy, dokładnie, identycznie — zawsze. Może ja nie byłam innowacyjna?

Może...

Wyobraźnia mnie rozpalała, bo Hans — Jasiek został pod powiekami, w myślach, ale... nie poddałam się chwili! Ha!

I tak, podczas rutynowych zbliżeń małżeńskich, wspomagałam się wyobraźnią o tym niespełnionym kochanku... Uważałam, że to norma i nie ma co narzekać. Żyjemy tak normalnie, higienicznie, bez szaleństw, że nam się żadne meandry nie przytrafią. I nie przytrafiły! Trzydzieści grzecznych, przewidywalnych, nudnych lat... Można byłoby powiedzieć: idealnie i po bożemu.

Nuda, nuda, nuda, ale i spokój!

Szczęściem nie musiałam się poświęcać dla miłości jak mama, która mając rozpoczętą karierę na SGGW, widok na awans i szacunek itp., pojechała z ojcem pod Otwock i została żoną sadownika, pracowała w miejscowym liceum i mówiła, że z tym jej dobrze. Nie wiem, czy bym tak umiała. Kto się dzisiaj poświęca dla drugiej osoby w imię miłości? To niemodne i wręcz uważane za straszny błąd! Bo trzeba się realizować, spełniać swoje marzenia, a jeśli to jest w konflikcie z partnerem, partnerką, to kiszka i zazwyczaj rozpad. A moja mama tak to jakoś urządziła, że gdyby nie zachorowała, byłaby dzisiaj uroczą siwą staruszką, siedzącą w ojcowym sadzie na ławeczce i pilnującą, czy on ma na sobie kamizelkę, bo wieje. Robiłaby mi na drutach szal albo Tadziowi czapeczkę.

Moja mama Wanda Dróżdż, primo voto Barańska, była niegdyś wysoka, szczupła i malowała usta na cyklamenowo.

— Poproszę cyklamenową pomadkę do ust! — wołała w sklepie.

— Cyklamen mocniejszy czy bledszy? — pytała ekspedientka.

— Mocniejszy!

Mama miała ciemne włosy z trwałą ondulacją. Tak to się nazywało — ondulacja.

Żeby mieć takie loczki, mama musiała siedzieć u fryzjerki, pani Romy, w nakręconych na włosy drewnianych cienkich wałeczkach, i potem pani Roma robiła jej z tym różne rzeczy, a ja w tym czasie albo rysowałam, siedząc na parapecie, albo siadywałam koło pani Zuzy — manikiurzystki i patrzyłam, jak robi innej pani paznokcie. I zawsze mi malowała jeden malutki paznokietek!

— Mamo, a czemu ja po prostu mam loczki, a ty musisz chodzić do pani Romy?

— Bo ty masz włoski po ojcu! Kręcą ci się same!

Na wielkie wyjścia, na przykład na wyjazd do Puław do babci Loni, mama robiła mi na głowie wielkiego loka, jak rurkę z kremem, i podpinała spinką, albo ogonki z wielkimi kokardami.

Opowiadała mi, że po wojnie wszystko się zachwiało i już nic nie wróciło na stare miejsca. Rodzina mamy — rodzice, ciotki, wujowie zgromadzili się głównie koło Puław, częściowo koło Olsztyna, niektórzy pod Warszawą. Mama po wojnie ukończyła SGGW i dostała etat na uczelni, mieszkała w odnajmowanym pokoju najpierw gdzieś na Wiśniowej, później krótko na Mokotowskiej, jak już ja byłam na świecie. Gdy mąż ją zostawił, pomieszkała jeszcze trochę na Ochocie i dostała mieszkanko na Saskiej Kępie.

Z tamtych lat pamiętam ją zapracowaną, skupioną i dzielną. Zajmowała się mną głównie Pela, ale w soboty i niedziele mama miała dla mnie czas. Sobotnie zajęcia na uczelni trwały krótko i jak tylko po obiedzie Pela szła do domu, wiedziałam, że zaraz mama wymyśli dla nas coś ciekawego. Zimą to było robienie ozdób choinkowych, latem wyprawy do ogrodu botanicznego albo do teatru kukiełkowego, wspólne lepienie z masy papierowej i potem malowanie tych naszych dzieł, rysowanie, czytanie… No i gadałyśmy bardzo dużo.

— Mamo, a czemu robimy te ozdoby na choinkę?

— Żeby choinka weselej wyglądała, Maniu. I żeby takie dzieci jak ty miały mądre zajęcie na zimowy wieczór! Zobacz, jak pięknie i równiutko kleisz ten koszyczek, a rok temu… o, patrz, tu mam ten zeszłoroczny — wyjęła zeszłoroczny mój wyrób.

— Ale okropny! — Natychmiast go zmięłam. — Zrobię ładniejszy!

— No widzisz. A ja teraz zrobię pajączka. Ale takiego innego niż zwykłe pająki!

— A jakiego?

— A takiego, jak robiono zawsze na wsiach, ze słomek i kolorowych pomponików z bibułki, ale mój będzie malutki, choinkowy. O, widzisz, potnę te słomki…

Spod rąk mamy wychodziły prawdziwe cudeńka. Z wydmuszki zrobiła zająca i wiewiórkę! Jajo było ładnie pomalowane i polakierowane, miało doklejone łapki i nosek, i uszy. Przeżył ten zwierzyniec chowany w specjalne pudełeczka chyba z piętnaście lat! Nie mówiąc już o muchomorach, których kapelusze to były jakby pompony zwijane bardzo misternie na bardzo długim graficie od ołówka i naklejane na tekturowe kółko. Te zabawy uczyły mnie cierpliwości i dokładności, bo mama była cierpliwa, łagodna, ale wymagająca.

— Maniu, nieładnie to sklejone!

— Oj, mamo!

— No co? Takie odfajkowane ma być? Pokażesz to za kilka lat swojej córeczce, a ona się będzie śmiać…

— Nie będę miała córeczki!

— A to czemu?

— Bo tak… Jestem za mała!

— Ale urośniesz i też kiedyś będziesz mamą, i będziesz córeczkę uczyła różnych rzeczy!

— Ale teraz jestem mała i… nie umiem!

— Umiesz! Daj łapkę. Ooo, widzisz, jak posmarujesz klejem tak cieniutko, to będzie ładniej. Potrzymaj tu paluszkiem.

Przez wiele lat miałam to wielkie pudło naszych ozdób i przez wiele, wiele lat na naszej choince wisiały tylko trzy bombki, reszta to były ozdoby robione z moją mamą.

— Mamo, a czemu u nas nie ma więcej bombek, tylko zabawki?

— Bo dzięki temu nasza choinka jest wyjątkowa! Bombki łatwo kupić i łatwo stłuc, a takich ozdób jak nasze nie ma na calutkim świecie. Są jedyne!

Była bardzo uzdolniona plastycznie i pomysłowa. Piękną biżuterię robiła sobie sama, z kawałeczków drewna, kamieni, kleju i lakieru. Drewno znajdowałyśmy na wiślanych plażach podczas niedzielnych spacerów. Jakieś kawałki rozmokłych i wysuszonych korzeni, gałęzi. Znajdowałam, przynosiłam jej, a ona oglądała i widziała coś w kawałku albo nie.

— O, jaki ładny! Pokręcony, może to kawałek wiśni? Zobacz, Marianko, jak się tu upiłuje, to będzie piękna brosza albo wisior.

— Albo zapinka do włosów — mówiłam poważnie, bo już wiedziałam, co mama z tym zrobi.

Nad Wisłą w niedzielne letnie dni mama leżała pod krzakiem wierzby w kostiumie i okularach słonecznych i opalała się, a ja, nauczona już, jak mam to robić, zbierałam do kosza skarby. Najważniejsze po drewnie były śliczne kamyczki. Zdarzały mi się prawdziwe skarby! Wielokolorowe, pasiaste jak zebra, płaskie jak pieniążek albo całkiem owalne jak pigułki. Z pełnym koszem wracałyśmy spacerem do domu. Potem po obiedzie ja szłam na podwórko albo bawiłam się lalką i małpą, a mama przebierała raz jeszcze znaleziska. Zdarzało się, że śliczny mokry kamień był piękny, a po wyschnięciu — byle jaki...

Czasem jeździłam z mamą na ciuchy koło Dworca Wschodniego, a mama wyszukiwała tam jakieś szmatki i drobiazgi. Szmatki przerabiała na modne rzeczy dla siebie i dla mnie, a drobiazgi bywały za jakiś czas wykorzystane do robienia tej jej biżuterii.

Jesienią, gdy przychodziły słotne i zimne wieczory, mama wyjmowała kosz i siadała przy stole, z lampą świecącą mocno na jej dłonie. Siadywałam obok, podwijając kolana pod siebie, i gapiłam się jak zaczarowana na to, co robi.

Umiała opiłować i wymodelować kawałek drewienka z wielkim okiem po sęku, wkleić w to oko mały kamień albo piękny guzik z masy perłowej z bazaru, doczepiała uszko albo metalowy zaczep oderwany z jakieś starej klamry i lakierowała. Później te jej wyroby dostawały jakieś koleżanki na imieniny czy urodziny.

Ona w tamtych czasach musiała sama sobie wystarczyć. Byłyśmy same, bo dziadkowie i ciotki daleko i bardzo rzadko się widywaliśmy. Dużo pracowała i w domu też ślęczała nad jakimiś papierami, klasówkami...

Kiedy nastał w jej i moim życiu Michał, stała się pogodniejsza, bo mniej pracowała. Częściej się śmiała, ja zresztą też.

Przeprowadzka pod Otwock ją przerażała. Mnie może nie aż tak, ale rozumiałam dobrze spadek jej nastroju. Mnie też ciężko było rozstawać się z Pelą, obeznanymi kątami, szkołą i koleżankami. Mama musiała przewartościować całe swoje życie, zrezygnować na dobre z pomysłu powrotu na uczelnię i dostosować się do całkiem nieznanych sobie warunków.

— Michał, nie wiem, czy sobie poradzę! Jestem z miasta! — mówiła. — Wieś znam tylko z *Chłopów* Reymonta!

— Wandeczko, to jest wieś, ale podwarszawska, i ja się będę zajmował gospodarstwem, a ty tylko się uśmiechaj, kochaj nas i już!

— Łatwo ci mówić. Ja się nawet kota boję... Kury śmierdzą, i to błoto...

— Na błoto najlepsze kalosze, poza tym z tym błotem to nieprawda, jest tylko jesienią po deszczach, podłoże jest piaszczyste! Zobacz, teraz jest pięknie! Świder płynie zakolami, są łąki, laski, będzie sad i ogród. Będziecie tu szczęśliwe, tylko mi zaufaj! Obiecuję, że nie będzie żadnych kur!

— A ja chcę kota! — wołałam ze swojego kąta.

— Masz ci los — wzdychała mama — dwoje na jednego!

Wiem, że złożyła swoje życie zawodowe w ofierze Michałowi. Przenosiła się do Woli Karczewskiej koło Otwocka z musu i dlatego, że ktoś musiał ustąpić. Początkowo była nieszczęśliwa, ale postanowiła jakoś to ogarnąć. Mus to mus.

— Znajdźmy w tym, Maniu, jakieś plusy... — mówiła ni to do siebie, ni to do mnie.

— Ja bym chciała kota... — mękoliłam krótko, bo zaraz wysłano mnie do Garbatki, do ciotki Jadwigi.

W tym czasie mama zabrała się ostro za pomoc ojcu w dostosowaniu wiejskiej chałupy do życia. Wiem to z późniejszych opowiadań mamy i wujka Gienia. Nade wszystko łazienka! Bo tam nie było ani łazienki, ani nawet porządnego kibelka. Była ohydna sławojka w podwórku.

Wujek Gieniu wziął wolne na cały miesiąc i zabrali się do pracy. Wtedy zdarzyła się taka rzecz, że zawsze ojciec wspominając ją, się wzrusza.

Podobno gdy zaczęli wynosić na podwórko śmieci, graty i palić je, jak rozwalali stary piec, a wujek Gieniu wywoził taczką cegły na kupę, to pod koniec dnia pojawił się Kobyliński z ciężarną żoną. Byli w wieku rodziców, mieszkali opodal, za zakrętem ścieżki. Weszli na podwórko. Kobylińska z wielkim saganem w rękach, a Kobyliński z kanką. Zdjął czapkę i powiedział:

— Dzień dobry! Widzim z żono nowych sąsiadów?

— A tak! Jestem Michał, syn Drożdżów.

— No, to wiem, ale tu państwo tak caluśki dzień pracujo, piec rozwalili, to myślim z żono, że i zupy nie majo gdzie ugotować. To proszę, grochówka jak we wojsku i kanka mleka. A tu chleb jest.

Mama aż usiadła z wrażenia, tata zaniemówił i tylko wujek Gieniu odebrał kankę, sagan zupy postawił na skrzynce i mówi:

— No, to z serca dziękujemy! Ale państwa tak szybko nie puścimy! Proszę siądźmy razem, a ja tu zaraz... — i pobiegł do samochodu. Wrócił, niosąc kilka butelek piwa.

— Chciałem na wieczór, jak skończymy, ale do grochówki piwko będzie lepsze niż mleko!

Tak właśnie zaczęła się dozgonna przyjaźń ojca z Kobylińskim.

Żona Kobylińskiego jakoś nie zaprzyjaźniła się głęboko z mamą, bo miała na to za mało czasu. W domu miała starych teściów, nowe dzieci, i w ogóle była bardzo zajęta, nadto z mamą, wykształconą warszawianką, jakoś się jej nie układało.

Za to ojciec i Kobyliński pozostają w wielkiej zażyłości do dzisiaj.

Całe lato, gdy ja byłam w Garbatce, u ciotki, mama pomagała ojcu, wujkowi i Kobylińskiemu w dostosowaniu domu do warunków odpowiadających mamie i mnie. Nie było to łatwe, zważywszy na problemy z zaopatrzeniem i ogólny brak w sklepach czegokolwiek, ale dwie łazienki powstały, jedna po jednej, druga po drugiej stronie korytarzyka. I mój pokój właśnie koło tej drugiej, i dalej pusty, niewykończony jeszcze jeden pokój. Długo tak stał.

Kuchnię i nowy komin wymurował teść Kobylińskiego, który przyjechał spod Łomży i był dobrym zdunem. Postawił także piec w moim pokoju, bo bardzo długo nie mieliśmy centralnego. Był zrobiony z brzydkich kafli w różnych kolorach, ale kupionych za grosze, z rozbiórki, i nie było co narzekać. Najważniejsze, że długo trzymał ciepło. Za to mój pokój był piękny, choć dość skromny. Mój własny! Mama namalowała na ścianach obrazki i uszyła mi kolorowe zasłonki z materiału w kwiaty. Pomalowała też stare meble tak, że wyszły jak nowe. Tata z wujkiem zbili regał i postawili przy nim biurko.

Z kuchni wchodziło się do pokoju gościnnego. Rodzice zrobili duże przejście i był to taki kuchniopokój. Z niego wejście do sypialni rodziców. Gdy wróciłam z wakacji, doprawdy oniemiałam. Starą parterową ruderę rodziców Michała przemienili w przytulny dom! Piętrowy!

Na grządce za domem tatko wysiał mamie koper i szczypior, żeby miała pod ręką, a później co roku siał mamie marchew, pietruszkę, seler i pory, sadził pomidory i ogórki, sałatę i kapustę. Nie ma to jak świeże i własne!

Po roku tatko z Kobylińskim dobudował do drzwi wejściowych drewnianą werandę i pokazał mamie, gdzie mogłaby zasadzić sobie kwiaty — pod płotem po bokach i od frontu, bo całe podwórko tatko obsadził drzewkami. Kiedy znów po roku pod tą siatką wzeszły peonie od Kobylińskiej, liliowce i niezapominajki, margerytki, łubin, mama poczuła w sobie nowe siły i znalazła nową pasję! Ogród! Zaczęła też pracę w otwockiej szkole, polubiła nasze nowe życie i znów zaczęła uśmiechać się szeroko i często. Ja bardzo szybko oswoiłam się z nowym miejscem i nowym życiem, a chociaż kokosów nie zbijaliśmy, było dobrze.

Myślę, że rodzice przetrwali ten ciężki czas, bo bardzo się kochali. Ojciec miał wielką i ślepą wiarę w sukces swojego przedsięwzięcia, a mama przerażona tym wszystkim usiłowała wierzyć ojcu, że „będzie dobrze". Pokonali trudny czas bez wzajemnego oskarżania się, a byłoby o co.

Tatko bywał duchem nieobecny, kompletnie pochłonięty przebudową domu, magazynu i w ogóle swojego gospodarstwa. Nic go poza tym nie interesowało, bo zwyczajnie wieczorem padał ze zmęczenia. Mama chowała dyskretnie do kieszeni swoje frustracje, żeby nie dokładać mu kłopotów, bo i tak miał ich bez liku. Wiem, że pierwszego roku chodziła na samotne spacery nad Świder i tam chyba wypłakiwała swoje żale aż do chwili, gdy się jej nie „odwróciło", to znaczy do chwili, gdy posadzone do ziemi kłącza peonii, bulwy liliowców i nasiona niezapominajek i innego kwiecia obrodziły wiosną kolorowo.

Kiedy wsypała do rosołu pierwszą naszą własną natkę pietruszki, kiedy brzydki i zaniedbany dom zamienili własnymi rękoma w swoje gniazdo, uwierzyła, że będziemy tu szczęśliwi.

Mama opowiadała mi, jak to wujek Gieniu pierwszy raz puścił wodę do rur i mama mogła zrobić siusiu we własnej łazience, jak uradowana myła ręce w kuchennym zlewie, a nie w miednicy, jak po zamontowaniu rurowych nagrzewnic w piecu kuchennym w kranie miała do zmywania gorącą wodę!

— Tak naprawdę, Maniu, będąc mieszczką, nie myślałam o tym, w jakich luksusach żyjemy.

— A teraz mamy własne kwiatki i warzywa, sad i… w ogóle! — wymądrzałam się, bo byłam adwokatem taty. Ja szybciej zobaczyłam i poczułam, że to nasze nowe życie jest lepsze i ciekawsze, mimo że do szkoły miałam dalej.

— Wiesz, ile razy musiałam w trakcie remontu iść „za obórkę", tyle razy klęłam w duchu i nawet płakałam. Ale jakbym się uparła, że zostajemy w mieście, to tata byłby już do końca życia nieszczęśliwy!

— A ty, mamo? Ciągle jesteś nieszczęśliwa?

— Ach! Już nie… *Ubi tu Kajus, ibi ego Kaja.* To po łacinie, że jak się już zwiążesz z drugim człowiekiem, na dobre i na złe, to znaczy, że chcecie być zawsze razem!

— I teraz już chcesz?

— No przecież widzisz! Załóż kalosze, pójdziemy na jagody, co?

— I będą pierogi?

Szłyśmy z mamą do pobliskiego lasu po jagody, ale zazwyczaj już były nieźle podskubane, do zagajnika po maślaki, bo tatko uwielbiał duszone, albo po prostu szłyśmy na spacer wzdłuż Świdra. Mama gwizdała różne melodie, rozmawiałyśmy…

Nie pamiętam, kiedy miała pierwszy atak. Bywało, że bolała ją głowa, ale mówiła, że to na zmianę pogody, brała tabletkę. Z czasem jednak bóle były coraz silniejsze.

Kiedy zdałam do liceum, to bywały takie ataki bólu, że zdecydowali się na gruntowne badania. Szpital jeden, drugi, i nic, chodzili po profesorach i nawet badano ją w Instytucie Medycyny Lotniczej. Jedna z lekarek powiedziała jej w zaufaniu, że podobno pomagają na to srebrne, ciężkie kolczyki, że to rodzaj akupresury, ale żeby nie zdradziła jej, bo to jednak zabobon.

Mama przekłuła uszy i powiesiła sobie te kolczyki i ze cztery miesiące był spokój, ale bóle wróciły. Jeździła z ojcem do lekarza Rosjanina, który leczył ją akupunkturą. Nic. Bała się tych napadów. Były tak silne, że prawie mdlała. Leżała w zaciemnionym pokoju nieruchomo i strasznie cierpiała, a ojciec przeżywał męki, nie wiedząc już, jak jej pomóc. Ja też cierpiałam, byłam smutna, żal było mi mamy i byłam pewna, że lekarze coś ominęli! Marzyłam o jakimś cudzie, ale on nie nastąpił.

Musiała zrezygnować z pracy. Na szczęście gospodarstwo ruszyło i dawało pieniądze, więc tato bardzo się ucieszył, że będzie ją miał w domu cały czas. Ja już wtedy pomieszkiwałam w Warszawie jako licealistka. W domu bywałam w soboty i niedziele.

Mama odpływała od nas powoli. Była cichsza, często jeździła do ciotki Jadwigi, uśmiechała się przez łzy. Tatko ją tulił i zapewniał o tym, że jest jego jedyną miłością ma świecie, ale i to nie sprawiło cudu.

Tęsknię za nią bardzo. Dopiero teraz, kiedy sama jestem w wieku… dojrzałym. Właśnie teraz na wspomnienie jej spojrzenia, pełnego miłości, chciałabym ją objąć jak ojciec i mówić, mówić, jak bardzo ją kochałam! Ale jej już nie ma!

Realia, czyli kocham moje warszawskie mieszkanie!

Czy ktokolwiek z nas zastanawia się, jaki byłby, gdyby spotkał w życiu innych ludzi? Gdyby zamiast „tak" powiedział „nie" albo zamilkł. Efekt motyla? Gdybym nie wynajęła pokoju... Ach, takie gdybanie. A jak jest naprawdę?

Naprawdę jest lipiec, końcówka. Piękna pora roku! Bardzo ją lubię. Wracam ze spotkania w nowej restauracji na Krakowskim Przedmieściu i myślę o tym, że chyba zakończę już etap moich kulinariów w prasie i w wydawnictwie, bo się zwyczajnie wypaliłam, mam dość. Na razie muszę to przemyśleć. Mam nowy, świetny pomysł, ale... nic na wariata! Spokojnie się zastanowię i wtedy dopiero wystrzelę.

Jadę samochodem przez most Poniatowskiego, do domu, myślę, konstruuję ten swój nowy plan. Zjeżdżam w Zwycięzców, mijam liceum Prusa, sklepiki, uliczki.

Saska Kępa była zawsze jak małe miasteczko. Kiedy miałam jakieś dwanaście lat, wyprowadziliśmy się z niej pod Otwock. Jednak mieszkanie na Niekłańskiej zachowaliśmy. Kiedy zaczęłam chodzić do liceum Dąbrowskiego w Warszawie, najpierw tata dowoził mnie samochodem, a na osiemnastkę dostałam klucze od warszawskiego mieszkania matki! Gdy zdałam na studia, rodzice zamienili mi to mieszkanie na niewiele większe na Zwycięzców. Tam się urodził nasz syn, Grześ, na którego mówiliśmy Pan Grzegorek. Tu dokupiliśmy mieszkanie obok, po pani Mieci, i teraz mamy naprawdę duży, ładny apartament. Jakoś nigdy mnie nie ciągnęło do willi. Mirka też nie.

Dzisiaj to mnie ta moja dzielnica złości, bo się bardzo zmieniła i nie ma już tego małomiasteczkowego klimaciku, ale nie ma co narzekać. Kiedy sobie pójdę na spacer między nasze saskokępskie stare domy, w ciasne uliczki willowej dzielnicy, jest tak samo intymnie jak w willowej części Mokotowa i Żoliborza. Dobrze, że takie miejsca jeszcze są, bo jakoś w nowych dzielnicach kompletnie nie potrafię się odnaleźć. Kiedy na przykład jestem w okolicach Kaniowskiej, Czarnieckiego, to sobie idę spacerkiem, mimo że tam nie mieszkam, i tak mi dobrze, spokojnie, a na Gocławiu między wielkimi blokami wpadam w nerwówkę. To samo przeżywam w wielkich sypialniach, na Ursynowie czy Bemowie.

Dziś patrzę czule na stare kamienice na Ochocie, na Pradze, której się kiedyś bałam. W nowych osiedlach czuję się zagubiona.

Mirek tego nie rozumiał. On nie podzielał moich sentymentów, szczególnie do Pragi, Woli. Nie lubił też starych ulic: Wilczej, Żelaznej. Co innego Stare Miasto czy Trakt Królewski. Inaczej też wyobrażał sobie urządzenie wnętrza. Złościło go na przykład, jak szukałam do pokoju jakiejś ładnej, starej serwantki na piękne talerze i szkło po ciotce Jadwidze. Jej wielki kredens za nic nie wszedłby do naszego pokoju, więc pojechał do ojca, na wieś. Ja szukałam czegoś pięknego, jakiejś secesji, którą zaraziła mnie moja Eulalia Struś na lekcjach angielskiego w Otwocku. Zaglądałam na Koło, do różnych ogłoszeń, a Mirek się złościł. Kiedyś go ofuknęłam:

— Mirek, do licha, dlaczego ty nie lubisz starych rzeczy?

Stropił się, zastanawia.

— Dlaczego? Owszem, lubię... — kręcił. — Oj, no, ciebie lubię! — obrócił to w żart.

Potem mi powiedział, że w rodzinnym domu, u rodziców, pełnym tradycji i pamiątek, wychował się wśród starych mebli. Nie lubi tego i już...

To nasze mieszkanie na Zwycięzców, na drugim piętrze było i jest takie zwyczajne, wygodne. Jak ja je kocham! Ze schodów po lewej stronie były drzwi do nas, na wprost — do pani Mieci, a dalej w lewo jeszcze dwa mieszkania, pana Kosia i Winieckich.

Większość lokatorów to już nowi nabywcy lokali po zmarłych sąsiadach. Przykre, ale tak już się porobiło. Jeszcze do niedawna mówiłam na tę naszą kamienicę „Statek Wdów". Najpierw umierali mężowie, potem one — wdowy. Szczególnie na mojej klatce schodowej. Dzisiaj prawie nikogo nie znam, lokatorzy są zamknięci w sobie i nawet „dzień dobry" nie potrafią powiedzieć. Cóż...

W naszym mieszkaniu, w korytarzyku po lewej stronie, wielka szafa wnękowa, dalej w prawo łazienka i na wprost kuchnia z oknem na podwórko. Duży pokój też z oknem na podwórko. Okno naprzeciw drzwi, a po prawej w głębi w ścianie fajna wnęka. Za nią drugi pokój, od ulicy, z balkonem. Obok niego za ścianą — drugi duży pokój z balkonem, dawny pani Mieci.

Mój pokój, od zawsze ten sam, to ten, który wychodzi na podwórko. Katalpa rosnąca naprzeciwko, zasadzona kiedyś jako mały kijek, jest dzisiaj wielkim, pięknym drzewem. Tatko mi powiedział, że to katalpa, jak tylko się tu wprowadziłam.

„To piękne drzewo, Baranku!". I prawda. Dzisiaj jest wyjątkowo piękne, daje mi cień i osłania przed nadmiarem słońca i... przed światem, bo następna kamienica niby daleko, ale jakby nie było katalpy, można byłoby mnie podglądać przez lornetkę. To jedyne drzewo, które się tak ładnie rozrosło, inne pousychały, zmarniały. Tatko uważa, że to dlatego, że ich nikt nie kocha, nie dba, a ja z nią rozmawiam! Co rano z kubkiem kawy z mlekiem mówię jej dzień dobry, „jej", bo według mnie, to jest „ona". Ptaki lubią jej towarzystwo.

Jak mieszkam? Zwyczajnie i od lat tak samo.

Cała lewa ściana mojego pokoju to wielki regał z książkami. Dzisiaj jest piękny, doprawdy, ale kiedyś był brzydki, i stale któraś z półek spadała mi na głowę. Zaczęłam od kilku półek położonych na wbitych w ścianę wielkich gwoździach bez łbów, a potem były dosztukowywane kolejne. Ściana z cegły, łatwo było wiercić, ale i haki łatwo się luzowały. Później były tam równe półki jak w sklepie, a kilka lat temu Mirek w prezencie urodzinowym zamówił mi mój wymarzony regał. Jakby staroświecki, taki składający się z szafek różnej wysokości, zamykanych przeszklonymi drzwiczkami. Wyjechałam na tydzień, wracam... a tu na ścianie mam to moje wyśnione cudo!

Pokazałam mu raz, w czasopiśmie, bardzo podobny. Był w pokoju gwiazdy, z którą moje kolorowe zrobiło wywiad i serię zdjęć w jej domu.

„Zobacz, jaki regał na książki! Tralala-lala-la!". Aż zaśpiewałam, pokazując palcem zdjęcie.

Mąż wykazał się nie lada sprytem. Załatwił z daleka pana artystę, który obmierzył wszystko dokładnie, zabrał czasopismo i przyjechał jeszcze chyba raz pod moją nieobecność. Kiedy pojechałam do Zakopanego i wróciłam akurat na moje czterdzieste urodziny, aż siadłam z wrażenia. Mimo wielkości nie jest przytłaczający, ma wolne przestrzenie na donice z kwiatami i jakieś bibeloty-durnoty.

Przodem do okna stoi stare, wielkie biurko po mężu ciotki Jadwigi. Zastąpiło równie stare, ale proste i zwyczajne peerelowskie biurko, które tu stało. To od ciotki ma duszę. Rzeźbione drzwiczki, a na blacie boczne schowki, między którymi znakomicie się komponuje... monitor od komputera. Blat wyłożony był starym, zielonym suknem poplamionym kawą, atramentem i w ogóle życiem. Wymieniłam je na nowe. Mirek proponował je zlikwidować, bo to będzie tylko gromadziło kurz, ale z suknem to ma jakiś taki... większy sens. No i teraz też stoi tu mosiężna lampa od przyjaciół, z kloszem à la Tiffany. Klimatyczna! Kiedyś jej miejsce zajmowała zwyczajna lampa z metaloplastyki, z abażurem z kolorowego kartonu wymienianego raz na kilka lat, potem jakaś szwedzka nowoczesna lampa — nieładna, szczerze mówiąc. Ta, co jest teraz, to już chyba tak na amen, bo mi się bardzo podoba, staroświecka jest, solidna i myślę, że już nie rozstaniemy.

Zajmowała się mną, jak jeszcze miała siły, a ja studiowałam. A to zupę mi przyniosła, „bo się jej za dużo ugotowało", a to ciastka, bo pracowała w cukierni. Ja jej za to robiłam zakupy i myłam okna na święta. Kiedy wprowadził się Mirek i zaciągnęłam go do pani Mieci przedstawić, ona prawie się w nim zakochała. „Taki przystojny, Marianeczko! A jaki dobrze ułożony! W rękę mnie pocałował!".

Mirek mierzył jej ciśnienie, badał puls, pytał o lekarstwa, czy zażywa, kupił jej pudełeczko do wydzielania leków i po prostu otoczył troską jako sąsiad i lekarz. Pani Miecia patrzyła na nas ze wzruszeniem:

— Moje wy gołąbeczki, jak ja trafiłam! Mój Boże! Wcale się już nie boję być sama, bo wiem, że jesteście obok!

Z czasem osłabła i często polegiwała, Mirek zrobił jej dzwonek do nas. Kiedy zaszłam w ciążę, pani Miecia była szczęśliwa. Miałam sporo wolnego czasu, bo pracowałam w bibliotece na Grochowie, na pół etatu. Gotowałam obiady dla nas i dla niej, i kiedy Mirek pracował do upadu, ja spędzałam u niej sporo czasu. Nauczyła mnie robić na drutach. Miałam o tym blade pojęcie z czasów dzieciństwa i Peli, która robiła mi na drutach czapki i szaliki, ale pani Miecia pokazała, jak można samej sobie zrobić sweter, wyrobić wcięcia pod rękawy i zrobić szalowy kołnierz, a też masę innych rzeczy. Siadywałam u niej, przy herbatce i dziergałam w tajemnicy przed Mirkiem piękny golf dla niego, na gwiazdkę.

Smarowałam jej plecy i oklepywałam, bo to leżenie niespecjalnie jej służyło, a ona się rozleniwiła i nie chciała wstawać.

— Chyba umrę, wiesz? — mówiła do mnie czasem, kiedy zbyt długo milczałyśmy.

W ogóle była straszną gadułą! Teraz cichsza, straszyła mnie tym stwierdzeniem.

— Zawracanie głowy! — odpowiadałam jej. — Mowy nie ma! Jak urodzę dziecko, to przecież byłaby pani dla niego przyszywaną babcią, bo własnej nie mam.

— A rodzice Mirka?

— Daleko, w Nowej Hucie.

— Znasz ich?

— No oczywiście, byłam tam z Mirkiem, ale... chyba nie jestem ich ulubienicą.

— Bo co?! — zagniewała się.

— Bo on tam miał jakąś pannę w liceum i to była córka ich znajomych. Sądzili, że się pobiorą, bo ona zdaje się majętna, no i im bliska, ale Mirek się przeniósł do Warszawy i już tu został. No i ja mu się wtryniłam w życie — uśmiechnęłam się, puszczając oko do pani Mieci.

— No i dobrze! — zatriumfowała i dodała smutno: — Ale czy ja doczekam?

— Czego?

— Twojego dzieciątka.

Lubiła się tak pieścić, zaczepiać, prowokować. Trzeba było ją zapewniać i utwierdzać w przekonaniu, że ależ oczywiście! I właśnie jakoś wtedy pani Miecia błysnęła konceptem:

— Marianko, dziecko, ty wiesz, co ja wymyśliłam?!

— Pojęcia nie mam, pani Mieciu kochana! — odpowiedziałam teatralnie.

— Siadaj i słuchaj! Ja już mam, wiesz, koniec okresu przydatności, a wy rodzina rozwojowa. Rozumiesz? — spoglądała na mnie prowokacyjnie i poważnie.

— Nnnie...

— Marianko, to moje własnościowe mieszkanie! Ja je mogę sprzedać, zapisać wam, czy jakoś tak!

— Ale ja nie wiem, pani Mieciu. No... muszę spytać Mirka, nigdy tak nie myślałam, myśmy chcieli kupić jakieś nowe, bo kawalerka Mirka w wynajmie, za te dwa mieszkania kupilibyśmy...

— No tak — pokiwała głową. — Coś w nowym osiedlu? Jak ten cały Ursynów czy Bródno? No tak, młodzi chcą do nowego, a tam winda, wiecznie nieczynna, małe balkoniki i na klatkach napisane brzydkie słowa. Wiem, bo widziałam... No ale, cóż, NOWE... — prychnęła.

Zrobiła mi antyreklamę nowych osiedli, moja kochana!

Wieczorem, kiedy Mirek wrócił, rozmawialiśmy długo.

— Trzeba byłoby to jakoś przeprowadzić... — zamyślił się.

Uważał, że to dobry pomysł i że pani Miecia ma rację. Uważał jak ona, że nowe osiedla są bezduszne i nieładne. Mieszkania niskie i nie takie duże. Podwórka jakieś nieprzytulne albo wcale ich nie ma.

— A tu, kochanie, zobacz, jakie ma podwórko kameralne! I mieszkanie masz swoje ukochane... ja też się tu dobrze czuję. A z mieszkaniem pani Mieci będziemy mieć trzy pokoje, dwie kuchnie i dwie łazienki!

— Po co mi dwie kuchnie? — spytałam.

— Można z jednej zrobić garderobę, wiesz, coś pokombinować! Porozmawiam z nią.

Mirek poszedł do pani Mieci z bukietem róż. Wziął się za to poważnie i przeprowadził wszelkie formalności. Trwało to trochę, ale tak się stało, że administracja wyraziła zgodę i przysłano speca, który opukał ściany i wskazał miejsce, w którym można było wybić otwór drzwiowy między nami a panią Miecią. Nawet zaproponował w tym celu fachowca, bo trzeba było robić jakieś wzmocnienia etc.

Oczywiście pojawił się wujek Gieniu i szczegółowo obgadał z panem majstrem robotę, i żeby to szybko poszło, sam zakasał rękawy. W trzy dni było po wszystkim!

Pani Miecia była wniebowzięta, bo teraz mieliśmy wspólne mieszkanie, a jej łóżko w sypialni stało tylko pół metra od naszych nowych drzwi. Skorzystała z tego remontu, bo Gieniu z Mirkiem zrobili u niej spory porządek, wynosząc makulaturę, słoiki i jakieś jeszcze stare klamoty, które ona z łóżka, jak z tronu, skazywała na śmietnik albo ułaskawiała. Ja byłam już wielka jak bania i w dwa dni później urodziłam Pana Grzegorka. Grzesia.

Pani Miecia była teraz moim drugim dzieckiem. Co prawda wstawała za potrzebą i człapała do łazienki sama, ale kąpać musiałam ją ja albo pani Renata, pielęgniarka, która przychodziła do niej w ciągu dnia. Nocami bywało, że pani Miecia popłakiwała; coś ją bolało albo straszyło. Nauczyłam się już, że kiedy pani Miecia widzi osoby nieistniejące albo gada od rzeczy, boi się jakiegoś faceta, który jej zdaniem czai się za szafą, to trzeba ją przepoić porządnie albo zadzwonić po panią Renatę, która przyjeżdżała z kroplówką. „To odwodnienie, pani Marianno, starzy ludzie nie chcą pić, odwodnią się i bredzą, bo krew do mózgu nie dochodzi. Za gęsta". Faktycznie po kroplówce następował cud i pani Miecia uśmiechała się do nas promiennie, całkiem przytomna.

Łóżeczko Grzesia stało w moim pokoju od podwórka, tym słonecznym, koło naszego tapczanu, który stale służył wiernie. We dnie jednak wkładałam syneczka do wiklinowego kosza i stawiałam koło łóżka pani Mieci. Mogłam wówczas spokojnie zająć się pieluchami, obiadem i prasowaniem, a oni sobie gwarzyli albo Miecia śpiewała coś

Grzesiowi, bawiła go monologami pacynki Kaczorka, którą nakładała sobie na rękę. Miałam dwoje dzieci!

Zmarła cichutko, we śnie, jesienią, nad ranem. Grzesio miał pół roczku, jakoś tak. Zdziwiłam się, jaka była maleńka, Prawda, była mała, ale po śmierci skurczyła się jeszcze bardziej i wydawało mi się, że mogłabym ją włożyć do tego wiklinowego kosza. W szafie miała już od dawna przygotowany strój do trumny; zależało jej, żeby ją pochować w kapeluszu. Mole go nadgryzły, ale podcięłam trochę nadjedzone rondo i było dobrze.

Kiedy bywam na Bródnie, to odwiedzam je obie — Pelagię Pawelec i panią Miecię — Mieczysławę Strzeszewską, moją sąsiadkę, przyszywaną babcię Grzesia.

Spotkałam Agatę na naszym bazarku, to znaczy przy kilku budach warzywnych, które pozostały po wcześniejszym, znacznie rozleglejszym, latem, rok temu. Znałyśmy się tyle o ile. Z imienia, bo kiedyś występowałyśmy w jednym programie, ja mówiłam o mojej książce, a ona o ćwiczeniach oddechowych. Była bez samochodu i zgadało się, że ona też saskokępianka. Z wyglądu taka lekko nawiedzona, koło sześćdziesiątki, niewysoka, okrągła w biodrach, miła, opanowana. Wracałyśmy z telewizji, rozmawiając. Podwiozłam ją do domu. Okazało się, że mieszka doprawdy niedaleko.

A teraz było lato w zenicie, w rozkwicie, i ona szła w zwiewnej szatce i sandałach, taszcząc z wysiłkiem wielki kosz wiśni. Ja wskakiwałam do mojego samochodu i oczywiście już-już chciałam ją pominąć wzrokiem, ale zobaczyłam wyraźnie, że to ona, ta Agata, przechodzi przez jezdnię z takim ciężkim koszem! Znam ją! Idzie piechotą i aż się ugina! Zawołałam do niej:

— Halo, Agata! Cześć! Pamiętasz mnie?

Odwraca się, cofa na chodnik. Staje, podnosi rękę do oczu, bo słońce świeci jej prosto w twarz. Podbiegłam bliżej.

— Cześć, co to, jakaś pokuta? — pytam, wskazując na ciężki kosz.

— A, wiśnie? Patrz, jakie piękne! Przepraszam, ale zapomniałam, jak ci na imię.

— Marianna.

— Cześć, Marianno. No akurat na konfitury, a pani Wiesia powiedziała, że już jutro może ich nie mieć i zaraz wraca na wieś, a ja znów bez samochodu, bo przyszłam spacerem po jakieś duperelki. Szczęście, że wzięłam wielki kosz. Ja tu niedaleko mieszkam! Poradzę sobie jakoś!

— Pamiętam, podrzucę cię. Wsiadaj.

Agata mieszka niedaleko, faktycznie. W małej uliczce, przecznicy od Zwycięzców, w ładnej starej willi cofniętej od ulicy w głąb ogrodu. Kiedyś to był piękny ogród, dzisiaj dość dziki, puszczony na żywioł. Szczerze mówiąc, takie wolę od tych strzyżonych — golonych, skomponowanych cudnie z kilku kolorowych iglaków.

Tak się zaczęła pod koniec lipca nasza prawdziwa znajomość, bo kiedy ją podwiozłam do domu, Agata spytała, czy wejdę do niej, a ja chętnie skorzystałam z zaproszenia, bo poczułam parcie na pęcherz. W pewnym wieku już tak mamy, może nie wszystkie, ale jednak, że jak nam się chce, to chce, i już!

Willa piękna! Nie znam się, ale chyba to art déco! W środku mnóstwo światła, blisko wejścia łazienka dla gości, kolorowa, pachnąca kadzidełkiem. Po wyjściu z niej zobaczyłam niewielki hall i obszerny parter. Po lewej wielka, słoneczna aula, bo trudno to nazwać pokojem. To chyba była pracownia na półtora piętra. Po prawej korytarz do kuchni. Cała ta pracownia, jak wielkie akwarium skąpana w słońcu. Podłoga obniżona względem reszty domu, schodzi się tu po czterech schodkach. Właściwie pusta przestrzeń, podłoga z chyba glinianych, wielkich płyt, wkoło jakieś siedziska, poduchy, kanapy, dywany i nic więcej. Wielkie, wysokie okna przysłonięte do połowy bambusowymi roletami i kolorowymi firanami wpuszczają fantastycznie przesiane słońce.

— Siadaj — zaprasza Agata. — Napijesz się czegoś? Zielonej herbaty? Zimnej? Gorącej?

— To może wody, może być z gazem, jak masz.

Gdy wróciła, spytałam, bo jeszcze wtedy niewiele o niej wiedziałam i wolałam się upewnić:

— Agata, to wygląda jak pracownia! Jesteś artystką?

— Ja nie, mój ojciec był. Sława ogólnopolska i światowa. Rzeźbiarz, architekt, ilustrator, bufon i narcyz. I nie dziw się, że tak mówię. Mam już tę lekcję odrobioną. No taki był! Są tacy ludzie, którzy rodzą wspaniałe owoce, ale sami tacy nie są. Ojciec zostawił po sobie fantastyczny dorobek i był naprawdę bardzo zdolny, ale był jak jemioła. Żył kosztem nas, mnie i mamy, pasożyt emocjonalny. Teraz, po jego śmierci role się odwróciły. Ja żyję trochę na jego koszt.

— Mała zemsta?

— Nie, równowaga. Myślę, że on to zrozumiał, bo załatwiłam to tuż przed jego odejściem. — Agata mówiła to spokojnym, ciepłym, trochę smutnym głosem. Uśmiechając się pogodnie, usiadła na kanapie niedaleko mnie w plamie światła. — Kiedy umierał, doznał chyba iluminacji, bo nagle stał się taki czuły! Leżał w szpitalu na Szaserów. Zadzwoniono do mnie, bo byłam wtedy w Niemczech na takim szkoleniu z zakresu duchowości, z wiadomością, że on bardzo chce mnie widzieć.

— Długo go nie widziałaś?

— Od śmierci mamy. Jakieś piętnaście lat. Obwiniałam go, że umarła przez niego, bo on ją traktował jak pomiotło. Zdradzał, wykpiwał... Umarła, jak on był u kochanki. Ja z mężem mieszkaliśmy już wtedy na Sadybie. Nie darowałam mu. Dawno byłam z nim pocięta, wiesz, obrażona, skłócona, ale po tym zerwałam z nim stosunki. Całkiem.

Patrzę na nią. Nie epatuje mnie, nie próbuje zrobić wrażenia, spokojnie opowiada zdarzenie sprzed lat. Ma szare, prawie przezroczyste oczy, dość ciemną cerę. Lniane dredy do ramion, opasane czerwoną chusteczką, i trochę sepleni. To jej dodaje młodzieńczego uroku. Naturalne zmarszczki, naturalny ciepły uśmiech. Kiedy zobaczyłam ją w tej telewizji, miała na sobie prostą sukienkę i wielką grubą chustę. Była cała taka... jak Indianka, emanowała spokojem, a nie jak wszyscy tam — niepokojem, bo telewizja jest jak sztuczny ogień na choince.

— No i? — dopytywałam, co dalej.

— I... ach, bo ty wszystkiego nie wiesz... — zamyśliła się na chwilę, i dodała spokojnie: — Bo ja później zostałam sama, dlatego wylądowałam w Niemczech na tym szkoleniu duchowym. Bez męża i dzieci... — zacięła się na chwilę, zamilkła, ale wzięła oddech i zaczęła znów: — I jak przyjechałam, to on był taki jęczący, błagający, samotny. Wystraszony umieraniem, a ja nie umiałam już być okrutna. Wypłakaliśmy tam sobie w tym szpitalu mnóstwo łez. Myślę, że autentycznych. Wiem, że on dopiero wtedy, w szpitalu, dużo zobaczył z ludzkiej perspektywy, bo dotąd miał perspektywę twórcy, pana, sybaryty. Tęsknił za mamą, całował mnie po rękach i płakał rzewnie, prawdziwie. Całe szczęście, że byłam po tym szkoleniu i nie specjalizowałam się, jak wielu z nas, w niewybaczaniu.

— Łatwo ci przyszło?

— Gdybyś przeszła taki trening... tak. Tam, w szpitalu leżał potrzebujący przebaczenia stary człowiek. Opuściły go kochanki, adoratorzy, wszyscy. Był zależny od salowych, złamany chorobą, upodlony fizjologią, bardzo cierpiał. Myślisz, że wbicie mu kolejnego gwoździa jest frajdą? Zapewniam cię, że nie. Podanie ręki, pogłaskanie, porozmawianie, odbarczenie przed śmiercią to piękny dar. To twój wybór, kim chcesz być w takiej chwili. Możesz przeciąć łańcuch zła, i to daje niezwykłą siłę, radość. Zapewniam cię.

— Jesteś terapeutką?

— Tak, skończyłam psychologię. Ukończyłam kursy z kilku podejść terapeutycznych, nie zamykam się w jednym, jestem też trochę artystką. Nauczyłam się żyć na nowo, bo mi się kiedyś życie zapadło.

— Nie będę niedyskretna?

— Nie, już teraz umiem o tym mówić. — Mimo wszystko Agata robi małą pauzę na oddech i mówi bardzo spokojnie. — Mój syn zabił się na łyżwach, jak miał czternaście lat. Wariowali z kolegami, rozpędzali się i upadali wszyscy w zaspy, a on się nadział na jakiś kołek zasypany śniegiem. Trochę jak syn Romy Schneider. Ja wtedy zwariowałam i kompletnie zapomniałam o świecie, o córce, która miała szesnaście lat. Byłam żywym trupem. Zamiast dać jej wsparcie, byłam jak kukła, skupiona na bólu. Mąż tego nie wytrzymał, zabrał Asię i wyjechał, bo Asia się truła, czuła się przeze mnie odrzucona. Wyprowadzili się za granicę. Asia miała sporo problemów, ale skończyła psychologię, była przewodniczką duchową. Dzisiaj mieszka w Norwegii, ma rodzinę. A ja wyjechałam wtedy do Niemiec. — Agata siedzi pogodna, opanowana. No, to faktycznie przeciągnęło ją życie... Nie mogłam ochłonąć z wrażenia. To było takie mocne, a ona mówiła o tym wyciszona.

— Masz... z nią kontakt? — spytałam.

— Tak. Wybaczyła mi. Mamy to odpłakane, chociaż stało się dużo złego. Zło rodzi zło. Zawsze. A ty? — zmieniła temat.

— Od zawsze z przerwami, jak ty, mieszkam na Saskiej Kępie. Kiedyś na Niekłańskiej. Później, jak miałam dwanaście lat, wyprowadziłam się z rodzicami pod Otwock, w liceum pomieszkiwałam znów na Niekłańskiej, potem rodzice zamienili Niekłańską na Zwycięzców, kilka przecznic od ciebie! Tam mieszkałam z mężem, i mieszkam nadal. Mąż jest lekarzem. Ojciec został pod Otwockiem. Ogrodnik, sadownik! Ja tego bluesa nie czuję.

— A ty jesteś... — popatrzyła na mnie z pytaniem w oczach — spełniona, zadowolona?

— Tak, chyba tak. Mój syn w Krakowie, z żoną i syneczkiem, Tadziem. Wnuk ma dwa lata. Jak wiesz, zabawiam się kulinariami, piszę opowiadanka, wywiady, drukują mnie w kolorowym. Mam w głowie kilka wielkich, moim zdaniem kapitalnych projektów. Czego chcieć więcej? Ładnie określiła to Sophia Loren, która na pytanie, czy jest szczęśliwa, odpowiedziała po namyśle: „Kontenta!". Ładne!

— Prawda! — kiwnęła głową.

Stwierdziłam, że wystarczy już. Zagadałam się. Wstałam i podałam jej rękę.

— No, pobiegnę. Jak na pierwszą wizytę wystarczy.

— Wpadaj na plotki! A jakbyś miała problem, ty albo ktoś bliski, to w piątki prowadzę tu taką grupę, nazwali się „Połamani". Pierwsza wizyta gratis — Agata uśmiechnęła się promiennie i podała mi wizytówkę z telefonem, adresem i jakimś ładnym rysunkiem.

Faktycznie, zakręcona artystka, zrobiła na mnie zupełnie inne wrażenie niż wtedy, zimą, w telewizji. I ten jej dom, piękny! Grupa? Terapia? Nie myślałam o tym...

Spotkałyśmy się jeszcze kilka razy, tak jakoś na pogaduszki, bo wydała mi się mądra, opanowana i doskonale umiała słuchać. Pod koniec sierpnia byłam u niej, korzystając z ostatnich jej wolnych dni. Od września zaczynała znów praktykę, we wrześniu miał wrócić z wyprawy do Nepalu jej partner. Opowiedziała mi masę ciekawych rzeczy o swoim życiu, o ludzkiej psychice i możliwościach, jakie w nas drzemią. O tym, że bywamy silniejsi, niż nam się zdaje, a czasem załamujemy się z tak naprawdę gównianych powodów. Czułam się doskonale w jej towarzystwie, miałam wrażenie, że właśnie z takim kimś mogę się zaprzyjaźnić, tak głęboko, po ludzku, bo Agata miała znakomity sposób patrzenia na świat i nie było w niej niczego z sekutnicy, maglary, plotkary. Była mądra przez swoje niejednokrotnie trudne doświadczenia. Może brakowało mi takiej kumpeli, przyjaciółki, mentorki?

Wracałam od niej lekka i zwiewna jak piórko.

Najczęściej tak w życiu jest, że katastrofa pojawia się dla nas niezauważalnie. Niczego nieświadomy luzak płynie sobie crawlem opalony i wesoły, bo ma wakacje i nie wie, że w głębinie już płynie do niego z rozwartą japą rekin ludojad, i za chwilę zostanie po luzaku tylko czerwona plama na wodzie i kolorowe kąpielówki. Niestety, w jakimś momencie życia może paść na nas.

Tego dnia, kiedy właśnie zamierzałam smażyć placki, mój mąż oświadczył, że ode mnie odchodzi. Kiedy na kobietę spada mroczna wieść, to ona zwykle rozpacza, panikuje, więc i ja poczułam napływ łez, strach i postanowiłam komuś to wypłakać, bo zwariuję! Tacie — nie, bo nie chcę go denerwować, Grześkowi nie, bo z synem o takich rzeczach? Z Igą gadać? Nie, bo synowa z niej miła, ale nie jesteśmy aż tak blisko. Z mamą nie, bo nie znam telefonu do nieba, a szkoda. Do wujka Gienia nie, bo może dojść do rozlewu krwi, za stary jest, żeby iść za kratki za zabójstwo. Do Włodzia też, bo zaraz mi się wpałałasi ze swoimi męskimi komentarzami, a dzisiaj tego kompletnie nie potrzebuję. Jezu, no! Z kim mam pogadać?! Komu wylać to dziwne uczucie zaskoczenia, zdumienia, lęku, bólu?

Wiem. Agata! Ona mi powie, co przynajmniej mam robić, ćwiczy jogę, niech mi pomoże, bo się normalnie duszę!

— Halo, Agata?

— Tak.

— Cześć — łapię oddech — …Marianna.

— Płaczesz? Ojej. Stało się coś?… Chcesz przyjść? — taka natychmiastowa reakcja prawie obcej osoby. Niesamowite.

— Mogłabym? Nie za późno?

— Chodź! Dasz radę?

I poszłam do niej, jak stałam, tylko umyłam ręce i założyłam drewniaki. Siedziałam u niej w tym wielkim salonie, była już prawie noc, pachniało drzewko sandałowe z palonej trociczki. Agata słuchała mnie z uwagą.

— …tarłam te ziemniaki, normalnie, ręcznie, bo mi się malakser rozwalił, zresztą wiesz, tych kilka ziemniaczków na dwie osoby można ręcznie! Kupiłam stare ziemniaki, duże, szybko szło — paplałam, niepotrzebnie motając się w szczegóły — i wraca Mirek z pracy… — mówiłam, zachłystując się łzami.

— Mirek to…? — Agata uściśla.

— Mój wieloletni mąż. Za chwilunię dosłownie będzie miał sześćdziesiąte urodziny. Mam w biurku prezent dla niego! Ty wiesz?… O, ja głupia!

Agata wstaje, wychodzi i wraca z chusteczkami. Podaje mi je i gładzi mnie po głowie.

— Mów, spokojnie.

— ...no i ja utarłam już te ziemniaki, mieszam z jajem tę masę, i on wchodzi do domu. I wchodzi normalnie do kuchni, i siada, i mówi do mnie z marszu, że chce się wyprowadzić. Ja, że jak to „wyprowadzić"? On, że normalnie, że mu przykro, ale że tak będzie najuczciwiej, i że przecież musiałam zauważyć, że od dawna jest między nami nie najweselej, i że... no, odchodzi.

— A jak między wami jest? — pyta Agata.

— Wiesz, no... Jak to ująć? My jesteśmy małżeństwem od dawna. Nasz syn ma prawie trzydzieści lat, więc nie szczebioczemy już jak papużki, ale nie ma wojenek, afer, normalny, kurczę, związek, jakich miliony!

— ...seks?

— ...sporadyczny, ostatnio wcale, bo... Oj, głupio mi trochę.

— Dobrze, daj spokój, dojdziemy i do tego — uśmiechnęła się. Wzięła mnie za rękę i powiedziała bardzo spokojnie: — Wiesz, Maryniu, że to nie koniec świata?

— Nie — odpowiadam jak dziecko, bo tak naprawdę, jak mi to Mirek powiedział, to poczułam, jakby mi ktoś dał w łeb kijem od bejsbola. „Marianna, ja się wyprowadzę, no bo ja...odchodzę". I zamilkł.

To jest ta chwila, kiedy nie powinnyśmy być same. Agata też tak uważa. Potrzebne nam są babskie plociuchy, wsparcie, ocieranie łez i przytulanie! No tak, dokładnie tak! To była moja pierwsza psychoterapia. Kiedyś to się nie nazywało „grupa, terapia". Smutna, zła albo załamana kobieta biegła kilka zagród dalej, do „starszej we wsi", i w zależności od wagi sprawy gadała ze starszą sama, albo jeszcze z kilkoma innymi, a one ją tuliły albo głaskały, gadały, słuchały... Babski krąg.

Agata miała dla mnie masę czasu i cierpliwość. Przyszłam do niej w dresie, znaczy w spodniach od dresu i podkoszulku. Było ciepłe lato, a to kilka przecznic zaledwie, wieczór, więc poszłam do niej szybko, nie wiedząc, co czuję bardziej — zdumienie czy poczucie bycia kompletnie odrzuconą.

Relacjonowałam jej od początku, przeżywając to raz jeszcze jak na cofniętym filmie.

Piątkowe popołudnie, nasza kuchnia. W misce mam starte ziemniaki, wbijam jajka do tej masy, słyszę, że wchodzi Mirek.

— Myj ręce, bo już ci smażę placki! — wołam.

— Marianna, ja nie będę raczej jadł — odpowiedział mi poważnie.

Trochę zła wychodzę z kuchni na korytarz i patrzę na niego wnikliwie. Miał wypadek? Pacjentka im zmarła na stole? Ale on stoi normalny, odstawił teczkę, w ręku trzyma tylko kluczyki i wzdycha, gapi się na mnie.

— ...ja... ja się chcę wyprowadzić — mówi.

Wróciłam do kuchni i stanęłam przy oknie. Nie zrozumiałam. To nie ten film!

Wszedł za mną.

— Przepraszam cię, Marianna, chciałbym odejść bez wojny, znaczy wyprowadzić się. Pogadajmy.

Stałam w tej naszej małej kuchni jak żona Lota. Odstawiłam miskę i poszłam do pokoju. Jak kukła, a w głowie miałam ul, zwariowane pszczoły huczały, nie dając myśleć. Usiadłam w fotelu koło stoliczka, nalałam sobie koniaku. Koniak jest dobry, mnie lekko uspokaja, ale ja byłam spokojna. Tylko co jest grane?...

Mirek wszedł i nalał sobie whisky. Usiadł na tapczanie. Ma ten swój wyraz twarzy, kiedy czeka go wysiłek i potrzebuje skupienia. Zdejmuje okulary, kładzie koło szklaneczki i zakrywa twarz rękoma. Zbiera się w sobie.

— Przepraszam, że wysłałem tego maila, ale obawiam się, że gdybym tego nie zrobił... Wiesz, wrzuciłem ci do ogródka granat i teraz wiem na pewno, że muszę podjąć o tym rozmowę. Inaczej byłbym się gryzł w język i odkładał.

— Jakiego maila? Ja od dwóch dni nie czytałam poczty. Ty piszesz do mnie maile?! Mirek, zanim zaczniemy na poważnie...

— To jest poważne, Mańka. To jest, zapewniam cię, poważne.

— No to już się boję... — prowokowałam go. Nie wiem, czemu to powiedziałam, to było głupie, ale chciałam jakoś złagodzić jego ton. Maila mi wysłał? Pewnie z dyżuru.

— Jeśli możesz, nie przerywaj mi — prosił. — Mania, ja szanuję ciebie i nas, i że tak żyjemy, wiesz, bez tych wszystkich afer jak inni, i że właściwie to... no, było zawsze normalnie, ale przecież już mamy za sobą kilka rozmów, sygnalizowałem ci, że taki stan pewnej stagnacji, chłodku, bylejakości męczy mnie, uwiera...

— Mirek, no ale jak dotąd na niczym nie stanęło. Ja nigdy właściwie się nie dowiedziałam, o co chodzi. Sądziłam, że to są takie twoje... że to jak moja menopauza, taka twoja...

— ...andropauza? Zapewniam cię, to nie to!

— No a co? Znudziłam ci się? — wybucham niepotrzebnie. — Mirek, czego ty się spodziewałeś? Że ja pójdę do kliniki piękności i wrócę jako replika Kim Basinger, odmłodzę się jak Ałła Pugaczowa za dwieście tysięcy dolarów dla Kirkorowa?

— Zwariowałaś? Co ty mówisz?!

— No jak to? A o co chodzi? Przecież to ty pracujesz w klinice przywracającej kobietom urodę wewnętrzną, więc może zrób mi plastykę pochwy, zawieź do Zdziśka, niech mi odejmie ze dwadzieścia lat... No bo w czym rzecz? Nie rozumiem.

— Ale... To kompletnie nie o to chodzi! Marianna, kurczę, nie wiem, jak ci to powiedzieć. Próbowałem kilka razy, rozmawialiśmy przecież, że to już jest... drewniany układ. Prawie nie rozmawiamy ze sobą tak, jak kiedyś, ty robisz swoje, ja swoje, jak para grzecznych i uprzejmych lokatorów. Każde z nas ma swoje sprawy i spraw wspólnych już żadnych poza czynszem i Grześkiem.

— Grzegorz, Tadzio to mało?!

— Pomyśl trochę, Marianna. To dużo?! Oni mają swoje życie! Co mamy wspólnego ze sobą — ty i ja? Że sobie raz w tygodniu powiemy, że Grzegorz dzwonił, że Tadzio ma wysypkę? I to ma być ta wspólna część zbioru?

— Nie „ma być", tylko „jest".

— No jest, nie łap mnie za słowa. Ale to ma być powód, dla którego będziemy tak do końca życia dreptać sobie po śladach w domu. Jeśli tak ma już być zawsze, to ja tak nie chcę! — powiedział to dobitnie i kończąco.

— Ale... ja nie rozumiem...

— Zdałem sobie sprawę, że kiedy jestem w domu, jestem takim smutnym kapciem, i że zaraz przejdę na emeryturę, i... zwariuję.

„Ach! On się boi emerytury! To taka męska smuga cienia! — rozumowałam. — Takie chwilowe załamanie! Może chce trochę kawalerskiego życia? Niezbyt miłe, ale cóż, OK". Skłonna byłam jak ten „Anioł, nie kobita" dać mu tę frajdę, urlop.

— Chcesz sam wyjechać na jakiś czas?

— Nie! Chcę odejść, Marianna. Ja nie chcę iść pobiegać na podwórko, nie jadę do sanatorium. Ja odchodzę. Ustalimy jakieś porozumienie, ja wiem, że to moja wina, i gotów jestem ponieść konsekwencje, ale ja już dłużej nie chcę. I kiedyś to zrozumiesz, że to nie jest nic przeciw tobie — dodał cicho, prosząco, tłumacząco.

— No to sobie idź… — powiedziałam sucho i wstałam. — Idź już.

— A co z wydawnictwem — spytał troskliwie. — Mówiłaś, że chcesz zmienić?

— A, daj spokój… — mruknęłam, dając mu tym samym znak, że skończyłam na dzisiaj. Nie wiem, czemu oczy nabiegły mi łzami.

Poszłam do swojej łazienki, bo my faktycznie mamy teraz każde swoją. Ja swój pokój, swoją łazienkę, swoją szafę i Mirek swój pokój i swoją łazienkę, swoją szafę. Ja mam swoje życie, on swoje… „A teraz będzie miał swojsze" — pomyślałam żartobliwie, ale do śmiechu to mi nie było. W łazience stałam przed lustrem i patrzyłam na siebie, a sens Mirkowych słów podpełzał mi do rozumu powoli, powoli, żeby wrzasnąć do mnie z całą mocą: „ODCHODZI OD CIEBIE!".

Kompletnie zaskoczona poczułam prawie fizyczny ból, skuliłam się wewnętrznie i rozpłakałam cicho. Nie miałam pojęcia, czemu płaczę. Może to odruch, że jak złe wieści, to się płacze?

Po tej rozmowie Mirek wziął swoją walizeczkę z kosmetyczką i poinformował mnie łaskawie, że w sobotę przyjdzie po resztę swoich rzeczy. Uśmiechnął się jakoś głupawo i zobaczyłam, jak zamykają się drzwi. Kompletnie straciłam grunt pod nogami, poczucie sensu. W kuchni ta miska pełna masy ziemniaczanej z jajkiem już całkiem sczerniała, a mój mąż z trzydziestoletnim stażem małżeńskim pakował się na pewno w tej chwili do samochodu i odjeżdżał. Scena jak z tragikomedii.

Agata słuchała mnie uważnie.

— Powiedział, że w sobotę przyjdzie po swoje rzeczy. To jutro, prawda? — uzmysłowiłam sobie. — O, kurczę!…

— …no, jutro. To nie wracaj! Zostań u mnie.

Przyniosła butelkę wina.

— No co, nie zaszkodzi — wyjaśniła.

W milczeniu wypiłyśmy po dwa kieliszki.

— Kopnął mnie w dupę jak psa… — przemówiłam nagle żałośnie, podlana winem na pusty żołądek, więc weszło mi pod sam dekielek. Wstałam i parodiując Mirka, rzuciłam:

— Odchodzę, kochanie! — i siadłam z powrotem.

— Czujesz się tak, jak chcesz się czuć. Czujesz się jak skopany pies? To dlatego, że cię nikt dawno nie przytulił. Wiesz co? Zrobimy seans! — Agata zapaliła świeczkę. Było mi wszystko jedno. Beczałam, czułam się podle, niech ona coś z tym zrobi! I zrobiła! Przytuliła mnie i powiedziała:

— Światło świec ściąga duchy zmarłych. Twoja mama na pewno jest tutaj. Jakby mogła, to ona by cię teraz głaskała jak ja i mówiła: „moja mała dziewczynka, moja Marianna kochana!".

— „Mania". Mama mówiła „Mania" — mruczę.

Dobrze mi. Wzdycham lekko, wreszcie oddycham głęboko, a Agata mówi dalej:

— Mania, mądra moja córeczka, wyrosła na taką fajną kobietę.

— Nie „fajną".

— Czemu nie?

— Bo jak mama żyła, się nie mówiło „fajną". Słowa tego nie było jeszcze… Oj! Już mi się język plącze, bo pijaniutka jestem, ale tak mi jest dobrze! Chyba faktycznie czuję tu mamę. No… Ona by mnie zrozumiała i pocieszyła!

— Oczywiście, ona doskonale wie, że się mówi „fajna", że już masz pięćdziesiąt lat i że ci smutno, Manieczko. I mama mówi ci, że nie możesz nawet myśleć, że cię Mirek kopnął w dupę jak psa, bo jesteś mądrą, fajną Manią i dasz sobie radę. A teraz śpij.

Nie trzeba mi tego powtarzać dwa razy. Powieki mam ciężkie, oddech głęboki, zasypiam nareszcie. Dobrze, że przyszłam do Agaty! Chciałam jej to powiedzieć, ale mi nie wychodziło:

— …dobszszsz, że pyszłam tu…

— Co? — Agata pochyla się nade mną.

— …nis… — zasnęłam.

Singielka to ja?

W sobotę po dwunastej Agata odprowadziła mnie do domu spacerem. Samochód Mirka jeszcze stał od ulicy pod garażem, bo ja swój miałam w środku. Pokazałam go Agacie.

— Tu mieszkasz? — spytała.

— Od matury. Mirek nigdy się nie chciał przeprowadzać! Do wczoraj!

Nagle mnie to rozśmieszyło.

— No idę!

— Dasz radę? — spytała mnie.

Wzruszyłam ramionami.

— Mam to w dupie! Myślę, że to on się będzie czuł jak jeleń błotny. Ja jestem u siebie.

— Brawo! To pa.

Weszłam do domu. Nie ma śladu pakowania, ale wiem, że Mirek jest mistrzem porządku. Wychodzi z kuchni.

— Gdzie byłaś?! Czekam na ciebie od godziny! Dlaczego nie wzięłaś komórki?

— Nie rozumiem. Tym się przejmujesz?

— Nie udawaj... Dobrze wiesz, że miałem prawo się denerwować.

— Byłam u koleżanki, nic takiego. Czyżbyś miał mi coś nowego do zakomunikowania?

— Nie dam rady wszystkiego zabrać naraz... — Stał taki niby normalny, a jednak nie taki jak zawsze zdecydowany, pewny siebie i szybki. Chyba czuł się głupio.

— To mówisz, że czekałeś na mnie.

— No jasne, przecież nie będę uciekał jak złodziej. Wystarczy, że się czuję nie najlepiej w tej roli.

Usiadłam w kuchni szara, wymiętoszona, w tym przepoconym podkoszulku i spodniach od dresu, z nieumytymi włosami, z twarzą bez śladu makijażu. Starałam się zawsze wyglądać ładnie, ale teraz nie. Teraz byłam ładna dla siebie w środku, to mi wystarczy! Mama mi to powiedziała wczoraj podczas seansu!

— To znaczy, jak się czujesz? Może powiesz coś więcej? — spytałam go jak rasowy terapeuta.

— Porozmawiamy, jak wrócę po resztę, dobrze? No, to jadę.

Trochę mnie zbił z pantałyku. Wziął dwie walizki i poszedł do samochodu. Zerknęłam do pokoju, tam miał jeszcze cztery kartony czegoś.

Tego popołudnia stałam się singielką.

I niech mi nikt nie wmawia, że to się robi z wyboru, że to jest świadoma decyzja, że się odzyskuje wolność. Gówno prawda! Sama to ja umiałam być. Jak się ma męża lekarza, to nocne dyżury, nagłe zastępstwa, praca na dwóch etatach (szczególnie w PRL-u dała nam w kość) to chleb codzienny. To harówa, ale i dała nam niezłe pieniądze. No może nie kokosy, ale nie była to urzędnicza pensyjka. Mirek był obrotny, brał się za różne prace, a kilka dobrych lat temu zaczął pracę w prywatnej klinice Pro-Fem, u kolegi Zdzisława W., znanego ginekologa chirurga. Przez te trzydzieści lat nie mieliśmy czasu na to, żeby się sobą znudzić, ale i może nie mieliśmy czasu na zżycie? Siedziałam z Grzesiem długo na wychowawczym, do przedszkola poszedł tuż przed szkołą tylko po, to żeby się usocjalizował. Pracowałam, Mirek pracował, i często byliśmy w domu „na mijankę", Pan Grzegorek bywał dzieckiem z kluczem na szyi. Właściwie to ja przez pół życia byłam sama, no ale nie samotna!

Teraz łaziłam po pustym domu i zastanawiałam się, co czuję.

Telefon. Dzwoni Grześ. No trudno...

— Halo, cześć synek!

— Cześć, mamo. Co u ciebie? Wczoraj nie odbierałaś.

— Byłam u koleżanki, bez telefonu, upiłam się i zostałam na noc.

Cisza. Wreszcie wzdycha i mówi:

— To znaczy, że wiesz, bo gadałem z ojcem.

— Grześ... czy ty wiedziałeś?

— Mamo, zanim mnie zalejesz pretensjami, ustalmy jedną rzecz. Kocham was oboje i nie mogę... Wy nie możecie w jakikolwiek sposób mną manipulować i kazać mi zajmować stanowisko.

— Tak... No masz rację, ale od kiedy wiesz? Kiedy tata z tobą rozmawiał?

— Był tu, w Krakowie tydzień temu. Poszliśmy na męską kolację, wszystko mi wyłuszczył. Obiecałem, że nie dam głosu, zanim on tego z tobą nie załatwi. Miał z tobą rozmawiać następnego dnia. Mamo... to dla niego bardzo trudna decyzja.

— Och, biedaczek — wyrwało mi się.

— No widzisz, ja wiem, że jesteś zdruzgotana, ale kiedy tak mi wyłożył wszelkie swoje karty... Mamo, on też ma swoje racje.

Milczę.

— Mamo... no co ci mam...

— Nic, synku. Tylko nie wiem, co dalej.

— Mamo, pogadaj z tatą. Ja wiem tylko, że jest mu strasznie przykro, że wolałby, żebyś była wredną małpą, a ty jesteś przecież...

— No jasne, jasne, aniołem jestem... — jestem sarkastyczna, jestem smutna.

Niezręcznie mi rozmawiać z synem o tym, że jego ojciec, a mój mąż rzuca mnie w cholerę.

— No dobrze, Grzesiu, pocałuj Tadzia i Igę. Pogadamy jakoś później.

Świetnie się trzymałam jeszcze do tej rozmowy i... pękłam.

Rozwalił mnie mój syn! Obaj panowie sobie pogadali o mnie jak o jakimś przypadku medycznym! Znów się popłakałam, mimo rozmowy z Agatą. Czułam, że to irracjonalne, powinnam być wściekła, rzucać talerzami czy jak...? I żeby zapełnić czas, wzięłam się do sprzątania. Ruch dobrze robi na płacz, z mety przestaję, tylko się muszę zmusić do wyjęcia odkurzacza. Po umyciu podłóg przypomniałam sobie, że w poniedziałek przecież przychodzi moja milcząca filozoficznie Gala, Galina — Ukrainka, żeby posprzątać. A tu wszystko ogarnięte. Trudno, coś wymyślę albo nabrudzę! A teraz może popracuję?

Otworzyłam komputer i faktycznie, w poczcie znalazłam maila od Mirka, w którym informował mnie, że „...odczuwa wielką potrzebę poważnego porozmawiania, ale zazwyczaj kiedy siadamy, i on wykłada karty na stół, że nasz związek przechodzi kryzys, że prawie już nie rozmawiamy, że nie mamy wspólnych światów...". Zaraz... „wspólnych światów"? To nie jest jego język...

Że nie mamy wspólnych światów, że nam się ścieżki rozchodzą, to ja go gaszę i zagaduję, i nigdy jeszcze nie doszliśmy do żadnych konkluzji.

No, ma trochę racji, że jak kilka razy prowadziliśmy poważną rozmowę, to mnie się wydawało, że to jest z jego strony takie pytanie, co się dzieje, i że ja powinnam mu odpowiedzieć, że wszystko jest w porządku, że tak to bywa, że mamy tyle lat, ile mamy, i że... Może faktycznie go zagadywałam, nie słuchałam. Podobno mężczyźni mówią dziennie około trzech tysięcy słów, a kobiety szesnaście tysięcy. Są i rekordzistki walące rekordy, ale ja do nich nie należę. Mirek też raczej milczący, więc nie wyłuszczał należycie swoich racji. Teraz wreszcie się zebrał w sobie i mam jego szczerość, znaczy nie mam Mirka w domu. Jest jak zawsze, jak podczas jego dyżuru, tylko ja mam świadomość, że on... i tu mnie nagle olśniło! Może jest u kobiety, z którą jest... zadowolony, szczęśliwy? Ależ mnie to zabolało! Kobieta! Kobieta?! Kiedy? Jak? Aż się spociłam na tę myśl i przysiadłam.

Właśnie dlatego, że siedzę tu teraz sama, a on zapewne w jej ramionach.

Czy ja... jestem zazdrosna? Po tylu latach, no, może nie żaru, ale... Ścisnęło w żołądku, i to jak mocno!... Kobieta! Że też nie pomyślałam!

Kręcę się po kuchni. Powinnam coś zjeść. Powinnam? A co to, umrę, jak nie zjem? W lodówce niewiele co jest. Miska po ziemniakach umyta, prawda, tarłam ziemniaki. Ciekawe, usmażył sobie te placki czy nie? W kuchni wszystko czysto. Wyniósł śmieci. Zawsze on wynosił.

Zrobiło się ciemno, choć to jeszcze nie ta pora. Niebo się zaciągnęło ciemnymi, ciężkimi chmurami, moja katalpa za oknem szumi swoimi wielkimi liśćmi, bo zerwał się wiatr. Może będzie letnia burza? Późne lato, późna burza. Chyba zaraz chluśnie. Czeka mnie samotny wieczór i jutro, i... pojutrze, i w ogóle to chyba już całe życie, a on tam... No właśnie, gdzie? Z kim? Zamyśliłam się.

Fuj, jak śmierdzę! Muszę się wykąpać.

Mówi się, że lubimy kąpiel, bo przypomina nam kołysanie w wodach płodowych. Kiedyś mogłam tak godzinami się kąpać, taplać, a teraz nie. Może zbrzydły mi wody płodowe? Jakbym się teraz utopiła, to bym się tu rozkładała aż do przyjazdu Mirka po te jego rzeczy. Pies z kulawą nogą się mną nie zainteresuje... Tata przywykł, że czasem nie odbieram, wujek też. Tato się nie nagrywa na sekretarkę, a wujek — owszem. Zazwyczaj mówi „Halo? Pani ładna, pani oddzwoni — co?". Znów mnie wzięło na żal. Ten deszcz to się tak zbiera i zbiera, i coś się zebrać nie może, stwierdziłam po wyjściu z wanny. Zrobiło się duszno, więc otworzyłam balkon w pokoju Mirka i okno u siebie, usiadłam poza zasięgiem przewiewu, na moim ukochanym starym tapczanie, żeby pomyśleć. Piknął esemes od Mirka: „Wysłałem ci maila".

Wzięłam laptopa na kolana, mail był faktycznie:

Mańka. Jest jak jest, mam nadzieję, że porozmawiamy. Mieszkam na razie w klinice, w pokoju gościnnym, na ostatnim piętrze. Pod koniec tygodnia albo nawet później wpadnę po resztę gratów, bo nie chcę, żebyś się o nie potykała. Sama zobaczysz, że niewiele się zmieni, a nawet polepszy, tylko daj czasowi trochę popracować. Błagam, nie bądźmy wrogami — Mirek.

W klinice na pięterku? To znaczy, że nie do kobiety! One zazwyczaj mają jakieś mieszkanie, chyba że to mężatka, to nie… A nie wynajmowali garsoniery? Garsoniery! Śmieszne. Jak z jakiegoś taniego romansu Daniele Steel, czy co. Ma kochankę czy nie? Nawet jak go o to spytam teraz esemesem albo mailem, to mi nie powie, znam go. Muszę zaczekać.

Agata mi poradziła, żebym sobie przeanalizowała swoją przeszłość, żebym pomyślała sobie i odpowiedziała na pytanie: czego żałuję? Mam ocenić nasze małżeństwo. Powinnam zrobić takie podsumowanie życia. „Poukładaj sobie zdjęcia na dwie kupki. Na jedną kładź te, do których chcesz wracać, a na drugą te, które byś najchętniej podarła".

OK. Jest wieczór, co mam innego do roboty?

Wyblakłe fotki

Wzięłam z półki wielki album ze zdjęciami i usiadłam po turecku w bawełnianych legginsach i koszuli z wielkim kotem na przodzie.

Zdjęcia z naszego ślubu. Jeszcze na filmie Agfa, pożółkłe, przekłamane kolory. Został żółty, brązowy i fioletowy, inne zblakły strasznie. Mirek naprawdę wygląda śmiesznie z plerezą długich włosów, w złotych okularach typu łezka, w czekoladowym garniturze, jaki kicz i brak gustu! A ja... Kremowa sukienka z rozciętymi wzdłuż rękawami, dopasowana. Taka lata dwudzieste. Trwała na głowie. Okropna! O, ale jaką miałam figurę! We włosach kapelutek „pastylka" z woalką. Pretensjonalne. No, ale taka była moda!

Mama nie doczekała ślubu. Mój tatko i wujek Gieniu wiernie obok mnie. Przystojniaki, w garniturach. Jacy poważni! Tatko bez jednego siwego włosa! Gieniu już lekko szpakowaty na skroniach, niższy od taty. Rodzice Mirka — nie widać po nich zachwytu, ale byli uprzejmi.

Zdjęcia z wesela u nas, pod Otwockiem. Stoły w ogrodzie, piknikowo, swobodnie! Mądrze to wymyślił wujek Gieniu! Najpierw chcieliśmy elegancko, w knajpie, jak wszyscy, ale wuj powiedział: „Ty nie jesteś — wszyscy. Ty, Marian — mówił do mnie, bo byliśmy jak dwaj kumple — jesteś wyjątkowa". Stać nas było nawet na jakiś Zajazd Napoleoński, ale trochę wbrew oczekiwaniom rodziców Mirka postanowiliśmy zrobić country... Wtedy to było kompletnie niemodne, nikt tak nie robił — kaszanki i kiełbasy z grilla, karkówka, kotlety, ogórki kiszone, chleb, smalec, żurek z wielkiego kotła! Kobylińska była najpierw zgorszona, że to wiejskie wesele. „A nie? — śmiałam się — ja wieśniaczka jestem! Pan doktorek bierze sobie wiejską dziewuchę za żonę!".

Zdjęcie moje w ciąży tu, na Zwycięzców, na balkonie. Miałam wtedy wyłamaną górną lewą czwórkę i nie chciałam zdjęć. Okropne, żenujące zdjęcie! Szczerbata — fuj! Jak ja mogłam tyle zwlekać? Ach! Nie było pieniędzy na dentystę, spłacaliśmy jakąś pożyczkę.

A tu tuż przed porodem, siedzę z nogami na taborecie. Puchły mi i musiałam je trzymać wysoko. Brzuch mam pod samą brodą, jakbym nosiła bliźniaki. Wciąż z tą wyłamaną czwórką, zrobiłam ją później, jak Grześ miał roczek.

O! Tu już jest Pan Grzegorek. Pamiętam ten becik, stary, z koronką, ocalał u ciotki Jadwigi, podobno jeszcze mama się w nim chowała. Stareńka ciotka, zanim poszła umrzeć u sióstr, wysłała ojcu walizkę z pamiątkami rodzinnymi mamy, ciotki i wuja Józefa, którego prawie nie znałam, a który zmarł też w domu opieki przy klasztorze, koło Kozienic. Jakieś zdjęcia, dokumenty, ten becik, kościane grzebienie babci, ryngraf, odznaczenia, i nie wiedzieć czemu rękawiczki z cieniutkiej koźlej skórki. Zgubiłam je.

Grzesia urodziłam w szpitalu wojskowym na Grochowie. Tam pracował Mirek, jako cywil. Zabroniłam mu asysty, a on strasznie się złościł. Wysłał do mnie koleżankę. Rodziłam długo i boleśnie, nie ma co wspominać.

O! A tu pani Miecia, jedyne jej zdjęcie z Grzesiem. Siedzi bardzo wzruszona w fotelu, stareńka i siwa, pomarszczona, w swoim kwiecistym szlafroku, a on u niej na kolanach. Bałam się, że spadnie. Był sporym dzieckiem, a ona miała takie chude rączki, i była już taka wiotka… jeden jego ruch i spadłby! Zmarła niedługo potem. Dalsze zdjęcia to już dużo Grzesia i nas.

Pan Grzegorek siedzący na żółtym plastikowym nocniku, z moją małpą w objęciach. Ale wyliniała! Pamiętam, jak ojciec ją spalił zaraz potem, w sadziku, kiedy palił liście, bo się przetarła i sypały się z niej trociny.

Grzegorek w przedszkolu, w stroju kowboja. A tu w szkole z grupą dzieci. Pani trzyma kartkę z napisem 3A. Tutaj u dziadka Michała na barana, to na jabłoni, następne na moim orzechu. Uwielbiał to miejsce na gałęzi bardziej ode mnie. Z dziadkiem zmontowali tam prawdziwy domek na drzewie i drabinę i bywało, że całą niedzielę bawił się tam. Jakby go w ogóle nie było! Miał bardzo rozwiniętą wyobraźnię.

Zdjęcie Mirka z Grzesiem w Świdrze. Mirek uczył go pływać. Jakie wymoczki! Mirek, chudy golas w bistrowych slipkach, bez okularów wygląda dziwnie. Jakby miał zeza… To było takie ciepłe lato i często bywaliśmy u ojca, często kąpaliśmy się w Świdrze. To miejsce było sztucznie pogłębione, bo czasami jak Świder podsychał, to był strumieniem ledwie, a ktoś pogłębił tu dno koparką i się zrobiło kąpielisko.

Grzesio u taty na wsi, sam spał w moim panieńskim pokoiku, bo stamtąd miał blisko, przez okno na stary orzech, i nie bał się, a my z Mirkiem na górce, w krzywym pokoju. Mama go lubiła i urządziła z pietyzmem. Niby taki pokój gościnny, i chociaż pokój mamy na parterze był wolny, my woleliśmy ten przygórek — jak mawiała mama. I właściwie tylko tam... Tak, tam seks stał się znów bardziej, no, soczysty, bo po urodzeniu Grześka miałam długi czas niechęci i właśnie tam, na przygórku odzyskiwałam wigor. Fajnie było... już kiedy jechaliśmy do tatki na sobotę i niedzielę, wymęczeni całym tygodniem, uśmiechaliśmy się do siebie w samochodzie, wiedząc, co nas czeka.

Czasem, w soboty przyjeżdżał wujek Gieniu, ale rzadko. On z tych dyskretnych, nie chciał nam przeszkadzać, i zdaje się, że miał wtedy nadzieję na nowy związek z pewną panią Julią. Nic z tego nie wyszło. Mało mam zdjęć wuja.

Lubię to zdjęcie! To Grześ, Mirek, tatko, Kobyliński i Goguś — ukochany pies ojca. Ojciec mówił, że to kundel, a mnie on wygląda na golden retrivera. Wtedy w ogóle to nie było ważne. Goguś jako młode szczenię po prostu przyszedł. Wszedł na posesję, bo ktoś zostawił uchyloną bramę, i został przez zasiedzenie! Podobno miał takie uwodzące, zalotne spojrzenie zza ramienia, że ojciec nazwał go Gogusiem. Kobylińskiemu, wiernemu przyjacielowi i współpracownikowi taty, to przez usta nie chciało przejść, więc wołał „Gogi". Wszyscy się ustawili do zdjęcia jak u fotografa. Aż dziwne, że i Kobyliński się zgodził, zawsze taki był i jest wstydliwy.

Ja z Gogusiem na werandzie. Ja śpiąca w hamaku. Pan Grzegorek śpiący w hamaku z miśkiem. Ja z koszem grzybów, a obok wanienka Grzesia pełna maślaków. To był rok! Koniec tego albumu. Wystarczy. Inne pooglądam później.

Nie zauważyłam, kiedy zaczęło padać! Cholera jasna! Na pewno już się nalało do pokoju Mirka! Beznadziejnie głupio położyliśmy terakotę na balkonie, znaczy ja nie dopilnowałam faceta i zrobił spad do mieszkania. Gdy są drzwi otwarte, zalewa pokój. Masz ci los! Mieliśmy to wymienić... Mirek się uparł, że sam to zrobi.

— Gówno zrobi — powiedziałam na głos.

Była już noc, jak skończyłam zbierać kałużę wody i osuszać podłogę. Przebrałam się, wciąż wściekle lało, a ja zawinięta w koc oglądałam film z Szaflarską *Pora umierać*, gdy nagle poczułam się piekielnie głodna. Tam jest taka scena, jak Danuta Szaflarska smaruje sobie chleb masłem na śniadanie. Najzwyklejszą pajdkę chleba smaruje najzwyczajniejszym masłem i już! A my dzisiaj zaglądamy do lodówki i jak nie ma sera, wędlin, jogurtu, pomidorów i cholera wie czego jeszcze, mówimy: „pusta lodówka". Zachciało mi się takiego masła i takiego chleba! Oj, i to jak bardzo!

Kiedy mieszkałam z rodzicami w Woli Karczewskiej, mama mówiła na to miejsce Zamoście, bo było za mostkiem w lewo. Kobyliński przynosił czasem chleb, który piekła jego żona. Jeszcze taki ciepły. Siadaliśmy w kuchni z mamą i tatkiem wkoło stołu, ja klęczałam na krześle, i każdy miał w ręku pajdę. Każdy chciał dupkę, jak mawiała Pela, ale ja ją dostawałam, bo byłam najmłodsza. Smarowaliśmy chleb masłem, soliliśmy i każdy jadł. Ja pracowicie odrywałam twarde kąski zębiskami i chrupałam głośno na złość mamie i tacie, którzy udawali, że mi ją chcą odgryźć. Mama mówiła: „Ja to wolę od pieczonego kurczaka" i zamykała błogo oczy, jakby jadła Bóg wie co. Nie lubiła kurczaków, ja uwielbiałam, więc mówiłam: „Ja nie! Kocham kurczaka!". A ojciec mówił: „Kocham taki chlebuś!". Poczułam tak niesamowitą chęć na taką pajdę chleba z masłem, że zatrzymałam film, założyłam drewniaki, wzięłam parasol i pobiegłam do delikatesów nocnych, które są vis à vis naszego bloku, przeskakując kałuże.

Głucha noc, w sklepie nikogo nie było. Znalazłam chleb udający wiejski i jakieś masło udające wiejskie. Kupiłam też koniak. Senna kasjerka nawet nie spojrzała na mnie. Takimi samymi skokami, rozbryzgując kałuże, doskakałam w tej ulewie do domu. Ufff! Chleb pokroiłam w pajdy i podgrzałam w tosterze, niecierpliwiąc się. Na zbyt ciepłym masło by się roztopiło, więc go studziłam… suszarką do włosów. Wariatka, ale nikt mnie nie widzi! Ile głupich rzeczy robimy w samotności, bo nikt nie widzi! Wreszcie posmarowałam grubo masłem — no, jakaś to namiastka jest!

Nareszcie znów siadłam na tapczanie, włączyłam film, Danuta Szaflarska mogła spokojnie teraz jeść swoje śniadanie. Ja też je jadłam w środku nocy. Potem wypiłam koniaku, ale tylko ciut, i poszłam spać bez specjalnej rozpaczy. Nawet bez smutku, bez łez, w ogóle bez niczego.

Obudziłam się — nie pada, ale jest pochmurno, brzydko. Wstać mi się nie chce, bo z mety sobie przypomniałam, że Mirka nie ma, że się spakował i odszedł. Odszedł? W domu go często nie było rano, a jak wracał z nocnego dyżuru, to się albo mijaliśmy, albo on szedł do siebie spać bez słowa. Teraz nie ma go tak… z definicji. Nie jakoś tymczasowo — nie ma, bo powiedział, że ODCHODZI. Wciąż nie bardzo to pojmuję, choć słowo rozumiem. Leżę i nie wiem czemu w kącikach oczu zbierają mi się łzy. To jednak smutne, dołujące… Żeby był jakiś powód! Żaden! Spokojny związek bez burz, bez… niczego! No właśnie, bez niczego, no ale to chyba lepsze niż jakieś aferki, awantury? A może nie? Może nasz był zwyczajnie już martwy i dlatego Mirek się wyprowadził?

Ten tydzień był koszmarny. Jakie to szczęście, że ja nie muszę codziennie na ósmą! Wstałam zapuchnięta, bo przyszła Gala sprzątać, a ja zasnęłam dopiero nad ranem! Trudno.

Czekam na wznowienie mojej książki, wywiadów ze znanymi ludźmi o najdziwniejszych kulinariach. Aż dziwne, że wznowienie, teraz nic się nie wznawia. Kulinariami zajmują się wszyscy.

Moje Indie sobie poszły do kolejnych wydań naszego kolorowego pisma dla średniozamożnych kobiet, a ja teraz mam więcej luzu i nowy pomysł dopiero mi się lęgnie w głowie. Chcę już zakończyć to pitraszenie, przyprawy, gotowanie w trawie, bo tych, co gotują, jest teraz nieziemski wysyp! Teraz każdy zrobił karierę kucharską — siostra zakonna, skoczek o tyczce, znana modelka, znana aktorka — każdy teraz spec od kuchni. Czekam tylko, aż wyjdzie książka kucharska pana premiera i pana prezydenta, pani minister czy posłanki. Mnie to nie zdziwi, więc zwijam swój mały interesik. Wystarczy!

Moja milcząca Ukrainka wymyśliła umycie kilku okien.

— Już po deściu jest! To umyje, po się kurziło ostatnio — oznajmiła.

Fakt — nie pada!

Jak na nią wyjątkowo długie zdanie. Gala jest jak Marilyn z *Przystanku Alaska*. Mówi wyłącznie wtedy, gdy to jest potrzebne. Przychodzi, przebiera się, uśmiecha i zaczyna pracę. Bywa, że jestem w domu — a ona nic, żadnych plotek, żadnych pogaduszek. Na koniec tylko „płyn do podłóg kupi pani" i już! Uśmiechnięta, miła, ale bardzo małomówna. OK, niechaj myje te okna. Ja postanowiłam dokończyć korektę po autoryzacji dwóch wywiadów. Szło mi paskudnie. Zachowywałam się jak dziecko z ADHD; wstawałam, siadałam, i tak w kółko.

Mirek się nie pokazał, ja nie dzwoniłam. Czekałam na telefon, zadzwonił w środę, że ma sporo pracy, że mu głupio, że myśli o mnie ciepło i pyta, jak się czuję i czy może wpaść w czwartek, ale za tydzień.

— Naprawdę nie możesz wcześniej?

— Nie, w weekend jadę z Bolkiem do Hamburga, z Hamburga do Wrocławia na dzień, i powrót. Dopiero w czwartek.

Mirek nigdy nie kłamał, więc moją ciekawość chowam do czwartku. I tylko pytanie, czy chcę wszystko wiedzieć, czy nie?

Brzuch mnie boli. Brak mi tchu, dlaczego? Takie nerwy? Po co? Spokój! Spokój! To nie koniec świata…

Do ojca nie dzwonię, aż mi wstyd, i na szczęście on też nie dzwoni. Do wuja Gienia także. Oby tak na razie jak najdłużej, jest pora zbiorów, są z Kobylińskim zajęci. Jakby był jakiś problem z ojcem, Kobylińscy już by mnie alarmowali, zresztą ojciec zdrowy i rześki, wujek stale mówi, że baby mu trzeba! Na Grześka jestem obrażona.

Nieoczekiwanie zadzwoniła moja przyrodnia siostra Lilka, czy może wpaść jutro rano. Trudno… niech wpada. Nie lubię jej, nie wiem czemu. Nie lubię i już, ale jestem dla niej miła, bo tak wypada.

Ach, zakopać się w pracę! Agata podkreśla, że najważniejsze to mieć swoje własne cele, zająć się czymś ważnym, pracować! Na szczęście mam ten swój zamysł, projekt, i potrzeba sporo się nad tym pochylić. Donkiszoteria? OK. Niech i tak będzie! Siadam do biurka, odpalam komputer. Do roboty, kobieto!

Jednak nie! Dopadło mnie nagle jakieś okropne uczucie bycia oszukiwaną, no bo jak to, nie dopuszczałam go do głosu? Nie mógł mi dosadniej powiedzieć: „Mańka, mam dość, coś mi tu u nas nie gra"? Biedny mały misiu nie dał rady?! Już wtedy, kiedy Grześ wyprowadził się do Krakowa, nagle rozseparowaliśmy łóżka, no bo fakt — kiedy wracał z pracy, a czasem naprawdę był urobiony, szczególnie po ostrych dyżurach, to padał spać i spał pół dnia. Żeby mi nie robić kłopotu, kładł się na kanapie w tej drugiej części mieszkania. „Tak będzie wygodniej" — powiedział, a ja… Kurczę, ja się ucieszyłam!

Seks już dawno był mi totalnie obojętny. Rutyna, żadnego żaru, jak obowiązek, a dla niego taki… zabieg higieniczny. Każde chyba udawało zaangażowanie. On sobie odreagował, a ja znosiłam to bez wstrętu, ale i bez uniesień. Obojętnie. A w pustym łóżku, bez Mirka dobrze mi było wreszcie samej! Wygoda, komfort, spokój.

Może tu jest pies pogrzebany?

Kilka naszych pierwszych miesięcy po ślubie było fajnych, jeśli o to chodzi, a potem im dalej w las… No, u rodziców na tym przygórku bywało jakoś inaczej, ale i to siadło. Kładliśmy to, każde osobno, na pęd, na „takie czasy", moje stresy, jego dyżury, wychowanie syneczka i wynikające z tego zmęczenie etc., etc. A tak naprawdę, nigdy właściwie nie inicjowałam seksu. Nie był mi potrzebny. Hm. Tyle lat nie był! Może — myślałam — to wina mojego początku, tego, jak zaczęłam życie erotyczne?

Chciałam sobie sama urządzić psychoterapię, ale mi nie wychodziło, więc zadzwoniłam do Agaty.

— Agata, masz czas? Na indywidualne spotkanie? To bardzo intymne…

— Bądź po dwudziestej.

Okazało się, że partner Agaty wyjechał i była znów sama, więc miała dla mnie czas.

— Nie zawsze poświęcam się dla pracy i ludzi, muszę mieć też swoją prywatność — wyjaśniła mi. — Muszę racjonalnie gospodarować sobą, ale teraz akurat mogę, siadaj i mów, z czym masz problem.

— Przepraszam cię, faktycznie — zrobiło mi się głupio, ale ona zaraz uspokoiła mnie, że i tak nie zaśnie do północy, więc spokojnie mi poświęci czas. No i skoro to intymne i ważne...

— Agata, ja mam w sobie nieprzerobiony temat. Nikt oprócz mojej przyjaciółki szkolnej nie wie. Zamiotłam pod dywan i szlus.

— Pomagać czy sama dasz radę?

— Sama.

Zrobiłam pauzę, nabrałam powietrza i zaczęłam:

— Bartek to był mój chłopak, moja szaleńcza miłość wakacyjna i wariacka i postanowienie, że jemu oddam moje dziewictwo! Miałam prawie osiemnaście lat! Już była pora!

— Jak to: „pora"? — spytała zdumiona Agata.

— No, bo kilka koleżanek było już po tym, te takie wiesz, przodowniczki klasowe, fajne, przebojowe, a w dziewictwie kwitły te takie grzeczne. Ja chciałam dorównać tym pierwszym. Wiem, to głupie, ale tak wtedy rozumowałam, a z mamą o tym nie umiałam rozmawiać. Z nikim!

— No, dobrze, i...?

— Marzyłam o tym, chciałam, żeby to było nad morzem w romantycznych okolicznościach. Aniela, moja przyjaciółka, opowiadała mi, jak to u niej było. Ja wymyśliłam sobie jeszcze piękniej i zdecydowałam, że to będzie najwspanialsze moje przeżycie, że koleżanki mi pozazdroszczą. Nad morze, do Międzyzdrojów, do ośrodka Funduszu Wczasów Pracowniczych jeździłam z mamą, jak była jeszcze w stanie. Zawsze dostawałyśmy ten sam pokój w takiej starej kamienicy. Chodziłyśmy na długaśne spacery, zbierałyśmy muszle, kawałki czegoś, i czasem trafiał się bursztynek. Mama oczywiście zamieniała to w jakieś wisiory, była taka zdolna! Rozmawiałyśmy, żartowałyśmy... Ach, z nią było naprawdę fajnie! Inne matki miały jakiś dystans i pedagogiczny ton w stosunku do córek, a mama nie. Była łagodna, wyciszona, uśmiechnięta. Do czasu, aż te bóle jej tak nie dopadały, ale w Międzyzdrojach jakby rzadziej.

Tym razem pojechałam sama. Po trzeciej klasie liceum. Miała ze mną pojechać moja siostra przyrodnia Lila, ale znienacka zapadła na anginę, a potem miała operację wyrostka, więc mieszkałam w pokoiku dwuosobowym sama!

Miałam grono znajomych sprzed roku i było piękne, słoneczne lato. I był ON. Buchnęło między nami jak z gorącego pieca, szaleńcza miłość pełna zaklęć i górnolotnych słów, zachowań. Tańczył tylko ze mną, na spacerach gadał wierszami i czule całował na molo, na plaży, w parku — wszędzie. Z czasem jego pieszczoty stały się bardzo „rozległe", co mnie najpierw spłoszyło, ale przecież byłam prawie dorosła! Już pora na piersi, uda i ten cudownie zakazany owoc! Pora, bo moje koleżanki z klasy już były kobietami, no nie wszystkie, ale kilka z nich, i czuły się, i zachowywały z tego powodu jakoś inaczej.

— Inaczej? Jak? — Agata mi przerwała.

— No, niby tak samo, ale było w nich coś, w spojrzeniu, w słowach, wiesz, taka jakby wyższość. Specyficzny język ciała.

— Dobrze, mów dalej.

— Też chciałam być kobietą! Przeżyć swój pierwszy raz z pięknym, boskim księciem! I jest taki, więc o co chodzi?! Fantastyczny chłopak, każda mi go zazdrościła, bo wszystkie dziewczyny wokół się w nim kochały. Bartek był instruktorem, po AWF-ie, wysportowany, opalony, piękny, romantyczny i taki czuły! Byłam wybranką! Tego wieczoru poszliśmy dalej od plaży głównej. Do wielkiego grajdoła w oddali. Ludzi wcale nie było widać. Daleko ktoś z psem… Tam, przy zachodzącym słońcu, nasze pieszczoty były już tak śmiałe, że straciłam prawie zdolność logicznego myślenia, a moje ciało chciało tylko jego, jego, jego. Rozpiął mi wszystkie guziki w sukience i leżałam przed nim tylko w kostiumie. Pamiętam, że słońce zachodziło na czerwono, morze było łagodne, było ciepło, i ja sama zdjęłam stanik. Zapragnęłam jego ust, dłoni, dotyku. Moje nagie piersi już tak pięknie wycałował i wygłaskał, piejąc nad nimi peany. Podałam mu je jak ciastka z kremem. Zaczął uchylać majtki… Tak! Zdecydowałam! Oddam mu się cała… ale w moim pokoju, jutro! Teraz tylko śmiałe pieszczoty. Tak, jutro zapalę świecę i lekko wyperfumuję się i dam mu to, czego chce, a ja poznam smak prawdziwej miłości! Dzisiaj — jak zawsze tylko się trochę popieścimy i pójdziemy o krok dalej niż tylko pocałunki, język, usta, dłonie…

Był bardzo rozpalony i całował mnie z zapałem po całym ciele. Moja sukienka leżała już obok, a teraz on zsuwał mi majteczki, próbując dostać się niżej. Chyba byłam oporna, bo popatrzył na mnie rozognionym wzrokiem i sapnął: „Przecież też chcesz... czuję to, jesteś wilgotna, a ja, zobacz tylko!". Wziął moją dłoń i położył na swoim podbrzuszu, i wtedy przestraszyłam się bardzo. Jego męskość była wielka i twarda, do połowy wyszła mu z kąpielówek, więc poczułam napiętą skórę członka i gorącą krągłość główki, bo moją dłoń zacisnął na sobie. Wyrwałam ją przerażona. Ojej! Jaki człon! Jak kij bejsbolowy! Usiłował mnie uspokoić, ułagodzić, znów obsypując pocałunkami, ale ja nagle na całym ciele czułam ten jego wielki, gorący wzwód, na udach, brzuchu, na boku i łokciu. O mamo, nie, NIE! Uciekłam.

Przecież chciałam! Szedł obok, właściwie biegł za mną i mówił do mnie coś żałosnym tonem, że potrzebuje tego, że mnie kocha, żebym się nie wygłupiała, że zwariowałam, przecież było tak dobrze, i w końcu natknęliśmy się na nasze towarzystwo. Ja pobiegłam do pokoju, a on poszedł z nimi. Wróciłam do pokoju zadyszana, zdumiona. Padłam na łóżko. Byłam wystraszona, ale i zachwycona tym, co było, zanim dotknęłam jego przyrodzenia. To, co czułam w dole brzucha, w cipce, to podniecenie, dreszcze, gdy mnie całował po piersiach, jak lizał ich czubeczki i zagarniał wargami, drażnił językiem, och tak, to było takie... nieznane! To, jak sięgał gorącą dłonią po moim brzuszku coraz niżej i niżej, też było niepokojąco cudne. A jak dotknął palcami mojego wnętrza, gorącego, śliskiego — zadygotałam z podniecenia... To dlaczego tak spanikowałam? Romantyczna idiotka.

Nie uświadamiałam sobie wzwodu! W ogóle nie myślałam nigdy o tym! Owszem, uczyłam się na lekcjach i czytałam o ciałach jamistych, o erekcji i immisji, ale... jakoś nie w takiej sytuacji! Widziałam na wsi, jak koguty pietuszyły kury, a raz, jak byk wskoczył na krowę, ale przecież na filmach ludzie robią to jakoś inaczej!

No i to, że się tak ośmieszyłam... Zawiodłam go, a on sobie poszedł!

Wrócił po godzinie. Zapukał, wszedł. Wziął mnie za ręce i zapytał:

— Mam wyjść?

Poczułam wódkę.

— Bartek... ty... piłeś!

— No, tylko nie histeryzuj! Po tym, jak mnie urządziłaś, musiałem się napić, ale niewiele... Chodź tu — szepnął, wymamrotał, ale to był jakiś dziwny obleśny szept zmieszany z kwaśnym zapachem wódy. Niby wesoło wykręciłam się z jego objęć i próbowałam namówić na spotkanie następnego dnia, ale był nieustępliwy, całował mnie po ramionach, dłoniach i w usta, w końcu zdarł ze mnie koszulę i padliśmy na tapczan. Prosiłam go, żeby zaczekał, nie teraz, ale był głuchy. Za oknami usłyszałam głosy starszych państwa mieszkających obok mnie, pewnie wracali z nocnego brydża. Głupio byłoby mi wrzeszczeć, bo przecież sama wpuściłam swojego chłopaka do pokoju!

Szamotałam się z nim, zaciskałam uda i usta, ale był silniejszy i dopiął swego. Wdarł się we mnie nieromantycznie, niszcząc wszystko, co sobie wyobraziłam, czego chciałam. Bolało, gdy tak wierzgał, rzucał się we mnie, dyszał i wreszcie przestał. Po jakimś czasie leżenia w ciszy poszedł do łazienki. Kiedy wrócił, zaczął mnie przepraszać, głaskać i gadać coś, że teraz już będzie fajnie, że defloracja zawsze boli i mogłam go uprzedzić. Ale ja milczałam kompletnie nieruchoma i skamieniała.

— Nie powiedziałaś mu, że jesteś dziewicą?! — Agata znów mi przerwała, mając stroskany wyraz twarzy.

— Wiem, powinnam była, ale bałam się, że się wystraszy, że mnie wyśmieje.

— Zawsze się o nich troszczymy zamiast o siebie! Och, ja też byłam taka głupia, też tak robiłam! Co dalej?

— Dopiero gdy wyszedł, zajrzałam w pościel i zobaczyłam krew. Popłakałam się. Nie z bólu, ale z żałości, że jestem taka głupia, a on taki inny niż ten, którego znałam z randek. Był najpierw taki słodki, cudowny. Najpierw wyniosły, nieprzystępny, minął tydzień, zanim w ogóle zwrócił na mnie uwagę, odrzucając zaloty innych dziewczyn wpatrzonych w niego jak w obraz. Nieśmiało mnie podrywał, ładnie... Później tak było romantycznie, pięknie... kwiaty, tani pierścionek ze sklepu z pamiątkami, z muszelki, i słodkie szepty, zachwyty nad moim ciałem, i mruczando: „Będziesz moją panią, będziesz się uśmiechać, będziesz liczyć gwiazdy, będziesz na mnie czekać...". Tanio mnie wziął, Grechutą. Zwariowałam. Odjęło mi rozum. Zakochałam się szaleńczo. O, ja głupia gęś! Turnus się właśnie kończył. Przebukowałam bilet o dzień. Wysłałam do rodziców telegram, że wracam dzień wcześniej i... jakoś przeżyłam kilka dni do wyjazdu. Wyjechałam do

Warszawy pociągiem porannym o 6.05, nie żegnając się z nikim. Seks w moich oczach zbladł, przestał być owocem zakazanym, ale i smak miał kwaśny, smutny.

— Z nikim o tym już nie rozmawiałaś?

— Właściwie tylko z Anielą. Koleżanką z ławki.

— Mój Boże... — powiedziała Agata — zostałaś z tym sama?

— Najpierw nie chwaliłam się nikomu moją spapraną inicjacją. Anieli tym bardziej, która i tak miała swoje problemy. Pomyślałam, że może później. Że jak poznam jakiegoś fajnego chłopaka, to z nim to zrobię porządnie, ładnie, i to będzie mój egzamin poprawkowy. Z pierwszego razu. Nie wytrzymałam i opowiedziałam jej jednak, kiedy mnie przyparła do muru, pytając o wakacje, o Bartka, o którym napisałam jej wariacki, dziewczęcy, płomienny list, w którym wychwalałam jego urodę, usta i słodycz.

„I co?" — dopytywała się Aniela, gdy siedziała ze mną na parapecie przed pracownią chemiczną. Wtedy westchnęłam i opowiedziałam jej o tym całym zajściu. Słuchała, mając coraz bardziej okrągłe oczy, i skwitowała: „Zgwałcił cię!". Zaoponowałam gwałtownie: „Nie! No coś ty! Sama go wpuściłam do pokoju, mówiłam ci, że mieszkałam sama". „Ale nie chciałaś, a jak kobieta nie chce, a facet to zrobi siłą, to gwałt!" — upierała się Aniela i dodała: „Renata studiuje resocjalizację, to wiem!".

Według starszej siostry Anieli, Renaty, zostałam zgwałcona... Nie. Nie! Nie pasowało mi to! No, nie do końca, bo jednak go kochałam i chciałam, ale nie wtedy... i nie skopałam go, i nie wrzeszczałam przecież... Sama przed sobą plątałam się, kręciłam i z radością zmieniłam temat. Nigdy już do tego nie wracałam, a trupa zamknęłam w szafie na lata...

— Aż do dzisiaj? — spytała Agata.

— Napomknęłam kiedyś ojcu, ale oględnie.

No i wyszło na to, że jednak miałam uraz. Chciałam jej właściwie jeszcze opowiedzieć o toksycznej miłości z Czarkiem, ale stanęło na tym, że przyjdę na terapię grupową.

— To co, widzę cię w piątek?

Westchnęłam:

— OK.

Wracałam z uczuciem ulgi. Już nie bolało. Trup wyjęty z szafy rozpadł się w pył. Co prawda to dopiero jeden trup... Ale najgorzej było zacząć. Na razie dość! Teraz powrót do życia, do codzienności. Nie płakać, nie załamywać się!

Mirek pewnie ma taki zakręt, przeczekam to, zajmę się pracą.

Rano zadzwoniła koleżanka z działu. Wracała właśnie z koncertu naszych starszych gwiazd. Piała zachwyty, sala sporego teatru w Gorzowie szalała, klaskała owacje na stojąco; radość, łzy, wzruszenie.

— Mania, to byłby dla ciebie świetny materiał. Pomyśl, czybyś nie skleciła jakiegoś cyklu. Powrót gwiazd! No, skoro są w tak doskonałej formie! Pamiętam, jak mi mówiłaś o swojej rozmowie ze Skaldami, Jackiem i Andrzejem, o piosenkarzach, którzy mają power, chęci, i nie są wykorzystani. Co sądzisz?

Słuchałam jej jak przez mgłę.

— Jestem gdzieś indziej. Muszę to przemyśleć. Ale nie dziś, nie mam nastroju.

— Nastrój? Zawsze powtarzałaś: nastrój to głupota, liczy się robota!

— Tak, bo byłam głupia. Przepraszam cię. — I zakończyłam rozmowę.

Po chwili znowu sygnał. Myślałam, że to znowu Baśka z pretensjami, że jej rzuciłam słuchawką. A to Lilka, moja przyrodnia siostra. Mówi, że wpadnie jutro, że ma sprawę, że koniecznie. Jakoś to zniosę. Mogłam skłamać, że mnie nie ma! Cholera jasna, jeszcze mi ona potrzebna!

Lilka

Lilka... No, Lilka generalnie mnie wkurza i mam z tego powodu duże wyrzuty sumienia, bo to głupio tak, żeby własna siostra tak wkurzała.

Skąd się wzięła Lila w moim życiu?

Pewnego dnia, kiedy byłam mała i mieszkałam już z rodzicami na wsi koło Otwocka, mama wróciła ze szkoły i usiadła z ojcem w altanie. Rozmawiali cicho. Nie słyszałam o czym. Odrabiałam lekcje, może czytałam? Wieczorem mama weszła do mojego pokoju i usiadła na łóżku.

— Maryniu, chcę ci o czymś powiedzieć, dziecko.

Tak zwracała się do mnie Pela, moja niania, ale mama? „Dziecko"? Dość poważnie to zabrzmiało, więc aż usiadłam z wrażenia.

— Kotku, wiesz przecież, że Michał nie jest twoim biologicznym tatą?

— Wiem!

— To wiesz też, że twój prawdziwy tata... zostawił nas i żyje sobie z inną panią. I z nią ma córeczkę, młodszą od ciebie Lilkę.

— I...? — niecierpliwiłam się, bo kompletnie nie rozumiałam, po co mi te rewelacje.

— Ten pan, znaczy twój ojciec, miał wypadek samochodowy, w którym zginął.

— I co...? — spytałam jak gdyby nigdy nic. Mama zamilkła, zagryzając usta, odchrząknęła. — Jego żona, mama Lilki, jest w ciężkim stanie, a jej babcia nie ma tyle sił, żeby wychowywać dziewczynkę, więc jutro Lila przyjedzie tu do nas i pobędzie do końca roku szkolnego, dopóki jej mama nie wydobrzeje.

— Będzie jeździła z nami do szkoły? I mieszkała? Jak siostra?!

— No tak! I to jest twoja siostra, tylko nie rodzona, a przyrodnia.

Oszalałam z radości. Byłam w piątej klasie, utożsamiłam się z Anią z Zielonego Wzgórza i tęskniłam za siostrą.

— Maryniu, ale Lilka jest o pięć lat młodsza. To dzieciaczek. Nie panienka, jak ty...

To było rozczarowanie. Chciałam siostrę, ale równolatkę!

Następnego dnia starsza pani przywiozła wystraszone dość dziecko, długo opowiadała o wypadku, o szpitalu i stanie mamy Lilki, więc rodzice wysłali mnie z nią do ogrodu. Nie wiedziałam, jak postępować z takim maluchem, więc tylko bujałam ją na huśtawkach i pokazywałam sztuczki na trzepaku. Podstawiłam jej skrzynkę po jabłkach, żeby też właziła. Już było nam tak wesoło, kiedy ta pani weszła się pożegnać, i ta mała oczywiście wpadła w płacz i nie chciała zostać.

Mama się nią zajęła, a ja poszłam poczytać. Tato wniósł mi do pokoju rozkładany fotel nazywany u nas w domu „fotelanką".

— Lila będzie spać z tobą — powiedział i dodał, drapiąc się z niepewności w czoło: — będzie wam... raźniej!

Jak dotąd nie było mi „nieraźno". Było mi normalnie, tylko brakowało mi bratniej duszy, przyjaciółki od serca, a tu taki zaryczany maluch i jeszcze ma spać w moim pokoju? Trudno. Jakoś to musi być, skoro rodzice się uparli.

Lilusia szybko zapomniała o swoim losie i okazała się radosnym i miłym dzieciakiem. No właśnie, dzieciakiem... Żadna z niej wtedy była koleżanka. Musiałam się o nią troszczyć i pilnować jej, a o zwierzeniach od serca i tajemnicach mowy nie było, ale czułam się jak starsza siostra i matkowałam jej trochę, na ile umiałam. We wrześniu wróciła do swojej mamy, do Warszawy.

Następny raz, gdy się spotkałyśmy, to było kilka lat później. Byłam licealistką, Lilka uczyła się w podstawówce. Była zima i moja mama zmęczona pracą w szkole pojechała sama do ciotki Jadwigi, do Garbatki, a do nas wprosiła się Lila. Że nie ma dokąd wyjechać, a w domu nie chce siedzieć, bo babcia pojechała do sanatorium, a mama...

Nie byłam zachwycona, ale argument: „To twoja siostra, przecież ją polubiłaś" zamknął mi usta. Tym razem okazało się, że Lila zmieniła się nie do poznania. To już nie był rozkoszny dzieciak z rudymi loczkami, śmiesznie pytający co chwila: „A czemu tak?".

Przyjechała piękna dziewczynka. Wesoła, szczebiotliwa i... zaczytana. Miała śliczny miedziany odcień włosów skręconych w loki, podczas gdy moje wypłowiały i stały się takie zwykłe, ni to rude, ni to blond. Loczków też już nie miałam. Zajęła pokój gościnny i była już szalenie samodzielna. I tak się narodziła tradycja...

Latem mama zawsze jechała na miesiąc lub dwa do Garbatki, do ciotki Jadwigi, więc gospodarowaliśmy sobie sami: ja, tatko i Lila. Lila była nieznośną bałaganiarą, trzpiotowata i wesoła.

Nad rzeką po skosie, na ładnej polanie zaczęli rozbijać namioty jacyś studenci, więc ojciec z Kobylińskim postawili tam sławojkę, żeby nie obkichali okolicy. Kąpali się w Świdrze, grali w piłkę, gdy byli trzeźwi, a jak im zabrakło na picie, najmowali się do drobnych robót polowych, a potem przepijali to, co zarobili. Na zawsze już nabrałam niechęci do takich form spędzania wakacji. Wolałam już nigdzie nie wyjeżdżać, niż jechać byle gdzie, bez pieniędzy. Lila często bywała u nich gościem, kokietowała i żartowała, choć ojcu się to nie podobało i często ją ostrzegał. Lila nadymała usta i wzruszała ramionami. Fakt, trzymała ich na dystans, oni traktowali ją jak dzieciaka, ale mnie to denerwowało.

Ojciec był zapracowany, więc Liluś — jak na nią wołaliśmy — biegała sobie samopas, jeździła na moim rowerze i poznała prawie wszystkich z Woli.

— Powsinoga — parskałam, gdy opowiadała przy kolacji o swoich nowych znajomych. Po cichu podziwiałam tę małą za odwagę i tupet.

Czasem zawstydzałam ją:

— Ty to z każdym za pan brat jak świnia z pastuchem!

— A ty zazdrościsz! — pokazywała mi język.

Och, jak mnie to złościło!

— Tylko nie pływaj sama! — tato groził jej palcem.

— Nie pływam sama, tylko z chłopakami! Nie dadzą mi utonąć!

Znikała na całe dnie, ale zawsze wracała umajona, zadowolona, wesoła. Raczej byłyśmy rozdzielne, ona żyła po swojemu, ja po swojemu. Ona wstawała z oporami, późno, zjadała coś w kuchni naprędce i znikała na rowerze, a ja wstawałam rano i najczęściej pomagałam ojcu i Kobylińskiemu albo czytałam. Nie miałyśmy wspólnych tematów. Ja licealistka, bujałam w innym świecie niż Lileczka z podstawówki. Nie miała o to żadnych pretensji, że mało kto się nią zajmuje. Uśmiechnięta i samowystarczalna nie stanowiła dla nas obciążenia. Raz tylko spytałam tatę:

— Tatku, czy ona musi tu być?

— Kochanie, ja sądziłem, że ci miło, to w końcu siostra...

— Przyrodnia... i nie mam z nią wiele do gadania, sam wiesz. A zresztą, dobra! Nie mówmy już o tym.

I nie mówiliśmy. Po wakacjach u nas Lila wracała do siebie i miałam rok spokoju! Mama Lilki po wypadku była niepełnosprawna, wiem, że potrzebowała opieki i w końcu wylądowała w Henrykowie u sióstr. Zmarła tam szybko i Lila została sama. I tego lata, po pogrzebie, gdy była u nas, tak się jakoś mizdrzyła do moich rodziców, aż wymyśliła, że do mojego taty chciałaby mówić „tato". Mama się zdziwiła, ale powiedziała jej, że musi mnie o to spytać, bo to mój tato, i że ona nie ma nic przeciwko temu. „Ale do mnie nadal chcesz mówić, ciociu, prawda?" — upewniła się. „Tak, oczywiście".

Mnie podeszła wieczorem, była jak mały kotek, najpierw mówiła o Michale pięknie, a potem znienacka zapytała:

— Mania, a pozwolisz mi, że będę mówiła do wujka Michała „tato"? Tak jak ty. Bo ja wiesz… Miałyśmy jednego tatę, on już nie żyje. A teraz możemy mieć razem drugiego. — Spryciula, nie wiedziałam, co odpowiedzieć, i oczywiście pozwoliłam.

Czasem w życiu powiemy coś, czego się już nie da odwrócić.

Lila odtąd „tatusiowała" mojemu tacie aż miło! Tatusiek, tatuś, tatuńku, i do tego przymilny uśmiech Liluni… Kiedyś się poskarżyłam mamie, ale ona mi powiedziała, żebym nie była zazdrosna, że jestem ukochaną córką Michała i doprawdy powinnam ją zrozumieć. Taka młoda i już całkowita sierota! „A poza tym, zgodziłaś się…".

Starałam się. Rozumiałam, ale… bolało. To było jak taki malutki gwoździk w bucie. Gdy wpadała na krótko, to prawie mnie to „tatusiowanie" nie drażniło, ale im dłużej była, tym bardziej każde „tato", „tatuniu" denerwowało, bolało, złościło. Byłam najzwyczajniej… zazdrosna!

Jako studentka wyprowadziłam się już od taty prawie zupełnie, a Lila stała się tam coraz częstszym gościem. Nie gościem! Ona się tam zadomowiła na dobre! W szafie, w pokoju gościnnym wisiały jej ciuchy i koło drzwi stały sandały, klapki! W mojej łazience wisiał jej płaszcz kąpielowy i stała w niebieskim kubku z żółtą kaczką szczoteczka do zębów! Co za tupet! Wszędzie Lilka, Lilka, Lilka!

Kiedy wyszłam za mąż za Mirka i urodziłam Pana Grzegorka, życie rodzinne mnie tak wchłonęło, że wsiąkłam w nie ze szczętem, i ta niechęć do Lilki zeszła na dalszy plan. Jednak chyba nie do końca, bo któregoś dnia wyżaliłam się na Lilę wujkowi Gieniowi, a to przecież mój najukochańszy wujo.

I… on też był zdania, że to nic wielkiego, że przesadzam! Że Lila, owszem, przywiązała się do ojca, ale według wujka to było „takie słodkie"! Tłumaczył mi, jak to Lila się pięknie związała z Michałem, jaka z niej miła pannica, i „no, jak możesz być taką zazdrośnicą!". Głupio mi się zrobiło. Może faktycznie byłam zbyt zaborcza?

— Marian! — ciągnął wujek. — Popatrz obiektywnie, ty wyszłaś za mąż, masz rodzinę, Wanda zmarła, Michał tam na wsi sam, tylko z Kobylińskim, to ona mu tam życie rozświetla, jak przyjeżdża! No, nie bądź zazdrosna. Oj! Kochasz ty tego ojca! Sam chciałbym być tak kochany!

— Ciebie też, wujku, kocham! Daj buziaka. Może masz rację?

Jednak zadra w bucie siedziała i uwierała…

Czasem mi się wydawało, że Lilka uwodzi ojca. Łasi się, uśmiecha zagadkowo, rzuca spojrzenia jak gwiazda niemego kina. Jednak nie widziałam, żeby tatko był podatny na to. No dobrze, może ona taka jest, a ja jestem przeczulona? Zazdrosna?

Mam więc siostrę przyrodnią, ale nie jest to związek pełen miłości. No… ona po prostu jest, bywa, wpada, ćwierka. Ja do niej jednak serca nie mam, i tak mi z tym zawsze było głupio, ale uczuć nie umiem zmienić! No nie i już!

— Cześć, Mańka!

Lilka stoi jak ilustracja lata. Zwiewna, drobna, śliczna. Ma na stopach sandałki na szpilce z cienkich paseczków, muślinową sukienkę z ostatniej kolekcji reklamującej się w naszym kolorowym, jej rude włosy są wyprostowane, co ją odmłodziło jeszcze bardziej.

— Jak ty wyglądasz, małpiszonie! — prawie na nią krzyczę, sądząc, że żartem pokryję lekkie zmieszanie. Rzadko się widujemy, a teraz ja jestem nie w sosie.

— Ale że co?

— Jak jakaś studentka! Jak gówniara! Robisz mi na złość, małpo jedna? No chodź! Daj pyska, zmoro jedna! — sama się sobie dziwię, jak umiem być tak miła i bezpośrednia.

— Ja ciebie też! — mówi Lila rozkosznie i cmoka mnie w powietrze, żeby sobie nie zetrzeć błyszczyka z ust. — Mania, jest może Mirek? Mam właściwie do niego sprawę, wiesz, nie zawracałabym mu tyłka, ale ja już nie mam siły, czwarty raz wypalam nadżerkę, leczę się, leczę, wiesz, to jest dobra lecznica, ale coś jest nie halo. Nie to żebym ja prowadziła jakieś burzliwe życie, bo nie prowadzę, ale to zwyczajnie przeszkadza. Mirasa klinika jest droga, ja wiem, ale przyszłam zwyczajnie w łaskę, niechaj ktoś by mnie tam porządnie przeleczył, bo ile można, no tak?

To wszystko wyklepała na jednym oddechu. Taka jest Lilka!

— Mirek się wyprowadził — mówię spokojnie.

Zapada cisza. Lilka łapie powietrze, mruga oczami. Łapie błyskawicznie, przysiada na biurku.

— Do innej?

— Do kliniki na pięterko ode mnie się wyprowadził.

— Andropauza, romans, czyście się pożarli?

— Nie wiem...

— Marianno Naiwna, jak facet zmienia lokum, to... Co ci będę mówić, jak widzę, że sama wiesz. Czasem bywa, że bryka do faceta, ale zazwyczaj to do baby!

— Nie wiem! Nie zdążyliśmy porozmawiać!

— O, kurwa... to się niepotrzebnie wcinam, przepraszam cię, siostro, mój aniele — Lilce się wyrwało, bo ona jest bardzo bezpośrednia i swój cudny słodki ryjek ma strasznie niewyparzony. — Mania, może on ma napad melancholii i musi pobyć sam? Albo ma romansik z młodą cielęciną i wróci wcześniej, niż myślisz.

— Skąd wiesz?

— Bo tacy jak on to już nie nadążają za młodymi maszynkami. Najpierw pierdolca dostają, a potem nie dają rady, bo taka ciąga go po knajpach, dyskotekach, pubach i on po jakimś czasie ma zgagę od pizzy, odciski od parkietu, pustawą mosznę i przeciąg na karcie kredytowej, a oni tego nie lubią!

— Ale ty dosadna jesteś…

— Życiowa. Kilku mi się wypłakiwało. On na durnia nie wygląda, więc się w młodocianą ciążę nie wpakuje — kalkulowała dalej moja siostra, mrużąc oczy — ale jak nie do siksy, to znaczy… miłość, i niestety tu jest po japkach. Przepraszam, że jestem brutalna. Mania, ja go nigdy nie lubiłam, no przepraszam cię, ale to mydłek. Raz, że konus, dwa, że zakochany w sobie mydłek. Nie masz czego żałować. Olej go! Pora na luuuz!

— Lilka, my mamy dziecko!

— Twoje dziecko ma już dziecko! To dorosły chłop! Właśnie, a Grzesiek wie?

Opowiedziałam Lilce o mojej rozmowie z synem.

Pokręciła głową, jakby z odrazą.

— Co za tolerancja!

A potem ruszyła na Mirka. Okropnie go sklęła. Ma język jak brzytwa! Właściwie miło było słuchać, jak go zjechała od najgorszych! Nie broniłam go. Kiedyś bym na nią wrzasnęła. Dzisiaj nie! Niech sobie tak siedzi, majtając nóżką w sandałku, i mówi to, czego ja nie potrafię. Lilunia — jednak mam obrońcę!

— Cham, rybi chuj! Jak większość z nich. Znudziło się panu, to cześć i następna proszę! Olej go, proszę cię. Kutasina zwiędła! Teraz tylko musisz z niego wydusić wszystko, co się da! A co, niech płaci!

— No dobrze, a co z tobą? — W końcu postanowiłam zmienić temat. Już się nasyciłam.

— Ze mną? Teraz to ja już pójdę do niego bez żadnego wiesz… Jak myślisz, wyleczą mnie w tym ich Pro-Femie? Maaańka, jak ja mam już dość! No normalnie latam z tą moją pipką po lekarzach, jakbym się ostro suczyła, a ja od roku, czekaj — policzyła na palcach — od paru ładnych lat żyję w celibacie!

— Dzwoń do niego, tam jest teraz taki fajny, młody, Jasiński chyba, i on też ma etat na onkologii.

— Jasiński, dobrze. No, to idę, daj buziaka i nie martw się! Głowa od góry, siostro, tak? A jak chcesz, to ja tu pomieszkam z tobą, żeby ci nie było smutno, co?

— Nie, jakoś daję radę. Pa, Liluś.

Lilka pofrunęła jak kolorowa ważka, a mnie lżej na sercu wcale nie było.

Łatwo jej mówić. Ona jest sama całe życie, ani męża, ani dzieci. Rajski ptak. No, może gdyby nie ten dramat z dawnych czasów, nasz jakby wspólny mianownik...

Była już na studiach, gdy to się stało. Na jakichś wakacjach, nie u nas oczywiście, wracała z dyskoteki, chyba w Sopocie... A może nie? To chyba było w Bieszczadach na obozie, tak! W Bieszczadach, dokąd pojechała jako studentka pierwszego roku.

Wracała z wyprawy do sklepu z kolegą i złapało ich dwóch pijanych chłopaków. Podobno miejscowi, napici i brutalni. Jego skopali do nieprzytomności, a ją... Nigdy nie dowiedziałam się szczegółów. Wróciła zgaszona, apatyczna, obca. Milczała, a ojciec i wujek Gieniu byli pełni współczucia, ale i pełni niemocy, bo Lilka dość samotna, nie dała się zaprowadzić do żadnego psychologa. Mieszkała już wtedy w mieszkaniu po babci, na Starówce, sama. Podczas krótkich wizyt u niej zapewniała nas, że z nią wszystko w porządku. Ojciec i Gieniu bardzo się nią ciepło zajmowali.

Ja kompletnie nie umiałam, nie chciałam o tym myśleć ani tym bardziej pomóc Lilce. Nie wyobrażałam sobie skali tego paskudztwa, jakim jest gwałt. Niby też przez to przeszłam, ale Bartek był mi znany, w moim własnym pokoju na wczasach. Poza tym sama jakoś tego chciałam, tylko że on... Więc czy to był taki znów gwałt? Lila została brutalnie zgwałcona, „na brudno", przez obcych napastników, kompletnie wbrew jej woli, i jeszcze widziała, jak pobito jej kolegę. Tak się rozgrzeszałam, głupia...

Ja byłam o wiele od niej starsza, w ciąży, i kompletnie przerażona tym, co jej się stało, bo moje własne ciało i mój własny wstyd dawał o sobie znać nawet u pani ginekolog. A ona? Rozdarta, sponiewierana gdzieś w nocy, przy drodze przez dwóch obcych chamów, pijanych brutali?! Nie, nie, NIE! Nie chciałam o tym myśleć, chciałam to wymazać z pamięci! Za wszelką cenę. Odwróciłam się od tego, od Lilki.

Nie umiałam wyjść do niej z siostrzaną miłością. Za każdym razem, gdy o niej myślałam, drżałam z przerażenia, obrzydzenia i wewnętrznego lęku. Nie wyciągnęłam do niej ręki, to powodowało we mnie poczucie zakłopotania i wstydu, że nie umiem, nie jestem współczująca, pomocna. Teraz to się nazywa „dawać wsparcie" i wszędzie się o tym pisze. Wtedy nie.

Nigdy jej nie przeprosiłam, nie umiem!

Lila doszła do siebie i nawet nie zawaliła roku! Powoli odżyła, malowała, rysowała, sprzedawała portrety, studiowała malarstwo, często przyjeżdżała latem, jesienią do ojca „malować plenery", raz nawet na kilka dni z grupą kolegów z roku. Była dowcipna, wesoła. Między nami powstał dystans. Ja urodziłam dziecko. Przy niej czułam się staro i ciotkowato. Nawet lubiłam, gdy mnie objeżdżała za wygląd: „No, znów się zapuściłaś! Marianna, co to za spódnica, do cholery, grasz w jakimś filmie z epoki? Wywal ten worek zaraz!". I zaczynała mi ciosać kołki, dobierać szmatki i tłumaczyć, że syn nie stanowi o tym, że mam się czuć jak mamcia. To kazało mi brać się za siebie, śmiałam się, zmieniałam ciuchy, ale stale nie umiałam odpuścić jej tego, że tak się zżyła z moim ojcem! Że mi go prawie odebrała! Tatko to wyczuwał i starał się, żeby nasze drogi u niego nie krzyżowały się za często, ale jednak...

Kilka lat po studiach Lila wpadła w wir życia towarzyskiego i stała się popularną i wziętą portrecistką, i bywała u taty znacznie rzadziej! Odpuściło mi trochę. Mirek jej nie lubił, z wzajemnością.

Piknął esemes. „Żyjesz? Agata". Odpisałam: „Żyję, jest OK. Pa. M.". Tak naprawdę musiałam pobyć sama i zrozumieć bez niczyjej pomocy, co się stało. Dlaczego Mirek odszedł i gdzie tu jest moja wina? Ten nasz drętwy seks? Czy jest jakaś inna baba, czy nie? Ale to się wyjaśni dopiero we czwartek, mam nadzieję.

We wtorek okazało się, że mam nagły wyjazd do Poznania. Mam zrobić na gwałt wywiad z wybitną dyrygentką, która potem nie ma kompletnie czasu, więc to jedyna okazja. Chciałam zaprotestować, że to niemożliwe z tysiąca powodów, ale Regina podniosła rączkę w geście wstrzymania jak policjant na skrzyżowaniu.

— Rozmowę masz wieczorem, bilet na pociąg kupiony, hotel zamówiony. Wszystko pierwsza klasa, więc nie narzekaj. W końcu mam cię od zadań specjalnych. Chcesz, żebym posłała tam jakąś siksę? Tylko czekają.

No i pojechałam, w pociągu przestudiowałam materiały do wywiadu. Pani dyrygent okazała się niezwykle uroczą osobą, mamą, babcią. Pogadałyśmy o kondycji polskiej kameralistyki i o tym, jak się ma w polskich realiach kobieta dyrygent. A na koniec o życiu rodzinnym. Moja rozmówczyni mówiła o godzeniu sprzeczności i o tęsknocie zejścia z tygrysa. Wyraziłam solidarność: „Też muszę zastopować, bo inaczej to moje małżeństwo się kiedyś rozleci".

Wróciłam do hotelu ciemną nocą. Pociąg miałam o dziewiątej rano. W Warszawie będę w południe. W łazience zerknęłam w lustro i poczułam się staro. Jestem, no jestem kobietą w latach. Nie malowałam się od tygodnia, tylko jakiś krem na twarz. Mam odrosty we włosach, zwiotczałą skórę pod oczami, a teraz jakoś bardziej się rozciągnęła, a tu, o, taki worek się zrobił... naczynko mi pękło. Cała jestem bez połysku, szara. Dobrze, że się dzisiaj przynajmniej porządnie uczesałam. Ach! Trzeba się jakoś przymaskować.

Wyciągnęłam z minibarku buteleczkę czerwonego wina. Myśli krążyły beznadziejnie wokół Mirka i że muszę z sobą coś zrobić... Zasnęłam koło północy, nastawiając na wszelki wypadek budzik na siódmą.

Obudziłam się szarym świtem z powodu hałasu na korytarzu. To dlatego śniły mi się te koszmary. Była piąta rano. Wkurzyłam się. Wstałam i uchyliłam drzwi. Jakaś młoda męska kadra pokrzykiwała do siebie głośno:

— Karol! Rusz się, samochód czeka!

— Odczep się, ja jadę z Mateuszem! — I ryp! Trzaskają drzwi.

— Witek! Oni jadą z Mateuszem! — woła debil, nie zważając, że to właściwie noc, na hotelowym korytarzu, który zaraz zapełnia się innymi młodymi prężnymi żołnierzami jakiejś korporacji, agencji, cholera wie czego. Nawołują się, rżą jak ochwacone konie. Żadnej świadomości, że oprócz nich są tu jeszcze jacyś śpiący ludzie, a nawet jeśli ja jedna jedyna, to jednak!

Wyskakuję z łóżka po kolejnym „Dawid, kurwa, szybciej!", w koszuli nocnej, nieco rozkudłana, zaspana i otwieram drzwi — obok przechodzą napachnieni młodzi władcy świata, dzierżąc torby z laptopami i futerały z garniturami. Fakt, wczoraj była tu spora konferencja!

— Czy panowie musicie tak wrzeszczeć?! — pytam podniesionym głosem. — Ludzie chcą spać!

Mijający mnie młodzian roześmiał się i odpalił wesoło:

— Babciu, a wy do kościoła nie idziecie? Czy to wypada tak warczeć na ludzi pracy?!

Drugi, blondyn wygolony krótko, spytał go, mijając mnie obojętnie:

— Czego raszpla chciała?

Młodzik coś powiedział w stylu, że się czepiam, a blond chłopię rzuciło wesoło:

— Niech spierdala.

Marzyłam o tym, żeby mieć miotacz ognia, uklęknąć, wycelować i spalić na nich te ich gustowne łachy i niechby tak zostali nadzy i z poparzonym dupskiem! Gówniażeria! Młode urzędnicze chamstwo! Boże, spuść nogę w wojskowym bucie i skop im tyłek!

Oczywiście już nie zasnęłam. Nie umiałam wyjaśnić sobie, jak to możliwe. Dlaczego nikt inny nie protestował przeciw tym pawianom, tylko ja? Czułam się rozdeptana, sponiewierana, zlekceważona. Pokolenie młodych czołgów rozjeżdżających stary świat swoimi nowymi zasadami barbarzyńców. Nonszalancja, bezczelność, łokcie i kompletny brak szacunku dla innego człowieka.

O siódmej półprzytomna zjechałam na śniadanie. Próbowałam się reanimować trzema filiżankami kawy. Wróciłam do pokoju. Postanowiłam zadzwonić do tatki. Na pewno już dawno nie śpi. Wstaje też po piątej, ale z własnej nieprzymuszonej woli. Budzą go ptaszki, a on się z nimi o to nie kłóci, tylko ćwierka do nich miłośnie.

— Cześć, Baranku, co tak wcześnie?

— Jestem w Poznaniu. Za godzinę mam pociąg. I chciałam trochę energii z twojego ogródka.

— Ile zapragniesz. Wiesz, była u mnie Lilka...

— Widzę, że dobre wieści szybko się rozchodzą, a Lilkę coś znów gna do ciebie...

— Ach, nie bądź zazdrosna, to dobry dzieciak — wzdycha. — No, to co się tam stało?

— Nic, tatku. Mirek się wyprowadził. Podobno mi to sygnalizował wcześniej, ale ja widać niekumata jestem i zbagatelizowałam.

— Taaak — ojciec jak ja nie lubi rozmów przez telefon — wpadniesz, co?

— W sobotę, dobrze?

— No, dobrze. Trzymasz się jakoś?

— Jakoś. Całuję cię, tatku!

— Kochanie... — chyba chce mi coś powiedzieć, a może nie wie co? — Bardzo cię kocham. Pa.

Potrzebuję tego. Tego jego chropowatego głosu i świadomości, że to jest ktoś, kto mnie bezwarunkowo kocha.

Zadzwoniłam po taksówkę.

W pociągu dosiedli się do mnie znajomi dziennikarze telewizyjni wracający z jakiegoś nagrania. Tytułem wstępu poskarżyłam się na tych młodocianych debili, którzy mnie pohańbili o świcie. Na to usłyszałam ich relację z hotelu w Krakowie, w którym mieszkali miesiąc temu, a w którym zatrzymała się spora grupa dzieciaków z Izraela odbywających obowiązkową wycieczkę do muzeum w Oświęcimiu. Jednak nie o wrażeniach z wycieczki usłyszałam, ale o tym, jak te dzieci, a w zasadzie młodzi, czternasto-, szesnastoletni ludzie, dewastowali wieczorami hotel. Pili na potęgę, wrzeszczeli, zabawiali się hucznie. Część hotelu w ogóle jest zamknięta w trakcie ich najazdu!

— Oni nie mówią — opowiada mi dziennikarka. — Oni się wyłącznie do siebie drą.

— A pamiętasz — wtrąca kolega — jak zarzygali basen i windy? W basenie butelki po alkoholu, burdy, wrzaski do rana!

Podobno ambasada i polski MSZ błagali o pobłażliwość w tej sprawie. „Niech się dzieci wyszumią, nie możemy zadrażniać stosunków". Siedząca z nami młoda kobieta wtrąciła, że tak, to prawda, ona zna te przypadki, ale to ich matki i opiekunowie grup są odpowiedzialni za to, bo te „dzieci" (zwłaszcza chłopcy) zaraz idą do armii, a to dla nich rzecz straszna. Wielu z nich ginie bardzo młodo, więc niechaj się nażyją przed...

Mój Boże, fakt, ale czy tak ma wyglądać odreagowanie?!

Rozgadaliśmy się o tym zjawisku, gdy jak na zawołanie i potwierdzenie z korytarza dobiegła nas jakaś awantura... komórkowa. Facet przez telefon objeżdżał słowami mało wykwintnymi kogoś po drugiej stronie tak, że słyszał to cały przedział.

— Co za cham! — warknęłam. — Co za brak manier!

— Manier? — zdziwił się kolega dziennikarz — Marianna, maniery dzisiaj są jak mamuty, jak dinozaury!

— Nie rozumiem — powiedziałam idiotycznie, bo rozumiem doskonale.

Wróciłam do domu wypompowana. Zadzwoniłam do Reginy, że materiał mam, ale już dziś do redakcji nie wpadnę.

Chciałam na chwilę zasnąć, ale nie mogłam odkleić się od emocji dzisiejszego poranka. Maniery... umierają właśnie z pokoleniem mojego ojca, z pokoleniem Skaldów, z Gieniem. Nie ma kindersztuby, nie ma uświadamiania dziecku od lat najwcześniejszych, że nie jest pępkiem świata, że trzeba umieć żyć w społeczeństwie tak, żeby sobie nawzajem nie przeszkadzać, a przynajmniej starać się o to. Że skoro nam przeszkadza hałas i chamstwo, należy zachowywać się dyskretnie. Dzisiaj jest czas łokci i siły przebicia, którą wielu z nas utożsamia z delikatnością Kaliguli albo walca drogowego. Schamieliśmy strasznie. Ten proces odbywa się niezauważalnie, ciągle postępująco! Może dlatego, że istnieje na to ciche przyzwolenie nas, osób na tyle dyskretnych, że nie umiemy z równym tupetem reagować wedle recepty Kofty: „Gwałt niech się gwałtem odciska, rzekła dupa do mrowiska".

Piękna inteligencja nam teraz rośnie, niby to umie jeść nożem, widelcem i pałeczkami nawet, a słoma z butów sypie się, bo frak, jak mówi Gieniu, dobrze leży dopiero w czwartym pokoleniu. Pajace, przebierańcy! Prymitywy! Tfu!

Co robić? A może dałoby się jakoś zwrócić społeczną uwagę na to? Podjąć syzyfową pracę, ale podjąć! A nie milcząco pozwalać, cofać się przed nimi. Łaziłam tak, łaziłam po domu i kombinowałam. I wykombinowałam!

Eureka! Mam pomysł! Chwycę byka za rogi!

Będę musiała podzwonić do kilku osób, specjalistów od takich masowych działań, nakłonić ich, i do Znanej Osoby, albo najlepiej dwóch, mężczyzny i kobiety. Nie! Cztery osoby! Dwójka młodszych i dwójka starszych! Tak!

Kampania społeczna — „Powrót do dobrych manier". Albo nie, krócej: „Szanujmy się". O, to będzie lepsze!

W domu cisza aż dzwoni, myśli o tym, co się stało, że Mirek mnie... rzucił, jednak mnie rozpraszają, mącą. Poszłam do sypialni Mirka... Do byłej sypialni... Poszłam do pokoju, w którym... Jak teraz myśleć o tym pokoju? Rozejrzałam się, ale nie wiem, czego tu szukam. Ach! Chciałam znaleźć płytę Sinatry... półka pusta. Spakował, zabrał. Znów mnie ścisnęło w żołądku, pusta półka, to taki namacalny dowód...

Zadzwonił telefon domowy. Gieniek, a jakże. To było do przewidzenia.

— Marian, dziecko kochane, jak ty się trzymasz? Co mi tu Michał opowiada? Mirek cię... rzucił?

— No... wyprowadził się.

— Skurwysyn! — wuj porywczy jest.

— Tego jeszcze nie wiem, ale zabrał walizki i jeszcze jakieś drobiazgi, i płyty.

— No, ale co, kłóciliście się? Zdradzał cię? Jakaś pielęgniarka? Lekarze to...

— Nie wiem, wujku. Jeszcze nie rozmawialiśmy tak, wiesz...

— Zaraz, ale to jak to tak? „Nie wiem"? I puściłaś go?!

— A co, miałam paść jak Rejtan?

— Racja... Potrzebujesz czegoś? — pyta mnie czule.

— Chciałbyś go zastrzelić, jak się domyślam?

— Zgadłaś! Możesz mnie wynająć jako snajpera!

— Nie, Grzesiek by się wściekł. I Tadzio.

— Prawda. Dzwoń do mnie, jakby co. Trzymasz się?

Wszyscy mnie o to pytają!

— Trzymam się, trzymam, wujku, tylko się puścić nie mogę, jak mówiła Magdalena Samozwaniec. Pa!

Żegnamy się. Kocham te moje stare grzyby. Kto by się o mnie tak troszczył? Nastawiam w swoim pokoju mieszankę francuskich piosenek.

Jeszcze raz dzwoni wujo:

— ...ale przyjechać może do ciebie? Wszystko dobrze?

— Wujku, dobrze jest! Pracuję tu nad nowym projektem!

— Jadłaś coś ciepłego?

— Kanapki.

— Od kanapek to dostaniesz kataru kiszek, ja nie jestem jakiś mistrz, ale bym ci jutro bitki przywiózł.

— Dobrze, jasne! Przywieź.

— Pa.

Wiem, że musi mnie zobaczyć, bo pęknie. Będzie dzisiaj dusił te bitki... Która jest? Siedemnasta? Zdąży, chytry lis! Zaraz skoczy po wołowinę, założę się!

Nucę sobie, chodząc po pokoju: *Et si tu n'existais pas, Dis-moi pourquoi j'existerais...* Piękny Joe Dassin śpiewał to dla świata, a dla mnie Mirek śpiewał to po francusku. I jeśli ty nie istniejesz, po cóż ja miałbym istnieć... Komu teraz to śpiewa, jeśli w ogóle, i do kogo się wdzięczy?

Nie mam myśli samobójczych, tylko podle się z tym czuję. Jakbym była drugiego gatunku, wybrakowana czy co... Sama mówiłam o takich mężach z pogardą: „Zamienił starą, wysiedziałą kanapę na młodszy model". No i zła jestem, ale dlaczego, nie wiem jeszcze. I zazdrosna trochę, chociaż nigdy nie byłam! Trochę, jak sobie pomyślę, że jeśli to jest inna kobieta, to on się tam u niej zachowuje inaczej, jest wesoły, czarujący jak kiedyś i... Ale to głupie. Przecież mi na tym od lat już nie zależy! Ale coś szczypie. Jeśli jest inna? Kto to jest? Mirek mnie zdradził? Agata mówiła, żeby się nie nakręcać. Nie nakręcać, nie nakręcać!

Ach! Wracam do pracy, ale skupić się już nie mogę. Stale myślę o tym, co mnie tak ujęło w Mirku, że aż za niego wyszłam? Może to, że był nienachalny? Czy wyszłam za niego tylko dlatego, że zaistniał w moim życiu w najmniej oczekiwanej chwili?

Nalałam sobie koniaku.

Moje wyjście za mąż za Mirka było rodzajem ucieczki. Dzisiaj to widzę, bo wówczas naturalnie było to wydarzenie miłe, i taka byłam z siebie zadowolona, że wchodzę w dorosłe życie! Koleżanki miały swoich chłopaków i już nawet mężów, zazwyczaj równolatków, a ja miałam statecznego, ustawionego życiowo męża lekarza. Mirek asystował przy moim zabiegu po poronieniu jako anestezjolog. Poronienie było spadkiem po dramatycznym romansie.

Potem zajrzał do mnie na salę na pogawędkę, jak się czuję, i zaczął wpadać, aż do wypisania mnie ze szpitala. Sąsiadki z sali się śmiały, że mu wpadłam w oko, a mnie było trochę głupio. Nie wyglądałam zbyt pięknie w szpitalnej koszulinie, z szarozieloną twarzą, spierzchniętymi wargami. Sądziłam, że się raczej lituje.

Niezbyt wysoki, krępy, energiczny, ciemnowłosy, w okularach, z uśmiechem jak ten śpiewający Włoch, Al Bano... One, moje sąsiadki, były zachwycone, ja nie. W ogóle nie byłam nastawiona romansowo.

Kiedy przyszłam do szpitala na kolejną kontrolę, on szedł właśnie korytarzem w białym lekarskim ubranku, stukając białymi drewniakami, i uśmiechnął się szeroko.

— No witam! Uciekła mi pani!

— Uciekłam? Wypisano mnie i pojechałam do domu...

— A ja chciałem... a teraz pani kolej? — Właśnie otworzyły się drzwi gabinetu. — Dobrze, ja poczekam!

I czekał pod drzwiami, a po wizycie kontrolnej szliśmy szarym korytarzem.

— I co teraz pani zamierza?

— Jak to co? Żyję dalej. Teraz pobędę u ojca na wsi. Mieszka pod Warszawą. Tam jakoś odpocznę. Chyba...

— A jak stan... ducha?

— Jak pan widzi, doktorze. Oddycham, chodzę... nie zamierzam się powiesić, jeśli o to pan pyta, choć i nie do śmiechu mi.

— Pani Marianno, pogadałbym jeszcze, ale mnie wzywają, dałaby mi pani nadzieję na jakąś kawę? Tu jest mój telefon — podał mi wizytówkę. — Mogę mieć nadzieję?

Zdziwił mnie. Po co mu kontakt do jakiejś podłamanej studentki po poronieniu?

Sama nie wiem, czemu zadzwoniłam do niego.

Przyjechał brązowym fiatem 125p, żeby mnie porwać do miasta, ale został u nas, było lato, chyba końcówka, bo zachwycił się naszym sadem i jabłkami. Odechciało mi się wypadu do miasta, „złapałam doła", jak to się dzisiaj mówi, i nie byłam ani zachwycona jego przyjazdem, ani skłonna jechać dokądkolwiek. Podałam kawę w naszej altanie, łaskawie zaproponowałam mówienie sobie po imieniu, bo „panie doktorze" było zbyt sztywne.

Ojciec był miły i zagadał się z Mirkiem o przypadłościach mamy. To znaczy o klasterowych bólach głowy, o bólu w ogóle, o zwalczaniu różnymi metodami, o tym, że zmarła na wylew.

Ja siedziałam dość obojętna. Mirek rzucał na mnie od czasu do czasu okiem zza złotych okularów, ale nie padłam z wrażenia. Jadł ojcowe jabłka, ojciec donosił śliwek, chwalił się odmianami, a ja byłam jak za szybą.

— Marianno, jest czerwiec, w sobotę jadę do moich przyjaciół do Kazimierza. Może pojedziesz ze mną?

Ojciec się wtrącił:

— Baranku, pojedź! Oderwiesz się myślami, pan Mirek taki uprzejmy, a jak tam warunki? — spytał przytomnie.

— Oczywiście! Marianna będzie miała swój pokój. Oni mają na piętrze cztery pokoje z dwiema łazienkami, z odrębnym wejściem. To mili młodzi ludzie z czwórką dzieciaków. Mają wolne pokoje. Jak będziesz chciała, zostaniesz tydzień, a ja jadę tylko na trzy dni. Muszę odetchnąć, bo ostatnio miałem masę pracy.

Lekko popychana przez tatę pojechałam.

Mirek w samochodzie głównie opowiadał o sobie, zresztą nie za dużo, akurat żeby mnie nie zmęczyć. Za oknami samochodu widziałam lasy stojące nieruchomo i pola pełne zapracowanych ludzi. Zbierano truskawki. Nie chcę pracować na uczelni ani w szkole, ani w sadzie jak tatko, bo się na tym nie znam, więc co? Poczułam się taka pusta, głupia. Zmarnowane cztery lata studiów. Po co mi one?!

Mirek co jakiś czas pytał mnie, czy ma się zatrzymać, czy nie jestem głodna, czy chce mi się pić. Chciałam uciec. Piękna ciepła aura nie wywoływała we mnie radości.

— To Wisła? — zapytałam.

— Tak. Tutaj jest najpiękniejsza! Byłaś tu kiedyś?

— Na wycieczce szkolnej. Pamiętam jakąś studnię.

— Wszystko ci pokażę.

Wjechaliśmy do miasteczka, między niewielkie kamienice. Wąską uliczką pod duży, wyglądający na stary, piętrowy dom z jakimiś ciekawymi załamaniami u góry, z owalnym okienkiem mansardowym, balkonem godnym sceny balkonowej, rodzajem krużganku. Wkoło drewniany płot i furtka. Okazało się, że dom stoi na zboczu, na którym jest warzywnik i sadzik, a na samym końcu struga i wielkie łopiany. To wszystko zostało mi natychmiast pokazane przez znajomych Mirka, Bognę i Edka.

Czułam się głupio, bo chyba byłam zbyt mało entuzjastyczna, ale zwaliłam wszystko na karb zmęczenia.

Gospodarze zaprowadzili mnie na górę. Mój pokój okazał się przytulny. Stare meble, na ścianie pasiasty kilimek, pod nim tapczanik z wyrobionym dołkiem. Toaletka ze starym lustrem, skrzypiąca szafa i żardinierka z paprotką. Nad toaletką dwie fotografie w sepii pięknych kobiet w sukniach z koronkami. Za oknem pochmurno. Wziął mnie sen. Obudzono mnie na kolację.

W jadalni zobaczyłam rój dzieci. Uśmiechnęłam się i postanowiłam być miła, przedstawiłam się. Pan domu, Edek, pracownik miejskich wodociągów, po Politechnice Warszawskiej nie znalazł pracy odpowiedniej dla siebie, a tu, w Kazimierzu — jak twierdzi — mógłby nawet rowy kopać. Dom odziedziczyli po ciotkach. Ona okrąglutka, krótkowłosa blondynka, pielęgniarka. Pracowała w jakiejś przychodni krótko, bo przyjechała tu z mężem i posypało się jedno za drugim, na przemian — syn, córka, syn, córka. On głośny, radosny, wybuchowy. Ona — sam spokój. Z Mirkiem chyba bardzo zżyci. Byłam trochę jak nieobecna, ale odpowiadałam na pytania i jak padło: „skąd się znacie", powiedziałam bez skrępowania:

— Miałam zabieg w szpitalu i Mirek ratował mi życie.

— Ja tylko asystowałem! — uśmiechnął się.

— Życie? — zapytała Bogna.

— Mamo, możemy iść na telewizję? — krzyknęły chórem dzieci.

— Oj, nie wypada — sarknęła Bogna, ale dodała: — No, dobrze, ale weźcie resztę kanapek.

Podziękowały i poszły na dobranockę, więc spokojnie wyjawiałam, co się stało. O poronieniu i o Mirku, że taki był uśmiechnięty i jako jedyny życzliwy i widzący we mnie człowieka, bo lekarze i pielęgniarki traktowali mnie jak zadanie do wykonania. Sprawę romansu, który zaowocował ciążą, przemilczałam.

— Tak? — spytał Mirek — Ja taki miły byłem? Kobieto, powtarzaj mi to częściej!

Powoli poprawiał mi się nastrój, rozmawialiśmy o życiu w Kazimierzu, o zaletach i wadach, z których największa to najazdy turystów.

— Oboje lubimy to miejsce, a dom ciotek jest magiczny! — mówiła Bogna. Miała aksamitny głos i leniwość w ruchach, spojrzeniu. Wielka kontra dla męża, chyba raptusa.

Następnego dnia dałam się wyciągnąć na łazikowanie. Śniadanie zaczęłam od truskawek z cukrem polanych gęstą jak budyń śmietaną. Bułki z piekarni rozdzierałam i smarowałam masłem, pożerając łapczywie. Mirek uśmiechał się milcząco, potem poprosił, żebym założyła trampki.

Był piękny dzień, nie za gorący, słoneczny, w powietrzu faktycznie coś niepowtarzalnego, baśniowego. Prowadził mnie uliczkami, spokojnie, nie mówiąc za wiele. Czasem wydawało mi się, że to są dekoracje do filmu, te zagrody, płoty z suszącymi się glinianymi garnkami, małe okienka nisko, czasem tak nisko, że aby zajrzeć przez nie, trzeba by się schylić. Szliśmy coraz wyżej. Mirek opowiadał jakąś legendę cicho, łagodnie, uśmiechał się i sumitował, że nie umie opowiadać. Ma faktycznie czarujący ten uśmiech.

Po bokach stromej ścieżki rosło mnóstwo skłębionych krzaków tarniny, czarnego bzu, forsycji, tworząc rodzaj korytarza, a potem nagle wyszliśmy na polanę, i znów pod górkę koło niskiego ogrodzenia z kamieni, za którym pasły się krowy. Zapachniało gnojem, krowy patrzyły za nami, ruszając pyskami, a Mirek zawołał:

— Cześć, dziewczynki! — popatrzył na mnie i dodał: — Chyba nie jestem dowcipny?

Pokręciłam przecząco głową. Wiedziałam, że się nie obrazi.

Łaziliśmy bez końca, a ja nie czułam zmęczenia. Mirek zabrał ze sobą napoje, pytał, czy nie chce mi się pić, był troskliwy. Nogi mieliśmy ubłocone, ja rozczochrane włosy.

On uśmiechał się do krajobrazu, do mnie, a kiedy zaczęły się stromizny i trzeba było stąpać po kamieniach, podał mi rękę i już jej nie puścił. Z ruin zamku obserwowaliśmy dookoła czerwcowy krajobraz i milczeliśmy. Jak pięknie! Ile przestrzeni! Ile nieba! Wdychaliśmy to ciepłe powietrze. Mirek stanął za mną i objął mnie ramionami, żebym mogła się oprzeć o niego.

— Fajnie jest, prawda? — Przytulił się do mnie policzkiem. Ładnie pachniał. Nie mówiliśmy wiele więcej, a ja czułam się bezpieczna, spokojna. Spacerowaliśmy tak często, czując, że coś miłego dzieje się między nami.

W niedzielę Mirek powiedział tak:

— Posłuchaj, za dwa tygodnie chcę wziąć urlop, miałem jechać z kolegami do Dubrownika, ale wymyśliłem co innego. Co powiesz, żebyśmy zadekowali się tu, u Edków? Powtórzysz sobie do egzaminu, ja z Edkiem połazimy na ryby, potem razem wybierzemy się na jagody. Bogna jest fajna, pogadasz z nią, dojdziesz ze sobą do ładu. Co?

— A co? Sądzisz, że jestem w nieładzie?

— Psychicznie niby się trzymasz, ale Bogna uważa, że nie poradziłaś sobie ze wszystkim, nie odpłakałaś.

— A muszę?!

— Niby nie, ale zamiatasz pod dywan. Nie musisz, jak nie chcesz, ale ona jest mądra i dobra. Może będzie ci tu dobrze? Ja ci się nie będę narzucał.

Wróciłam z Kazimierza do taty niepewna, co robić. Tatko był zdania, że to znakomity pomysł. Był ewidentnie pod urokiem Mirka. Wierzył mu i ufał. Wujek Gieniu też był tego samego zdania:

— Kochanie, zbieraj manele i jedź! Jeśli cię ten doktorek nie wkurza, a ta pani Bogna, z tego, co mówisz, miła i wiesz... to jakbyś jechała do sanatorium, tak, Michał? — zwrócił się do ojca.

— No przecież!

— Co wy tak się chcecie mnie z domu pozbyć? — zapytałam podejrzliwie.

Wujek się roześmiał:

— Marian, pomyśl, ani ja, ani Michał nie jesteśmy specjalnie tymi, no... terapeutami, kochamy cię jak źrenicę oka, ale obaj sobie rozmawialiśmy, że może jakie sanatorium? Ale w takim dla nerwowo chorych to jakieś cudaki, popaprańce, a ty się do takich nie nadajesz. I ten Kazimierz, to jak z nieba spadł, i ten pan Mirek się wydaje taki uczciwy... Misiek, prawda? — Wujek widocznie był zatroskany o mnie. Jak zawsze!

— No, a przyznajcie się — ściągnęłam brwi. — Jaki jest podtekst?

Drugie dno? Znaczy, wy tu co? Pod moją nieobecność zaszalejecie tu sobie, co? Panienki, wino... Co, chłopaki?

— Gienek spędzi tu sobie u mnie urlop! — ojciec był wyraźnie ucieszony.

Wieczorem tatko wszedł do mojego pokoju i powiedział:

— Wiesz, Baranku, coś tam między nimi nie gra...

— Między wujkiem i ciocią Krysią?

— Tak, ale udawaj, że nic nie wiesz.

— A jak ty, tatku?

— A co, źle wyglądam?

— Nie oszukujmy się, źle. Brak ci mamy...?

Milczał, siedząc na krześle jak... uczeń. Twarz mu się zrobiła szara, smutna i powiedział tylko:

— Nawet nie wiesz, jak bardzo. Wanda była trudna ostatnio, miała swoje demony, złe myśli, smutki, bo to choróbsko ją zamęczało, ale wiesz, Baranku, no sama wiesz...

— Wiem, tatku. Mama była ostatnio bliżej ciebie niż mnie, ale mi jej też brakuje. Siedziałaby tu teraz i głaskała mnie po tym wszystkim...

— Czujesz się niedogłaskana, córeńko?

— Nie, tak tylko powiedziałam, bo mamy to zawsze tak robią córkom, jak te się przewrócą, albo ktoś je ciąga za warkocze. Głaszczą, przytulają i... rozumieją. Tatowie rzadziej, no chyba że to ty! Daj mi buziaka i idź już spać! Pojadę do tego Kazimierza, bo Bogna jest faktycznie miła, i wiesz, jak tam jest pięknie! Te górki, ta Wisła, taki wszechogarniający spokój!

— I tylko to? — spytał tatko z uśmiechem.

— Prawie. To był dobry pomysł, tato.

— Który? Kazimierz czy Mirek?

— Obaj.

Chyba się zaczerwieniłam. Ojciec ścisnął mi rękę i pocałował w czoło.

Pojechałam.

To znaczy Mirek przyjechał, zabrał mnie i zawiózł. Jechałam o wiele weselsza i mniej spięta, bo już wiedziałam, dokąd i do kogo jadę.

Na miejscu okazało się, że miło jest pomagać Bognie przy dzieciach, gotować z nią zupę, gadać o głupstwach. Iść do ogrodu po sałatę, do starej pani Marty po śmietanę i twaróg, a do pana Szymona rybaka po ryby. Wisła w Kazimierzu jest faktycznie piękna, jak z bajki. Mirek zabrał mnie łodzią na drugi, piaszczysty brzeg. Na taką łachę wystającą z wody jak półwysep. Słońce paliło, a na tej niby-wyspie tylko my. Tam Mirek, stojąc z wiosłem w ręku i mrużąc oczy od słońca, zapytał:

— Czy gdyby to była bezludna wyspa i ty nie wiedziałbyś, czy wrócimy, dałabyś się pocałować?

Nic nie powiedziałam, tylko się uśmiechnęłam. Wtedy rzucił to wiosło i podszedł powoli. Bardzo chciałam, żeby mnie pocałował.

Mirek za dnia przepadał z Edkiem, albo sam, na ryby. Miał tu kilku znajomych, ciągnął mnie do nich, ale chyba grzecznościowo, więc nie szłam. Wolałam być z Bogną. Wieczorami, kiedy dzieci były w łóżkach i babcia czytała im bajki, my graliśmy w karty, w monopol, i czułam się tak dobrze i lekko, że przed snem dawałam się Mirkowi wyprowadzać na spacer. Mówił:

— Chodź, wyprowadzimy psa!

Faktycznie, kiedy wychodziliśmy, szedł za nami tutejszy pies, kundliszcze, Kołek. Moje myśli miały już o wiele jaśniejszy kolor, byłam wolna od ciężaru, który dotąd ze sobą wlokłam, i podatna na nadciągający romans. Na spacerach całowaliśmy się pod gwiazdami w towarzystwie znudzonego Kołka, a noce spędzaliśmy... razem.

Mirek, starszy ode mnie o kilka lat, wydał mi się wspaniałym, no, porządnym facetem „na życie". Żaden tam smarkacz, żaden wariat i kombinator, a zwyczajny lekarz, poważnie traktujący życie i spoglądający na mnie zza metalowych ramek okularów.

Po powrocie do Warszawy spotykaliśmy się często u mnie albo u niego. I zupełnie się nie zdziwiłam, kiedy w kwietniu, prawie po roku znajomości, zapytał mnie, czy za niego wyjdę, podając mi w pudełku, totalnie nieromantycznie, złoty pierścionek z górskim kryształem. Brzydki jak nie wiem co.

— No, już myślałam, że tego nigdy nie zrobisz — powiedziałam, przymierzając go. Był na dodatek za duży.

— Kurczę! — sarknął — na amerykańskich filmach dziewczyny płaczą ze szczęścia w takich chwilach!

— To jedź do Ameryki! — uśmiechnęłam się i dopiero wtedy przytuliłam się do niego, co miało oznaczać „zgadzam się".

Pierścionka nigdy nie nosiłam. Leży w szkatułce.

Czy byłam zakochana? Nie wiem, chyba bardziej wdzięczna, że ze mną jest, że mnie chce, mimo że widziałam, jak na towarzyskich imprezach patrzą na niego kobiety. Jedna, podlana alkoholem w sylwestra, powiedziała szczerze: „za ten jego uśmiech to bym z nim poszła!". Na oddziale też widywałam, jak się do niego wdzięczyły panny, ale mnie to nie ruszało. Przecież on sam mnie sobie wybrał.

Wizyta

Czekałam na jego wizytę, na czwartek. Wizyta! O mój Boże, mąż z wizytą?! To jakieś stare babki ciotki przychodziły kiedyś „z wizytą". Co to za słowo, od którego już zalatuje stęchlizną? Dzisiaj wpada się na chwilę, na kawę, na kilka słów. Wpada... Na szybko, raz dwa, bo się wiecznie spieszymy. Więc przyjechać ma mój jeszcze mąż na kilka słów. Lepiej? Hm.

Co powie? Chciałabym znać powody, i co dalej?

Cierpliwie czekałam, pracując nad moim nowym projektem. Sanacji manier.

Na konsultacje zaprosiłam do domu kolegę dziennikarza z wieloletnim stażem, starego piernika Włodzia. Jest zniszczony, lekko przygarbiony na jedno ramię, czoło ma jak tarę do prania, masę siwych włosów. Był kiedyś strasznym kobieciarzem, Wikipedię ma w głowie, biegle włada czterema językami. Rubaszny, mądry i dobry człowiek. Oczywiście dzisiaj niedoceniany, czasem lekceważony, bo stary. W Stanach byłby wielbiony jak Larry King. Żyje, kpi, pisze pamiętniki, które wybuchną po jego śmierci. Włodzio uważa, że porywam się z motyką na słońce i mam marzenia kompletnie z ubiegłego wieku, ale też sądzi jak ja, że „kto nie ryzykuje, ten w pierdlu nie siaduje". Zanalizował mój pomysł dokładnie i zaopiniował:

— Zdobądź do akcji ryje, wtedy masz szansę. Sama — padniesz! Marianna, powiem ci szczerze, jak matka krzesna, za cholerę jasną nie wierzę w świętość, abstynencję i powrót dobrych manier! I jeszcze ci powiem, dziecko... dobrze robisz! No, ktoś tą świętą musi być! Dobrze. Pomogę ci. To się nie uda, ale ci pomogę!

Włodzia poznałam przypadkowo na jakimś przyjęciu. Koleżanka mnie zaciągnęła do niego, mówiąc mi na ucho: „To historia dziennikarstwa polskiego, łap okazję!". Okazał się cudownym, zalkoholizowanym, samotnym, superinteligentnym facetem, oczywiście wychowanym na cycku PRL-u. Świetnie nam się rozmawiało. No bo przecież jak się ma siedemdziesiąt parę lat, to nie spadło się z Marsa. Włodzio mnie rozwala, mówiąc do mnie „dziecko", robiąc mi miłosne propozycje, ale nigdy nie przekroczył cienkiej czerwonej linii, za co go szanuję i już. Siedział teraz u mnie w fotelu i mówił:

— Wierzę natomiast, że robiąc szum wokół tego, coś tam ruszysz, może drgnie. Powstanie, daj ci Boże, dziewczynko, jakiś medialny szum i na tym wypłyniesz znów, jak na tych twoich rosołkach. A ludzie grzeczniejsi ani uprzejmiejsi nie będą, taki „trynd"!

— Tak sądzisz, redaktorze? — trzymam go na dystans tym „redaktorze".

— Schamieliśmy strasznie, w dupie mamy wszelkie wartości, szczanie na pomniki to nasz narodowy sport i powód do jakiejś pieprzonej dumy, ale może faktycznie warto się pokusić o to, żeby przynajmniej to zauważyć, i bądź ty ta pierwsza, co powie: „Dość, kurwa, tego chamstwa!"... czy jakoś tak.

— Włodek!

— Oczka smutne masz. Coś nie tak?

Milczę. Nie wiem: mówić mu czy nie? Trochę mi ojcuje w zawodzie.

— Mąż mi się wyprowadził.

Włodek zrobił nieokreśloną minę, trochę zniecierpliwioną, trochę taką „jeszcze jedna".

— A ty zaraz myślisz, gdzie masz feler?

— No wiesz...

— Wy, kobitki, to macie straszne kompleksy! A nie kombinuje twoja głowa, że czasem, jak jedziesz samochodem, to nagle widzisz znak drogowy rozjazd? Jedna droga w lewo, druga w prawo i szlus, nie ma jak dalej jechać prosto! Tak bywa! Marianna, to, o czym myślisz, kiedyś nazywało się „do grobowej dechy", takie skazanie! Jak wyrok. Pozwól, że pominę szczęśliwe stadła żyjące w zdrowiu i pomyślności do brylantowych godów, dostające na pierś państwowy medal za długotrwałe pożycie. To jest piękne, wspaniałe, szacun i kwiatki, ale... Sama wiesz, jak takich mało. Zazwyczaj ludzie są ze sobą, bo tak wypada, i zadręczają się albo egzystują obok.

— I ty to potępiasz, bo jesteś singlem.

— Tak. Nie wiem, z jakiego powodu twój się wyprowadził, ale uważam, że postąpił uczciwie.

— No, brawo! Wiesz, Włodek, łatwo ci mówić, bo jesteś sam.

— Marianno, piękna kobieto, pozwól, że ci to uzasadnię. Staram się zrozumieć, o co chodzi. Jeśli facet wyprowadza się od takiej kobiety jak ty, to znaczy, że jest uczciwy. Zamiast tu z tobą siedzieć w imię przyzwoitości. Wy kobiety uwielbiacie to słowo, my kompletnie go nie rozumiemy, co to, kurwa, jest? W imię tej przyzwoitości siedziałby i zdychał z nudów i rosnącej niechęci? Tego byś chciała?

— Dlaczego mówisz, że z „rosnącej niechęci"?

— Myśl! Jakby kochał, to by nie... no? No?

— ...nie jest to miłe.

— Ale szczere. Odszedł, bo miał czegoś dość albo poczuł pustkę nie do wytrzymania, albo znalazł coś fajniejszego, szlus, koniec, kropka! I co, uważasz, że w imię tej waszej „przyzwoitości" ma zaprzestać, wziąć na wstrzymanie i być z tobą na siłę, „nawiekiwiekówamen", zamęczając się? Kto dzisiaj tak robi?

— Uczciwi ludzie.

— Uczciwy facet z ciężkim sercem powiedział ci „cześć". Uczciwie.

— I tak ma prawo po trzydziestu latach?

— A po ilu miałby?

— Włodek! Dlaczego stajesz po jego stronie? Przecież ty nic nie wiesz... nie znasz go.

— Bo jest uczciwy!

— Zostawiając mnie?!

— A co, ty jesteś niepełnosprawna?! Wy jesteście... Marianna, chciałabyś, żeby z tobą był do śmierci, udając, że jest OK, ale cierpiąc w milczeniu, czując się niespełniony, no, niezrealizowany, kurczę, rozczarowany, ale żebyś ty była zadowolona?!

— Rozczarowany? A czym?

— Mańka, kurwa mać, a miałem cię za inteligentną! Ty decydujesz, co on czuje?! Musiał poczuć, że mu życie podeszło pod brodę, skoro odszedł, i weź to na klatę, kurwa, no stało się! Ale ty żyjesz! To jest najważniejsze! Życie nie odeszło! — ucichł. — No. To daj tam, co masz do ucałowania, i spadam. Na pewno mam nie zostać na noc?

— Na pewno.

— Zapewnię ci pięciokrotny orgazm!

— Zjeżdżaj!

— No dobrze, kłamałem, ale trzykrotny!

— Włodek, idź już no!

— OK, komórkę zabrałem, zapalniczkę, fajki... Trzymaj się, mała, i dzwoń!

I poszedł, zostawiając mnie całą w myślach, wątpliwościach i pytaniach.

Esemes od Mirka: „Sympozjum sie skonczylo dopiero. Zadzwonie rano. Moge byc piatek w poludnie. M.". Odpisałam „badz" w jego esemesowej polszczyźnie, a potem się zastanawiałam, czy to zrozumie.

Zanim jednak doczekałam się piątku, pojechałam z glejtem do Skolimowa w sprawie mojego pomysłu na akcję zwalczającą chamstwo, a raczej promującą krzewienie dobrych manier. Dom Starego Aktora w Skolimowie to czarowne miejsce, inna bajka. Wielka aktorka, dzisiaj już z lekka zapomniana, zaprosiła mnie do pokoju pachnącego lekami, perfumami, z kilkoma zdjęciami jej najbliższych na toaletce. Obok tylko flakon perfum i szminka.

Jej klasa, uprzejmość, serdeczność sprawiły, że poczułam się jak w ubiegłym stuleciu. Podała herbatę w filiżankach z porcelany, dystyngowana, elegancka i urocza.

Udzieliła mi wywiadu o teatrze klasycznym, którego jest wielką admiratorką, a który mniej mnie obchodzi. To był znakomity wstęp do tego, żeby pani dała się ponieść dalej. Poplotkowała o koleżankach, za nic nie chcąc jednak mówić o nich po nazwiskach, uważając, że to byłoby nie w porządku. Anegdotki, przypowiastki, wpadki. „Nie mogę powiedzieć, która to z nas, bo żyje i mogłaby sobie tego nie życzyć". Hm. Jakie to dziwne, zważywszy, że dzisiaj paparazzi włażą ludziom do bielizny, do alkowy, włażą za celebrytami do sklepu i do szpitali — wszystko na sprzedaż. Rozkręcona dała się już całkowicie naprowadzić na temat mnie interesujący i gadałyśmy sobie mile.

— Pani wie — szepnęła — że Madzia, moja wielka przyjaciółka i doprawdy urocze dziecko, jak wchodzi do tramwaju, to mówi „dzień dobry"? Przesada? — spytała i zaraz dodała: — Ale widzi pani, ona i jej mąż to byli tacy ludzie z klasą! Zwłaszcza on! Odlać z platyny i wstawić do Sèvre jako wzorce uprzejmości. Albo do Muzeum Narodowego i postawić obok rysunków naskalnych jako coś, co już jest absolutną prehistorią! Ja nie mogę w ogóle oglądać telewizji, tam samo chamstwo i kompletny brak klasy, choćby i resztek! Ach, na szczęście ja pójdę do swojego nieba, gdzie to wszystko, do czego nawykłam — jest! Będę chodziła w rękawiczkach i kapeluszach! Całe szczęście, że tu nikt się z tego nie śmieje, koleżanki też noszą kapelusze, ale na ulicy w Warszawie uchodziłabym za dziwadło!

Pożegnałam ją z dziwnym uczuciem tęsknoty za światem, który jeszcze ciut dzięki ciotce Jadwidze, mamie, ojcu liznęłam. To, co mnie dzisiaj otacza, co serwuje mi telewizja, radio, to są rzeczy niewyobrażalnie, kosmicznie odległe od tego świata grzeczności, uprzejmości, klasy, szacunku dla rozmówcy.

Teraz tylko spisać tę rozmowę i pozyskać kogoś jeszcze, a najlepiej wiele osób o znanych nazwiskach — Włodek ma rację!

Dzwoni Lila. Znów... Umówiła nas w salonie damskiej urody.

— Mańka, będę szczera do boleści, nie mam kasy na te fanaberie, ale wiem, że sama byś nie poszła, a powinnaś.

— Daj spokój, myślałam o tym, ale nie teraz, nie ma sprawy, pójdziemy. Kiedy?

— No, jutro rano! Dzwoniłam do Mirka w mojej sprawie, podobno jutro przychodzi pogadać, tak wiesz...

— Nic się przed tobą nie ukryje...

— Nic tu nie ma chyba do ukrywania, i dlatego działamy natychmiast albo i szybciej! I oczywiście nie bądź głupia, masujemy się na jego konto!

— Ale dlaczego taki pośpiech?

— Żeby wiedział cham, co traci!

Rozumowanie Lilki jest żałosne, ale wiem, że chce dobrze. To tylko pięć lat różnicy, a ona wygląda na o wiele ode mnie młodszą, bo taka szczupła, wiotka, lekka, wesoła i dowcipna. I ma rozum, emocje jak trzydziestolatka. Po tym, co ją spotkało, zatrzymała się w rozwoju na trzydziestym roku życia i już! „Żeby wiedział cham, co traci" — to jej zdaniem załatwi sprawę. Boże! Ciężko mi odmówić, stara się, więc daję się tylko dlatego, że mam wyrzuty sumienia wobec niej. Tak mi ostatnio się zrobiło. No bo ja jej nie lubię, drażni mnie, a ona się tak stara...

Podczas zabiegów bez skrępowania rozmawia ze mną, nie bacząc na panie kosmetyczki, masażystki:

— I nie bądź wielkoduszna. Jeśli to inna baba, to wiesz! Niech ci płaci alimenty do końca życia. Tłuste!

Umieram ze wstydu. Ona nie.

— Nie mam pojęcia, co wyście robili z kasą, ale żyjecie jak drobnomieszczanie, więc go teraz wyduś ze wszystkiego!

— Lila!

— Co „Lila"! Podobno Włodzimierz Sokorski, za każdym razem jak się rozstawał z żoną, to ją dobrze wydawał za mąż i zostawiał z mieszkaniem! Mnie się to podoba!

Leży tak i gada jak maszynka. Radzi, buntuje mnie, wszystko w trosce o mnie! Miała rację co do jednego. Cudownie jest tak sobie leżeć i być masowaną, klepaną, międloną, nakremowaną. Studio pani Marii jest znane, korytarze ciche i pachnące, wkoło biel, uśmiechy i orchidee. Spędzamy tu caluteńki prawie dzień, ale wychodzimy jak z Photoshopa, cudne! Farba na włosach, henna na rzęsach i brwiach, dwie śliczne laseczki! No, ona, kurczę, śliczna jest, a ja zaledwie poprawiona.

Konto, na razie wspólne moje i Mirka, lżejsze o pokaźną kwotę. Trudno, jak mówi Lila: „na biednego nie trafiło", ale troszkę mi głupio. Nie, że w ogóle poszłam z nią do salonu, ale że akurat teraz zaszalałam tak odważnie, za jej namową, za Mirkową kasę! „A co się będziesz szczypać?! Ty się zastanów, jak on ma jakąś lalę, to ile na nią wydaje!". Racja!

Strasznie mnie ta Lilka deprymuje tym, że jest taka otwarta, ostentacyjna. Ona potrafi w sklepach robić awantury — ja nie, i nie żeby była chamska jak przekupa, ale zna swoje prawa (nie wiem skąd), szafuje paragrafami i robi to wszystko głośno i bez skrępowania. No, nie umiem tak! Zawsze mi głupio.

— Bo ty taka cipcia jesteś, co przeprasza, że żyje! A o swoje trzeba się upominać!

Odwiozłam ją do domu, w okolice Starówki.

— Lilka, a jak twoje finanse? Mówiłaś, że kiepsko.

— Pogadamy kiedyś, a teraz zajmij się sobą. Pa! — I pobiegła, wołając: — Wiesz, że ja spadam zawsze na cztery łapy? Będzie dooobrze!

Lilka była kiedyś dość znaną malarką portrecistką. Lilka B.! Tak sygnowała swoje prace. Oprócz tego rysowała czarną, suchą kredką bardzo rozerotyzowane rysunki w stylu Mai Berezowskiej. Sprzedawała to hurtowo. Można było kiedyś zobaczyć jej obrazy w galeriach Warszawy i Krakowa. Teraz… nie wiem.

W domu miałam trochę czasu do przyjścia Mirka, więc zadzwoniłam, jak gdyby nigdy nic, do taty.

— Słucham, Baranku…

— Tato, mogę mieć do ciebie nietypowe pytanie?

— Umieram z ciekawości.

— Tato, czy ty wiesz, jak Lilka stoi z pieniędzmi? Coś mi tak napomknęła, jakby… z czego wywnioskowałam, że u niej kicha…

— Ano kicha. Nie sprzedaje się już. Z rzadka ma jakąś fuchę. Zdobi coś dla jakiegoś butiku. Źle u niej. Będziesz w sobotę?

— Będę.

— No to pogadamy. Co byś zjadła?

— Kluseczki z miseczki, mój miły panie. Pa, tatusiu!

Krótko po dwunastej zadzwonił do drzwi Mirek. Był nieco spięty, ciut oficjalny, ale zwyczajnie wszedł, zrobił sobie herbatę, usiadł… Po chwili zaczął się usprawiedliwiać.

Okazuje się, że żadnej kobiety nie ma, i nie jest to oczywiście nic przeciwko mnie, to on, to jemu się zrobiło w duszy tak nagle pusto i czczo, a w domu ciasno, mimo że metrażu od cholery. Czuje się obco. Nie, nie wróci, ale chce, żebym była szczęśliwa i bogata, dlatego chce mi zostawić to mieszkanie i połowę kasy z kont. To wszystko wyliczyłby jego doradca finansowy i da mi do przemyślenia. Nie, no przecież mówił, że to żadna baba…

A więc podział?

— Nie, Marianna, a… w zasadzie tak, podział, no chcę, żebyś nie miała uczucia, że cię zostawiam na lodzie.

— Dziękuję, to doprawdy wielkoduszne.

— Mańka, ale po co ten sarkazm? Ja nigdy przecież nie byłem jakimś skurwysynem, dbałem o dom, o nas…

Prawda. Dbał i nigdy mi nie wytykał wydatków, a latami, jak był na gołej pensyjce, to dorabiał jak mógł, żeby było na pralkę, na wakacje, na lego dla Grzesia, na rowerek. Prawda! Teraz jednak te deklaracje brzmią złowróżbnie, ale nie umiem go zapytać, czy za tym kryje się… rozwód?! Wywołam wilka z lasu, o nie! Ani słowa o rozwodzie. Milczę. Wreszcie pytam:

— No ale jak to ma dalej wyglądać?

— Tak jak teraz, no nie ma mnie, okroiliśmy nasze stosunki, ale nie wojujemy, prawda? Marianna, przyzwyczaisz się. Masz swoje życie, zawód, swoje zwycięstwa, sukcesy. Ja w tym wszystkim byłem tylko dodatkiem, statystą ostatnio.

— I to niby moja wina?! Obraziłeś się?

— Ja nie mówię o niczyjej winie i nie czuję się obrażony. Tak się stało i uważam, że zrobiłem dobrze. Dajemy sobie wolność, mamy jeszcze jakieś życie przed sobą. Nie wmawiaj mi, że jestem twoją wielką życiową miłością, bo oboje wiemy, że tak nie jest i chyba nie było.

Posmutniał, jest poważny i nie wygląda na to, żeby to była jakaś… pogrywka. Podobno każdy, nawet najuczciwszy mówi, że za tym nie stoi kobieta. A może wpadłam w paranoję, nie oszukiwał…

Nie śmiem go zapytać, czy ja byłam jego życiową miłością. Nie powiem też ani słowa o przyzwoitości, bo Włodzio ma rację. Czy przyzwoitością jest pozostanie ze mną, dla mojego komfortu, czy uczciwe przyznanie się, że Mirek już nie chce ze mną być? Nie chcę usłyszeć krępującej mnie odpowiedzi. Milczę. Mirek żegna się, stara się powiedzieć coś miłego.

— Marianna, zobaczysz, że to dobre wyjście. Przekonasz się. Dzisiaj jesteś zła, ale po co nam życie w kłamstwie?

No racja, po co? Tylko gdzie tkwi prawda i dlaczego ona tak niefajna jest? Coś jeszcze mówił o finansach, ale nie słuchałam go, nie zabierał dzisiaj niczego z domu i zwyczajnie poszedł. Wtedy dotarło do mnie z całą mocą, że to koniec, ale nie płakałam. Jakoś… nie. Stałam chwilę w przedpokoju nieruchoma. Najpierw chciałam zadzwonić do Grzesia, ale przecież się obraziłam! A tak na poważnie, co miałabym mu powiedzieć, że jego ojciec był i że na niczym nie stanęło? No tylko to, że sobie poszedł i mieszka gdzieś indziej, czyli odszedł.

Szłam do Agaty na spotkanie bez przekonania. Co innego paplać z nią, a co innego wywnętrzać się publicznie, ale namawiała mnie, to idę. Przyszłam ostatnia. Prosiła, bym była trochę wcześniej. Powiedziała mi, że będę musiała się przedstawić na grupie i uzyskać ich zgodę na to, bym mogła brać udział z nimi w terapii. Poinformowała, że grupa liczy sześć osób, a ja będę siódmą, i że dziś będą tylko cztery osoby. Obecność nie jest obowiązkowa, ale wskazana. Jeśli mi się nie spodoba, mogę się wycofać.

Na grupie było dwóch facetów i dwie kobiety, jedna młodsza ode mnie i druga starsza. Mili, przywitali mnie z uśmiechem i zasiedliśmy wkoło na poduchach. Przedstawiłam się. Zaakceptowali mnie z radością. A tak się bałam. Uff!

Borys odchodzi od żony. Nie wytrzymuje awantur, wyrzekań, marudzenia, wiecznie niezadowolonej i chorej z zazdrości kobiety. Tak długo mu szperała w rzeczach osobistych, aż miał dość. Ciężko mu z tym podobno.

Robert, trzydziestolatek, może młodszy, został odtrącony tuż przed ślubem i nie może się z tym pogodzić. Panna zdradziła go z jego bratem, o czym ten powiedział mu na pięć minut przed ubieraniem się w pana młodego garnitur ślubny. Ma za sobą próbę samobójczą.

Karolina, sporo młodsza ode mnie — rozwód, bo zdrada. Ma małe dziecko, jest wściekła. Nie płacze, tylko wkurza ją, że zostawił dziecko!

Pani Henia, starsza ode mnie, koło sześćdziesiątki. Mąż ją zostawił dla koleżanki, z którą odświeżył znajomość dzięki portalowi Nasza Klasa. Podobno buchnęła stara miłość. Pani Henia jest mało aktywna, mówi zdawkowo, drżą jej ręce i popłakuje. Nigdy nie pracowała, i co teraz? Córka opłaciła jej terapię i chyba zaszachowała ją jakoś, bo pani Henia utrzymuje, że owszem, tak, chce uczestniczyć, ale widać, że nic do niej nie dociera. Jest martwa wewnętrznie.

Ja też powiedziałam:

— Witam... Ja... Mnie zostawił mąż po trzydziestu latach, jak was obie, jak nas, znaczy was też, tu... jak my czuję się z tym źle, szukam przyczyn, no i jestem tu.

Agata przechodzi do zasadniczego tematu dzisiejszego spotkania.

— A teraz bym chciała, abyście poopowiadali o osobach, które najbardziej kochaliście w dzieciństwie. Przenieście się w dzieciństwo i powiedzcie — kocham cię... Kto to będzie? Kto zacznie?

Pani Henia spuszcza wzrok, nie chce mówić. Karolina wie, że chłopaki muszą pomyśleć, więc zaczyna:

— Ja chyba mamę. Ojciec pracował i był surowy, wymagający. Tak, kochałam najbardziej mamę.

— Opowiedz więcej, mówiła ci, że cię kocha? Czy ty też jej to mówiłaś? Czułaś się kochana?

Karolina się rozkręciła, ale na krótko. Jest szybka, nerwowa, chce coś powiedzieć, jednak robi to nieskładnie. Teraz mama od jakiegoś czasu ją wkurza i nie mają dobrych relacji. Uważa, że Karolina nie powinna zgadzać się na odejście męża do kochanki i stale jej to wypomina, nazywając głupią gęsią. Karolina tłumaczy się:

— Ja nie chciałabym, ale on złożył pozew. I jak ja się nie zgodzę, to on wróci?! Odzyskam go? To jakaś bzdura! Bryknął na dobre, a matka stale swoje!

— Czyli dzisiaj nie ma między wami miłości, a raczej konflikt? — pytam ja.

— No, tak! Jak zawsze jestem ta głupia! — odpowiada. — Dziś jej już nie kocham, ale w dzieciństwie ją kochałam. — I zaczęła opowiadać o tym, jak wtedy mama ją bardzo kochała.

— Nie czujesz teraz wsparcia osoby, którą ty kochałaś w dzieciństwie. Czy cię to boli?

— Nie.

Agata:

— Dobrze, kto następny?

Panowie nieskładnie, ale chyba szczerze opowiadali o tych, którzy ich kochali w dzieciństwie, a potem przyszło na mnie. Opowiedziałam o Peli. Zdziwiło mnie, że to ona stanęła teraz mi przed oczami, że nie pomyślałam ani o Michale, ani o Gieniu, ani o mamie. Może dlatego, że miłość do mamy była tak oczywista. Wiadomo, że ją kochałam, ale Pela... chciałam jej dać publiczny wyraz mojej miłości, tym bardziej że jej nigdy nie powiedziałam, że ją kocham, a kochałam przecież. Miłość mojej niani kształtowała mnie w tamtym czasie, nie wiem, czy nie bardziej niż mamina. W drodze powrotnej od Agaty cały czas drobiazgowo przypominałam sobie Pelę. Nie... ja jej sobie nie przypominałam. Byłam znowu z Pelą. Szłam z nią...

(żółte kartki)
Pelagia Pawelec, czyli mój Anioł Stróż

Kochałam ją! Była stara, chodziła w chustce na głowie zawsze, niezależnie od pogody, dreptała jak kaczka, kołysząc się na boki, bo miała krzywe kolana, zrzędziła i mruczała, ale kochałam ją! Była mi najbliższą istotą, która kochała mnie z wzajemnością, absolutnie i bezbrzeżnie. W jej ustach skierowane do mnie słowo „dzieciaku" miało smak miodu. Była babcią, opiekunką, aniołem, pielęgniarką, wszystkim. Pela była oswojona i całkowicie moja. Zanim nastała Pela, mama próbowała hodować mnie z pomocą sąsiadki i żłobka, ale chorowałam na potęgę, więc ktoś doradził jej niańkę i dał namiar na Pelagię Pawelec z Grochowa, bo dziadkowie mieszkali za daleko, żeby się mną opiekować, nadto mama była samodzielna!

Właściwie nie pamiętam mojego dzieciństwa bez Peli. Przychodziła rano i wychodziła, jak tylko wróciła mama. Sprzątała, gotowała, zajmowała się mną i wiecznie śpiewała kołysankę Szelburg-Zarembiny „Idzie niebo ciemną nocą, ma w fartuszku pełno gwiazd". Nawet w środku słonecznych dni.

Lubiłyśmy się bawić włosami, zaplatać, upinać. Pela lubiła mnie czesać, robiła warkoczyki, kucyki albo zapinała za uszami, z opaską, różnie. Ona też dawała się czasem czesać. Miała ładny warkocz, wtedy jeszcze czarny, przetykany białymi nitkami siwych włosów.

Kiedy przyniosłam z przedszkola wszy, to siadywałam na stołeczku przodem do niej na „iskanie". Kładłam głowę na jej kolanach, ona zaś rozplatała moje warkoczyki. Gęsty grzebień powoli przechodził przez moje włosy, a Pela co jakiś czas wyjmowała coś z nich i zgniatała z cichutkim „trzask" między paznokciami i czesała dalej, nucąc jakąś melodię. Uwielbiałam to! Mogłam tak godzinami siedzieć z głową na kolanach Peli, na których leżała lniana ściereczka, i słuchać owego „trzask" i smętnej piosenki o pastuszku i pasterce, o tym, że on ukradł jej serce. Później musiałam wstać i iść się bawić, bo Pela nastawiała sobie Matysiaków albo Jeziorany i musiała mieć do słuchania spokój.

Szłam do kącika lalek iskać Wieśkę — moją nową lalkę z prawdziwymi włosami, którą dostałam od babci. Nie lubiłam jej, bo była duża i sztywna, i nadal sypiałam z Małpą, ale włosy miała prawdziwe, żółte, jak włókna konopi, a nie jak inne lalki — namalowane na głowie farbą. Na nich nauczyłam się zaplatać warkocze. Kiedy nudziłam Pelę, żeby znów mnie wyiskała, a ta goniła mnie precz, „boć przecież wszy już nie masz", obiecywałam, że też ją poiskam. Czasem, żeby mieć święty spokój podczas Matysiaków, Pelagia zdejmowała chustkę z głowy i siadała na krześle ze złożonymi rękami na kolanach, cierpliwa, a ja stawiałam za nią zydelek i stawałam na nim z grzebieniem.

Och, jak ja lubiłam ją czesać! Jej włosy nie kudliły się jak włosy Wieśki. I nie były takie żółtobrzydkie. Fakt, nie miała wszy, więc z iskania zrezygnowałam szybko i plotłam jej warkocze — na przemian jeden, dwa albo i trzy, cztery…! Nuciłam jak ona i wplatałam w te warkocze różne wstążeczki od goździków, które mama wieszała w łazience, na haczyku koło lustra.

Przed wyjściem do domu Pela zawsze się sama zaplatała w ciasny warkocz, zwijała go w koczek i zawiązywała pod brodą chustkę, wołając z przedpokoju: „Chodź! Daj buziaka, dzieciaku!" — i wychodziła, rzucając do mamy jeszcze:

— To ja poszłam już, psze pani!

I szła!

Kiedy budziłam się rano, Pela już urzędowała w kuchni, robiła mi kawę zbożową z mlekiem, zacierki na mleku albo ryż, bo mama już była po śniadaniu, malowała się i czesała do pracy. Dawała mi buziaka i zostawałyśmy w domu same — ja i Pela.

Po śniadaniu szłyśmy na zakupy, wracałyśmy, potem ona pozwalała mi obierać ze sobą ziemniaki, w moim kolorowym fartuszku z kieszonką, który mi uszyła z takiego samego materiału, z którego ona miała kuchenny fartuch. Stawiała mi zydelek i stałyśmy obie koło blatu pod oknem, obierając i komentując, co się dzieje na ulicy.

— Patrz, Mania, jaki wredny ten Komosiński, jego pies nafajdał na trawnik, a tam przecież dzieci chodzo!

— A gdzie miał nafajdać? — broniłam psa Komosińskich.

— A w parku! Koło drzewek, to by użyźniło, a nie tu pod oknami!

— A jak on nie mógł wytrzymać?

— No właśnie, psa trzeba częściej wyprowadzać, jak się go już kupiło, nie wiadomo po co. Obieraj równiutko, nie spiesz się.

— Pela, patrz, jaki samochód! Kto to przyjechał?

— A ja wiem? Ten niebieski? Kto tu może mieć samochód. Same gołodupce tu mieszkają, bo takie bogatsze to we willach!

Naprzeciw naszych okien, na drzewie zawsze przysiadały ptaki i czekały, aż Pela im wysypie kaszy albo okruchów.

— To gołąby? Pela?

— Nie mówi się „gołąby", tylko gołębie. Nie, to synogarlice, ładne takie, nie?

— A jaka różnica? — dziwiłam się, bo ptaszyska były podobne.

— Gołębie to takie obsraluchy, a synogarlice... ładne takie — mówiła, patrząc łagodnie na oswojone przez siebie ptaszki.

— Przecież i one „obsraluchy", każdy sra!

— Aj tam! — ucinała Pela i szła na balkon wysypać okruchy dla synogarlic.

Nie lubiłam naszego balkonu, bo cały był betonowy, i ja nic nie widziałam, a stołeczka nie mogłam przystawiać. Czasem tylko towarzyszyłam Peli, gdy wieszała pranie.

Naśladowałam Pelagię we wszystkim. Do prasowania mama kupiła mi malutkie prawdziwe żelazne żelazko! Pela nagrzewała mi je od swojego i prasowałyśmy przy stole zawzięcie. Ja — chustki do nosa i moje majtki, fartuszki, a Pela resztę. Obierałam warzywa i kroiłam marchewkę z rosołu na sałatkę, a w małej miednicy prałam jakieś szmateczki — jak Pela! I wieszałam razem z nią na balkonie na sznurkach. Moje wisiały nisko!

Pela znała tysiące piosenek, przyśpiewek i wierszyków, różne Wojtusie, co to na nich z popielnika iskiereczka mruga, i „Jadą, jadą misie, hej, siup — tralala", i „Moja Ulijanko, klęknij na kolanko", i „Stary niedźwiedź", i „W pokoiku na stoliku stało mleczko i jajeczko", i „Zajączki, zajączki, zajączki, co skakały przez pola i łączki", i masę innych!

Znała piosenki na każdą okazję!

Byłam wściekła, gdy mama zapisała mnie do przedszkola już na Saskiej Kępie. Ryczałam i wierzgałam, aż wreszcie zaczęła mnie odprowadzać Pelagia i wyjaśniła, jak to jest z przedszkolem:

— Tylko kilka godzinek, dzieciaku! Szybko zleci, i się do szkoły przygotujesz jak należy, bo ja nie dam rady. Tak? Będziesz wracać szybciej, na obiadek, a ja tymczasem będę miała więcej czasu na robotę. Koleżanki nowe poznasz, no! Nie grymaśże!

Nie chciałam jej sprawiać przykrości, ale przedszkole, a i szkoła wydawała mi się kompletnym bezsensem. Nawet... koleżanki. No bo to nam źle w domu — mnie i Peli? Oczywiście z czasem polubiłam przedszkole i nową panią, ale wiedziałam, że zawsze czeka na mnie Pela, bo mama pracowała na uczelni.

Mama była silną indywidualnością, więc tam, gdzie wykładała biologię, była lubiana i ceniona, szczególnie gdy została sama z dzieckiem. „Taka dzielna" — mówiono podobno. Dziekan bardzo jej pomógł znaleźć mieszkanie na Saskiej Kępie, szalenie jej współczując, i był „opiekuńczy coś za bardzo", jak nieraz burczała nasza Pela.

— Oj, coś się ten pan strasznie troszczy o panio! — sarkała oburzona na zaloty pana dziekana, o których opowiadała rozbawiona mama, a Pela syczała: — Sssss! Taki... wąż!

Nie miałam pojęcia, czemu „wąż" było dla Peli wyzwiskiem, ale było!

Mama ją hamowała:

— Daj spokój, Pela. Daj spokój. Mamy mieszkanie, to najważniejsze!

Pela mruczała i mruczała, i to sprawiło, że nie lubiłam pana dziekana, nie znając go jeszcze. I jemu właśnie, gdy przyszedł do mamy z wizytą, nie przedstawiłam się jak należy.

— No, przedstaw się panu — poprosiła mama, gdy pan dziekan, niski i tłustawy, przyszedł kiedyś „na herbatkę" z wiechciem goździków i bombonierką. Podał mi ją i czekał.

— Nazywam się... Pelagia Wąż! — wyskandowałam głośno i, chwyciwszy czekoladki, uciekłam do kuchni. Ukryłam twarz w fartuchu Peli, ona schowała nos w moich włosach, i tak zdychałyśmy ze śmiechu.

Mama po wizycie pana, o dziwo, nie komentowała mojego zachowania, tylko ilość zjedzonych czekoladek.

— Tyle?! Oj, Maniu, będziesz miała zatwardzenie i Pela będzie musiała robić ci lewatywę — pogroziła palcem.

Przed wyjściem do domu Pelagia dała mi tarte jabłko i mruknęła:

— E tam, zaraz „lewatywę".

Przeprowadziłyśmy się na tę Saską Kępę ku radości Peli, bo ona mieszkała na Podskarbińskiej, na Pradze, i dojazd na Ochotę, do naszego starego mieszkania, był jej utrapieniem.

Do naszego nowego mieszkania szła przez park Paderewskiego i już była! Lubiłam ten park tak jak Pela. Znała każdy jego zakątek.

Chodziła ze mną tam często latem z Małpą, piłką albo skakanką, a zimą ciągała mnie na sankach i puszczała z niewysokich górek. Bywało, że czasem rozmawiała z jakimiś paniami, gdy ja się bawiłam na trawie, ale byłam zazdrosna i zaraz się pakowałam na ławkę i wtrącałam. Wracałyśmy do domu doprawić obiad, wolno albo szybko, zależnie od nastroju. Pela mówiła zawsze, co robi. „O, widzisz, posiekamy marcheweczkę, to ci w gardziołku nie utknie! A teraz podaj mi pietruszkę, to ją też posiekam!". Wołałam, że nie lubię w zupie pietruszki, i Pela mnie uspokajała, że przecież wie i mi nie da. Pytała, co wolę, ryż czy lane ciasto do pomidorówki, i kręciła w kubku żółte lane ciasto, bo ryż był dobry tylko na mleku, gęsty i z cukrem.

Moja lalka była wystrojona pięknie, bo Pela robiła jej swetry i czapki na drutach, i szaliki, i szyła w ręku sukienki. Mnie też robiła czapki i szaliki z wełenek, po które jechałyśmy tramwajem na ciuchy, koło Dworca Wschodniego. Pela znała Pragę jak własne podwórko i wiedziała, gdzie co można kupić najtaniej, kto oszukuje, a kto nie.

Tylko na plac Szembeka nie lubiłam z nią jeździć, bo tam było tak jakoś inaczej, i sprzedawcy wcale nie byli mili, i żywe kury w koszykach siedziały wystraszone, i śmierdziało. Jednak jeździłyśmy, bo Pela nigdy mnie samej w domu nie zostawiała.

Zapinała mi guziki płaszczyka i zrzędziła:

— Oj, tam „nie kce, nie kce", dziecku nie może się nie kcieć. To tylko kawałek tramwajem, więc co to za fochy, no, podnieś brodę! Ja w okupacje to tylko piechotą chodziłam!

— A kupisz mi lizaka?

— Lizaka, widzicie ją, jaka przekupna, teraz szalik, no już!

Nigdy mi nie odpowiedziała, ale w końcu dostawałam mojego lizaka, jak byłam grzeczna, w drodze powrotnej w małym sklepiku pełnym smakowitych rzeczy. Pachniał kawą i słodyczami. W dużych słojach były różnokolorowe cukierki.

— Masz — mówiła, podając mi lizaka w „cefalonie". — Tylko sobie zęby popsujesz.

Kiedy chorowałam na gardło, Pela, Pelunia robiła mi zupki przecierane przez sitko i karmiła jak niemowlę. Siedziałam w łóżku z gardłem obowiązkowo zawiązanym wełnianą chustką i marudziłam. Ona złościła się, burczała, ale oczywiście dopieszczała jak mogła. Tylko czytać mi nie chciała, chyba miała felerne okulary, bo musiała je nasadzać na koniuszek nosa i manewrować gazetą albo kartką z kalendarza, gdy czytała jakiś przepis albo kto ma imieniny.

— Taka duża jesteś, literki znasz, to se sama poczytaj! O, masz tu te piękne baje, co ci je mamusia przyniosła, albo *Na jagody*, to lubisz.

— Pela, a poczytać ci na głos?

— Przecież cię gardło boli — odpowiadała z przekorą.

Wtedy tłumaczyłam jej, że boli, ale tylko jak łykam, i czytałam o Janku albo o Stalowym Jeżu.

Później Pela widząc, że mi się szklą oczy, kładła mi dłoń na czole i mówiła, żebym pospała. Miała tę dłoń ciężką, ciepłą, mruczała jakąś mruczankę, na przykład o Dorotce, co tańcowała ranną rosą, albo że był sobie król i paź, i królewna, i że żyli wśród róż, nie znali burz, rzecz to zupełnie pewna i... zasypiałam migiem.

Moja Pela! Miała łapy kostropate, kościste jak Baba Jaga, a ja je kochałam, bo jednak były od wewnątrz miękkie i pachnące cebulą albo praniem, które robiła. Dłonie Pelagii Pawelec, jak skrzydła Anioła Stróża.

Pamiętam też to, że mama zadecydowała, że sprawimy Peli niespodziankę i wyprawimy jej imieniny. Codziennie przez tydzień, do 23 marca, popołudniami robiłyśmy jej bukiet kwiatów z gałązek i bibułki. Ja oczywiście smarowałam kredkami świecowymi kolejną laurkę, codziennie drąc tę poprzednią i wymyślając nową. Także uczyłam się piosenki, żeby zaśpiewać Peli: „Jadą, jadą dzieci drogą, siostrzyczka i brat, i nadziwić się nie mogą, jaki piękny świat", ale stale myliłam zwrotki. Za dużo ich było!

Mama poprosiła Pelę, żeby przyszła do nas wyjątkowo w niedzielę koło dwunastej, mówiąc, że ma jakąś ważną sprawę. Czekałyśmy już wystrojone, ja w białych rajtuzkach i z kokardami, na stole eleganckie filiżanki i kupione na Francuskiej w cukierni pączki. Pela weszła i oniemiała, gdy wręczyłam jej laurkę i korale z makaronu robione z mamą i malowane mamy lakierem do paznokci. Mama ten bukiet kwiecia z bibułek i perfumy „Być może" w ślicznej małej buteleczce. Zaraz też zaprosiła Pelę do stołu. Najpierw nasza Pelagia była przerażona i pewna, że się z nią chcemy pożegnać, bo nie wierzyła, że tak chciałyśmy uczcić jej imieniny. Rozpakowała prezent — parę nowych, ciepłych pończoch, i wysłuchała mojej piosenki. Oczywiście podpowiadanej przez mamę. Później chciała iść robić herbatę, ale tym razem myśmy ją obsługiwały, a ona siedziała cierpliwie, zaskoczona i wycierająca ukradkiem łzy. Później pożegnała się z nami, płacząc, i chciała pozmywać, ale oczywiście jej nie pozwoliłyśmy.

Po jej wyjściu spytałam mamę:

— Mamo, a czemu Pela ryczała?

— Nie „ryczała", tylko popłakała sobie.

— Czemu?

— Ze wzruszenia.

— A co to?

— To jak się człowiekowi robi tak bardzo miło, bo wiesz, Peli nikt chyba nie urządzał imienin, zawsze ona komuś. To się wzruszyła. Masz, wstaw dzbanek do szafki, tylko ostrożnie.

I już zawsze urządzałyśmy Peli imieniny u nas, ale okazało się z czasem, że u siebie w domu też urządza, odkąd przyjechała do Warszawy jej siostra z mężem. Pela poczuła się „urodzinniona". Opowiadała mi, jak to bywało u nich w kamienicy, na Pelagii.

— Na moje imieniny teraz to przychodzi siostra z mężem i dzieckiem i sąsiadki, i wesoło jest i wreszcie bogato, nie jak we wojnę.

— Jak „bogato", Pela? — pytałam, bo zawsze lubiłam jej opowieści.

— Ano zawsze śledzika jakiego trzeba dać na powitanko, siostra to rolmopsy robi, takie z octu, a ja w oleju z cebulką. Takie jak czasem robimy w piątki do ziemniaczka w łupince — wiesz?

— O, takiego lubię!

— I — ciągnęła dalej — miskę nóżek świńskich nastawiam, bo każdy lubi, albo głowiznę, zależy co kupię. Kiełbasy nakroję, ogórki dam, i banię z octu, żółciuchną. Pamiętasz, jak razem ją robiłyśmy jesienią?

— Pamiętam, ale ja nie lubię bani z octu. Tylko jak zrobisz zacierkę na mleku z banią, to lubię.

— No, a jeszcze na ciepło kaszaneczkę z patelni albo bigosu narobię. I wódeczka biała, i oranżada, herbata, i tort nawet! To już sąsiadka go robi, no mówię ci, dzieciaku, pyszności. Po pańsku! Szwagier to niepijący, bo zawsze taksówką przyjeżdżają, a on na taksówce jeździ. Tylko sąsiad z parteru zawsze się napije, ale on tak już ma, że nie ma zmiłuj!

— Uchlewa się? — dopytuję, dławiąc się ze śmiechu, bo nie wiem czemu, ale mówienie, że się ktoś spił, mnie śmieszy. Sam widok już nie.

— E, nie mów tak brzydko — Pela mnie mityguje. — Zaraz „uchlewa"! No trącony zawsze jest po imieninach, u kogo by nie był. Głowinę ma słabą. No, już opowiedziałam, a teraz siadaj do lekcji! A jak zrobisz... dam ci kawałek tortu!

Ach! Wolałam chyba zimne nóżki albo kaszankę, ale i tort smakował, bo był czymś innym niż zwyczajne codzienne jedzenie, niż imieninowe pączki czy nawet szarlotka z cukierni na Francuskiej.

Zazdrościłam Peli imienin i tych wszystkich smakołyków. Tej całej pompy. U nas na imieniny była herbatka, pączki i już... Na szczęście za jakiś czas i my zaczęliśmy normalnie żyć i urządzać święta, ale zanim to się stało, zostaliśmy pełną, normalną rodziną. Dzięki Michałowi.

Kiedy wyprowadzaliśmy się pod Otwock, Pela pomagała nam w przeprowadzce.

Żegnałam się z nią, płacząc i obiecując częste wizyty, a ona tylko gładziła mnie po twarzy i włosach, powtarzając „dzieciaku, dzieciaku". Z mamą i Michałem uściskała się serdecznie. Michał pocałował ją w rękę, za co Pela pogłaskała go po głowie i też dorzuciła to swoje „dzieciaku", ale szeptem. Nie wierzyłam, że odtąd nie będzie Peli z nami. Nie wiem, jak mielibyśmy żyć bez niej? Nie mówiliśmy o tym, a ja byłam pochłonięta przeprowadzką i nową szkołą i nie myślałam o niej. Odbywało się to etapami, powolne pakowanie i wywożenie różnych rzeczy. Zresztą Pela bywała już u nas tylko raz tygodniowo, zajęta coraz bardziej umierającą sąsiadką i potrzebna wnuczce.

— Pela, będę do ciebie pisała listy! I przyjadę co miesiąc, dobrze?

— Dobrze, dzieciaku — mówiła Pela, wiedząc lepiej ode mnie, że to są obietnice bez pokrycia.

Była spokojna, siedziała w pustawej już kuchni i kruszyła chałkę do kubeczka z bawarką. Potem wyściskała mnie i pojechała. Nigdy już jej nie zobaczyłam.

Tak mi strasznie z tym źle! Ciągle sobie obiecywałam, że wymuszę na rodzicach wizytę u Peli, ale stale się działo coś nowego i z czasem nie było to już takie pilne. Obiecywałam sobie i na tych obietnicach poprzestawałam.

Pela zmarła niezauważalnie. O jej pogrzebie dowiedziałam się po powrocie z zimowiska, ale na cmentarz szukać jej grobu nie pojechałam. Pomyślałam sobie, że Bródno jest tak wielkie, że z pewnością jej tam nie znajdę. W końcu znalazłam niedawno, jakieś dziesięć lat temu.

Odwiedzam ją wiosną, przepraszam, że nie miałam czasu, i szepczę, że ją kocham.

Do taty, pogadać

W sobotę nie chciało mi się siedzieć w pustym domu, chociaż moja wizja się krystalizuje. Mój projekt „Szanujmy się" nabierał wagi i powagi. Pozyskałam do niego nie lada nazwiska, wymyśliłam, jak można wejść z moim hasłem do radia, i rozmawiałam wstępnie z kolegą z telewizji. No, gdyby i tam mi się udało zahaczyć? Ho, ho!

Zuza, moja koleżanka z redakcji, umówiła mnie z samym ministrem kultury, o którym mówiła „po imieniu".

— Znasz go?! — spytałam zdziwiona.

— Ciiii. Znam, to serdeczny znajomy rodziców Wojtka.

— Twojego Wojtka?

— No, tak, Wojtka, ojca Kasi.

— Ale... ministrowi będę dupę zawracać?

— A dlaczego nie? Inni mu zawracają, to i ty pozawracasz, skoro będzie okazja!

— Jaka?

— Wernisaż Wojtka. W sobotę, w galerii na Krakowskim. Tu masz zaproszenie i weź ze sobą ten projekt. Kampania społeczna z tego powinna być, a nie tylko gazetowa akcja.

— Kampania? Zwariowałaś? Nie mam materiałów aż na kampanię, nie stworzę do piątku! Ani kasy! No co ty!

— Udawaj, że masz. A Włodeczek co na to? — pyta Zuza.

— Nie wierzy w to, ale wierzy we mnie.

— On cię kocha... korzystaj z jego znajomości, wejść, Mańka, to może być kawał znakomitej sprawy! Trochę nie na dzisiejsze czasy, ale...

— Wiem, kto nie ryzykuje, ten w pierdlu nie siaduje. Naprawdę w to wierzysz?

— Mnie by ten numer do głowy nie wpadł, ale tobie tyle rzeczy się udawało! Bierz byka za rogi, a na smuty najlepsza robota i pot na czoło, kto mi to powtarzał?

W ten sposób nakręciłam się pozytywnie, zawodowo. Już nie artykuł, mały ruch w sprawie obyczajów, a cała kampania społeczna? Nie za wysoko mierzę? To miał być mały projekt akcji społeczno-kulturalnej! Hm. W domu aż siadłam z wrażenia. Pogadam z ministrem? Poczułam radość, ale na chwilę. Znów czkawką wróciło myślenie o Mirku i jego wymarszu z naszego życia. Boli jednak. Cały czas myślę, że to taki gest, żebym się jakoś ocknęła, on ocknął... Może to tak? Choć z drugiej strony, skoro poszedł sobie, bo mu nie pasowałam, to o co mi chodzi? Krzyżyk na drogę! Prychnęłam dumna i blada, ale... Nie pomogło.

Praca kompletnie mi nie szła, więc pomyślałam sobie — nic na siłę. Odpoczynek jest ważny. I żebym nie była sama. Nawet pomyślałam, że pojadę do Krakowa, ale wiem, że sytuacja będzie niezręczna, no i sam Grześ mnie wyhamował. Ma dyżur w sobotę i niedzielę — wziął za kogoś, Iga z Tadziem będą u jej rodziców. Trudno.

Pojechałam do taty przerobić osobiście temat mojego rozstania, bo wiem, że on tam ledwo siedzi zniecierpliwiony, a ja jestem mu to winna jako najukochańsza córka.

— No, ale co, nie powiedział nic? Dlaczego?! — ojciec był chyba rozczarowany moją relacją.

— No, tylko to, co ci już mówiłam, co mi powtarzał jak mantrę, że chce być wolny, bo się dusił w tym naszym grzecznym i drewnianym układzie.

Tato milczał. Siedzieliśmy w kuchni. W kubeczkach każdy miał swoją herbatę, ja zieloną z mlekiem, tatko zwyczajną też z mlekiem.

— „Drewnianym"? A co by chciał? Co za...

— Tato, daj spokój. Stało się — zamilkłam, patrzyłam, jak mucha włazi nam do starej cukierniczki. Pela ją lubiła, bo była pięknie malowana w twarze pyzatych niebieskich aniołków, tyle lat przetrwała! Peli już dawno nie ma, a cukiernica trwa...

— Gieniu był — mówię, żeby przerwać tę ciszę.

— Ten to jest! Aj! Mówiłem mu „daj jej spokój"! — tatko udaje, że się gniewa, ale przecież sam zaraz zadzwonił do wuja.

— I co?

— No co? Jak to Gieniu, do bitki się chciał brać!

— He, he... kozak! On by każdemu łeb ukręcił, kto by cię skrzyw-dził, taki jest. Patrz, Baranku, już właściwie z żadną się nie związał, jak Kryśka go zostawiła i uciekła z Patrykiem.

— No ale i on się specjalnie nie starał jej odzyskać!

— A weź i odzyskaj babę, jak się uprze! Zaraz jak się wydała za tego wynalazcę z bożej łaski i jak Maniek pojechał wreszcie do Dort-mundu, to Patryk na tego rudzielca mówił „tato"... Ale co, może nasz Gieniusz choć porozmawia z Mirkiem?

— Gieniusz zrobił mi bitki i wystarczy.

— Jakie bitki?

— No, żebym nie jadła kanapek. Żebym ciepłe jadła, bo dostanę kataru kiszek. Zrobił mi bitki wołowe. Pretekst, żeby mnie skontrolować, czy przypadkiem, wiesz, sznura sobie nie kręcę...

— Bitki... — ojciec powtarza i śmieje się. — On tylko to umie!

Ojciec się postarzał, siedzi taki mój najukochańszy, niby wysoki, a zdeptał się, przygarbił, posiwiał. Profil ma podobny do Tuwima, tylko tatko nie ma tej myszki na policzku. Też takie szlachetne męskie rysy i szeroki szczery uśmiech. Mój przystojniak w sztruksowych spodniach! Mój sadownik! Ma duże kościste dłonie i ładne paznokcie, jak pianista. Może gdyby nie sad, grałby na pianinie w jakimś jazzowym zespole? Ale dla niego istnieją tylko jego ukochane jabłka!

Stale przy tych swoich drzewkach chodzi, ten duży, taki bardziej przemysłowy sad oddali już dawno z Kobylińskim synom Kobylińskiego pod wycinkę, i tam oni postawili pieczarkarnię. Zostały mu te drzewa koło domu i za ogrodem. Teraz to uprawa ekologiczna. Ma odbiorców w postaci sklepów ze zdrową żywnością.

Obaj — tatko i Kobyliński — stale pracują! Skrzypią jak stare młyńskie koła, ale się kręcą! Gieniek też jeszcze ma warsztat. Zawsze miał jakiś warsztat. Kiedyś produkował śrubki, potem zamki błyskawiczne i guziki, później to już tylko naprawiał samochody. Doszedł do dużej stacji napraw samochodów, pod Warszawą, ale sprzedał, jak musiał spłacić żonę — Krysię, i otworzył coś, o czym marzył całe życie — warsztacik obsługujący motocykle! Zatrudnia dwóch „siusiaków", jak o nich mówi, bo to młodziaki, napaleńcy, dłubią się w tych tam motorach i kołach umazani smarem całymi dniami. Gieniu z nimi.

I tak sobie przędą starsi panowie trzej, tatko z Kobylińskim na roli, wujo w motorach, w Warszawie.

— A Grzesiek co? — przypomniał sobie tato o wnuku.

— Nic. Uważa, że Mirek ma prawo, że „mamo, zrozum, ojcu jest bardzo ciężko, to dla niego niełatwe".

— No, ale czy on nie rozumie, co ci Mirek zrobił?!

— Daj spokój, tato, nie chcę, żeby między nimi była wojna. Nie wciągnę w to Grześka.

— A jak mu tam? Ma już etat w tej poradni, co chciał?

— Nie. Na razie pracuje w szpitalu. Musi zdobyć doświadczenie, wiesz. Mirek mu pomaga i będzie pomagać, Iga wiele nie zarabia, Tadzio to dziecko wymagające przecież, a to ubranka, a to wiesz...

— Tak…

Widzę, że tato jest strapiony tym wszystkim. Wychodzę przed dom, na jego ławeczkę. Ich ławeczkę, kiedyś mamy i taty, a od dawna już, od śmierci mamy, siada na niej ojciec z Kobylińskim, a czasem dosiada się do nich wujek Gieniu. Kobyliński milczek, właściwie nigdy nic nie mówi. Jak jest wujo, to gada tylko on z ojcem. Siadamy sobie.

— A co teraz robisz, Baranku?

— Wiesz, mam taki pomysł, tato! Taką akcję społeczną chcę zrobić. „Szanujmy się". Chodzi o zmianę języka komunikacji, manier…

— Dziecko, ale jak ty to chcesz zrobić? Kto tego posłucha? Kochanie, myślę o tym nieraz, jak to kropla drąży skałę, jak niezauważalnie latami kapało, kapało i wykapało w nas taką dziurę, wypłukało dobre maniery. Jak to wołała Basia Niechcic? „Jak wyście tu schamieli, schłopieli…". A przecież za jej czasów jeszcze wciąż była kultura, takt, a dzisiaj… Wiesz, że ja czegoś podobnego, co widzę w tej telewizji, to ja, Baranku… oczom nie wierzę. Ja nie wierzę, że tak można! Ocean chamstwa! I ty chcesz, dziecko, z tym walczyć?! Utoniesz!

— Tato, kropla w morzu, wiem, ale jeśli nikt nie protestuje, jeśli milczymy spolegliwie, uważając, że to nie ma sensu, to faktycznie…

— Niby masz rację, ale obawiam się o twoją kondycję psychiczną. Nie ma elit, nie ma się do kogo odwołać. Resztki tych, co chcą taktu, kultury, to ludzie, z których nie stworzysz oddziałów do walki z chamstwem.

— A wzorce?

— Dzisiaj na wzorce, na mistrzów się sika. Kto bardziej śmierdząco coś powie, kto splunie mocniej na uznane autorytety, ten zuch! Chwat! Bohater!… Musisz?

— Muszę spróbować chociaż. Była taka akcja „Cała Polska czyta dzieciom", pamiętasz? Coś z tego zostało, więc może i jak coś… Nie martw się. Nie załamię się. Muszę działać, to mi daje siły i nie myślę wtedy o Mirku.

Powoli słońce chowa się za drzewa. Mruga przez listki ojcowych drzew, na żółto-pomarańczowo. Na starym golden delicious wiszą jabłka, bo delicious jest dopiero w trakcie dojrzewania. On da owoce najpóźniej. Na innych też jeszcze wiszą, a z niektórych już zdjęte. Tatko podchodzi i podaje mi jabłko.

— Masz, to kosztela. Prawdziwa! Owocuje, a jakże! Pieniążek nie wszystkie odmiany jabłek zmarnował! Tam za ogrodem, ty wiesz, co ja tam mam?! Znalazłem i lancberską, i prawdziwą malinówkę, i starkinga, i oliwkę. Zasadziłem osiem drzewek starych odmian! Nie masz pojęcia, Baranku, co za radość! Jak one zaowocują… To jakby spotkać po latach kolegów z wojska, co niby zaginęli na wojnie, a okazało się, że przeżyli! Za rok to będę miał dla Tadzia najnormalniejsze, pyszne jabłuszka, a nie tam te sklepowe byle co! Czekaj, a jaką ja gruszkę ci przyniosę! To od razu idę po ścierkę, bo tyle ma soku, że się zalejesz!

Cudowna letnia pora. Mama ją lubiła, szczególnie soboty. Siedziałaby sobie teraz z tatkiem w kuchni albo na ławce przed domem, na rozłożonym kocyku i trzymała głowę na jego ramieniu, albo przynajmniej za rękę. Jak oni się kochali! Ojcu musi bardzo mamy brakować, a to już tyle lat!

Wrócił tatko z gruchą żółtą jak strusie jajo, wielką i maślaną w środku jak melon miodowy.

— Mm! Co za rewelacja! Pyszna! — sok się z niej leje po mojej brodzie, po dłoni i łokciu, już nie mogę, taka jest słodka! Kładę ojcu głowę na ramieniu jak mama i tak siedzimy w tym letnim powietrzu przesianym przez ojcowy sad, leniwie oganiamy się od much, co przyleciały do niezjedzonej do końca gruszki, w ciszy. Tatko ma zamknięte oczy. Ja też. Dobrze nam razem. Ukokosiłam się jak dawniej pod jego ramieniem. Objął mnie mocnym uściskiem i utulił, pocałował w głowę. Mój kochany!

Przypomniało mi się, jak w siedemdziesiątym ósmym pojechałam z ojcem na nasze wspólne wakacje. Na ojca wakacje, pierwsze po śmierci mamy, bo tata i mama wyjeżdżali czasem zimą do Zakopanego, do znajomych ojca, a nigdy latem czy jesienią, bo to pora święta dla rolników.

(żółte kartki)
Wakacje z tatą

Jesienią, tego roku co poroniłam, tata zabrał mnie do siebie. Minęło niby już kilka miesięcy, Mirek już kręcił się koło mnie, dwa razy zabrał mnie do Kazimierza, ale ja ciągle byłam jakaś rozwalona, za szybą. W końcu wuja Gieniu mnie ochrzanił:

— Dziewczyno, wróć na ziemię! Stało się i się nie odstanie, ty wiesz, że mi o mało serce nie pękło, bo cię kocham jak własną córkę, jeszcze chwila, a bym zabił tego matoła. Coś ty w nim zobaczyła? Żeby tak skrzywdzić kobietę! Zarośnie, Marian, zarośnie, ale ty wiesz, co twój tato przeżył?! Ja myślałem, że mu serce lodem stanie! Jeszcze na gorąco ma w sobie rozpacz po Wandzie, a tu mu zbir córkę…

Powiedziałam:

— Wujku, bez przesady. Dałam zbirowi pole, ja sama.

— Aj, bo wy bywacie takie głupie! Z takim palantem! Dupkiem! Ja nie wiem… No już dobrze, zresztą, proszę cię, błagam, urządź wakacje!

— Ale mi to niepotrzebne, wujku! Ja mam się dobrze! Było, minęło. Już o nim zapomniałam.

I wtedy wujek Gieniu pierwszy i ostatni raz huknął na mnie:

— Marian, do cholery jasnej, przestań z tym ja i ja! Jemu, Michałowi, to jest potrzebne! Wam… W ogóle, kurczę… tego…

I zamilkł, a mnie się zrobiło głupio. Prawda, myślałam, że to o mnie chodzi, a to chodzi o tatę. Od kiedy pamiętam, nie miał żadnego urlopu, a ta moja sprawa musiała go sporo kosztować. Pani Miecia mówiła, że krwi było „taaaka kałuża, pani Marianko!".

Zgodziłam się. Miałam się spakować „lekko na sportowo". Wrzesień był ciepły, no ale wieczory wiadomo.

— Tato, a dokąd my jedziemy? Muszę coś powiedzieć Mirkowi.

— Na wieś, Baranku.

— Przecież mieszkamy na wsi…

— Ty od dawna nie mieszkasz na wsi, kochanie, dla mnie zaś Zamoście to dom i miejsce pracy, a urlopu nie miałem od bardzo dawna. Wandzi obiecywałem ciepłe kraje, lubiła Bułgarię, ale byliśmy tylko raz wtedy, jak ty pojechałaś na ten studencki obóz, pamiętasz? Przyjemnie, ale głupio mi było zostawiać wszystko na głowie Kobylińsia.

I stale brak czasu, brak czasu... I teraz jej nie ma, a moglibyśmy... Chyba że może powinnaś przedyskutować to z Mirkiem?

Pokręciłam głową.

— Jestem wolna, tatku.

Ojciec jechał sprawnie, zapatrzony przed siebie. O nic mnie nie pytał. Jechał.

Słuchaliśmy radia, bo chyba jeszcze nie chcieliśmy rozmawiać. Dojechaliśmy późnym popołudniem.

Wieś na końcu drogi. Dosłownie. Szosa zamieniła się w wąską szosinę, ta za przejazdem kolejowym w wiejską, bitą drogę, która prowadziła nas w prawo za kudłate krzaki bzu, z których wyrastał krzywo wielki, stary krzyż, a dalej, piaszczysta, zwykła wiejska droga skończyła się rozstajami polnymi w jakiejś wsi. Ojciec bez żadnych oporów wjechał na czyjeś podwórko i zatrąbił.

Dom podobny trochę do wiejskiego dworku, z małą werandką i kolumienkami, ale strasznie starymi, z popękanym tynkiem. Do połowy odnowiony, a druga połowa nie, bo okna jakieś puste, brudne. Na podwórku studnia, cembrowina do pojenia krów, a dalej stodoła i chyba obora. Za studnią, w głębi podwórka przydomowy sad. Większy niż nasz. Od podwórka rosły, jak u nas, stare owocowe drzewa, ale za nimi zaczynało się wielkie sadzisko, typowo przemysłowe. Końcówka września, popołudnie już się kończyło. Słońce leniwie osuwające się za jakieś wysokie drzewa rzucało długie cienie. Było wyjątkowo ciepło i pachniało krowami. Z domu wyszedł wielki chłop i z miejsca się uśmiechnął, rozgarniając ramiona:

— Michał! Jak Boga kocham, nareszcie! Dotarliście bez trudu? Pamiętałeś jeszcze drogę? Uch, bracie!

Panowie padli sobie w objęcia. Nie miałam pojęcia, kto to. Mogłam zapytać w drodze, ale byłam jakaś naburmuszona i niechętna. Może powinnam być w domu i kuć do egzaminu? Chłopisko podało mi wielką łapę:

— A to córka, tak, Michu? Witamy tu panią! Ja jestem Wiktor!

— Marianna. Ojciec mówi na mnie Baranek, więc niech się pan nie zdziwi!

— A ja się niczemu nie dziwię! My na syna też różnie mówimy, ostatnio „cholero jedna", jak do domu długo nie dzwoni, a jak przyjedzie, to matka mlaska nad nim „Sylwuś, Sylwuś"! Nie ma go teraz, na praktykach jest w Niemczech! Całe technikum tam od dwóch lat jeździ, no, zapraszam do domu. Maaatka! — zawołał.

Z obory wyszła okrągła kobieta w chustce na głowie, z wiadrem i pomachała nam. Zostaliśmy wręcz wepchnięci do domu, do kuchni. Gospodyni zdjęła w sieni kalosze i weszła, kiwając głową i mówiąc szybko „ja zaraz, ja zaraz". Podeszła do zlewu myć ręce.

— Dzidka jestem! — przywitała się serdecznie, a do taty powiedziała ze smutkiem: — Wiemy o Wandzi, ale nie mogliśmy przyjechać, sam wiesz…

— Wiem, kochana, wiem — odpowiedział. — To jak? Przyjmiecie nas tu kątem?

— Michał! — zagrzmiał Wiktor. — Jak własnego syna! Dzidka już wam pokój gościnny narządziła…

— Witek, ale ja ci mówiłem. — Tato był stanowczy. — Ja koniecznie prosiłem o te pokoje po drugiej stronie korytarza, pamiętasz? Jak byliśmy tu całą zgrają, spaliśmy tam na siennikach, wolni jak królowie i niezależni. My będziemy wcześnie wstawać, gadać… Nie chcemy przeszkadzać!

Naturalnie ta Dzidka nie chciała się za nic zgodzić, bo „tam pusto i gdzie tam! Mają remontować, ale pieniędzy ciągle brakuje, bo starszy się żenił…". Opowieści się plotły jak warkocze, aż pan domu powiedział:

— Dobra, jak chcą, niech mają, chodź, Michał, to tylko pannie Mariannie łóżko przeniesiemy z gościnnego, a tobie tapczanik Sylwka. A jutro sami zobaczycie, że tam niewygodnie! A ty, matka, uszykuj jaką kolację! No!

Wyszli. Kobieta wskazała mi łazienkę w korytarzu. Kiedy z niej wyszłam i zobaczyłam drzwi otwarte do pokoju, o którym mówił tato, zamarłam. Kompletnie pusty! Pod ścianą sporo drewnianych skrzynek jak u nas, po jabłkach. Magazynek! Chyba nieużywany. Zamiecione, owszem, i światło się świeci w oprawce, ale… tu mamy mieszkać?! Właśnie wnosili jakieś łóżko. Rozmawiali, więc postanowiłam nie robić scen przy tym Wiktorze.

W kuchni usiadłam przy stole, który już czekał na nas nakryty.

— Marianna, tak? — upewniła się pani Dzidka.

— Tak, Marianna, przepraszam, ja się pani nie przedstawiłam.

— Nic nie szkodzi! A jak zdrabniać? — spytała zwyczajnie.

— Ach, różnie! Majka, Mania, Marynia, a wujek Gieniu to „Marian" na mnie mówi, a ojciec „Baranku", bo ja Barańska jestem!

— Do mnie mów Dzidka, bez tam żadnych „pani"!

Kobieta krzątała się, słuchając jednym uchem, uśmiechała się, krojąc pomidory, nalewała herbatę, spoglądając na mnie.

Przy kolacji z wódeczką dowiedziałam się, jak się panowie poznali, i że tata tu bywał za młodu, jak jeszcze żył ojciec Wiktora, i jak pracowali przy żniwach, jakie ryby były w Bugu i... zrobiła się noc. Panowie przynieśli z samochodu bagaże i szybko poszliśmy spać. Pościel od Dzidki, biała w niebieskie kwiecie, uprana i na szczęście niekrochmalona pachniała czystością, wiatrem, bo zapewne schła w sadzie.

— Tato — powiedziałam ze swojego łóżka, spod wielkiej kołdry — jutro trzeba będzie skołować jakąś nocną lampkę, bo ta żarówka daje po oczach...

— A tak, jasne! A poza tym zobaczysz, Baranku, będzie fajnie! Ja wiem, że to dzisiaj tak wygląda, ale zobaczysz!

Nie odezwałam się. Jestem tu, bo wujo mnie prosił, a ojcu naprawdę należał się wypoczynek. Nie mnie.

Ocknęłam się świtem, no bardzo rano, bo tata otworzył okno i poszedł na siku. Ja zawinęłam się po czubek nosa i schowałam jeszcze w sen. Obudził mnie hałas. Za oknem już dzień się toczył, a na parapet wskoczył ciekawski kogut i gapił się na mnie z ukosa.

— Sio! — machnęłam na niego rękawem piżamy.

Wszedł ojciec z wesołym:

— Pora wstać! Koniom wody dać!

Po śniadaniu poszliśmy za panem Wiktorem zobaczyć rzekę. Szliśmy przez ziemniaczane pole koło krzaków i wąską dróżką przez zarośla. Potem w dół i wyszliśmy na zwykły rzeczny brzeg z odrobiną piachu, z przycumowana łódką. Nie był to nasz Świder, rzeczka raczej mała, choć czasem zdradliwa. Bug pokazał się w całej swojej krasie dużej, pięknej rzeki.

— Jesteśmy nad Bugiem, Baranku — powiedział tata jakoś miękko, chyba wzruszony — tu przyjeżdżałem do rodziców Wiktora na wakacje. Nasi ojcowie się przyjaźnili.

— Bug?

— Ładny? — spytał Wiktor.

— Ładny, ale myślałam, że jest... inny.

— A czemu?

— Bo Pela czytała mi *Janka Wędrowniczka*, a tam było tak: „Tam za Bugiem, z lewej strony rośnie wielki bór zielony". A tu boru nie ma!

— O, ale za to łódka jest! — pokazał nam Wiktor drewnianą łódź.

— No wsiadaj, Baranku! — Tata wyraźnie wesoły wszedł do łódki i podał mi rękę.

Wycieczka była bardzo miła. Wiktor wiosłował z zapałem. Panowie znów się ugadali po pachy, co który z nich uprawia, jakie mają problemy z uprawami, i już widziałam w oczach Wiktora, że wie od ojca, co mi się przydarzyło. Popatrywał na mnie czasem z uwagą. Patrzyłam na brzegi, na pasące się krowy, na chłopów zwożących z pól ziemniaki, cieszyło mnie słońce i zastanawiałam się, co ja tu będę robić trzy tygodnie?! W duszy liczyłam, że po tygodniu ojciec nie wytrzyma i zarządzi powrót.

Okazało się jednak, że to był wspaniały dzień spędzony razem, potrzebny i ojcu, i mnie. Skoro mamy tu być, to zabrałam się po kobiecemu za nasz pokój.

— Tato, pójdź po tę lampkę, dobrze?

— Wiesz, Baranku, może faktycznie przeniesiemy się do normalnego pokoju. Ja się tak uparłem jak osioł, bo z tym pokojem mam wspomnienia, ale ty jesteś…

— Tato, nie nudź! Zostajemy! Idź pożycz lampkę!

Ze skrzynek zrobiłam jakby regał, wyścieliłam gazetami i poukładałam na nim nasze rzeczy. Skleciłam także stolik, bo w sąsiednim pokoju blat leżał, ale nóg nie było, więc położyłam go też na skrzynkach. Dzidka dała mi sznurek i stare zasłonki, młotek i gwoździe, i zainstalowałam je całkiem sprytnie. Wystarczyło, żeby jakoś mniej łyso było.

— Chodź, Marianka, to pokażę coś — Dzidka pokiwała na mnie.

Zaprowadziła mnie pod spore drzewo pełne jabłek.

— No, popatrz tylko…

No… jabłoń jak jabłoń. Patrzyłam zdziwiona, jest czym się chwalić? I nagle zobaczyłam, że jabłka są różne i w różnej fazie dojrzewania!

— Witek za młodu jeszcze, jak się uczył szczepienia, to dla mnie tu zaszczepił pięć różnych jabłek! I wczesne mam, o tu, i późniejsze, to tamte dwie, i zimowe całkiem. O, te tutaj. Mój Witek to najlepszy sadownik w okolicy!

Mówiła to z dumą i uśmiechem. Chyba miłość jeszcze ciągle w nich była!

Ojciec wrócił z oględzin Witkowego sadu i uśmiechnął się. A później… Żyliśmy sobie wspaniałym, leniwym rytmem, gdyby nie liczyć wczesnych pobudek, ale i to mnie nie drażniło. Widziałam ojca tak szczęśliwego i wypoczętego jak chyba nigdy! Jedliśmy śniadanie w kuchni u gospodarzy, bo oni wstawali też świtem jeszcze przed nami. Ja robiłam kanapki, grubo smarowane masłem i solone. Do tego brałam z ogrodu pomidory wielkie jak dwie pięści, do tego kwaszone ogórki i jakieś jabłka z kosza stojącego na ławce przed domem. Z tym towarem w koszu, z butlą herbaty, w dresie i kaloszach szłam przodem, a za mną tatko z wędkami. Tak! Bo właśnie stałam się adeptką szkoły wędkowania.

— Tato, ty wędkujesz?!

— Ach, kiedyś, Baranku, z Witkiem. To były piękne czasy! I tak mi się tu zachciało znów zamoczyć kija! Zobaczysz, to fajne! Jak ci się nie spodoba…

Spodobało!

Najpierw popłynęliśmy w górę rzeki do sporej łachy. Tam, w trzcinach przycumowaliśmy łódkę do wystającego pala i tatko pokazał mi, co i jak trzeba robić.

I nawet to naczepianie robaka na haczyk nie było takie straszne, dokąd były to ohydne, białe larwy, ale z dżdżownicą miałam więcej oporów.

Siedzieliśmy sobie w tych trzcinach, a tato cicho opowiadał mi o swoich szczenięcych wakacjach spędzanych tu, u Witkowych rodziców. O pracy w polu, o łowieniu ryb, o pieczeniu ziemniaków w ognisku i ryb… O zalotach do tutejszej panny i zranionym sercu. Jakie tajemnice!

Moja pierwsza ryba uciekła mi, ale następne już nie!

Kanapki i pomidor były pyszne jak nigdy, łagodne październikowe słońce otulało nasze dusze, a ryby w kasarku czarowały. To nasze?! Niemożliwe!

Po powrocie czułam w brzuchu nieznośny głód, i z radością siadłszy przed domem na ławce, jedliśmy z tatą odgrzaną nam z obiadu szczawiówkę, z metalowych misek, zagryzając wielkimi pajdami chleba.

Dzidka śmiała się z nas, że jemy na przyzbie, jak psiaki jakieś z misek, przecież ma talerze, ale ojcu tak najbardziej smakowało. Jak za młodu...

— Jak zjesz, naciągamy drewna nad rzekę. Kolacja dzisiaj nad Bugiem!

— Oj tato, nie za zimno już?

— Nie marudź! Przy ognisku i zimą można.

Wlekliśmy nad rzekę z okolicznych łąk jakieś badyle i suche korzenie drzew, dowieźliśmy też trochę od Witków, z obejścia. Pod wieczór zapaliliśmy ognisko i usiedliśmy na skrzynkach. Przyszła gospodyni i Witek, i jeszcze jakichś dwóch facetów. Koledzy z młodości. W ruch poszła wódka i kiełbasa nadziana na patyki, i znów chłopy gadały i gadały. Podobało mi się to. Cykały polne koniki, nad łąki unosiła się mgła, wokół chłodno, a u nas wesoło skakał ogień po drewnie, było ciepło i swojsko. Twarze w pomarańczowej poświacie ogniska, śmiechy i wspominki. Przysunęłam się do taty i oparłam głowę na jego ramieniu.

— Dobrze, że mnie tu przywiozłeś — szepnęłam mu do ucha. Pogłaskał mnie po włosach.

Po kilku dniach wiedziałam, jak się zdobywa robaki. Unosi się zaschnięte, krowie gówno i szuka dżdżownic. Ryby można łapać też na ciasto, na kulki z chleba. Poznałam kilka miejsc, w których wspaniale brały.

Właściwie każdego wieczoru paliliśmy ognisko. Tak je polubiłam. Wpatrywaliśmy się w ogień, jakbyśmy tam mieli zobaczyć wszystko najpiękniejsze i niedopowiedziane. I ciągle żeśmy coś tam pichcili w ogniu. Raz były to ziemniaki pieczone, innym razem tato zawiesił kociołek i sam ugotował zupę rybną. Była całkiem jadalna! Nawet pyszna, pieprzna, z pajdą chleba, na głodny żołądek. Powiedziałam jak Dzidka, że „pierna mocno jest”.

Do następnej wrzuciłam kostkę maggi, żeby miała więcej smaku. Specjalnie dla mnie tatko z miną szamana zarządził danie specjalne. Najpierw była to spora ryba, chyba jaź albo sum, ale złowiony przez rybaków ze wsi. Ojciec nawkładał rybie do brzucha cebuli, czosnku, zielonej pietruszki i kopru, posolił i... oblepił gęstą gliną. Piekła się w ognisku. Była pyszna! Dlatego ucieszyłam się, gdy to samo zrobił z kurakiem, którego dla nas zabiła Dzidka. Nie mogłam się doczekać, aż wyjmie z ogniska wielką glinianą bułę i rozbije. Ze skorupą odeszła skóra, zostało aromatyczne mięso. Najadłam się tego kuraka z kwaszonymi ogórkami jak bąk. Obiecał, że czasem w domu mi takiego zrobi.

Rowerami jeździliśmy po okolicy, po wsiach różnych i do Sarnak. Zajechaliśmy do garncarza i kupiliśmy sobie po garnku z uchem. Sporym, półlitrowym, z polewą w kolorze musztardowym. Ojca był ku górze rozszerzany, a mój pękaty. Od tej pory piwo piliśmy tylko z nich! A piwo Witek przywoził prawie codziennie. Przepijali sobie z ojcem, do pogawędek.

W naszym surowym pokoju zasypialiśmy, ledwo przyłożywszy głowę do poduch. Kiedyś wleciał nam do pokoju przez uchylony wysoko lufcik nietoperz.

— Tato... — szepnęłam. — Tato!

— Co, kochanie?

— Ptaszek jakiś nam wleciał...

— Co? — Musiał się obudzić. — A! To nie ptaszek, Baranku. Ciemno jest, to ptaszki nie latają.

— To co to jest?

— Pomyśl... — zachichotał i wstał.

— Nietoperz?! Biedny! Otwórz mu szerzej okno, to poleci precz!

— Nie boisz się?

— Nie, tatku. Nietoperze są fajne! Dobranoc!

Brzydziły mnie tylko jakieś robale łażące po pokoju, więc zanim szliśmy spać, ojciec moim klapkiem tłukł je, żeby mnie nie drażniły. Tak czy siak, nogi mojego łóżka stały w... puszkach z wodą. Na wszelki wypadek!

Chadzałam z Dzidką do obory popatrzeć, jak się doi krowy, jeździłam z Witkiem i ojcem wozem konnym do sklepu, choć wiedziałam, że zazwyczaj załatwia się to tutaj rowerem albo starą nyską. Witek jednak stale nie chciał się pozbyć konia, jak inni, więc robił nam i sobie tę frajdę, że jechaliśmy wozem drabiniastym, na deskach położonych w poprzek, na targ albo po piwo.

Najlepiej nam jednak było na rybach. Podczas wędkowania opowiedzieliśmy sobie chyba... całe nasze życie. Tylu rzeczy o tacie się dowiedziałam! Przede wszystkim, że był małym chłopcem, że do kuzynostwa tutaj wysyłali go rodzice co roku, bo nie stać ich było na żadne kolonie. Że jego starszy brat, Mietek, tu właśnie w Bugu utopił się, jak Michał był mały, i matka nigdy się z tym nie pogodziła, a ojciec pił kilka lat. W końcu miał widzenie, że mały synek wyszedł z rzeki i poprosił go: „Tatusiu, nie pij już", i że ojciec poprzysiągł w kościele, że nie będzie. I że z Witkiem to razem w wojsku byli i kochali się w tej samej bileterce pracującej na małej stacyjce. No i oczywiście o studiach i o mamie. O tym, jak mama spoglądała na niego, bo to ona, okazało się, zakochała się w nim pierwsza.

— Tato, naprawdę?! A ja myślałam, że to ty, studencina, zakochałeś się w pięknej pani magister!

— No, nie. Mnie by to do głowy nie przyszło! Starsza ode mnie, mająca już prace naukowe i dorobek, piękna, a ja wieśniak! Kompletnie, Baranku, nie myślałem o tym. To ona zatrzymywała na mnie wzrok.

— I co?

— No... złapała mnie na haczyk. Czułem, że na mnie patrzy, czekałem na jej spojrzenie, uśmiech. To było cudowne! Pani magister, a już może niedługo pani doktor Barańska, najmłodsza na uczelni, patrzy na mnie! Uśmiecha się, ale zaraz spuszcza wzrok. Ona nie była uwodzicielką!

— Domyślam się. Ale miłość ją wzięła! Jak cię podeszła?

— Ktoś dopomógł i okazało się, że potrzebny jej asystent. Było nas ośmioro. Kiedyś po prostu zrozumiałem, że codziennie wstaję i jadę na uczelnię z myślą o niej. Że myśl o jej spojrzeniu towarzyszy mi stale, że wypatruję jej na korytarzu. Potem poznałem ciebie, pamiętasz?

— Pamiętam. Dobrze, że jesteś, tatku... — powiedziałam, przytulając się do niego.

— Tak? — spytał i odpowiedział sobie: — No to dobrze! Chodź, nazbieramy robaków. Jutro ostatni dzień!

Ten ostatni dzień spędziliśmy też na łódce. Ryby to moja pasja! Teraz z pewnością! Łowimy sobie w dowolnie wybranym miejscu. Koło łachy, w trzcinach, kilometr dalej, koło wielkiego krzaka, tam podobno świetnie biorą szczupaki, ale jakoś... nie mieliśmy szczęścia. Zawsze przynosimy jakiś nasz „ułów". Kilka brzanek, karasie, krasnopiórki. Nawet nie zapamiętuję tych nazw, bo to już jest mniej interesujące. Podobnie jak wyflaczanie i skrobanie, fuj! Ale smażenie na ogniu — lubię! Zjadamy je, wyskubując ości gorące, usmażone na smalcu, z grubo ukrojonym chlebem.

— Baranku, spytam, a ty jak chcesz, odpowiedz.

— Odpowiem.

— Ciągle nie mogę pojąć, co z tym Czarkiem...

— Ja też, tatku. Potężnie mi odbiło. Odebrało rozum.

Coś we mnie pękło. I wtedy opowiedziałam mu wszystko. Nie tylko o Czarku, ale i o Bartku. Nawet to, do czego przed samą sobą się nie przyznawałam. Naturalnie pobeczałam się, i siedząc z moim cudownym ojcem w łódce, zrozumiałam, jakim palantem był Bartek, jakim błędem Czarek. Wywaliłam ich z serca, z pamięci, z siebie.

— Nie wiedziałem, że jesteś taka nieszczęśliwa...

— Ale ja nie czułam się nieszczęśliwa, uważałam, że to trudny związek, a tym bardziej trzeba do takiego cierpliwości, miłości...

— To dasz sobie radę sama? Tam w Warszawie? Może do pisania pracy przenieś się znów do domu? Przecież to niedaleko, zawsze dojedziesz.

— Tato, będę u ciebie częściej, to jasne, ale też nie mogę uciekać.

Wróciliśmy do domu, żałując, że tak krótko to trwało. Poznaliśmy się lepiej niż przez ostatnie pięć, sześć lat! Nagadaliśmy się i naopowiadaliśmy, czując, że to było potrzebne i ważne.

Żegnała nas cała wieś. Każdy coś przyniósł i bagażnik był pełen darów spod serca.

Zajechaliśmy pod dom już chyba o zmroku. Ojciec zatrąbił. Myśleliśmy, że Gieniu wyskoczy na sprężynach, a on otworzył okno i woła:

— Polak!!!...

— Co Polak!? Mistrzem świata?

— Nie, papieżem! Chodźcie, pokazują go na balkonie!!! Potem się rozładujecie...

Siedzieliśmy przed telewizorem, nie mogąc uwierzyć w obrazki z Rzymu.

— No dobra, idziemy po walizki — zarządził w końcu Gieniu.

Kiedy otworzył bagażnik, jęknął:

— Co to jest? Czyście powariowali? Co to, brakuje czego?

— Panie Gieniusz, nie zrzędź! — tata się uśmiechnął i klepnął wuja po ramieniu — sam wiesz, jak jest. Nie dało rady odmówić.

W bagażniku było wiadro ryb, dwa słoje śmietany gęstej jak kasza manna, trzy wielkie sery od Dzidki. Dwa słone, jakby opieczone, ususzone nad piecem, uwielbiałam to do chleba! Do jej chleba, bo specjalnie dla nas upiekła. Dwa litry samogonu — przepalanki, to od Wiktora. Grzyby w słoikach, które uzbieraliśmy, oskubaną gęś, i w białym płótnie wędzonka i kaszanka od sąsiadów.

Przy kolacji Gieniu popatrywał na nas i uśmiechał się. Mówił, co tu się działo i jak sobie z Kobylińskim radzili.

— Ach, kochana, dzwonił tu parokrotnie niejaki doktor Roszkowski. Prosił, że jak tylko przyjedziesz, masz zadzwonić…

— Dziś już chyba za późno. Prawie dziesiąta.

— Już nie udawaj… Chłop wariuje za tobą. Nawet gdybyś o północy zadzwoniła, byłby szczęśliwy.

Tata stoi teraz przede mną w sztruksowych spodniach ode mnie, bo lubi sztruksy, zawsze ja mu je kupuję. Patrzy i uśmiecha się.

— O czym tak myśli mój Baranek najukochańszy?

— Ach, wiesz, chyba się starzeję, tato. Wspominam na potęgę! Przypomniał mi się nasz wyjazd do Wiktora i Dzidki nad Bug. Pamiętasz?

— A jakże! Mówiłem ci, że Wiktor już jest pradziadkiem? Dzidka miała operację na oczy. Ona zawsze źle widziała. Na doktorów, mówiła, czasu nie ma. Coś jej zdejmowali...

— Zaćmę?

— O, może i zaćmę! No co, jedziesz? No, to trzymaj się. Tam, w samochodzie masz kosz owoców, zjadaj, to witaminy. A ta psychoterapia? Pomaga?

— Nie wiem, tato. To takie gadanie wspólne o nieszczęściach, jakie w sobie nosimy. Wspominałam Pelę.

— Jako nieszczęście?

— No nie! Wiesz, że ona mnie kształtowała w jakiś sposób. Kochana Pela...

— Wiesz, Baranku, nieszczęście to jest, że nie ma Wandy, i jeszcze wtedy, jak leżałaś we krwi na podłodze, a teraz to są tylko... problemy, kochanie. To się da jakoś rozwiązać, poukładać. Z tym się da żyć! No, uważaj tam i nie jedź za szybko! Za tym rozjazdem na Mińsk lubią stać z radarem, Gienia ostatnio złapali!

— Tato, trzymaj kciuki, dzisiaj na wernisażu porozmawiam z ministrem o moim projekcie.

— Trzymam. Pa, Baranku. Uda ci się!

Ta jego wiara we mnie!

Wróciłam do domu i zadzwoniłam do Włodzia.

— Cześć, Włodku, ale mam rewelacje! Zuzka mnie umówiła z ministrem!

— Po co ci minister, dziecko, i chyba nie rolnictwa?

— No domyśl, się, Zuzka mnie namawia, żebym tę moją akcję przerobiła na kampanię społeczną.

— Ona jest głupsza, niż sądziłem!

— Dzięki za wsparcie, doprawdy jesteś kochany — sarknęłam.

— Dziecko, chcesz pogadać? Może wpadnij do mnie, co?

— To już ty prędzej do mnie, ja dopiero wróciłam i jestem kosz-marnie zmęczona.

— Ja? W żadnym wypadku! Ja jestem po drinku, jak na starego pijaka przystało, śliczna Marianno Już Nie Panno. A jakbym wziął tak-sówkę, to… sama wiesz, napastowałbym cię, a ty zaraz, że cię głowa boli i no, pasmo rozczarowań, a to już nie na mój wiek!

— Włodek, umówmy się na kawę w Europejskim, w piątek, przed spotkaniem, a może chcesz iść ze mną? Oj tak, chodź ze mną! Będę miała wsparcie! Proooszę!

Nie chciał. Zaparł się, że nie pójdzie i nastraszył mnie, że on nie znosi sztuki współczesnej, jest szczery jak cholera, obśmieje, pożal się, dobry Boże, artystę Wojtka Zucha, pokłóci się z ministrem, bo go nie lubi, i upije się darmowym winem, i nasika na eksponaty. To mnie przekonało. Kawa tak, a potem niech Włodzio idzie do domu.

Do piątku przygotowywałam się do rozmowy z ministrem, wzmac-niałam więzi ze znajomymi artystami, którzy deklarowali wielkie za-interesowanie wzięciem udziału w owym projekcie, starałam się nie myśleć o Mirku, choć oczywiście myślałam prawie cały czas. Zgodnie ze starą mądrością, czas wiele spraw weryfikuje. Może i on nabiera dystansu, przemyśliwuje, upewnia się? Postanowiłam nie naciskać, żeby nie sprawić wrażenia wściekle rzucającej się wariatki, jak czasem bywa „na grupie".

Taka na przykład Miłka. Niby zapłaciła za całość, a opuszcza zaję-cia, przeprasza wylewnie, ale tak potwornie zajęta! Mąż ją zostawił, jak prawie każdą z nas, ale oczywiście ją zostawił szczególnie. Nie lubię jej. Ona całym swoim zachowaniem podkreśla, że jest kimś szczegól-nym, a my to szara masa — tło. Potłuczeni, szurnięci, a ona niby nic. Pracuje w znanej stacji telewizyjnej. Zadbana, piękna, oczytana i oby-ta. Mąż zaczął mówić o niej Królowa Śniegu, co jej się początkowo podobało, bo ona lubi być taka kryształowa, biała, nawet w ogródku ma same białe kwiaty! Jednak okazało się, że nie o to mu chodzi. Zostawił ją, bo uznał, że jest lodowata, nieczuła i zapatrzona w swoją karierę. Nie robi nic wielkiego w tej telewizji, ale jak sama mówi, „ta pra-ca nobilituje". Mówi z namysłem, rozglądając się i sprawdzając, czy robi wrażenie. Jedzie po swoim mężu jak czołg. Jest pełna oskarżeń, żalu i wyrzutu, jak on śmiał?! Karolina jej wtóruje, ale z mniejszym entuzjazmem, bo Karolina bywa w piątki częściej niż Miłka i już wie, że zawsze wina leży gdzieś pomiędzy, a nie na jednych barkach. Chociaż... jeszcze jest nieprzekonana do końca. Nasi panowie nieśmiało są adwokatami facetów i tłumaczą nam ich i swoją postawę.

Dzisiaj w piątek jestem nieuważna. Mam to spotkanie z Włodziem i ten raut w galerii, więc słucham jednym uchem, jak Miłka opowiada z kpiną i przyganą o zarzutach wobec siebie, jakie wyczytała w aktach.

— ...że nie dbałam o związek, a tylko o siebie? Zwariował! Właśnie po to dbałam o siebie, żeby być dla niego atrakcyjną!

— Ale — wtrąca Borys — czy on tak bardzo tego chciał, czy wolał z tobą w sobotę dłużej poleżeć w łóżku, połazić w piżamie, zjeść jajko na miękko...

— A kto mu bronił? Tylko ja mam w soboty zawsze już na rano ustawionego trenera w fitnessie i on to wie!

Niereformowalna jest. Każde zdanie zaczyna od ja, a o mężu mówi on, jakby już nie miał imienia. Na pytanie Agaty, czy go kocha, Miłka milknie i mruga rzęsami.

Nie rozumie. Borys, który ewidentnie jej nie znosi, tłumaczy:

— On w twoich opowieściach jest padalcem, bo ci przykręcił kurek z kasą... To kochasz go jako faceta czy jako zasobne konto?

Kłótnia wisi w powietrzu, Karolina czerwienieje, bo jej też chodzi o pieniądze, a pani Henia patrzy zdumiona, bo kwoty roszczeń Miłki są kosmiczne wobec kwoty, jaka zadowoliłaby panią Henię, która nie ma swoich pieniędzy. Żadnych. Walka w sądzie będzie ostra — o alimenty dla niej. Dwa światy! Ja nie mam tego problemu. Pracuję, zarabiam i zdaje mi się, że jednak Mirek nie wydrze mi mojego ukochanego mieszkania. Hm. A on gdzie będzie mieszkał? Kurczę, muszę go zapytać.

Wychodzę z grupy zniesmaczona kłótnią Miłki i Borysa i jednak myślę, że nawet teraz, podczas tego idiotycznego... rozstania, zachowujemy się z Mirkiem inaczej.

Wieczorem wystrojona w jeansy, na obcasach i w pięknej białej bluzce z szalem, w miarę umalowana poszłam na wernisaż Wojtka, uprzednio spotkawszy się z Włodziem w Europejskim.

— Pięknie wyglądasz, dziecko — poczęstował mnie komplementem.

Później, przy pysznej kawie, najłagodniej jak Włodzio potrafi, uczył mnie, jak rozmawiać z ministrem, i uczulił na to, że nie spotkam się z entuzjazmem:

— Nie podkładaj się, nie mów, że „ja wiem, że to donkiszoteria, że może hasła niemodne staratatata", jak to wy kobitki potraficie udawać sierotki, że niby wiecie, że was wilk zje, ale idziecie w las! Walisz odważnie, z piersią do przodu, jakbyś co najmniej wymyśliła hasło „cukier krzepi"!

— Wiem, Włodziu, ale co, uważasz, że dam ciała?

— Obawiam się, że dasz.

— Trudno, możesz we mnie nie wierzyć, a ja mam kolejny pomysł. Ale nie na kampanię, a na to, czym się teraz zajmę. Tylko na razie cicho.

— Cieszę się, że w trakcie rozpadu związku walisz pomysłami jak z rękawa. To w myśl zasady, że twórczość przychodzi z bólem.

— Ja zawsze coś tworzyłam, nawet jak mnie nie bolało.

— No dobrze, nie mędrkuj, tylko idź. Ja już czuję zew alkoholowy, jadę do domu na drinka. Zadzwoń, ja zapłacę, zmykaj, no!

Wernisaż i Lila

No, cudowności doprawdy robi ten Wojtek, tyle że ja z tego nic a nic nie rozumiem! Niestety, performance mnie nie bierze, raczej zdumiewa naiwnością, że kogokolwiek to w ogóle porusza. Stoją ludziska albo siedzą, performer się wysila i z jakimś dziwnym zacięciem chlasta się albo sika publicznie, pierdzi kolorową farbą, objada się ziemią, nakłuwa albo wyjmuje z wnętrza jakieś rzeczy, które sobie powkładał, udając, że to ma głębokie przesłanie, a tymczasem każdy siedzi i myśli, jakie wino dziś podadzą i czy performer nie przegnie i nie każe pić... wody z Wisły.

Na szczęście Wojtek zadbał o słone paluszki i wino, choć podobno tym akurat zajęła się jego muza — Jola, dla której odstawił Zuzę. Pod dziwaczną muzykę Wojtek się wysila, cały oblepiony imitacjami robaków i ziemią, i zjada zielone sadzonki. W tle leci film o niszczeniu środowiska. Na końcu już tylko przez pustynię idzie człowiek z bańką na benzynę... Wojtek kończy jedzenie, biorąc identyczną bańkę, i leje sobie z niej w gardło niby ropę naftową. Koniec.

— Żałosne — szepczę do Zuzy — po cholerę ty tu przychodzisz?

— Bo on jest uzależniony od mojego zdania — szepcze mi Zuza i dodaje: — I kasy.

— Ty go utrzymujesz?!

— Zasilam czasem. Taki układ, mamy córkę, ona go uwielbia, ale to ja płacę za jej ortodontę. Nie rozumiesz artystów, ja tylko trochę. Jego kolega i mentor, Paweł, jest normalnym padre familiae, a Wojtuś, wiesz... Błękitny ptak wolności. Tak musi być. Ach, daj spokój, chodź i bądź blisko, to cię przedstawię ministrowi. Fajny jest. Luzak. No chodź!

Nie rozumiem Zuzy, choć wiem, że jakoś żyje w tym dziwacznym układzie. Akceptuje Wojtka, że ten jest artystą, z głową w chmurach, akceptuje tę jego Jolę, Kasię, Mirkę, Gulę i inne laski, a jednak to do niej Wojtunio wpada na niedzielne rosoły, wypłakuje żale do życia i... bzyka ją, kiedy Zuzka nie ma aktualnego dochodzącego.

Czekam w kolejce do ministra. Wreszcie! Zuza coś mu mówi i przedstawia mnie, i nareszcie sobie rozmawiam z ministrem, popijając tanie winko. Jest urokliwy, zainteresowany, och, on dokładnie też tak myśli! Chamiejemy! Konkluzja? Nie da mi kasy na kampanię społeczną „Szanujmy się". Nie ma na to państwowych pieniędzy, niestety. No gdyby jakaś, powiedzmy, bardziej prospołeczna, jak ta o czytaniu dzieciom, ale dotować grzeczność na co dzień? No, nie, tak mu przykro!

W niedzielę pojechałam znów do taty, bo było pięknie, a mnie smutno, bo spuścił mnie w kanał nie tylko Mirek, ale i minister. I postanowiłam się poopalać, bo mój tatko i słońce są dobre na wszystko!

Końcówka lata, a ja wyglądam blado i bezbarwnie. Nie miałam czasu się opalać, a solaria już nie dla mnie.

Naturalnie mój kochany tato się ucieszył i zaraz zabrał się za zupę kalafiorową z koprem i śmietaną od Kobylińskiej.

— A cholesterol, tato?

— Niedziela jest, nie nudź! Córka przyjechała na niedzielny obiad, to wielkie święto! I chyba zaraz Lila wpadnie.

Cholera jasna! Potrzebna mi tu ona! Odezwała się we mnie zazdrosna dziewczynka. Chciałam pobyć tylko z tatą! Wyżalić się na ministra, bo on jeden będzie po mojej stronie, uważając, że minister stracił możliwość zrobienia czegoś prawdziwie wielkiego dla kraju. No, kto jest takim moim fanem? Kto we mnie wierzy bezgranicznie, kocha i patrzy czule? Przyjedzie moja siostra i szlag trafi ten nastrój.

— Tato, a Gieniu się nie zapowiadał?

— Nie. On chyba jest dzisiaj żonaty… — Tata uśmiecha się porozumiewawczo, puszcza oko i wraca do kuchni.

Leżę sobie na leżaku, jak królowa. Mam obok na taborecie śliwki, kompot i telefon komórkowy — jak każdy z nas dzisiaj! No nie, tatko go prawie nie używa, ale Gieniu owszem, i cała reszta świata.

Lilka przyjechała miła, łagodna i serdeczna, aż mi się zrobiło głupio, i nawet to jej „cześć, tatku" i powieszenie się ojcu na szyi nie zdenerwowały mnie szczególnie.

Rozstawiła leżak obok mnie, ale w cieniu jabłoni, i rozmawiałyśmy o niczym. O naszych zabiegach, o tym, czy wiem, co u Grześków, o mojej głupiej ambicji, bo nie przedstawiłam Mirkowi propozycji wypłacania mi do końca życia słonych alimentów, bo to z pewnością „baba" za tym jego odejściem stoi, a to sprawi, że sąd zasądzi mi jakieś marne alimenciny — jak twierdzi Lila. Oganiam się od tego tematu. Nie chcę o tym mówić.

— A byłaś u tego lekarza? — odwracam jej uwagę od siebie.

— U Jasińskiego? Byłam. Zlecił mi komplet nowych badań. Brzmi obiecująco, fajny jest, konkretny. Pobrał wycinki, wymazy itp.

— Wycinki, po co?

— Jak to oni, szukają przyczyny. Może to jakiś wirus, bakteria czy coś, wiesz, jakaś franca. Jaka jestem głodna! Pójdę do taty, sprawdzę, jak tam obiad.

Wycinek? Brzmi nie najlepiej. Sądziłam, że to tylko jakieś sprawy nadżerkowe, kiepskie kuracje, może koagulacje źle, niedbale zrobione?

Zamykam oczy. Dobrze, że ja mam wszystko w porządku! Słońce mi dogrzewa, czuję, jak się opalam! Będę miała złocistą cerę, będę ładniejsza.

To za moją namową tato wyciął pierwszy rząd starych jonatanów i mekintoszy i zrobił ten trawnik, na którym się opalam. Mówiłam mu, że zacieniają dom, że w kuchni przez to ciemno i jakoś niemiło... I wyciął! Teraz narzeka, że bez nich jakoś łyso, ale tak tylko mówi. Siada tyłem do okna i czyta gazetę bez zapalania lampy w dzień. Zafundowałam mu żaluzje, żeby sobie mógł regulować. Wzbraniał się, a teraz używa. Mój kochany!

— Mańka! Zupa na stole! — woła Lila.

— A nie podałabyś w altanie? — odkrzykuję.

— Tak, jeszcze mam targać wazę do altany... — słyszę, jak pomstuje, wracając do kuchni. Nic jej nie będzie! W altanie jest najprzyjemniej jeść obiad latem.

Siadamy. Ojca kalafiorówka jest pyszna. Ja w domu nie robię. Ziemniaki ojciec lubi grubo pokrojone i dużo kopru, i jeszcze śmietana, i co widzę?! Skwarki?! Nie mam siły zrzędzić. Lilka je, ale jakoś niechętnie.

— Nie masz apetytu?

— Mam, jak patrzę, a potem rośnie mi w ustach. Ale przecież jem!

— A co na drugie? Chociaż nie musi być nic, ja zjem dwa talerze i się rozpęknę! — obiecuję.

— Na drugie jest kaszanka z patelni z musztardą. Lilka tak zarządziła, bo chciałem nasmażyć naleśników — mówi ojciec.

Lilka zbiera talerze i wynosi. Usłużna jest przynajmniej.

— Kiepsko coś z nią — mówi mi ojciec konfidencjonalnie, gdy zostajemy sami.

— Wiem, umówiłam ją z dobrym lekarzem i sfinansowałam zabiegi kosmetyczne. Kasy też pewnie nie ma?

— A skąd ma mieć? Ja nie wiem, czy ona ma ubezpieczenie emerytalne, dogadać się z nią nie można...

Lilka wraca i siada. Jest spocona. Widać, że słaba.

— Li, czy ty jadasz porządnie? — pytam bez ceregieli.

— Odczep się! Jadam, osłabłam teraz po tych cholernych zabiegach. Jasiński mówi, że wszystkie były źle zrobione i chyba mi usunie... No, wiesz.

— Wszystko?!

— No...

Ojciec zbladł, wstał i poszedł do domu dyskretnie. Lilka była niechętna do rozmów o jej zdrowiu. Zjadła małą gruszkę, poleżała jeszcze obok mnie, wypytując o Mirka i moje sprawy, i zebrała się. Wycałowała tatę i mnie. I pojechała.

Ledwo wstałam z leżaka u taty, zadzwonił Gieniu. Nie zastał mnie pod telefonem w domu, dwie godziny temu i godzinę temu, zdenerwował się i dzwoni teraz na komórkę, co się ze mną dzieje, na miłość boską?

— Wujku, u taty jestem, nic się nie stało! Nigdy tak nie panikujesz!

— Teraz też nie panikuję, ale wiesz... No, no dobrze. Wpadnę do Miśka jakoś, powiedz mu. No... a ja myślałem, że pojechałaś do Grześka i Tadzia.

Spanikował! Drży o mnie, sądząc, że pewnie się załamałam totalnie.

— Nie bardzo chcę narzucać się Grzesiowi i Idze. Niby jesteśmy rodziną, ale przecież nie pojadę tam wypłakiwać się na Mirka!

— Niby tak... Ale Grzesiek nie mógłby jakoś z Mirkiem porozmawiać jak syn?

— I co, nakrzyczy na niego? Wujku!

— No tak, tak... Pa, kochanie.

Wuj chce dobrze. Ale nie pojadę do Krakowa. Oni są młodym związkiem, po co im moje problemy? A Iga jest taka... inna niż ja. Krakowianka, z dobrej rodziny zacnego krakusa i Czeszki. Jest drobna, malutka, ma piękną ciemną cerę, wielkie orzechowe oczy i czarne włosy. Kiedy ją poznałam, miała grzywkę i włosy do ramion, a teraz ma króciutkie, na zapałkę. Przez to jest jeszcze mniejsza. Grześ mówi, że to kobieta rozmiaru pocket-mini — kieszonkowa. Ona jest tak bardzo wyciszona i spokojna, że mnie to zadziwia. Myślałam nawet, że jest... taka półautyczna. Mój syn ją uwielbia, a ja uważam, że skoro jest z nią taki szczęśliwy, to znaczy, że ona sama jest dobra. Nie zyskałam w niej córki, bo ona ma własną mamę, i to bardzo młodą, są bardzo zżyte. Znaczy, nie żebym chciała jej matkować, ale nie jesteśmy takie zakumplowane jak jedna z moich koleżanek ze swoją synową. One obie się dobrały — razem jeżdżą do spa, jedna drugą doskonale rozumie i takie mają ze sobą feng shui — jak mawia.

Iga i ja lubimy się, ale bez takich poufałości i wspólnych wypadów na narty czy gdzieś na szmatki. Dam im spokój. To nasz problem, mój i Mirka. Ja widzę, że bardziej chyba mój. Nie umiałam spytać go, czy się rozwodzimy. No bo ja jakoś tego nie widzę, nie chcę, a on? Nie wiem! Pamiętam, jak Gieniu się rozwodził. Ciotka była za granicą, a on stale uważał, że wróci, i kiedyś po prostu przysłała mu pozew.

Wtedy miał pierwszy zawał. Ciocia jak gdyby nigdy nic i tak się z nim rozwiodła. Mój ojciec z głowy mu wybijał brak zgody na rozwód.

— Nie dam jej rozwodu — rzucał się Gieniu wściekły, urażony tym, że ona to robi przez adwokata. — Niech tu przyjedzie i mi to powie! Nie dam!

— Gieniuchno, przestań. Jak się zerwała i uciekła, to co to da, że ty jak osioł się zaprzesz „nie dam, nie dam"?

— A, nie dam!

— Głupiś. Daj i już. Uciekła, jej sprawa. Daj.

— Łatwo ci mówić! Uciekła z Patrykiem, podeszła mnie, czy tak się robi?! Niechby przyjechała, czy jak się boi, niech się ze mną umówi w Berlinie czy Pradze i w twarz mi powie! Michał, no tak by było przyzwoicie! Mam rację?!

I wtedy tatko powiedział swoje słynne porzekadło, które uwielbiam:

— A, tam!… Lepiej mieć spokój niż rację!

Ciocia Krysia jak tylko uzyskała rozwód, błyskawicznie wyszła za mąż za bogatego Włocha i do dzisiaj mieszka z nim i Patrykiem w Turynie.

A wujek? Nie ożenił się, choć kiedyś było blisko. Dzisiaj „przyjaźni się" z uroczą panią aptekarką Elżbietą. Starsza ode mnie o kilka lat, miła i niezależna pani.

Gdy pytam go, czy mają romans, odpowiada, że romans to takie trywialne, oni są ze sobą na poważnie! I chyba tak jest, bo kiedy dzwonię do niego i pytam, czy będzie u taty w sobotę, bywa, że odpowiada mi: „W tę sobotę? Nie, w tę jestem żonaty!".

Pani Ela, zdaje się mężatka czy w separacji, a może jeszcze co innego, unika życia towarzyskiego, czyli nas. I trudno! Najważniejsze, że Gieniu nas nie unika, i to od wielu, wielu lat!

Wracałam do domu i pomyślałam ciepło o nim.

Nie jest z nami spokrewniony, a jednak dla ojca jest jak brat, a dla mnie to najukochańszy wuj na świecie. Pamiętam nasze pierwsze spotkanie.

Z mamą i Pelą urządziłyśmy Michałowi, jeszcze przed ślubem rodziców, pierwsze imieniny u nas w domu, i wtedy poznałam wujka.

— Mamo, a kogo zaprosimy?

— No właśnie, Maniu, kogo? Z pewnością tego kolegę taty, Gienia.

— A Pela sąsiadów zaprasza!

— Nie mamy aż takich zaprzyjaźnionych, ale pomyślę, a ty się naradź z Pelą, co przygotować. Tu zostawiam wam pieniążki na zakupy i może zrobisz Michałowi jakiś prezent? Daj buziaka, pa.

Mama przyniosła z pracy próbki dermy — sztucznej skóry, więc usiadłam, poprosiłam Pelę o jej bilet miesięczny i uszyłam tacie portfelik na miesięczny bilet, z przegródką na normalne bilety też. Siedziałam po obiedzie i wbijałam igłę w twardą dermę, aż mnie palce bolały, a Pela co i rusz mnie karciła za niedbały szew, ale się zawzięłam. Portfelik wyszedł ładny — ciemnopomarańczowy. Teraz tylko zapakować!

Pela zrobiła zimne nóżki w galarecie, rolmopsy, ja pokroiłam sałatkę jarzynową i wymieszałam z majonezem, jajka na twardo z zielonym groszkiem i kiełbasę pokrojoną w plasterki i misternie ułożoną na półmisku. Uparłam się oprócz tego przy parówkach, bo Michał bardzo je lubił.

— E, jakoś parówki, to jak na dworcu, nieelegancko — krzywiła się Pela, ale ustąpiła.

W sobotę, która była akurat po 10 kwietnia, na Michała, uprzedziłyśmy go, że będzie uroczysta kolacja. Pod wieczór nakryłyśmy z mamą do stołu, i wreszcie przyjechał Gieniu, ten przyjaciel tatki. Kiedy otworzyłyśmy drzwi, zobaczyłam miłego pana z wesołymi oczami, w niebieskiej koszuli i z kwiatami. Zaraz dał je mamie, chyba się znali, bo przywitali się jak znajomi.

— A to jest moja córka! Poznajcie się! — powiedziała mama i poszła do kuchni wstawić kwiaty do wazonu.

— Witam śliczną panią! — kucnął przede mną. — Jak pani na imię?

— Marianna — powiedziałam nieco onieśmielona.

— Marianna?! To zupełnie jak mój ojciec! Też miał na imię Marian!

— Ale ja jestem Marian-na! Dziewczynka!

— No naturalnie, że dziewczynka, to się widzi, to się wie! A ja jestem Eugeniusz. Możesz do mnie mówić Gienek, a ja do ciebie... Marian! Będziesz moim kumplem! Może być?

Rozśmieszył mnie bardzo i zaraz pochwaliłam się mamie, że nowy wujek chce być moim kumplem. Oczywiście nie mówiłam do niego Gieniu, tylko wujku, bo mama się nie zgodziła na takie spoufalanie.

Wujek przyniósł tacie płytę z piosenkami i jarzębiak, a dla mnie prawdziwą gumę do żucia! Amerykańską! Pachniała niebiańsko i miała bielutkie opakowanie z czarnozielonym napisem też po amerykańsku, a w nim, opakowane w sreberka, wąskie płatki tej gumy, oczywiście amerykańskiej! Skakałam ze szczęścia.

Przyszła jeszcze koleżanka mamy z mężem i zasiedliśmy do stołu. Byłam zachwycona, że u nas imieniny obchodzi się tak, jak opowiadała Pela, a nie tylko herbatka z pączkiem. Objadałam się galaretą z nóżek z octem, którą uwielbiałam, i czekałam na parówki z musztardą. Siedziałam z dorosłymi i wznosiłam oranżadą toasty za zdrowie Michała.

Gienek, wujek Gieniu, był osobą, która wniosła do naszego życia nowe obyczaje towarzyskie. Rodzice zaczęli podejmować gości i bywać, bo jak do tej pory żyliśmy sobie po cichu jako rodzina, bez większych kontaktów towarzyskich. Rodzice mamy zmarli dawno, starzy i schorowani, zresztą mieszkali w Puławach, a z rodzicami Michała nie utrzymywaliśmy kontaktu, aż do tej wizyty jego matki. Była niemiła. Nie lubiłam jej. Mama namawiała tatę, żeby razem pojechać do nich przed ślubem i porozmawiać, ale się zaparł, zezłościł nawet, przypominając, że ojciec wyrzucił go z domu jeszcze podczas studiów, a w ogóle go nie lubił, bo stale tęsknił za Mietkiem, co się utopił, i powtarzał, że Mietek to by był lepszym synem... No i byli wściekli, że chciał studiować, to na licho mu tacy rodzice. I nic go nie przekonało, zresztą mama nie naciskała.

Najlepszym kolegą, który mu wówczas pomógł, był Gieniu.

Chodzili do jednego technikum i Gieniu zaraz potem, po wojsku, zaczął pracować u teścia w warsztacie. Ślub wuja umknął mi, bo byłam chora na szkarlatynę, a poza tym odbył się gdzieś pod Warszawą. Rodzice pojechali, a ja zostałam w domu z Pelą. Wtedy jeden raz nocowała u nas. Później wujek się zakręcił i założył własny warsztat, w którym produkował jakieś śrubki, potem miał chyba warsztat samochodowy, ach, dużo tego było! Pamiętam, że w tym zakładzie ze śrubkami byłam kiedyś z Michałem, pod Warszawą, właściwie na wsi, znaleźliśmy dom, numer i bramę, za którą w garażu był warsztat wujka Gienia.

Wyszedł do nas umorusany, w kombinezonie, ze szmatą w ręku i przywitał się jak zawsze szerokim uśmiechem i klepał tatę po plecach, a mnie wziął na ręce, udając, że ledwo zipie, i wołał: „Ależ ty, Marian, jesteś ciężka, jak lokomotywa!".

Później poszli do biura porozmawiać, a ja chodziłam sobie po podwórku i po warsztacie, oglądałam maszyny, które z hukiem coś wytłaczały, wypluwały z siebie, a inne to coś toczyły, robiąc przy tym śliczną błyszczącą sprężynkę. Na tę toczoną część w trakcie wyrzynania sprężynki spływało jakby mleko.

— Co to jest? — spytałam, przekrzykując maszynę, starego, zmęczonego pana, który to obsługiwał, a on odkrzyknął mi niedbale:

— Chłodzenie...

Nie zrozumiałam, ale za to mogłam wziąć do ręki te sprężynki i kilka innych śrubek, które się nie udały, do zabawy.

Później wujek Gieniu wyszedł z tatką z biura ubrany już normalnie i kazał tacie wsiąść za kierownicę swojego samochodu. Uczył ojca jeździć. Jechaliśmy po drogach i uliczkach tej miejscowości, tato sobie świetnie radził, a wujek czasem go pytał o coś, na przykład kto ma pierwszeństwo, my czy furmanka, żartował i jechaliśmy dalej, aż zatrzymaliśmy się przed cukiernią koło kościoła. Gieniu wyszedł i po chwili wrócił, kładąc mi na kolanach zawiniątko.

Gdy zapytałam: „Co to?", powiedział, żebym sama sprawdziła, a tam w papierku na tekturce leżały... rurki z kremem! Prawdziwe, pyszne wafelkowe! Wujek usiadł ze mną z tyłu, tata się odwrócił i zaczęliśmy jeść te rurki, ale wujek nie mógł wyssać swojego kremu, więc powiedział do mnie:

— Marian, dmuchnij mi w tę rurkę, bo krem nie wyłazi.

Myślałam, że żartuje, ale nie, więc dmuchnęłam ciut za mocno i cały krem pacnął z rurki na twarz wuja. Przez chwilę się przestraszyłam, ale zaraz tata ryknął jak na filmach z Flipem i Flapem i ja za nim, a z nami Gieniu, i tak ryczeliśmy ze śmiechu, zjadając krem z twarzy wujka. On potem koniecznie chciał dmuchnąć w moją rurkę, ale nie dałam, i dostałam czkawki ze śmiechu. Chyba nigdy tak się nie uśmieliśmy! Później wuj zawiózł nas do domu. To była najfajniejsza wyprawa tego roku. I zawsze, gdy jechałam z tatą do wuja, kończyło się na tych rurkach w cukierni koło kościoła.

Dzisiaj nie mogę zlokalizować tego miejsca, ale to chyba były okolice Włoch. Jechało się jak na Poznań, i potem jakoś w prawo? Nie pamiętam, byłam mała i Gienek wkrótce zmienił pracę. Pokochałam go na całe życie. Był najradośniejszym, najfajniejszym dorosłym, jakiego znałam.

Wiem, że w najcięższych momentach bardzo pomagał ojcu i mamie. Zawsze było tak, że gdy dorośli rozmawiali, ja musiałam być grzeczna i siedzieć cicho, a gdy bywał u nas wujek Gieniu, to nawet gdy rozmawiali poważnie, on czasem puszczał do mnie oczko albo wyciągał po mnie rękę, i gdy podchodziłam, sadzał mnie sobie na kolanach i mówił: „Ty mój kumplu!". Ładnie pachniał.

Najbardziej wesołym i wyrazistym wspomnieniem z tego czasu był zimowy wyjazd nas wszystkich do Kościeliska.

Wujek namówił rodziców, i obładowani bagażami pojechaliśmy jego samochodem. Podróż mnie zmęczyła i chyba zasnęłam, bo wyruszyliśmy bardzo wcześnie, a na miejscu byliśmy, jak się już ściemniało. Po drodze zatrzymaliśmy się w jakimś mieście na obiad w barze mlecznym. Było mi trochę wstyd, bo wszystko mi tu smakowało, a przecież mówiłam zawsze, że nikt nie gotuje tak jak nasza Pela! Panowie wzięli sobie barszcz na dudkach, ale jak się dowiedziałam, że to są płucka, nie chciałam nawet spróbować. Długo nie mogłam się zdecydować, bo wszystko mnie korciło! Chciałam koniecznie tego, co jadł wujek, śmiesznie zamawiając „śluski kląskie" z pieczarkami, ale już poprosiłam o makaron z serem, a jeszcze w międzyczasie zobaczyłam w głębi kuchni wielką miednicę pierogów i już zupełnie ogłupiałam, a tatko miał ryż ze śmietaną, cukrem i cynamonem. Mama śmiała się, że jestem „wilcze oczy, popie gardło, co zobaczy, to by żarło", a ja miałam wielki apetyt, bo bardzo rzadko jadaliśmy w barze. W końcu jak już poustawialiśmy na dwóch stolikach nasze pozamawiane dania i zasiedliśmy do tego obiadu, wujek Gieniu zarządził, że na kłaśnięcie zmieniamy talerze zawsze w lewo. Znaczy oddajemy swój talerz sąsiadowi z lewej. Tak oto każdy z nas spróbował każdego dania i była to świetna zabawa.

W Kościelisku zamieszkaliśmy w dużym pensjonacie. Był drewniany i dziwnie pachniał. Ja i mama w jednym pokoju, na pięterku, a tatko z wujem tuż obok. Stukaliśmy do siebie w ścianę. Pamiętam, że leżała tam na łóżkach pościel w kolorową kratę, inna niż nasza, biała, i stał kaflowy piec, w którym codziennie zasapana gospodyni albo jej syn palili drewnem. Wszyscy chodziliśmy ciepło ubrani w swetry i wełniane spodnie. Ja z mamą szalałyśmy na sankach aż do obiadu, a tato z wujkiem szli gdzieś na wyciąg.

Po obiedzie, który jedliśmy w dużej sali na parterze, znów ubieraliśmy się w nasze kurtki i szliśmy już wszyscy razem na pobliski łagodny stok, gdzie tatko uczył mamę jazdy na nartach, a Gieniu fikał ze mną na sankach. Kładł się na nie na brzuchu, a ja siadałam na nim okrakiem. To się nazywało „na śledzia" i, zaśmiewając się, zjeżdżaliśmy w dół, kończąc często wywrotką. Mama w tym czasie na rozstawionych nogach z przypiętymi nartami jechała pługiem i wołała do taty: „Michał, Miiichał", i szło jej coraz lepiej!

W połowie pobytu gaździna, czyli gospodyni, pożyczyła nam narty swojego synka i uczono mnie na nich jazdy. Było cudownie! Wuj był cierpliwy i łagodny, a ten syn gospodyni stał i śmiał się ze mnie, żeby za chwilę na nartach starszego brata pokazywać niezwykłe figury i drażnić nas swoją maestrią. Na przykład zjeżdżał na jednej narcie, kręcąc się w kółko jak baletnica... Wuj mówił do mnie: „Nie złość się, Marian, on się urodził na nartach, to góral". Chyba wolałam sanki, ale nie śmiałam wujkowi zrobić przykrości, aż wreszcie sama zjechałam na dół bez wywrotki i dostałam gromkie brawa.

Wieczorem na kolacji wujek nalał mi do szklaneczki odrobinę wina i wypiliśmy toast za moją i mamy jazdę na nartach.

— Za nasze mistrzynie! — zawołał.

— Oj, Gieniu, daj spokój! Ja się stale wywracam — mówiła mama, machając ręką.

— Pamiętasz, Wandziu, co mówił Józek?

— Jak się nie psewrócis, to się nie naucys! — mówiłam głośno słowa młodego górala i chwaliłam się, że już tak często nie fikam.

— A Józek co mówi? Że „jeździs jak pokarko jakaś, i nogów razem nie tsymies, temu i londujes na dupie" — powiedział, doskonale naśladując góralską gwarę Józka.

Strasznie się śmiałam! Wszystko mnie śmieszyło. Góralska gwara i jazda na nartach, wuj Gieniu i to, że nikt nie oburzał się na to „na dupie".

Wszystko mi się tam podobało. Pierwszy raz w życiu byłam w górach, pierwszy raz bawiłam się z rodzicami i wujkiem na stoku aż do nocy! I nikt nie zapędzał nas do domu! Świecił wielki księżyc, biel śniegu odbijała tę poświatę i mimo że miałam na czapce, rękawicach i na spodniach skorupę lodu, sople na włosach, decydowaliśmy, że jeszcze jeden zjazd! I jeszcze! W końcu wujek i tatko zaczęli nas, mnie i mamę, uczyć trzymać nogi razem i „kręcić kuperkiem", żeby na stoku ładnie skręcać, jak oni przy zjeżdżaniu. Zaczęło mi się to podobać.

Po kolacji mama myła mnie i kładła spać. Nasze mokre ciuchy wisiały koło pieca i parowały. Na oknie robiły się piękne wzorki od zamarzającej wilgoci. Powyginane paprocie, liście rzeźbione koronkowo, czarowne ogrody dające niezwykłą pożywkę mojej wyobraźni.

Jak tylko poczułam pod policzkiem poduszkę i usłyszałam kilka wersów *Karolci*, którą mama czytała mi na noc, zasypiałam snem kamiennym, nie przejmując się tym, że rodzice schodzili jeszcze na dół, żeby posiedzieć koło wielkiego paleniska i porozmawiać, popijając herbatę i jarzębiak.

Nie wiem, kiedy mama wracała. Spałam jak zabita, bo rano budziłam się pierwsza i wskakiwałam jeszcze do niej do łóżka, żeby się obudzić. Mama przytulała mnie i mruczała: „Ojej, pospałabym jeszcze". Wtedy podnosiłam paluszkami jej powiekę i zaglądałam w oko, pytając „...ale nie śpisz, prawda, mamusiu?", i mama wołała do sufitu: „Czemu tego dziecka nikt nie zamorduje?" i gilgotała mnie, ale wstawała ze mną i stukałyśmy w ścianę do taty i wuja. Jak nie odpowiadali — ja w piżamie maszerowałam do ich pokoju i wskakiwałam na tatę, żeby wstał, i robiłam numer z powieką. Nie zamordował mnie! Nigdy.

Na śniadania bez marudzenia wcinałam zupę mleczną, którą stawiała nam na stole w białej wazie gospodyni, pytając ze zdziwieniem: „Łoj! A ty lubis zupke, dzieciaku, moje zaś nie lubiom!", a potem pochłaniałam jajecznicę na wielkiej pajdzie chleba. Już nie mogłam się doczekać wyjścia na narty!

Przedostatniego dnia po obiedzie nie wzięliśmy nart, ale mama ubrała nas ciepło i powiedziała, że będzie niespodzianka. Było już ciemnawo. Pod nasz dom zajechały góralskie sanie zaprzężone w konie i wsiedliśmy do nich, ponakrywani kocami i kawałkami baranic. Za nami, do innych sanek, inni mieszkańcy pensjonatu.

Pierwszy raz w życiu jechałam saniami! Było zimno i ciemno, z ust leciała mi para, a pod śmierdzącą baranicą było mi ciepluchno. Tata mocno objął mamę, a je siedziałam wtulona w rękaw wujka Gienia, aż on położył mnie tak, że widziałam niebo. Opatulił, owinął i pokazywał na niebie różne gwiazdy i mówił, mówił, aż woźnice zaczęli śpiewać i pozapalali polana. Dołączyły jakieś inne sanie, wśród nich takie z grajkami, i teraz już grali i śpiewali cały czas, a było tych sań bardzo dużo, nie widziałam końca! Rodzice tylko pokrzykiwali „Heeej" i tatko pocierał nos mamy swoim nosem jak Eskimosi i czulili się, i uśmiechali.

Jechaliśmy kotliną, brzęczały dzwoneczki, część kuligu się odłączyła i machali do nas, wołając „Heeeej". I było absolutnie bajkowo! Nie wiedziałam, gdzie jesteśmy — wokół same strome góry, lasy ciemne, na wierzchołkach śnieg i wkoło śnieg, śnieg, śnieg. Wuj powiedział mi, że to się nazywa kulig, i zaraz idziemy do knajpy na bigos.

Istotnie zatrzymaliśmy się przed wielką drewnianą gospodą. W środku było już trochę ludzi i palenisko z kotłem, i zaraz zasiedliśmy do stołu. W glinianych misach piękne góralki roznosiły gorący bigos, a na stole stał koszyk z wielkimi pajdami tego chleba, który tu tak nam smakował. Gieniu przyniósł butelkę wina, i mama poprosiła o herbatę. Było gwarno, parno i wesoło, bo z nami weszli grajkowie i grali co jakiś czas, jak już zjedli. Tatko pozwolił mi wypić trochę wina, ale wolałam herbatę, bo była słodka, a wino kwaśne. Ludzie trochę tańczyli, był ścisk, więc nie za długo, bo trzeba było wracać. W drodze powrotnej zmorzyło mnie i zasnęłam, leżąc na kolanach mamy, taty i wujka, kompletnie zagrzebana w piernatach. Wniesiono mnie do łóżka i położono bez umycia. Rodzice kontynuowali zabawę na dole, bo był Nowy Rok, ale ja spałam mimo gorącej obietnicy dawanej rano przy śniadaniu, że na pewno doczekam do dwunastej! Nazajutrz trzeba było spakować się i wracać.

Jaka szkoda! Niedługo po tym wyjeździe wujek się ożenił z piękną i wesołą Krysią. Nigdy o niej inaczej nie mówił jak Kryśka. „My z Kryśką", „Kryśka i ja". Ciocia była dowcipna, głośna, czasem dosadna, z zawodu krawcowa, ale uważała się za artystkę, bo miała znany i ceniony warsztat krawiecki w pawilonach na ówczesnej ulicy Nowotki. Obszywała sławne i zamożne osoby ze świata artystyczno-politycznego. Jej ojciec pracował w dyplomacji czy jakoś tak...

Od ich ślubu kontakty się między nami rozluźniły. Ciocia chyba nie bardzo nas lubiła, chyba uważała nas za wieśniaków, a może mi się zdawało? Urodził im się syn, Patryk. Mieszkali na Nowolipkach i widywaliśmy się przez całe lata znacznie rzadziej. Panowie w tym czasie, Michał i Gieniu, byli bardzo zajęci pracą, rodziną, życiem. Po wyjeździe Patryka i cioci Krysi za granicę na stałe wujek najpierw był bardzo samotny i smutny, aż go ojciec kiedyś przywiózł do nas, upił, i znów się między nimi poprawiło.

Wujek i mój ojciec, mama, Pela i moja korepetytorka Eulalia Struś to jednak ludzie należący do innego świata niż ten dzisiejszy, a ja bardzo ich kocham, brakuje mi wielu z nich! Może dlatego tak mnie nakręca chęć wrócenia do ówczesnych manier choć odrobinę! Oni wszyscy mieli klasę, godność i kulturę taką niewymuszoną, jakby ona była w ich wyposażeniu genetycznym! Byli chyba od urodzenia tacy! Dla nich uprzejmość, szacunek, takt to była codzienność. Bardzo mi tego brak, sama się, szczerze mówiąc, pogubiłam w tym dzisiejszym miszmaszu, w sposobie zachowania. To powszechne ostentacyjne olewanie konwenansów już jest nawet nie bulwersujące, ale nudne. Wielki reżyser czy operator wychodzi na scenę odebrać prestiżową nagrodę, sala wypełniona eleganckimi osobami ubranymi wieczorowo, ale on jest przecież z innej gliny, on jest artystą, więc ma na sobie bojówki, czapkę z daszkiem i buty z wojska rodem. Niejednokrotnie trzyma łapy w kieszeni, stojąc i gadając do mikrofonu (z tą gumą w pysku), albo jeszcze na dodatek odbiera kwiaty czy gratulacje od pięknej kobiety, bywa, że starszej od siebie. Zawsze mnie to razi, a wujek Gieniu dostaje szczękościsku i mówi przez zęby ten sam tekst od lat: „Wyjmuj ręce z kieszeni, pacanie, bo wężowi oczy wydłubiesz!". Podobno jego dziadek — kawalerzysta tak się złościł, gdy widywał u chłopców łapy w kieszeniach.

Może mało to eleganckie, ale uczyło elegancji, i ja nigdy nie widziałam ojca albo wuja z rękoma w kieszeniach. Co innego Kobyliński, wkłada je, jak się bardzo nad czymś zamyśli. To wtedy staje tak charakterystycznie, wkłada te łapska do kieszeni i specyficznie porusza barkiem. Taki tik.

Dzisiaj wuj jest wpisany w moją rodzinę jak tatko. Otacza mnie troską i miłością, i dzięki tym moim dwóm starym tetrykom jeszcze nie zwariowałam z samotności.

Mam pełną dokumentację mojej pracy nad tą kampanią. Ministerstwo nie wchodzi? Trudno... Pożałują! Wciągnęłam w to Zuzkę i Ola, znakomitego specjalistę od fundraisingu, czyli pozyskiwania funduszy. Już rozmyśla i pracuje, już ugadał wstępnie jakąś firmę, a ma też pomysł na inne. Pora iść z tym dalej. Olo jest w wieku Grześka i właściwie to spadek po nim. Chłopcy się kiedyś przyjaźnili w liceum, a potem Grześ wyjechał na studia do Krakowa, a Olo jakoś tak pozostał ze mną w kontakcie. Dokładnie pamiętam, jak po maturze, po wyjeździe Grzesia, zadzwonił i wprosił się na kawę. Byliśmy po imieniu od osiemnastki Grzesia, traktowałam go serdecznie, po kumpelsku. Przyjechał z kwiatami, więc się upewniłam, że nie ma zamiaru mi się oświadczać. Pożartowaliśmy i Olo wyjął na stół swoje karty.

Zapytał mnie, czy się domyślałam, iż jest gejem. Nie, nie domyślałam się, choć snułam jakieś podejrzenia, bo nie był z żadną panną jakoś na stałe, a tylko otoczony dziewczynami, które ufnie jak z koleżanką gadały z nim o wszystkim. „Gej — najlepszy przyjaciel kobiety" — takie wtedy usłyszałam hasło i bardzo mi do tej sytuacji pasowało.

Dzisiaj Olo pracuje jako fundraiser i jest w tym dobry, choć mu czasami ciężko, a jego partner, Piotruś, pracuje w dobrej agencji reklamowej i mają się chłopaki znakomicie. Czasem oczywiście oberwą, czasem coś usłyszą o sobie, ale się nie przejmują. Umówiłam się z Olem w herbaciarni na Nowym Świecie. Tu dają pyszną zieloną herbatę w wielkich czajniczkach i rozłożystych filiżankach. I nikt się nie dziwi, że do tego zamawiam mleko.

— Wiesz, to niełatwe w Polsce, bo tu jestem traktowany jak ktoś, kto przyszedł na żebry — Olo mi opowiada o fundraisingu.

— No, bo trochę to tak jest — podchwytuję — wyciągasz rękę i mówisz: „Dajcie trochę kasy na biedne dzieci, psy, koty", nie?

— Ano właśnie. Żebranina na biedaków, a to trzeba zupełnie inaczej. Zobaczyłem, jak to się robi w Stanach! W Stanach, gdzie biznesmen ma inną niż Polak mentalność. Polakowi się wydaje, że ja mu chcę opróżnić kieszenie, albo że musi dać z własnej kieszeni, a to nie do końca tak jest!

— Jak to, nie?

— No daje z kasy przedsiębiorstwa i odlicza od podatku, ale często też nie kuma, jakie profity ma dzięki takim pieniądzom. Nie umie przeliczyć na PR, a to już robi wrażenie, gdy ja to robię na jego oczach. Wiesz, ile kosztuje reklama w mediach itp.?

— Nie mam pojęcia, dużo.

— No, a ja mam tabele w głowie i najnowsze ceny spotów w TVP i radiu, billboardów, gazet. Poza tym zawsze jestem czysto ubrany, w garniturze i z teczką. Żadnych trampków i kolesiowania, „niech pan da na naszą drużynę, no wie pan". To jest żebranina. W Stanach spotkałem paru facetów z branży starszych ode mnie, którzy mają sporo kasy i wzięli się za fundraising, bo to im daje kopa życiowego, nową adrenalinę, nowe wyzwania. Niektórzy się zakładają o dolara, że od jakiejś znanej sknery coś jednak udoją. Mają zabawę!

Zaimponował mi. Obiecał pomóc.

Podlewam kwiatki. Niech piją, jest gorąco, na szczęście w starym budownictwie nie aż tak się to odczuwa, a jak mam otwarte okna na przestrzał, to nawet bywa, że się zrobi przeciąg! Gorącego powietrza...

Wycieram teraz szmatką kurz z wielkich liści scindapsusa i myślę. Mam napęd i tę kampanię, więc mniej rozdrapuję moją dziwną sytuację. Dziwną? Chyba normalną, jak każda taka, chociaż pary rozstają się w tak różny sposób i z tak różnych powodów! Karolina z naszej grupy terapeutycznej po spotkaniu u Agaty pyta mnie: „A masz adwokata? Nie popuszczaj, im trzeba dać nauczkę!". Lilka uważa jak Karolina — chce wolności, niech zapłaci za nią! Włodek: „A, to on był w niewoli?". Gieniu: „Zachował się jak wał!", ojciec: „Baranku, skoro odszedł, to Wisły kijem nie zawrócisz, a skoro mówisz, że rozmawiacie, że on chce cię zabezpieczyć... No jakoś z tym żyć trzeba". Agata: „Czujesz się tak, jak chcesz się czuć, jak siebie widzisz w tym, ale uwierz mi, że życie w kłamstwie...". Zuza: „Rozwód? To super, byle ci płacił, a nie jak Wojtek ssał tylko. Wolna kobieta to wartościowa kobieta, pamiętaj i nie pękaj! To nie wyrok, a tylko jakiś etap w życiu".

No, kurczę! Można zwariować.

Agnieszka z wydawnictwa albumowego dowiedziała się o moim rozstaniu z Mirkiem, bo chyba Zuza nachlapała jęzorem. Więc Agnieszka wtajemniczona w kampanię usiadła ze mną w pokoiku z kawiarką i spytała:

— A czemu nie kampania „Rozwód po ludzku"?

Najpierw mnie zatkało, ale się odezwałam:

— Bo ja nie wiem, czy się rozwodzę…

— Jak się chłop wyprowadza, to fiołkami to nie pachnie — rzuciła cynicznie. — A ludzie rozwodząc się, robią sobie straszną krzywdę, nie mówiąc o dzieciach.

— Nie mam małych dzieci, my się rozstaliśmy, być może tymczasowo, jako dorośli ludzie i nie wciągamy w to syna.

— Nie wie?!

— Wie, ale nie żonglujemy jego uczuciami.

— No widzisz, masz pole do popisu, a nie jakąś tam „grzeczność na co dzień".

No i wyszło szydło z worka. Agnieszka dała mi do zrozumienia, że traktuje moją kampanię powierzchownie, bez wiary. A kiedy jej to powiedziałam, odpowiedziała mi zwyczajnie:

— Daj spokój, zrobię, co do mnie należy, na maksa, ale nie muszę w to wierzyć. Kto inny nie uwierzyłby kampanii „Rozwód po ludzku", a oddałby duszę za poranne, miłe „dzień dobry" od szefa, zamiast: „Czego tak się gapisz? Do roboty!".

Prawda…

Od Agnieszki pojechałam do zaprzyjaźnionej agencji piarowo--eventowej. Mam tam kuzyna — Kotka. Ma na imię Bernard, ale mówię na niego Kotek, jak wszyscy, od zawsze. Niestety, nie miał dla mnie czasu i poprosił o wizytę za tydzień.

— Zobacz, tu cię wpisuję i na sto procent pogadamy, ale nie dziś, błagam!

Trudno, cholera jasna!

Postanowiłam jednak wskoczyć do Krakowa choć na chwilę. To idiotyczne, że w Warszawie wszyscy już wiedzą, że Mirek mnie rzucił, a z Grześkiem nie rozmawiałam jak mama z synem.

Czy ja aby na pewno powinnam z nim rozmawiać o naszym rozstaniu? Mirek rozmawiał, no tak, bo to on odszedł, to na bazie poczucia winy i męskiej solidarności, i że ojciec, to pojechał i pogadał, a ja… Czy Grześ nie poczuje się przytłoczony? Że się użalam? Z jednej strony przecież to mój syn… No ale takim moim synkiem to był do liceum. Potem stał się obcy, odsunął się, wymądrzał i był w tym taki śmieszny! Aktywnie działał w kółku biologicznym i jego pani od biologii była wyrocznią, a ja zeszłam na daleki plan. Pani Jodlarz i ojciec! Także koledzy z kółka biologicznego i niejaka Ewa, kompletnie rozchwiana emocjonalnie wariatka, jego dziewczyna, która ciągała go po teatrach, nocnych klubach. Nie lubiła mnie, zmieniła mu styl ubierania się, kazała zapuścić włosy, a mój Grześ poddał się chętnie, szukając własnego ja. Fajny był — taki poszukujący! Ale związku z nią o mało nie przypłacił zostaniem w drugiej klasie. Ona uwielbiała jakieś dramaty, sceny, płacze... Na szczęście zerwali, a Ewa odeszła do innej szkoły. Potem była Laśka, potem Justyna, a potem... chciał zdawać na politechnikę, na fizykę kwantową, ale w czwartej klasie znów mu wróciło na medycynę, bo mu Mirek wytłumaczył, że po fizyce kwantowej to nie ma zanadto gdzie pracować, a poza tym Bogna, kolejna panna, go rzuciła, albo on ją. Nie pamiętam. Ach, ten mój syn!

Nie wiem, czemu wymyślił ten Kraków, wylądował z kolegą, może to zasługa tamtego? Przecież nie uciekł od nadopiekuńczej matki, bo nadopiekuńcza nie byłam... Zadręczałam się tym, aż mnie Mirek ofuknął, że tworzę problemy tam, gdzie ich nie ma, i przestałam.

I co? Teraz przyjadę i mu się popłaczę, że tatuś mnie zostawił?! Czego ja się spodziewam? Tym bardziej że, jak mi się wydaje, Iga, moja synowa, jest osobą dość zdystansowaną. Przy niej takiej bardzo spokojnej Grześ jest szczęśliwy. Tak deklaruje i nie mam prawa wątpić.

Muszę być powściągliwa. Nie zrobię szopki! Poinformuję ich, że nie jesteśmy razem, że się stało i... już. Nie wypada. Postanowiłam. W aptece kupię sobie jakieś środki, żeby się nie denerwować, bo jednak czasem mnie coś nosi.

Lubię Kraków. Grześ pytał, czy mnie odebrać z dworca, ale odmówiłam, no jak, w środku dnia? Wysłałby Igę, a nam się jakoś kiepsko klei rozmowa. Poza tym poszłam sobie do Galerii Krakowskiej na zakupy. Dla poprawy humoru.

Galeria jednak męczy, bo tu masa ludzi i bardzo mało kibelków. Jest lato, wszyscy pijemy sporo napojów, a tu kolejka do każdego, na każdym piętrze. To jakoś upokarzające tak stać i czekać na sikanie. Kto to projektował? Facet chyba! Oni nie mają z tym takich problemów, nawet jak to prostata. Załatwiają sprawę szybciej, a u nas to z tym cały korowód. Latem mniejszy, a zimą...

Mnóstwo przecen, podwójne, potrójne nawet wabią wykrzyknikami. Chodźcie i kupujcie! I tak się dajemy napuszczać. Ja się dałam z przyjemnością! Z premedytacją kupiłam sobie piękne dwie pary butów u Nine West. Lubię jej buty, ale nie lubiłam dotąd cen. Dzisiaj… Ach, na osłodę! Piękne beżowe szpilki i koralowe sandały na obcasie. Piękne! I co, że lato się kończy? Będzie następne!

Tadziowi kupiłam zestaw Duplo. Grześkowi koszulę, błękitną z białym kołnierzykiem. Ciekawa, elegancka. Grześ jest niewysoki po ojcu, ma oliwkową cerę, też po nim, i jasne włosy — po mnie. Dla Igi… Co jej kupić? Lubię im robić prezenty. Dla Igi wybrałam bajeczny szal. Orientalny, ognisty w barwach — doskonały do jej karnacji i włosów.

Taksówką pojechałam do nich, jak już wiedziałam, że nie będę Idze przeszkadzać, a i może Tadziowi w popołudniowej drzemce. Iga mała jak dziecko otwiera mi drzwi w ich starym domu w dwupiętrowej kamienicy. Daleko od centrum, na Siemaszki. Wita mnie miło i zaprasza. Tadzio jest jeszcze u dziadków, bo ona ma pilną pracę i musiała spędzić noc i dzień nad zdjęciami, ale Grześ go zabierze i przywiezie, jadąc ze szpitala. Obiad jest, oczywiście, może być zaraz, jeśli jestem głodna…

No nie! Poczekam na chłopaków, zresztą w galerii zjadłam sałatkę owocową i lody, taki mały grzech.

— W Galerii? Och, tak rzadko tam bywam, nie lubię takich miejsc. — Iga uśmiecha się z zażenowaniem. — Ja w ogóle nie znoszę tłumów, spędów.

— To Rynku pewnie też nie lubisz?

— Tylko nocą! Grześ mnie tam zabierał na nocne spacery. Wtedy są tylko jacyś pijaczkowie, trochę ludzików, którzy właśnie wychodzą z knajp, i noc, i księżyc, i my. Zrobić coś do picia mamie? — pyta z uśmiechem.

Proponowałam, żeby mi mówiła Marianno, ale powiedziała, że jakoś jej głupio, bo jest taka różnica wieku, więc się męczy z tym drewnianym „niech mama". Okropne. Jak w dawnych czasach do służby. „Niech Joachim wypoleruje mi buty! Niech Felicja upiecze tort dla jaśniepana". Trudno, jakoś to ułożymy.

— Jak Tadzinek?

— Urwisuje. Zaraz mama zobaczy. Żywy jest, wesoły — milknie, ucieka ze wzrokiem.

— Wiesz, Iguniu, to poproszę trochę wody. Z cytryną, jak masz.

Powoli się oswoimy — myślę sobie. Przecież ja umiem sobie zjednywać ludzi. Niestety to trudne, gdy ktoś na pytanie: „Czy Grześ dużo pracuje?" odpowiada zdawkowo „tak". No niby takie pytanie, ale wolałabym jakąś formę rozmowy… No, na przykład, że tak, że ostatnio to miał sporo dyżurów, ale w niedzielę byli na Błoniach i puszczali latawce z Tadziem. Coś takiego. Z ulgą obie słyszymy dzwonek domofonu, wracają chłopcy! Powitania, radość i nieufność Tadzia, który mało mnie pamięta, więc nie nadskakuję mu, nie płoszę go. Kucam i podaję mu rękę. Wykręca się i chowa w Igi spodniach. Ona zabiera go do łazienki, a Grześ po umyciu rąk zaprasza mnie do stołu już nakrytego do obiadu.

— Mamo… jak jest?

— Przeżyję to, ale wiesz, ciągle mało wiem. Czy to czasowe, czy to oznacza rozwód na amen, czy jest ktoś, jakaś kobieta…

— Na mnie nie licz, ja nie wiem.

— A gdybyś wiedział?

— Nie wiem, nie mam pojęcia, jakbym się zachował, ale wierz mi, mamo, to bardzo trudne. Głupio mi, że rozmawiałem z tatą, ale to raczej on rozmawiał ze mną. Jakby przyjechał najpierw do mnie wytłumaczyć mi się. A co ja mam do tego? Rozumiesz? Jak was kocham i tak!

Podczas obiadu nie rozmawialiśmy już o tym. Tadzio zadziwił mnie samodzielnym trzymaniem łyżeczki i ładnym zachowaniem przy stole. Ma wielkie ciemne oczy po Idze, czarnego jeżyka na główce i piękną jasną cerę. Rysy chyba jednak po Grzesiu. Obserwuje mnie i wyraźnie popisuje się, kiedy chwalę, jak ładnie sam je. Nawet się uśmiecha i przechyla na bok głowę, zalotnik!

— To zasługa moich rodziców. Są tacy cierpliwi. Zwłaszcza mama — tłumaczy Iga.

Obiad też jest zasługą mamy, bo Iga siedzi po uszy w zamówieniu. Ala jej matka ma więcej czasu, bo pracuje, kiedy chce. Jest freelancerką i sama sobie sterem, żeglarzem.

Tadzio dostaje wreszcie prezent i daje mi nieśmiałego buziaka. Potem siada na dywanie i otwiera pudło. Iga idzie mu pomóc, owinięta orientalnym szalem, chyba lekko zażenowana, dając nam sygnał, że mamy sobie z Grzesiem do pogadania.

— Kochani — mówię do nich obojga. — Nie chciałabym was stawiać wobec jakichkolwiek nacisków, to wykluczone, a też nie zamierzam tu się wypłakiwać.

— Ale — ku mojemu zdumieniu odzywa się z dywanu Iga — jeśli mama czuje potrzebę wypłakania się, to po to są najbliżsi. Ja rozumiem, że to dla mamy musiał być cios.

To chyba pierwsze dłuższe zdanie wypowiedziane przez moją synową do mnie. Wzruszyła mnie bardzo. Może źle ją oceniałam? Ona zawsze taka wycofana, nieśmiała, milcząca...

— Dziękuję, Iguś, ale ryczeć wam tu nie będę! — zamieniam to w żart. — Tak tylko, jestem trochę zagubiona, bo nie do końca wiem, na czym stoję i co się w takiej sytuacji robi. Każdy mi mówi co innego.

Grześ milczy. Układa talerze jeden na drugim, ma zafrasowaną minę.

— Tata chyba ma klasę i rozmawiacie normalnie? — pyta mnie Iga.

— Tak, rozmawiamy, ale nic nie ustaliliśmy, a ja zwyczajnie boję się zapytać, czy to chodzi o rozwód.

— To niech mama nie pyta. — Iga patrzy na mnie promiennym, ciepłym wzrokiem. — Na spokojnie, niech mama poczeka...

— Iguś — przerywam jej. — Błagam cię, możesz do mnie mówić po imieniu? Tyle młodych osób tak do mnie mówi.

Westchnęła z uśmiechem i po raz pierwszy powiedziała na próbę „Marianno". Potem już poszło lżej i normalniej, kiedy używała formy bezpośredniej. Rozmawiałyśmy właściwie ja i ona. Grześ pozmywał i wrócił z pytaniem o herbatę, i dopiero wtedy się dosiadł. Mama Igi od niedawna jest mediatorką, a w ogóle jest po resocjalizacji, stąd Iga sporo wie o takich sprawach jak rozstania. Mówi spokojnie i mądrze. Zupełnie innym językiem, ale powtarza to, co mówi Włodzio. Jednak na mediacje się nie zgadzam. Znam Mirka. Nie zgodzi się tym bardziej, że zna Alę. Nie, na koleżankę też się nie zgodzi. On już postanowił.

— Ale może jednak? — Iga wierci, bo uważa mediacje za znakomitą formę pogodzenia zwaśnionych małżonków.

— U nas nie ma waśni... — mówię. Grześ milczy i kiedy Iga tłumaczy mi, że warto Mirka namówić, nie wytrzymuje i karci ją, żeby dała spokój.

— Grześ, ty coś więcej wiesz, prawda? — pytam go.

— Mamo, nie wiem, ale znam ojca. Dziewczyny, dajcie spokój. Mamo, nie chciałabyś, żeby wrócił na siłę, prawda? Tylko po to, żeby ci sprawić satysfakcję i żeby „wszystko było jak dotąd"?

— No... nie.

Przerywamy. Jest herbata, Tadzio pokazuje mi złożony przez siebie zestaw — łąka i zwierzaki: koń, świnki i krowa. Nazywa zwierzęta i jest taki śliczny! Chciałabym go nosić, tulić, ale nie mogę, wystraszyłabym go, więc się tylko uśmiecham i słucham, co mi pokazuje. Jeszcze kilka słów o Tadziu, jeszcze o moim projekcie, tu Iga też aktywna, zadała mi kilka pytań. Kolacja, dobranocka, kąpiel Tadzinka. Wieczorem właściwie nie ma już o czym rozmawiać, więc wypytuję ich o pracę i plany. Rano mam pociąg. Odwozi mnie Iga z Tadziem. Mały jest zachwycony pobytem na dworcu.

— Marianno — mówi poważnie Iga — poradzisz sobie. Dogadacie się z tatą Mirkiem, ja to wiem. Może się nie kochaliście zbyt mocno i miłość umarła, wtedy faktycznie można się rozstać, ale przyjaźń zostanie, jak jej nie zepsujecie.

— Nie nazbyt optymistycznie, Iguniu?

— Przecież to od was zależy, sami to załatwcie, a nie jak czyni ogół.

— Nie wiem...

Nie chcę w niej gasić optymizmu, ale chyba to, co mówi, to idealizm.

— Każde z was zasługuje na dobre dalsze życie, skoro nie możecie razem, to żyjcie dobrze osobno! Ale to nie oznacza wojny, skoro nie ma o co... No tak?

Tadzio obcałował mnie na do widzenia, ale jak zaczarowany patrzył na pociąg. Iga zaskoczyła mnie swoją wylewnością i wnikliwymi spostrzeżeniami. Grześ rozczarował milczeniem. Może ma jakieś swoje zmartwienia?

Wracam do domu pełna znów sprzecznych myśli, ale sugestia Igi jest chyba słuszna. Nie wojować. Wojna to najgorsze, co może być, stanowczo nie chcę być Karoliną ani Miłką.

Kiedyś czekałabym z kolacją na Mirka i wyćwierkała mu te rewelacje o kampanii, ministrze i pomysłach, a przecież… nie ma Mirka. Nie ma go już! Zazwyczaj wszelkie takie radości jemu przynosiłam, bo komu? Przy kolacji rozmawialiśmy, on zajmował stanowisko albo nie. Kiedy się na czymś nie znał, tylko słuchał. Sporo artykułów, wywiadów ze świata medycyny zrobiłam dzięki niemu. On mało raczej mówił o szpitalu, zabiegach, uważając, słusznie zresztą, że mało mnie to interesuje. A może to błąd?

Nie dzwoni od tygodnia. Trzeba jakoś zagęszczać sprawy, ustalać, coś postanowić! Gdzieś wyjechał? Dawniej wiedziałabym, kiedy i dokąd, ale teraz to jego życie gdzieś się toczy, a ja jestem z niego wyłączona. To takie… trudne! Przykre. Zadzwoniłam z moimi rewelacjami o pobycie w Krakowie do taty, chyba się ucieszył, ale rozmawialiśmy krótko, bo on nie lubi „pleść" przez telefon. Szkoda. Pogadałabym.

Mirek nie dzwoni. W końcu zbieram się i ja dzwonię, ale nie odpowiada. Może jest przy stole? Może wyjechał? Może nie chce ze mną rozmawiać? Poczułam złość, zawód, poczułam się lekceważona! Nigdy tak nie reagowałam! Nie odbiera, znaczy asystuje przy operacji. On nienawidzi tego słowa. „Ja nie asystuję, do cholery jasnej, ja biorę czynny, najważniejszy udział w zabiegu! Moim bezpośrednim przełożonym jest Sam Najwyższy, i my razem czuwamy nad pacjentką! Asystuje długonoga hostessa komuś na przyjęciu, nawet pomoc dentystyczna nie asystuje, tylko pracuje". No. Pracuje przy zabiegu — zazwyczaj dlatego nie odbierał, ale teraz nie wiem. W końcu musimy poważnie porozmawiać!

Wreszcie dostałam maila:

Czy mogę wpaść w sobotę wieczorem?
M.

Odpowiadam:

W sobotę? A mógłbyś wcześniej? Mam sporo do zrobienia, bo zamiast akcji społecznej, kilku artykułów i wywiadów wychodzi mi na to, że stanę się autorką kampanii społecznej. Włodzio jest pomocny, ale jak wiesz, cynik. Kampania, nie wiem, nie wiem, czy poradzę. Wiesz, oczywiście muszę...

Zatrzymuję się. Po jakie licho ja mu o tym piszę?! Jego to już nie obchodzi! Wyprowadził się, co go to...? Zaznaczam tekst, klikam na backspace — wymazywacz i odpisuję, sucho, jak on:

Wpadnij, jak możesz, to dzisiaj. W piątek do siedemnastej, w sobotę do siedemnastej. Najlepiej zadzwoń.

Nagle oddzwonił, że zaraz będzie. Przyjechał po godzinie, wszedł, dzwoniąc oficjalnie, nie użył klucza. Przeprosił, że czekałam, ale są korki. To jego zachowanie to już przegięcie. Jakiś cyrk. Ubrany w jeansy, koszulę, luźno jak nie on, bo do pracy zawsze jeździ w garniturze, no, w spodniach od garnituru, błękitnej koszuli i blezerze. Jeansy i koszula w kratę oznacza domowy luz.

— Komórki nie odbierasz... — mówię tonem wyrzutu.

— Mój pokój to jeden z pokoi pooperacyjno-hotelowych, mam bardzo ściszoną, żeby nie przeszkadzać pacjentkom. Co u ciebie?

— Mirek, ja tak nie umiem. Wpadasz tu jak do cioci z pytaniem „co u ciebie". Mamy... że tak powiem, operację w toku, mówiąc twoim językiem, narkoza mi się skończyła, mam...

— Wiem, wiem... Marianna, no wiesz, od dawna... Mówiliśmy o tym!

— Od dawna? Chcesz powiedzieć, że ty, utłamszony przeze mnie, od dawna cierpisz, a ja nic, tylko cię nie dopuszczałam do głosu? Mirek, w co ty nagle pogrywasz? Ja nie chcę raz jeszcze wysłuchiwać o twoim pragnieniu wolności i czuciu się tu jak kapeć. Tę piosenkę już znam. Poproszę o coś nowego, prawdziwszego.

— Prawdziwszego? To jest prawdziwe, ale skoro nie chcesz. Ustaliliśmy już.

— Ty ustaliłeś. Mirek, ja czuję, że jest inna prawda. Jesteś wystarczająco asertywny i odważny, żeby mi powiedzie konkretnie, o co chodzi, jak mówisz „dawno". Nie wiem, co się stało, że się wyprowadziłeś, ale wiesz... to ja czuję się jak stare kapcie wywalone na śmietnik. I choć nie chcę się tak czuć, to siedzi we mnie.

I jak ta głupia beczę, oczywiście, bo to, co powiedziałam, wyrywa mi z piersi serce. Czuję prawdziwy ból. „To psychosomatyczne" — myślę, cała taka mądra i oświecona psychologicznie. Tylko co z tego?

— Przestań! Marianna, mówiłem ci, to nic przeciw tobie, jesteś kapitaną babką, tylko nam się... No dobrze, moja droga jakoś poszła w bok, jestem, czuję to, znaczy czuję od dawna, że jesteśmy coraz dalej od siebie. Zresztą powiedz mi, ale tak, kurczę, Mańka, proszę cię, uczciwie, jak swojemu ojcu, czy ty, wychodząc za mnie, kochałaś mnie?! Kochałaś?

I wtedy znów zaniemówiłam. Nie lubię tego pytania!

Mogłam się zaperzyć i zawołać „ależ oczywiście!", żeby mu było głupio, ale to byłaby demagogia, nieprawda. Bo ja na to pytanie odpowiadałam sobie kilka razy... I nie jestem pewna, czy to była miłość, czy wdzięczność, poczucie spokoju i przekonanie, że on się mną zaopiekuje, że wyjście za niego uchroni mnie od dalszych błędów. Bo wtedy bałam się po historii z Czarkiem, że mam skłonność do *bad boys*, jak się teraz mówi, czyli złych chłopców.

— I nagle dzisiaj, po trzydziestu latach, zadajesz mi to pytanie? — odpowiadam mu pytaniem.

Milczy. I ja milczę. Jakiś pat. Impas. Siedzimy w kuchni. Nalewam sobie wody i piję, chcę coś robić, a nie siedzieć tylko.

— Daj i mi — prosi.

— Mirek, czy to oznacza, że chcesz sformalizować to swoje odejście? — wyrzucam to z siebie, bo widzę, że mu ręce drżą, zaciął się. Wiem, że popełniam błąd. Obiecałam sobie, że póki on tego nie powie, ja mu nawet tego nie zasugeruję! Głupia...

— Może... Marianna, myślałem o separacji.

— A co to jest „separacja", Mirek? Czy to nie jest narkoza przed rozwodem? Rozmawialiśmy o tym wielokrotnie, i sam używałeś tego określenia, pamiętasz?

Zdałam sobie właśnie sprawę, że wywołałam sama temat do tablicy. Że teraz to Mirek powinien wyłożyć karty. I zrobił to!

— To załatwmy to jednym cięciem. Tylko proszę cię, Marianna, opanuj gniew i agresję, to nie jest przeciwko tobie! To ja, ze mną coś się stało takiego, że z miesiąca na miesiąc czułem coraz większą pustkę. Wybacz mi.

— OK, już to słyszałam, ale teraz powiedz mi, proszę, jak na spowiedzi, masz kogoś, prawda?

— Marianna… — zamilkł.

Oj, widzę, że waży w sobie, co powiedzieć, znam go! Niestety, modlę się w duchu, żeby zaprzeczył, byłoby mi milej. To paskudne uczucie być zdradzoną, wymienioną na nowszy model. Oby zaprzeczył! — myślę, choć przecież chcę nareszcie prawdy! „Ale z ciebie ciężka idiotka" — powiedziałby Włodek i miałby rację.

— Więc jest ktoś? — podpuszczam go.

— To nie tak… nie tak — mówi ciszej, ale patrzy na mnie wyczekująco.

A więc jednak…

— A więc jednak… — mówię głośno.

Paskudnie się czuję. Ciężko mi złapać dech, a przecież wiedziałam o jakichś drobnych sprawkach z jakąś pielęgniarką i stażystką, ale to nie było nic poważnego.

— To nie tak! — powtarza głośniej, jakby chciał cofnąć słowa, ale one już wyfrunęły! Nie ma klawisza „cofnij". Uprzedzono mnie, dlaczego rozwodzące się pary idą w zaparte, że nie ma romansu — bo wtedy jest orzeczenie o winie i alimenty na rzecz drugiej strony — i bul, bul, bul, człowieku, do końca życia!

Gapię się wyczekująco, a on chowa wzrok.

— Nie, nie ma nikogo! Daj już spokój! — Mówi to tak, że wiem, że już teraz niczego z niego nie wyciągnę.

— Boisz się, że cię oskubię? — Nie mam pojęcia, czemu ja to mówię? Nie tak chciałam rozmawiać! Nie chcę wyjść na jakąś jęczącą kwokę.

— Mańka, już adwokat przygotowuje ci propozycję. Mnie zależy na tym, żebyś była w doskonałej kondycji finansowej, na twoim rozwoju i szczęściu. Nie jestem twoim wrogiem, zrozum to!

— Wybacz, ale nie rozumiem. Jeszcze przed chwilą mówiłeś o separacji…

Spuścił wzrok. Poplątał się w zeznaniach.

Patrzę na niego i opuszcza mnie ochota, by dalej sobie wyjaśniać rzeczy, które tego nie potrzebują. Co mam zrozumieć? Że najbliższa ci osoba nagle pakuje się, wyprowadza, i kiedy przyjeżdża, zamienia się w kogoś, kto puka do drzwi jak ktoś obcy i zachowuje się obco? Kiedyś, właściwie bardzo niedawno opowiadałabym mu o moim projekcie, pytała, co myśli, a teraz nie mam ochoty. Uważałabym to za sztuczne. Chciałabym, żeby już sobie poszedł albo… zrobił „cofnij" o kilka tygodni. Miesięcy? Lat?! Kiedy zaczął się tu czuć źle? Co mi umknęło? Ma kogoś czy rzeczywiście nie? Cholera jasna — MA CZY NIE?

Piątek indywidualnie.
Rozprawiam się z trupem Czarka

A w piątek zadzwoniłam do Agaty, że chciałabym z nią pogadać indywidualnie.

Zgodziła się, choć pytała, czemu nie chcę pogadać przy grupie. Powiedziałam, że tak czuję, że są rzeczy, które ich znudzą, są za rozwlekłe, a ja muszę jakoś to wszystko ułożyć sobie podczas gadania, zapytać ją o kilka rzeczy.

Znów byłam u niej, ale poszłyśmy na pięterko, bo w salonie miał zajęcia z grupą jej partner. Wejście na schody było oddzielone parawanem, żeby im nie przeszkadzać. W małym pokoju była kanapa, fotel i masa książek, mnóstwo zieleni w doniczkach i wszędzie wielkie plamy słońca. Przez otwarte okna wlatywało ciepłe powietrze, rosnące na zewnątrz wielkie drzewo nie pozwalało na to, żeby pokój nagrzał się nieprzyzwoicie, rzucało cień. Agata nie ma klimatyzacji. Uważa, że to niezdrowe.

— No, tak uważam — roześmiała się i postawiła tacę z dwiema szklankami. — Od dzisiaj płacisz za sesje. Tamte miałaś za darmo. I nie dziw się. Tak to się praktykuje. Decydujesz się, chcesz zwalić z siebie jakiś problem, ciężar, i bądź konsekwentna, ale zazwyczaj bywa tak, że ulegamy nastrojom, plotkom itp. i cały wysiłek terapeuty i twój bierze w łeb. A jak uiścisz opłatę z góry, to jest w nas taki mechanizm: „zapłaciłam, to choćby mi się nie chciało, pójdę".

— Taki… bacik?

— No tak. Na serię badań pójdziemy, i wyrwać ząb też, a leczyć duszę… czasem w idiotycznym momencie przerywamy! I dlatego dobry jest taki, jak mówisz, „bacik".

— No to uiszczam!

Agata pobrała opłatę, wypełniła jakieś kwity i podała mi je.

— Jestem podatnikiem! To oficjalny gabinet, mój i Jacka, mojego kolegi i partnera. Siadaj!

— Tam na dole z grupą to był on?

— Tak. Ja mam dwie grupy o podobnej tematyce „stracić kogoś". Jedni spotykają się w czwartek, drudzy w piątek. Z czym dzisiaj robimy porządek?

Najpierw zahaczyłam o Lilkę, żeby odejść od właściwego tematu, że to nie takie łatwe i że bywają przecież takie rodzeństwa, które by sobie aortę przegryzły. Drzemała we mnie tęsknota za siostrą, bratnią duszą. I nic! W liceum miałam Anielę, ale miłości, przyjaźni starczyło nam na cztery lata i znów zostałam sama.

— Tę samotność czuję całe życie. Lilka mi jej nie wypełniła. Coś ze mną nie tak?

— Przerobimy i to — mówi Agata. — Wiele z nas na to cierpi. Dzisiaj szczególnie, w społeczeństwach cywilizowanych rodziny są rozbite, pokolenia się nie rozumieją, nawet nienawidzą, o szacunku nie mówię, ludzie umierają z samotności, cierpią zwłaszcza kobiety, bo kiedyś żyły w plemiennych kręgach. Niektóre współczesne feministki uważają, że to głupie gadanie, a potem… No, ale jak się w ogóle czujesz? Jak ci minął ten tydzień, widziałaś się z Mirkiem, wyjaśniliście coś?

Opowiadam jej o spotkaniu, o braku większych ustaleń.

— Niepokoiło cię, czy ma kogoś…

— Nadal twierdzi, że nie, ale powiedz, Agata, przecież na zdrowy chłopski rozum…

— A co by to zmieniło? Odszedł! A czy w pustkę, czy do innej pani… Jakie to ma znaczenie dla ciebie?

— Ma, bo to znaczyłoby, że… — zacięłam się.

— …że na swoim podwórku nie miał tego, co znalazł, być może, na innym? Dobrze zgaduję? — Agata trafia w samo sedno.

— Ale czego mógł nie mieć?!

— No właśnie. O tym małżeństwa na ogół nie rozmawiają.

— Wiesz, zapytał mnie, czy ja go w ogóle kochałam… a mnie to zmroziło, nie wiem czemu — przyznałam się.

— To teraz ty mi powiedz, dlaczego wyszłaś za Mirka? To była wielka miłość? Dlaczego cię zmroziło to jego pytanie? Czy go kochałaś?

— Wiesz… musiałabym najpierw przerobić temat Czarka.

— To przerób, jak uważasz, że to się łączy, mamy czas! Ten Czarek taki ważny?

— Tak. Czwarty rok studiów. SGGW. Mieszkam w dwóch ładnych pokojach tu niedaleko, na Zwycięzców.

— OK. Mów!

Podobało mi się moje studenckie życie. Jakieś krótkie romanse miewałam i owszem, wtedy zalęgał mi się w domu męski pierwiastek, ale zazwyczaj nie na długo. To znaczy szczoteczka do zębów, maszynka do golenia i kłopoty.

Wydawało mi się, że mężczyźni są jakimś dysonansem w moim własnym, poukładanym życiu, a poza tym nie trafiałam z uczuciami i romans rozpływał się jak we mgle.

Pod koniec czwartego roku kolega naraił mi speca do telewizora. Porządna antena, regulacja itp. Pojawił się któregoś dnia, zapowiadając telefonicznie swoją wizytę. Przyjechał z walizeczką, wysoki, bardzo przystojny, czarnooki, z czarnymi włosami związanymi w ogon, i przedstawił się:

— Czarek jestem. Od telewizora!

— Ach tak! Proszę!

Wszedł i podszedł do sprzętu.

— Nowy to on nie jest — zauważył.

— To porządna unitra! Gra, ale myślę, że antena jest kiepska. Sąsiedzi mają anteny na dachu i u nich jest lepszy odbiór, a u mnie na pokojowej jakoś dawał radę, a teraz coś...

— No to jasne! Dobrze, to proszę mi pokazać drogę na dach!

Zapomniałam. Klucze od strychu ma dozorca. Ale ze mnie fujara. No, ale mam go tu samego zostawić?

— Panie...

— Czarek jestem, bez „panie", ja sobie poczekam na panią, jeśli pani pozwoli. Nie jestem ciekawski z natury, proszę się nie bać. Nie przećwiczę pani szuflad! Można sobie zapalić?

— O, proszę, ale tylko na balkonie.

— OK, to czekam!

Niezręcznie było go wyprosić, więc skoczyłam do dozorcy po klucz od strychu, modląc się w duchu, żeby w ogóle był w domu. Był! Czarek poszedł na dach, po pięciu minutach wrócił i oznajmił, że wpadnie w sobotę.

— A przepraszam, że pytam, bo Janusz mi wspominał, że pani ma wolny pokój. Jest o czym rozmawiać? Ja jestem niekłopotliwy zupełnie i „potrzebowski" na jakiś miesiąc, dwa.

— Porozmawiamy w sobotę, dobrze? Ale raczej nie... Kobiecie tak, ale facetowi... Czułabym się nieco skrępowana, rozumiesz? — zbyłam to pytanie. — A dzisiaj nie założysz mi tej anteny?

— No jak? Nie miałem pojęcia, jakie są warunki, ile metrów kabla potrzebujemy, jaką antenę. Dopiero w sobotę wezmę się do roboty. Nie będę przeszkadzał. Obiecuję!

Tego samego dnia umówiłam się na kawę z koleżanką z klasy, która od roku mieszkała we Francji. Pojechała tam nauczyć się języka, bo studia w Polsce dały jej tylko podstawy francuskiego, a ona chciała go poznać „od ulicy" i zarobić trochę pieniędzy na studia w Paryżu. Umówiłyśmy się w Na Rozdrożu, naszej ukochanej knajpie, gdzie było wygodnie i... modnie.

— Cześć, Dorota!

Dora weszła na salę, ściągając na siebie wzrok ciuchami i uśmiechem. Kolorowa koszula, wielkie, szerokie jeansy dzwony i torba ze starego dywanu jak u Mary Poppins, makijaż dość odważny i dziarski krok.

— Mania, nic się nie zmieniłaś!

Nasze powitanie było serdeczne, i zanim przyszły inne dziewczyny, zdążyłyśmy pogadać.

— ...i wiesz... — mówiła z lekkim uniesieniem — normalnie zostałam na lodzie! Ani gdzie pójść, ani wiesz, no dramat! Swoje łachy miałam w worku i tak siedziałam na ulicy, na krawężniku, i myślałam — co zrobić? Poprosić szefa o podwyżkę? Zaliczkę? Pożyczkę? Byłam zaledwie kawiarką w sporej firmie, więc jakoś mi nie wypadało, i tak kombinowałam na tym paryskim bruku, gdy powoli nadjeżdżała śmieciara, dwóch zbierało śmieci, a jakiś młody w drelichach zamiatał. Stanęli, bo obrabiali jakieś większe kontenery i młody, ten z miotłą, dosiadł się popalić i pogadać. Nudziło mu się. I tak od słowa do słowa, że ja od dzisiaj bezdomna i czy on nie wie, gdzie tu można do jakichś sióstr czy jak? A on, że to żaden problem, bo mieszka w sporym mieszkaniu sam i proszę bardzo, mogę jeden pokój zająć. Ja, że mam mało kasy, a on, że to się dobrze składa, bo bałaganiarz, to za posprzątanie.

— Śmieciarza stać na kilka pokoi w Paryżu?!

— Słuchaj dalej! On, szczon taki, zamierzał studiować aktorstwo, ale się jego starzy wściekli, bo zamożni, i chcieli koniecznie, żeby architekturę. No to on, że im pokaże, że sobie sam zarobi na studia. Tylko mieszkanie mu zostawili w Paryżu, bo sami mieszkali pod, w jakiejś willi albo pałacu. Cholera z nimi. Ojciec powiedział, że palcem nie kiwnie, więc synek poszedł zamiatać ulice!

— Uwierzyłaś mu?!

— A czemu nie? Nie miałam gdzie mieszkać. Dał mi adres, klucze i poszedł dalej zamiatać za śmieciarą.

— No coś ty?!

— No! Ty wiesz, że tam jest dość powszechne zaufanie do ludzi. „Wolność, miłość, braterstwo". I pojechałam. Stary dom, wielka kamienica, mieszkanie strasznie wysokie! Spore, dwa pokoje całkiem puste, jeden jego burdelnik i jeden zagracony. W kuchni sajgon, w łazience… mniejszy. Zakasałam rękawki i ogarnęłam to jakoś. Wybrałam pokój, przetaszczyłam jakiś materac z tej graciarni i krzesło i poprzeglądałam szmaty w wielkiej garderobie. Znalazłam koc, poduszkę, pościel.

— Wariatka…

— Nie żyjesz tam. Mańka, tam to normalne! Pomagają sobie ludzie, choć ja Polka, też oczywiście bałam się nieco, więc jak przyszła noc, to się zabarykadowałam, jak widziałam na *Czterech pancernych*. Pamiętasz, jak się Lidka zabezpieczyła na noc w jakimś zamku? No to i ja zastawiłam drzwi komodą i zabezpieczyłam je kijem od szczotki. Okazało się, że niepotrzebnie. Przemieszkaliśmy tak pół roku jak brat z siostrą. Ja mu prałam, sprzątałam, a on jak wracał, pitrasił pyszne żarcie i już.

— Nie dobierał się do ciebie?

— Nie. Dziwne, co? Ale normalne. Szacunek i braterstwo. O! Idzie Magda!

Przyszła reszta dziewczyn, Dorota jeszcze raz opowiedziała swoją historię o śmieciarzu i to przez tę opowieść w sobotę, kiedy przyjechał Czarek, i po montażu anteny, gdy roztaczał swoje wdzięki, przy herbacie zgodziłam się na miesiąc wynająć mu pokój.

Zapłatę obiecywał potem, z procentem, bo swoje mieszkanie musiał wynająć z powodu spłaty jakiegoś długu…

— To będzie szybka piłka — obiecywał.

— Wierzę ci, może jestem naiwna, ale wierzę — powiedziałam to z wiarą Doroty paryżanki.

Czarek okazał się elokwentny i wesoły. Obiecał, że nie zaburzy mi swoją obecnością „czasoprzestrzeni" i będzie palił na balkonie.

Wprowadził się w niedzielę i, jak Dorota „na paryskim bruku", miał swój dobytek w sporym marynarskim worku. Polska nie jest zaściankiem! — pomyślałam nie bez satysfakcji, i tylko głupio mi było przed panią Miecią, sąsiadką, że jakiś obcy facet ma klucze do mojego domu i nie jest to wcale narzeczony. Była nieco zdziwiona, ale przyjęła to do wiadomości.

Mama nie była tym zachwycona, kiedy poinformowałam w następną niedzielę przy obiedzie o Czarku.

— Mamo, to nie tak, jak myślisz. Teraz są inne czasy! Ja nie żyję z nim „na kocią łapę". Ja w ogóle z nim nie żyję, tylko odnajmuję pokój!

— Baranku — ojciec był poważny. — Co ty o nim wiesz?

— Tyle wiem, że miał pilną potrzebę, że w miarę czysty i spokojny, pali na balkonie i mało bywa w domu.

— Gdzieś się uczy? Pracuje? Spisałaś jego dane?

— Tato! We współczesnym świecie odchodzimy od milicyjnych metod! „Wolność, równość, braterstwo", zaufanie!

Nie przekonałam ich i widziałam, że zachwyceni nie są, ale to już mają do siebie te pokolenia, że zaufanie trzeba sobie wydreptać. Matki kobiet noszących spodnie też były zgorszone...

— Ale zarabia chociaż? Zapłaci ci? — ojciec był dociekliwy.

— Zapłaci. Pracuje... Zarabia na montażach anten, reperuje radia, pralki, handluje czymś na placu Szembeka, robi interesy, ale wiesz, jest bardzo oczytany, cytuje Kanta i... w ogóle...

— Kombinator...

— Tato!

Byłam zdania, że rodzice mi skostnieli, że spierniczeli, są z innych czasów i trudno, ja nie mogę przez to tylko być zaściankowa.

Przykro mi było, bo i pani Miecia, moja sąsiadka stara, ale miła, zamknęła się w sobie od chwili, w której Czarek się wprowadził. Wyraźnie się nie lubili. Czarek chyba dość obcesowo ją potraktował i kontakt nam się oziębił. Szkoda, ale nie mogę wiecznie myśleć o innych, o pokoleniu, dla którego mieszkanie pod jednym dachem nieślubnej pary oznacza grzech.

Czarek żadnym gestem nie budził we mnie podejrzeń. Za to rozpływał się w podziękowaniach za każdy kęs, jaki dostał na kolację po powrocie, czy zamiecenie podłogi, bo jednak mężczyźni nie mają tego nawyku.

— Jesteś nieoceniona! — chwalił z pełnymi ustami kanapki z mortadelą i pomidorem, których zrobiłam więcej na kolację, widząc, że jest już późno, a jego nie ma.

— Zmarzłem dzisiaj na dachu na kość!

— Może ci ugrzać trochę zupy?

— No nie! Daj spokój, przecież ci nawet nie płacę!

Została mi jarzynówka z mrożonki, jaką sobie zrobiłam naprędce, ze śmietaną i lanymi kluskami. Kiedy wracałam z uczelni, to taka gorąca zupa łagodziła mi trudy dojazdu z Ursynowa, rozgrzewała i... usypiała.

— Jedz — postawiłam przed nim talerz.

Jadł jak jakieś najcudowniejsze danie. A potem pocałował mnie w... skraj fartucha.

— Co ty! Czarek!

— Daj łapkę, jeśli mogę się ośmielić ją pocałować za taką zupę! Rewelacja!

— Zwyczajna jarzynówa.

— Nadzwyczajna! A to różnica! — uśmiechnął się, zamykając oczy. — Mama mi taką robiła...

— A co z mamą? Mieszka poza Warszawą? — spytałam.

— Zmarła rok temu — spoważniał. — O ojca nie pytaj. Nie chciał nas. To sprawa zamknięta. Idę spać, wybacz.

Wstał i poszedł do siebie. Pomyślałam wówczas ze współczuciem, że już rozumiem, skąd ten zachwyt nad talerzem zwykłej jarzynowej. Zostawiony przez ojca, tylko matka go kochała, a i ona odeszła. Z tego, co mówił, jest sam na świecie i musi mu być nielekko...

Z takimi myślami kładłam się spać.

Powoli przyglądałam się Czarkowi. Polubiłam jego obecność, choć widywałam go rzadko.

Kiedy ja wychodziłam, to on jeszcze dosypiał, bo wstawał ciut później, a kiedy wracałam, nie było go aż do wieczora. Czasem zostawiał kartkę, żebym zamknęła dolną zasuwę, bo wróci pojutrze. Po jakimś czasie zaofiarował się, że będzie mnie podrzucać na uczelnię swoim samochodem. Wstawał i podwoził...

Kiedyś zapytał, czy mógłby mi obić przedpokój boazerią, bo nie ma kasy na spłatę mieszkania. Pieniądze musi inwestować, a boazerię ma... Zgodziłam się. Wszyscy się objali boazerią, bo była wtedy taka moda!

— Tę wnękę przy twoim tapczanie też bym obił, bo ten kilimek to straszna wieś. Wybacz — uśmiechnął się przepraszająco.

Obił nią jeszcze pół ściany w swoim pokoju, miał skończyć później, bo zabrakło desek, i zaproponował, że go pomaluje.

— Ale nie pogniewasz się, jeśli odważnie?

— Jak odważnie?

— Na takie szaro-czarne pasy, a tu też, taką falą.

— To twój pokój — skwitowałam. Widziałam ostatnie wariactwa kolorystyczne u znajomej. Miała czarne szafki kuchenne! Fantastycznie to wyglądało w nowym mieszkaniu na nowym Ursynowie. Moja kuchnia mała i nie nadawała się do takich eksperymentów, ale pokój...

Wyszło... hm, bardzo nowocześnie. Wręcz diabolicznie, bo boazerię też zamalował na stalowoszaro. Biurko na czarno i krzesło też. Na ścianie ponad biurkiem znakomicie skopiował *Krzyk* Muncha, ale w odcieniach czarno-białych.

— Och! Jakie to smutne — powiedziałam zaskoczona.

— Smutne? Nie, raczej dramatyczne. Nie jestem malarzem, ale kopistą jak najbardziej, prawda? — pokazał mi zdjęcie *Krzyku* w albumie.

— No, prawda! Mógłbyś się tym zajmować.

— Mógłbym, ale nikt za to nie płaci — skwitował.

Przyniósł skądś stalowoszarą kapę na swoje łóżko i czarną skórzaną poduchę.

Sam nosił się na czarno. Zawsze. Tylko po domu w białych podkoszulkach.

Rodzice już nie protestowali, a kiedy poznali go w jakąś niedzielę, gdy przyjechali z wałówką, orzekli mi przy pożegnaniu, że „miły, faktycznie". Kolor pokoju zmilczeli, ale wiem, że nie wzbudził w nich zachwytu.

— Maniu — mama przy kolejnym spotkaniu była zadumana. — Jednak ten Czarek ma w sobie coś dziwnego. Niepokoi mnie.

— Mamo, to rys sieroctwa. Jako nauczycielka powinnaś to wiedzieć. Jest uczciwy, prawie go nie ma, i nie zaczepia mnie wcale! To uczciwe, przyznaj.

— Ale czy już jakoś wyrównał ci za mieszkanie?

— Widocznie nie pozbył się jeszcze problemów. Zapytam. Spłacił mi część boazerią.

— Ale spytasz? Obiecujesz?

— Mamo!

Nie zapytałam. Uważałam, że będzie to ponaglenie, a przecież on na to nie zasługuje.

Z wyjazdów zaczął przywozić jakieś drobne rzeczy, najczęściej jedzenie. A to, że był na wsi i dostał przypadkowo jakieś świeże ryby, a to ziemniaki i marchew, takie tam. Oskubaną gęś, z którą nie wiedziałam, co zrobić. Miłe, że choć tak dokładał się do życia. Czasem wieczorem rozmawialiśmy. Coraz bardziej szczerze, coraz cieplej. Mówił do mnie zawsze pełnym imieniem, używając wołacza, co mnie podwójnie wzruszało:

— Marianno, i taka kobieta sama? Żadnego faceta?!

— Jakoś na razie nie! Nie mam szczęścia. Może wybieram nie takich?

— Zasługujesz na najlepszych.

— Czarek, co ty gadasz! „Na najlepszych"? Co to znaczy?

— Żeby się taki tobą opiekował, kochał... Jesteś taką kobietą, o jakiej marzą mężczyźni!

— To znaczy, jaka jestem?

— Kobieca! Bardzo kobieca, i chyba nie zdajesz sobie z tego sprawy — mówił jak psycholog.

— Ach... — machnęłam ręką i wtedy on spoważniał i spytał niskim, ciepłym głosem:

— Czy ktoś cię skrzywdził kiedyś?

— Nie, chyba nie... — zamyśliłam się.

— Ale...? — ciągnął, siedząc z dłońmi złożonymi czubkami i dotykającymi jego ust, a wzrok miał jak prawdziwy terapeuta, skupiony, analityczny, otwarty na przyjęcie moich zwierzeń.

— Wiesz — zaczęłam — nie udał mi się mój pierwszy raz, ale nie mnie jednej, więc to chyba nie to.

— A jakże! Bagatelizujesz najważniejszy dzień w życiu kobiety? Jak to się stało?

I nagle postanowiłam mu to opowiedzieć. To był ciężar, ale wkopany głęboko pod dywan. Zapomniany i wstydliwy. Na siłę lekceważony. Później przecież bywało lepiej... I nie wiem, dlaczego wyciągnęłam go w rozmowie z Czarkiem. Opowiedziałam mu wszystko.

— Właśnie tak to się stało — odetchnęłam, kończąc opowieść o Bartku i tym moim nieszczęsnym „pierwszym balu" i właściwie gwałcie.

Chciałam opowiedzieć coś dramatycznego, obdarowałam Czarka najgłębszą szczerością, wytaszczyłam tego trupa z szafy i zmierzyłam się z nim. Już nie bolało. Trup rozpadł się w pył, ulżyło mi. Czarek zaproponował, żeby to oblać. Przyniósł ze swojego pokoju koniak i nalał nam.

— Skurwysyn, palant — powiedział przez zęby. — A jak później? Po tej traumie? — spytał z wyraźną troską w głosie.

— Jakoś poszło. Wiesz... Może nie trafiłam na tego właściwego?

— No, ale co to znaczy? Nie lubisz tych rzeczy? Jesteś oziębła? Masz prawo mieć traumę, ja to doskonale rozumiem!

— Akurat!

— Naprawdę. Widzisz, ja się zraziłem do kobiet. Moja ostatnia pani trzy lata temu zrobiła mi taki numer, że...

— Jaki? Przepraszam, że pytam — byłam ciekawa.

— Nie wiem, czy chcę o tym mówić — zawiesił głos. — Okazało się, że zabawiała się nie tylko z moim najlepszym przyjacielem, ale też poczęstowała nas obu przypadłością, po której musieliśmy przejść gruntowne leczenie. A kiedy jej to wygarnąłem, usłyszałem, że jestem zerem, że nie umiem jej rozpalić i dać satysfakcji i że już dłużej nie mogła tego znosić, więc znalazła sobie ogiera, który miał... lepsze gabaryty, wiesz.

— Zdaje się, że mężczyźni mają tu bolesne miejsce?

— Jasne! Tak mi nagadała, że coś mi się popsuło i wiesz... już nie dało rady. Nie daję rady. Lekarz powiedział, że to trochę potrwa, zanim się dźwignę. Nie mówmy o tym — zakończył i wzniósł kieliszek. — No to jest nas dwoje na tej tratwie, poranionych. Wypijmy za to, i spać!

To był fajny wieczór. Z nikim ostatnio mi się tak nie rozmawiało. Jak z koleżanką, a przecież to facet, i to przystojny! Poraniony — myślałam o nim coraz bardziej współczująco. Po kilku dniach myślałam już o nim goręcej niż tylko o koledze, lokatorze. Nie dawałam po sobie znać, ale zastanawiało mnie, czemu on, taki przystojny i serdeczny, nie próbuje mnie zaczepiać, podrywać?! Podobno jestem taka kobieca!

Zaczęłam więc ja. Nie do końca zasznurowany szlafrok, niby przez zapomnienie zostawiony stanik w łazience, uchylone drzwi, gdy sobie malowałam paznokcie u stóp... Nieświadomie zaczęłam jakiś taniec godowy.

Czarek jakby nie widział, ale nasze wieczorne rozmowy kończył jakoś ciepło, uśmiechając się smutno, szedł do siebie i zamykał drzwi.

Któregoś wieczoru, zanim to zrobił, po głębokiej rozmowie o życiu, miłości i takich tam filozofiach, wychodząc, stanął koło mnie blisko, tak że czułam jego oddech na twarzy, i szepnął:

— Wybacz, jesteś taka cudowna. Gdybym cię zawiódł, nie darowałbym sobie tego. — I poszedł spać...

Leżałam w łóżku, nakręcając się coraz bardziej, wyobrażałam sobie, że wchodzi, pragnęłam go, chciałam, żeby mnie całował, dotykał! A on nic! Krew mi w żyłach pieniła się jak coca-cola, podbrzusze było aż obolałe z żądzy, piersi twarde i krótki oddech. Zwariuję! Niech on tu przyjdzie! Niech ma takiego twardego i wielkiego jak Bartek, już się nie boję i niech mnie weźmie! Czułam, że gdyby tylko mnie dotknął, miałabym już orgazm jak jeszcze nigdy dotąd... Wtedy wstałam i poszłam do jego pokoju.

Księżyc był wyjątkowo jasny, Czarek leżał na boku, twarzą do ściany. Wsunęłam się pod jego koc i objęłam. Odwrócił się wolno, jakby z niedowierzaniem, jakby senny i spytał jakby przestraszony:

— Dziecko, co ty...?!

— Ciiii — szepnęłam. — Nic nie mów.

— Marianno, mylisz się, błagam, to nie tak, nie dam rady, błagam... — odsuwał moje ręce, jakby się mnie bał. Zdumiało mnie to i zezłościło. Byłam pewna, że mnie chce! Miałam łzy w oczach, byłam taka upokorzona, rozczarowana!

— Zbłaźniłam się — szepnęłam przez łzy.

— To nie ty, dziecko — Czarek szeptał cicho, tuląc mnie w ramionach — To ja, ja, jestem poparany, ale czy ty... chciałabyś? Po tym wszystkim? Mówiłaś, że jesteś...

— Mówiłam, że z żadnym dotąd nie było jakoś spektakularnie, że sypiałam z nimi, bo taki jest obyczaj par, ale nie czułam ani pragnienia, ani wiesz. Może mam feler?

— Ty, feler? Dziecko! Ty jesteś jak Wenus! Tylko musisz się obudzić! — Nachylił się i patrzył na mnie, jakby mnie widział pierwszy raz. — Zamknij oczy i myśl tylko o sobie — szepnął cicho.

Nie poradzę na to nic, że to, TO był mój pierwszy raz!

To, co zrobił Bartek, było tylko bolesną defloracją. To, co robiło kilku innych po nim, to były „stosunki seksualne". To, co zrobił mi Czarek, to była magia! Całował wspaniale, delikatnie i czule. Sam nie pozwalał się dotykać. Później przewrócił mnie na brzuch i zaczął zabawiać się moją szyją, gładził po talii i szepnął, dotykając piersi:

— To najpiękniejsze, co macie wy, kobiety, najcudowniejsze, najdelikatniejsze... a twoje są takie niewinne... — rozczulał się, całując je, pieszcząc. — Miałaś zamknąć oczy — upomniał mnie i odsunął moje dłonie ze swoich bioder. — Dzisiaj jesteś tylko ty, pokażę ci, jaka jesteś!

Wsunął mi dłoń między uda i rozsunął je. Jego palce ciepłe i odważne dotknęły mojego mokrego wnętrza. Byłam spuchnięta z pragnienia, jakiego jeszcze do tej pory nigdy nie czułam! Miałam wszystko w środku wrażliwe na najdelikatniejszy dotyk! Chciałam, żeby nie przerywał, żeby robił to powolutku dalej, jakby rozsmarowywał mi w środku topniejące masło, a moje unerwienie dygotało jak w febrze. Fala tego dygotu narastała gdzieś we mnie głęboko, chociaż przecież czułam, że to jego palce są siłą sprawczą tego drżenia. Zataczał nimi śliskie koła, a ja wpadałam powoli, ale coraz głębiej w rezonans, i nagle poczułam się jak wybuchająca w niebo flara. Chyba krzyczałam, płakałam, wbijając mu się ustami, zębami w szyję i zaciskając uda wraz z jego dłonią spazmatycznie, zachłannie.

Był zachwycony sobą, mną, tym, co sprawił. Mocno mnie zawinął w ramiona i pozwolił się uspokoić.

— A ty? — szepnęłam.

— Ciii, nic nie mów, ja jestem nieważny, to twoja noc, którą odebrał ci ten partacz. Ciii.

Już nigdy w życiu nie było mi tak wspaniale. To znaczy oczywiście odkryłam, co to jest szczyt, orgazm, radość seksu, ale czegoś takiego nie zaznałam. Zasnęłam w ramionach Czarka, nie mając najmniejszej ochoty wracać do swojego pokoju.

Tak weszłam w jego życie. Nie. To on wszedł w moje. Jego życie nadal było zagadkowe, a ja byłam dyskretna.

Czarek rozegrał to nader sprytnie. Gdy spytałam go rano, czemu tak właśnie, czemu on nie... odrzekł z lekkim zakłopotaniem, że to była moja chwila, a on nie chciał tego wykorzystać.

— Ale... nie chciałeś?! Nic nie czułeś? — pytałam namolnie.

— Nie drąż, zobaczymy, może z czasem, bo chyba... ale nie jestem pewien — powiedział jakoś tak dramatycznie, udając zmieszanego.

Znakomite! Nabrałam się w mig. Byłam zafrapowana! My kobiety już takie bywamy, że lubimy pokazać, że jesteśmy TE JEDYNE. Czarek wiedział to doskonale i doskonale to rozegrał. Biedny misiu, zraniony przez jakąś sekutnicę, czekał na wybawienie przez Śnieżkę. Zmienił scenariusz, to on mnie rozbudził, żebym to jednak ja go pocałowała jak żabę. Siedział sobie w wieży i spuścił warkocz, a ja, głupia, wspinałam się! Miał, co chciał.

Każdej następnej nocy byłam najczulszą kochanką podatną na wszystkie jego zachwyty, że „nikt nigdy tak mu nie robił", że „jestem cudooowna" i takie tam słodkie cukierki.

— Czarek, żadna kobieta nie zabawiała cię w łóżku? Ty robiłeś wszystko? — dopytywałam się, choć sama właśnie zdobywałam kolejne sprawności łóżkowych specjalizacji.

— Żadna — kłamał jak z nut. — Wiesz, na takie trafiałem, a ty jesteś taka... szczodra!

Czasami zawiązywał mi oczy chustką i taki seks podniecał mnie jeszcze bardziej.

Powoli pokazał mi różne takie zabawy, że sama sobie dziwiłam się, że mi się to podoba! Na przykład pod wieczór, gdy ja byłam w kuchni, a on właśnie wracał z pracy, rozbierał się w przedpokoju bez słowa. Nie reagował na moje „Czarek, to ty?".

Milcząc, wchodził do kuchni i całował mnie drapieżnie, gniewnie niemal, a ja miękłam, zdziwiona tym, że nic nie mówi. Szybko odwracał mnie i zdejmował szlafrok. Opierałam się o stół, zastanawiając się resztką świadomości, czy ludzie z naprzeciwka widzą coś przez gałęzie dzielących nas drzew. Nieziemsko mnie to podniecało.

Szybki, cudowny seks kończył najczulszym pocałunkiem i dopiero wtedy mówił:

— Dobry wieczór, boska Pani!

Jego zachwyty karmiły mnie jak głodną rybkę w akwarium. Tym chętniej wykazywałam się zdolnościami i chęciami. Zostałam złapana na przynętę. Zobaczyłam to znacznie później. Musiałam oślepnąć, żeby zjechać windą tam, dokąd zjechałam...

Czarek mieszkał już u mnie pełną gębą jako mój chłopak. Naturalnie spał ze mną w moim pokoju, na moim cudownym, kochanym tapczanie, żył jak mój mężczyzna, zostawiając mi brudne skarpety i majtki do prania. Jadł, co ugotowałam i przyrządziłam, i zarządził, że skoro ma się tu dobrze czuć, to nie mogę stroić fochów na jego palenie. Oczywiście!

Naturalnie posprzeczałam się z rodzicami, bo pytali, czy Czarek zapłacił mi za zaległe trzy miesiące mieszkania i czy zamierza łożyć na utrzymanie, oczywiście pokłóciłam się o jeszcze wiele innych rzeczy, aż... ograniczyliśmy kontakty do minimum.

Czarek był delikatny, ale zdecydowany:

— Kochanie, czy ty nie widzisz, że to nadkontrola? Twój ojciec nie trawi nawet myśli, że jego córka mogłaby mieć faceta. On ma obsesję na twoim punkcie, a ja na twoim miejscu zastanowiłbym się nad tym.

— Zwariowałeś? Kocha mnie jak każdy ojciec, i tyle.

— I nienawidzi mnie.

— Przesadzasz, i przestańmy o tym, co? Jesteśmy teraz tylko ty i ja...

Ograniczyłam kontakty z rodzicami. Zrobiłam to sama, własnymi rękoma! Nie mając pojęcia, że do tych rąk mam uwiązane niewidzialne sznureczki. Tymi samymi rękoma ograniczyłam kontakty ze znajomymi w imię tego „tylko ty i ja".

— Potrzebne nam hordy ludzi? — pytał Czarek w łóżku, miziając mnie po szyi.

— Nie... — rozklejałam się. — Cały kosmos to tylko ty i tylko ja.

I, co gorsza, uważałam tak właśnie. Niepotrzebny nam świat! Wystarczamy sobie. Czarek pracował i zaczął nawet kupować coś do domu, ja studiowałam, i było bosko!

Seks był już oswojony. Już nie miałam z tym problemu.

Czarek karmił mnie słodkościami słownymi i nic więcej nie było mi potrzebne! Uwielbiałam jego słowa, wyznania. Ale kiedyś, po moim powrocie z domu od rodziców, wściekł się na mnie, że tam pojechałam.

— Za moimi plecami?!

— Czarek, miałeś dzisiaj wrócić późno, jest sobota, miałam siedzieć w domu sama? Pojechałam, to moi rodzice, dawno tam nie byłam.

— Mącą ci w głowie, nienawidzą mnie i odciągają cię ode mnie. Szczują!

— Przestań! Bredzisz! Czarek, tak nie można! Gdyby twoi rodzice żyli, też byś ich nie odwiedzał, nawet gdyby mnie nie lubili?

— Ale miałaś się uczyć, ale ty wolisz uciec do tatusia!

— Czarek, mama jest chora, rzadko mnie widują, kocham ojca i nie ma niczego nienormalnego w naszych kontaktach, nie wiesz tego, bo sam...

— No dokończ! Dokończ! Bo sam nie mam ojca, tak? Tak?! — wrzasnął.

— Nie krzycz tak.

— Bo mnie szlag trafia na te pierdoły! To, co cię łączy z ojcem, jest chore! Nienormalne! To dlatego masz problemy seksualne!

— Zwariowałeś. Nie no, przegiąłeś, Czarek. Idź do siebie — powiedziałam to gorzko, ostro.

Poszedł i trzasnął drzwiami. Nie wychodził długo, było mi przykro, tak bardzo, że się rozpłakałam. Czarek wszedł do pokoju z papierosem, stał chwilę, zgasił go i zdenerwowany ukląkł przede mną.

— Marianno, przepraszam, wybacz mi, wybacz. Jestem taki podły! Ale chyba to dlatego, że jestem sierotą. Porzuconym sierotą.

Jego głowa leżała w moich dłoniach, a on kładł je sobie to na oczach, to na włosach. I mówił:

— Nawet nie wiesz, jak to jest... nie mieć ojca. Wiesz... — jego głos wyraźnie drżał. — Tak bardzo, bardzo chciałbym, żeby teraz właśnie mnie przytulił...

Jego plecy drżały. Miał oczy pełne łez, płakał, a tym rozwalił mnie skutecznie. Naturalnie tuliłam go i pocieszałam. Aż do rana. Znów był mój.

Nauczył się szybko, jak mnie za byle co karać swoim zimnem, pozbawiał mnie siebie. Zamykał drzwi do swojego pokoju, gdy tylko się posprzeczałam z nim o pranie, o zakupy, o okno, które miał umyć, czy rachunek za telefon, za który obiecał zapłacić. Milkł. Gdy tylko chciałam załagodzić sprawę, machałam ręką, odpuszczałam, przepraszałam za to, że jestem małostkowa, wybaczał mi, hojnie nagradzając mój „powrót do rozsądku" gorącym seksem. Kiedy tylko czegoś wymagałam, złościłam się czy prosiłam — zamykał drzwi do siebie i zasypiałam sama we łzach, z poczuciem krzywdy, winy... Rano w kuchni brałam go za rękę. To wystarczało. Odwracał się i pytał poważnie:

— Już?

Ja wtulałam się w nią, szepcząc:

— Przestań...

I już było dobrze. Nauczyłam się kontrolować. Wiedziałam, co go wkurza, drażni. Wściekał się, gdy otwierałam okno, podczas gdy palił w naszym pokoju.

— Nie demonstruj mi tak! — mówił zły, gasząc peta.

Teraz to był „nasz" pokój i ten drugi, „jego" pokój. Palił bez pytania, siedząc i oglądając telewizję, podczas gdy ja siedziałam nad klasyfikacją szkodników szklarniowych albo tłumaczyłam artykuł o zwalczaniu biologicznym owych szkodników w uprawach ekologicznych w gospodarstwie doświadczalnym w Szkocji.

— Czarek, za głośno jest, ścisz ciutkę — prosiłam.

Początkowo ściszał, potem polemizował, że meczu nie da się oglądać cicho, wreszcie na taką moją najdelikatniejszą prośbę wychodził z pokoju i oczywiście zamykał się u siebie na całą noc.

— Czarek, otwórz okno, strasznie nadymiłeś — było do pewnego momentu traktowane normalnie. Przepraszał i otwierał, ale od jakiegoś czasu było to powodem pytania:

— Masz mnie już dość? Powiedz tylko!

— Czarek, nie palę, nie lubię dymu!

— Tak? To dziwne, bo jeszcze miesiąc temu dałabyś się posiekać, żebym całymi dniami siedział tu, nawet z papierosem...

— Nieprawda...

— Prawda, królewno, pozwoliłaś mi palić w łóżku, „żebym tylko z niego nie wychodził", pamiętasz? — pytał kpiąco, zaczepnie.

No, było tak, ale raz, a on to przyjął za normę i palił w łóżku po seksie już zawsze...

Kochałam go ślepo i nie marudziłam. W końcu to nałóg...

— Czarek... — nie miałam już argumentów i machałam ręką.

To zazwyczaj było powodem do awantury, że go lekceważę, olewam, i znów były ciche dni i samotne noce. W końcu znalazł nową metodę karania mnie. Coraz dłużej go nie bywało. Kiedy się upominałam o jakiekolwiek pieniądze, a mieliśmy takie ciche dni, rzucał mi je pogardliwie, jak głodnemu psu. Uważałam, że taki jest i już. Przecież jak mu przechodziło, jak go przeprosiłam, czy on mnie, to znów wracała słodycz, nasza mała intymność, i kochaliśmy się jak wariaci.

Wiedziałam, jakie ma kompleksy, jak bardzo odczuwa sieroctwo, i dlatego starałam mu się wynagrodzić ten ból, o którym wiedziałam tylko ja, gdy nocą w moich ramionach szeptał mi, jak bardzo chciałby być malutki, żeby mamusia go utuliła albo tato wziął na ręce. Opowiadał o mamie, jaka była cudowna, że była nauczycielką, którą wszyscy kochali, mądrą i dobrą, a ojciec podły porzucił ich i on musiał pomagać mamie i taki był dzielny. Nie poszedł na studia właśnie dlatego...

Oczywiście w złości za dnia potrafił powiedzieć, że studia są nie dla niego, bo inteligentny człowiek nauczy się w życiu sam tego, co mu jest potrzebne, a pięć lat na uczelni to tylko ogłupia, ale nie brałam tego poważnie. Jakoś się musiał bronić sam przed sobą, że nie studiuje, a jest taki zdolny!

Pracował od smarkacza na siebie i mamę, i musi to robić dalej. Co robił? Nie wiem. Interesy... Głównie handel drobnym sprzętem AGD, jakieś usługi...

— Ty wiesz, Baranku, z czego on ma pieniądze? — pytał ojciec, wiedząc, że mnie zezłości tym pytaniem.

— Tato, mówiłam ci sto razy! Nie każdy o tym gada jak ty, nie każdy ma gospodarstwo jak ty i... Czarek robi różne rzeczy.

— Ja tylko pytam, córeńko.

Milkł i spoglądał na mnie trwożliwie, jakbym była chora. A ja... byłam ślepa, głupia i głucha. Czarek karmił mnie rozmyślnie tłustymi kluseczkami niezwykłych afirmacji, żebym była jak najlepszą gosposią i kochanką, ale i pozbawiał mnie całkiem siebie, czułości i uwagi, gdy tylko byłam nieposłuszna, domagałam się czegoś czy protestowałam. Wyćwiczył mnie jak pieska w cyrku. Ufałam mu bezgranicznie... Idiotka!

— Czarek, a pieniądze z tego twojego mieszkania?

— Jakiego?

— No, wynajałeś przecież, żeby spłacić dług, jak się do mnie wpro-wadziłeś...

— Ach, kochanie, niech cię o to główka nie boli! Klient tyle płaci, że postanowiłem go przytrzymać dłużej. Źle nam tu? Odkładam tamto, i może zamienimy to mieszkanie na większe? A jak mi dobrze wyjdzie ten interes, co go teraz kręcę, to może jakiś domek? Co?

Snuł plany i opowiadał, gadał, gadał... I tak mnie kochał...

W międzyczasie ojciec zaofiarował się, że mi kupi malucha. Cza-rek był dumny, bo przygotował mnie do egzaminu, nauczył jeździć i zdałam! Miałam samochód i sama jeździłam na uczelnię. Ten czas nauki jeżdżenia był cudowny! Znów mój kochany, wesoły Czarek. Był dumny, że jestem taką orlicą — jak mówił, chwaląc mnie pod niebiosa. Nie musiał już rano wozić mnie na uczelnię... Z czasem jednak coś się psuło i Czarek się oddalał, choć starał się udawać, że wszystko jest OK. Albo mi się tak zdawało. Interes mu nie wyszedł, był zły.

— Czarek, Czareńku, nie ten, to następny ci wyjdzie, mamy z cze-go żyć!

— Nie chcę kasy twoich starych! Twoja matka ich potrzebuje, nie? Chora jest, a ja potrafię zarobić, tylko teraz chwilowo słabiej mi idzie, ale to dlatego, że Szary mnie wyrąbał. Odkuję się! Zobaczysz! Wracam za trzy dni.

— Zadzwonisz?

— Jasne!

Nigdy nie dzwonił. Zapomniał, nie dało rady, nie było telefonu, przecież nie będzie szukał, daj spokój — to były wyjaśnienia.

Któregoś dnia oświecił mnie niechcący jego współpracownik. Czarek nie wracał, mimo że miał być w niedzielę, więc w poniedziałek poszłam do jego budy na placu Szembeka. Sprzedawał tam dobrotliwy pan Rysio, najęty przez Czarka. Zapytałam go, czy nie wie, co się dzieje, bo Czarka nie ma. „Bywa, pani Marianno, że na granicy się dłużej postoi, się pani nie przejmuje!". I może bym się nie przejęła, bo zdarzało się to już, ale tuż obok była buda z pończochami, przy której stanęłam i usłyszałam, jak z magazynku jakiś głos mówi do pana Rysia: „Co ty pierdolisz, Rysiek? Przecież wrócił w sobotę, tylko siedzi na Tamce u Iwonki!". Poczułam uderzenie pioruna. Sztywna dotarłam do samochodu na parking i pojechałam. Ale tam samochodu Czarka już nie było.

W domu wymiana zdań, skłamałam, że widziałam jego samochód na Tamce i awantura, że go śledzę, że żadna Iwonka, tylko jej facet robi z Czarkiem interesy i naturalnie wykręt jakiś. Ciche dni i znów miłość. Byłam już wyczulona. Czarek mnie zdradzał. Kiedy nie było go znów, po prostu pojechałam przed uczelnią na Tamkę i zobaczyłam stojący Czarkowy samochód, a jakże. Siedziałam tak z godzinę, zastanawiając się, czy naprawdę robi interesy z kimś od tej Iwony, czy to blaga, i nagle wyszli z bramy. On i jakaś blond piękność. Za rękę... Czarek otworzył jej drzwi i poczekał, aż wciągnie od środka długie nogi, potem sam wsiadł, pocałowali się i pojechali. Czułam się okropnie. Nie rozumiałam, co się dzieje, skąd taki ból w mojej duszy? Płytki oddech, szok i łzy. Siedziałam tam w samochodzie i beczałam.

Zaczęła się karuzela kłamstw, przeprosin, klękanie i kwiaty, miłość i przekonywanie mnie, że przecież on nikogo tak nie kocha! Że to ja swoją miłością wyleczyłam go z impotencji i że będziemy parą siwych staruszków kochających się w kuchni na stole... Już mnie te gadki nie bawiły.

W dowodzie Czarka znalazłam adres jego zameldowania i pojechałam zobaczyć, jakie to mieszkanie i komu on wynajmuje? Zwykły blok na Ochocie. Mieszkanie na końcu korytarza. Stałam niezdecydo-

wana, faceta nie ma, bo w pracy, więc i tak się niczego nie dowiem...
Z mieszkania dobiegały dźwięki kuchenne, ktoś był. Nie wiedziałam,
co miałabym powiedzieć, ale ciekawość mnie zżerała. Ma mieszkanie,
więc jak się rozstaniemy, to ma dokąd pójść! Bo nawet o tym pomyślałam ja — ciężka idiotka, czy będzie miał dokąd iść, jak go pogonię
precz, za zdradę. Nagle z mieszkania wyszła starsza kulejąca kobieta
z kublem śmieci.

— Pani czeka na kogoś? — spytała, przypatrując mi się podejrzliwie. Miała starą, zmęczoną twarz.

— Ja... — zająknęłam się — czy to jest mieszkanie Czarka Do-
brzańskiego?

— To jest moje mieszkanie, a Czarek jest tu zameldowany. Pani
ze spółdzielni?

— Jak to, pani? A Czarek? — zgłupiałam.

— Zaraz, a o co chodzi? Pani coś wie o Czarku? — pytała, coraz
surowiej na mnie patrząc.

— Czarek... ja...

— Niech pani wejdzie — zaprosiła mnie kategorycznym gestem
do mieszkania pachnącego zupą.

Weszłam. Stare sprzęty, stara kobieta, małe dwa pokoiki, maciu-
peńka kuchnia.

— Kim pani jest i co pani wie o Czarku? — zapytała nagle z miną
proszącą.

— Ja... Czarek u mnie mieszka... Mówił mi, że swoje mieszkanie
wynajął...

— Wynajął... — pokiwała głową.

Usiadłyśmy w pokoju na starych fotelikach nakrytych jakimiś dy-
wanikami.

— Skłamał, prawda? A kim pani jest? — spytałam.

— Ja? Jestem jego matką — powiedziała smutno.

— Pani podobno uczyła. Jak moja mama! — chciałam ocieplić
jakoś naszą rozmowę.

— Ja? Nie, proszę pani. Ja całe życie przepracowałam w mleczarni.
Nie mam wykształcenia. Tyle co sama się naczytałam z książek. Do
biblioteki chodzę...

— Matką... — szepnęłam, nic nie rozumiejąc.

— A co on pani nagadał? Nie pokazuje się w domu od dawna, ze
dwa miesiące nie był...

Po nitce do kłębka doszłyśmy do wszystkiego. Znaczy ja doszłam, bo mama Czarka mówiła, że on „często tak gada byle co", ale zrobiło się jej wyraźnie przykro, gdy powiedziałam, co wiem.

— ...że ja umarłam?! — zdumiała się.

— No i że ojciec was opuścił dla innej, i że pani bardzo rozpaczała, i że...

— Ojciec Czarka zginął, jadąc po pijaku. Jak wyszedł z więzienia. Zachlał z kolegami i szlus. Czarek się pewnie wstydzi tego, i mnie, bo ja taka, wie pani, stara, połamana, kulawa. Zawsze się mnie wstydził. To było późne dziecko, chorował bardzo... A co tam zresztą... — westchnęła i wytarła oczy.

Pożegnałam się i wyszłam. W głowie mi huczało.

Po kilku dniach dopiero byłam w stanie zacząć z Czarkiem spokojną rozmowę. Musiałam ją doskonale przemyśleć, żeby go nie urazić, nie sprowokować.

Stworzyłam taką sytuację jak u terapeuty, że ja go doskonale rozumiem, że to są problemy niekochanego dziecka, sratatata... Dał się nabrać i nie wybuchnął.

Ufff! Pierwszy raz mi się udało ubrać go w ubranko ofiary i odpytać, porozmawiać. On to lubił! Użalanie się nad sobą i opowiadanie mi ze łzami w oczach o wstydzie za matkę, za ojca, za całe spaprane życie, i że tylko ja go rozumiem, i że... Dalej znów karmił mnie, jaka to ja jestem wspaniała i jak to on się zmieni, bo go odczarowałam jak w bajce i spadło z niego całe odium, zły czar, i będziemy żyć pełną piersią, jak normalni ludzie. Kupimy piękne mieszkanie albo wyjedziemy za granicę, tylko jeszcze on się trochę odkuje. Głupia.

Znów wielka miłość i optymizm, przysięgi i... niespodzianka.

Zaszłam w ciążę.

Od chwili, w której się dowiedział, promieniał. Nosił mnie na rękach i pytał stale:

— Czy ty wiesz, jak ja cię kocham?!

— Nie wiem! Wariacie mój!

Kilka szczęśliwych dni... Lato blisko, przede mną ostatni rok, pisanie pracy.

Damy radę! Będzie bosko! Rozmowy o nowym życiu, mieszkaniu, dziecku. Tylko o ślubie jakoś nie. Z czasem jego entuzjazm osłabł, mówił, że ma masę pracy, kłopoty, i znów znikał.

Nie wiedziałam, jak to powiedzieć rodzicom. Tym bardziej że mama nagle wylądowała w szpitalu. Było z nią źle. Ostatnie lata były pasmem problemów z jej głową. Napadowe bóle głowy, hemikrania. Strasznie cierpiała. Kładła się wtedy w ciemnym pokoju i zapadała w niebyt. Lekarze zmieniali diagnozy, leki, a ona była taka dzielna, nigdy nie jęczała, nie zanudzała sobą i swoim cierpieniem, usuwała się. Ojciec był jej najczulszą pielęgniarką. Wiedział, co robić, co podać.

Leżała na sali stara, żółta, jakaś całkiem inna od tej mamy, którą znałam z domu! Ojciec blady z niepokoju, nie mogłam mu powiedzieć o ciąży! Mama była po zapaści, w stanie ciężkim, trzeba było być z nią często, jak najczęściej. Czarek milcząco przyjął do wiadomości, że jestem dla mamy i że w lodówce bywa czasem pusto, a ja wracam zmęczona ze szpitala i smutna. Nie przeszkadzał mi, na szczęście. Nie miałam pojęcia, że w tym czasie zakończył romans z Iwoną, a jego wspólnik, narzeczony Iwony, obił mu gębę, bo się o wszystkim dowiedział. Iwony też nie oszczędził i miała niezłe siniaki i dwa szwy na policzku. Dowiedziałam się tego pewnego dnia od Rysia. Szukał Czarka, bo okazało się, że ten mu nie zapłacił, nie pojawił się... Od słowa do słowa, pan Rysiu nabrał do mnie sympatii i oświecił, że Czarek teraz oczarował córkę badylarza w Ożarowie, Sylwię, i z nią właśnie bywa we dnie i w nocy, zaniedbując interes, więc pan Rysio, mając lepszą propozycję, odchodzi, a tu są klucze od budy.

— Czarek?! — krzyknęłam na niego, gdy się pojawił wieczorem.

— O co ci chodzi?! To nie twoja sprawa! Nie ma żadnej Sylwii, Rysiek się mści, bo matoł, nie docenia tego, co ma. Zajmuj się matką i daj mi spokój!

Nie był miły. Znów zamknął się w pokoju, a kiedy prałam jego bluzę, z kieszeni wyjęłam kolorowe prezerwatywy... Usiadłam i łapałam powietrze jak ryba.

Nazajutrz od pana Rysia spokojnie wycyganiłam wiadomość o tym, gdzie mogę ich zobaczyć. Musiałam mieć czarno na białym!

Prosto ze szpitala po dyżurze u mamy pojechałam, dygocząc cała, do knajpy na Starówce. Zobaczyłam mojego Czarka, w podpitym towarzystwie, z siksą klejącą się do niego, żującą gumę i robiącą z niej balony, które przegryzał mój jedyny...

Spłakałam się potężnie. Musiałam jednak wziąć się w garść, bo zadzwonił ojciec, że z mamą jest bardzo źle. Kiedy dojechałam, była nieprzytomna. Siedzieliśmy koło niej całą noc, milcząc albo rozmawiając cicho w salce z czterema łóżkami i aparaturą. Mama na jednym z nich, inne łóżka puste.

Tata opowiadał mi szeptem o tym, co robiła w ogrodzie, dokąd chadzali na spacery ostatnio, i że mama snuła plany, że może, jak skończę studia i popracuję w mieście, to dojrzeję do powrotu na wieś. Że Warszawa zbliża się do nas wielkimi krokami i Wola Karczewska jest już bliżej Warszawy niż kiedyś. A za chwilę będzie dzielnicą Warszawy. Patrzyłam na niego, jak ją trzyma za rękę, jaka widoczna jest teraz ta różnica wieku! On stale przystojny, młodzieńczy, tylko lekko szpakowaty pan, a ona zżółkła, siwa staruszka! I on tak bardzo ją kochał i kocha nadal!

Popłakałam się z żalu nad sobą, a ojciec nawet nie pytał. Nie domyślał się, jak wielki smutek rozrywa mi serce nie tylko z powodu mamy, ale nade wszystko dlatego, że mój świat z trudem budowany z Czarkiem rozsypywał się w proch, okazując się kupą gówna, jak zresztą przewidywał ojciec...

Zmarła przed piątą. Zasnęłam na chwilę na krześle, tata mnie obudził.

— Baranku, mama już...

Oddychała łapczywie, nerwowo. Lekarz właśnie wyszedł, mówiąc chyba ojcu, że to agonia. Dotknęłam jej twarzy. Ojciec trzymał ją za rękę, kiedy przestała oddychać. Wydawało mi się, że uchyliła powieki, żeby mnie zobaczyć, ale nie wiem, ile w tym mojej wiary w to, a ile faktu. Nie wiem, czy odchodząc, choć na moment złapała nitkę świadomości, że jesteśmy obok. Nie miałam pojęcia, jak się zachować. Widziałam drgające plecy taty, więc wyszłam cicho. Usiadłam na korytarzu. Pustka... Gapiłam się w ścianę. Z dyżurki wyszła pielęgniarka. Usiadła koło mnie i wzięła mnie za rękę.

— Mama?

— Mama.

— Pani tato kochał ją bardzo...

— Tak. Całe życie. To mój ojczym, ale tatuś. Kochał mamę bardzo. Tak.

Wielkie łzy skapywały mi z nosa. Pielęgniarka podała mi kawał ligniny i westchnęła:

— Pozazdrościć.

— Co tata jeszcze tam robi?

— Żegnają się. Przytulił się do niej. Pani go później zabierze. Macie kogoś do pomocy? Ktoś pogrzeb musi urządzić…

— Prawda… — szepnęłam.

Zupełnie o tym nie myślałam. Wujek Gieniu pomoże. Ja nie mam siły o tym myśleć! Poszłam do automatu i zadzwoniłam do Gienia.

Czarek uszanował mój czas żałoby. Ja nie mówiłam nic o tym, że wiem o jego nowej zabawce. Bo uznałam to za zabawkę. Przypomnę mu, że mamy mieć dziecko, że pora wydoroślć, że przysięgał. Boi się ciężkich tematów, więc ta gówniara to taka chwilowa odskocznia od szpitala z moją mamą, pogrzebu… Opamięta się. Mamy plany!

To było jakoś tak pod koniec maja, po pogrzebie mamy. Faktycznie, Gieniu zajął się wszystkim. Ja byłam trochę jak kukła, ale nie tylko z powodu śmierci mamy, ale i widocznej śmierci mojej miłości. Czarek kłamał, kręcił, bywał opryskliwy, a potem znów najsłodszy, gdy czuł nadciągającą burzę. Miał tu u mnie raj! Po co go tracić? Wracał teraz coraz później, śmierdzący fajkami i jej perfumami, jak do hotelu. Kładł na stół jakieś pieniądze, dopytywał mnie, jak się czuję, i udawał zapracowanego. Znikał. Zaparł się znajomości z siksą Sylwią, choć przyznał, że mu „zakręciła w łepetynie, a ty wiesz, stale w tym szpitalu i pogrzeb. Czułem się odrzucony, przestraszyłem się, wybaczysz mi?". Kolejny wzlot i przysięgi, i kolejne podejrzenia, kolejna jazda po mieście w znane adresy i znów widzę mojego Czarka w objęciach dziewczyn. Właściwie nie wiem, dlaczego znów pojechałam do jego matki.

— Pani go kocha… — odkryła smutną prawdę.

— Nie wiem… Czy on może się ustatkuje? Jak będzie miał dom, miłość, wie pani? — pytałam, jakby ta prosta kobieta znała odpowiedź na idiotyczne pytanie.

Popatrzyła na mnie z uwagą i powiedziała:

— Dobre z pani dziecko, ale Czarek, tylko błagam, niech nie będzie, że to ja pani powiedziałam… Czarek ma dziecko, z taką Asią. To dobra dziewczyna, przychodzi tu do mnie z małym, jak Czarka nie ma. On jej płaci na dziecko, bo boi się sądu. Asia za dużo coś wie o jego sprawkach. To nie jest chłopak dla ciebie…

Wracałam do domu, wyjąc z żalu, strachu, rozczarowania. Nałykałam się proszków uspokajających, zjadłam coś. Zdecydowałam się na ostateczną rozmowę.

Bolała mnie głowa, gdy Czarek przyszedł do domu w doskonałym nastroju, wmawiając mi, że był trzy dni w rozjazdach „za interesami". Znam ten wyraz twarzy! To zadowolenie z udanego seksu. Radość z zaliczenia kolejnej lali. Dość! Zaczęłam ostrą, szczerą rozmowę. Głowa mi pulsowała z nerwów. Bałam się iść ostro, bo Czarek bywał nieobliczalny, ale musiałam to przeciąć! Miałam twardy głos. Mówiłam, co myślę. Bolało jak diabli, i nagle zbiera mi się na wymioty. Wróciłam z łazienki blada, piłam wodę z czajnika, a Czarek nawijał swoje racje, upominając mnie, żebym go nie szantażowała tą ciążą właśnie teraz.

— Czarek! Nie szantażuję! Rzygam, tak bywa, i strasznie… mnie głowa boli!

— Naturalnie! Główka! Jasne! Kobieca wymówka! — kpi.

Wracamy do meritum, zaczynamy się przekrzykiwać, a ja do umywalki… Już widzę, że to po prostu ciężkie zatrucie pokarmowe. Najadłam się marynowanych śledzi, cały słoik. Były dziwnie rozlazłe… Rzygam żółcią, boli mnie brzuch i czuję furkotanie w jelitach. Proszę o odłożenie tej awantury, ale Czarek się nakręcił i wrzeszczy na mnie, jakby dostał szału. Nie boję się go już, tylko mi niedobrze… A on się wydziera i wydziera, aż dzwoni dzwonek do drzwi. To pani Miecia, nasza sąsiadka, urocza starsza pani.

— Za głośno u państwa na tę porę! — upomina Czarka.

Wychylam się do korytarza i kiwam jej głową, ale on zatrzaskuje jej drzwi przed nosem i dalej krzyczy na mnie. Ja też coś odpowiadam. Pani Miecia odważnie uchyla drzwi i woła do mnie:

— Pani Marianno, wołać milicję?

Czarek znów zatrzaskuje drzwi, warcząc:

— Won mi stąd!

Milknie i dyszy wściekły, nagle się uspokaja i mówi z ironią:

— I właściwie, to po cholerę mi to?

Bierze kluczyki.

— Czarek, nie wychodź, ja się bardzo źle czuję. Zostań, proszę cię! Niedobrze mi, wszystko mnie boli…

— Wiesz co? To mnie jest niedobrze, jak na ciebie patrzę! — rzuca mi i wychodzi, trzaskając drzwiami.

Biegnę do łazienki. Ból brzucha, głowy, wymiotuję już resztkami żółci i czuję ostre skurcze. Słabo mi. Chcę wstać, ale klapki ślizgają mi się na krwi na podłodze. Na czworakach próbuję dojść do telefonu i w pokoju tracę przytomność.

Cuci mnie pani Miecia. Klepie po twarzy przestraszona bardzo.

— Koło telefonu leży notatnik — szepczę do niej. — Pod „D" jest dom, numer do ojca... — i ponownie straciłam przytomność.

Zakończyłam moją opowieść o Czarku dość dramatycznym akcentem i od razu spytałam Agaty:

— Agata, czemu to zrobiłam? Dlaczego związałam się z draniem? Oni nazywani są słodkimi draniami. Skąd u niektórych z nas skłonności do samoudręczenia się? Bo ja później naczytałam się książek, różnych teoryjek, przegadałam podobne tematy z psychologami, koleżankami po resocjalizacji. Wielokrotnie zastanawiałam się, dlaczego tak spaprałam sobie początek dorosłego życia?

— Nie wiem — powiedziała Agata zwyczajnie. — Ja nie znam odpowiedzi na wszystkie pytania. Ja miałam okropnego ojca, wampira, egoistę, egocentryka, a wyszłam za bardzo normalnego faceta... Wspominałaś, że biologiczny ojciec cię zostawił... Może to gdzieś tu?

— Nie chcę teorii takiej, że to syndrom porzuconej przez ojca. Że dziecko karze siebie za odejście rodzica, a mój przecież odszedł ode mnie i mamy wcześnie. Byłam malutka i niezwiązana z nim zbyt silnie.

Agata milczała, a ja dalej myślałam na głos:

— A Michał? Jako mój ojczym był do pozazdroszczenia. Nigdy na mnie nie podniósł głosu, nie było między nami żadnych nieporozumień, nie sprawiałam mu i mamie kłopotów wychowawczych, nie pyskowałam, bo nie musiałam. A może to dlatego? Może czułam podświadomie, że powinien mnie zbesztać, ukarać za kłamstwa związane z Czarkiem, i sama się ukarałam?

— I tak może być, ale wolałabym, żebyśmy doszły jakoś do Mirka. No bo, zdaje się, poroniłaś?

— No, pani Miecia zrobiła larum, przyjechało pogotowie i ojciec. W szpitalu mnie wyczyszczono do końca i zasnęłam. Ojciec cały wściekły zadzwonił po wuja i pojechali do mojego mieszkania. Spakowali Czarka rzeczy i wystawili do przedpokoju. Zabrali się do dzieła. Zdarli całą tę boazerię i zrobili generalny remont. A gdy wrócił niczego niepodejrzewający Czarek, to oczywiście oberwał od panów. Zabrał swój worek i jakieś graty, a ojciec i Gieniu powiedzieli, że jak spróbuje tylko skontaktować się ze mną, to go tak urządzą, że będzie mógł grywać Quasimodo bez charakteryzacji.

— I próbował?

— Nie, to tchórz. Ja odleżałam swoje w szpitalu i ojciec przewiózł mnie do siebie, do domu, na Zamoście. U mnie jeszcze trwał remont generalny. Kompletnie mi to mieszkanie „odkadzili" i ślad Czarka tam nie został. Ja wpadałam w depresję, leżałam w pokoju i wiesz, „sufitowałam". Zapadałam się w sobie, użalałam się nad sobą, ryczałam. Klasyka. Ojciec kategorycznie nie pozwolił mi na razie wracać do siebie. Przywiózł mi wszystkie moje rzeczy do Woli. Miałam dojść do siebie w ogrodzie, bezpieczna.

Agata milczała. Miała szklane oczy.

— Co się stało? — spytałam.

— Mówisz o ojczymie jak o najlepszym przyjacielu. Piękne...

— I jeszcze jest wujek Gieniu, o nim też ci kiedyś opowiem. Tak. Mój ojciec jest, no niby zwyczajny, ale mało takich chyba, bo jak słyszałam, twój nie bardzo.

— O, wiesz... Mój wykształcony, inteligentny, wspaniały, nagradzany i noszony na rękach, ale mnie nigdy nie przytulił, uważał, że jestem kompletne zero, uważał, że gdyby miał syna, to ho, ho! Ach! Nieważne. Chcesz jakieś kanapki?

— Nie, ale ostatnio smakuje mi zwykły chleb z masłem.

— Dobrze. Przyniosę chleb i masło.

Racja, że jak się nazywa myśli, to się je przy okazji porządkuje, wartościuje. Kiedy wspominałam mój pierwszy raz i Czarka, zdałam sobie sprawę, że nie miałam najlepszych doświadczeń seksualnych w młodości i może dlatego mój związek z Mirkiem nie był gorący. Ale za to miał wszelkie cechy dobrego przyjacielskiego układu i dlatego przetrwał tyle lat. Czego zabrakło? Czegoś musiało, twierdzi Agata, skoro odszedł. A wygląda na to, że odszedł i nie ma zamiaru wrócić.

Świadczy o tym jego telefon z wczoraj. „Spotkajmy się, żeby omówić sprawy formalne, dobrze?". Na neutralnym gruncie, w kawiarni.

— Czyli to na poważnie — zakończyłam i spojrzałam na Agatę z nadzieją, że zaprzeczy.

— Na to wygląda, ale musisz sobie, Mańka, sama odpowiedzieć na pytania dręczące ciebie, czyli czego zabrakło, skoro sobie poszedł? Bo może tobie też czegoś brakuje, tylko uważasz, że ci się nie należy? Nie zasługujesz? Porozmawiamy o tym, pa!

Z Mirkiem umówiłam się w Europejskim, bo na Karowej dobrze się parkuje. Naturalnie poświęciłam sobie czas na wygląd, żeby słowami mojej nieznośniej siostry, „zobaczył cham, co stracił". No nie cham, bo Mirek jest szarmancki, spokojny, ale ciut obcy. Chyba taki powinien być, bo skoro podjął tę decyzję... Całuje mnie w rękę, wstaje od stolika, czeka, aż usiądę, chwali mój wygląd. Zamawiamy kawę. Ciekawe, co chce mi powiedzieć?

— Marianna, tu są moje propozycje ugody finansowej, myślę, że uczciwe. Dwa warianty.

— Dlaczego dwa?

— Chciałbym jednak wyjaśnić ci moje decyzje, bo one też dojrzewały ostatnio. Masz rację, separacja zapewne byłaby stanem przejściowym, dawałaby złudne nadzieje, a ja nie chcę wracać do tego, co było. Wybacz.

— Rozwód?

— Jeśli się zgodzisz, to za obopólną zgodą, wtedy jest to szybsza procedura, ale jeśli się nie zgodzisz, wezmę winę na siebie. Wtedy będzie się wlokło i będzie... mniej.

— Czyli zdecydowałeś?

— Tak. Mam tyle lat, ile mam, i chciałbym dożyć kresu jakoś inaczej.

— Czyli jest inna kobieta — powiedziałam to najspokojniej na świecie, mimo że w środku wszystko mi drgało.

Mirek milczał. Wie, że przyznanie się jest równoznaczne z wzięciem winy na siebie. Wie, bo przygotował dwie wersje.

— Mańka, możesz wziąć adwokata, jeśli uważasz to za stosowne, oczywiście, ale możesz też tylko się z kimś skonsultować. W jednej wersji dostaniesz mieszkanie i mniej więcej połowę naszych oszczędności, w drugiej — mieszkanie i alimenty. Nie kryję, że opcja obopólnej zgody oszczędzi nam nerwów i tego, co krytykowaliśmy u innych — wojny i brudów.

— Masz rację. Krytykowaliśmy, dopóki nas to nie dotyczyło. A gdyby sytuacja była odwrotna? Gdybym to ja po trzydziestu latach odeszła?

— Marianna, jestem pragmatykiem, facetem, i wiem, że nie przymusi się siłą człowieka ani do miłości, ani do decyzji, która wywołuje w nim sprzeciw. Mam rację?

Zamilkłam, czuję, jak mnie miażdżą te jego słuszne, cholera jasna, skądinąd słuszne, psiakrew, argumenty.

— Nie wiem... To ciągle jeszcze jest poza moją świadomością, ciągle nie rozumiem. Dam ci znać, jak porozmawiam z prawnikiem o propozycjach. I wiesz co? Szkoda, że po tylu latach nie stać cię na szczerość. Pa. — Wzięłam teczkę, powiedziałam „cześć" i wyszłam. Nie oponował.

Chciałam chyba coś powiedzieć, ale wyszłam, bo byłam już cała w babskich, irracjonalnych łzach. Irracjonalnych, bo kompletnie nie umiałam sobie wyjaśnić, czemu beczę. Chyba emocje, rodzaj wstydu, rozżalenia, bo już ani tęsknota, ani ból, ani utracona miłość, bo u Agaty sobie uświadomiłam, że to, co było między nami, to była przyjaźń, serdeczność, zażyłość, ale nie miłość. Nie. Jeśli nawet, to letnia, marna, dychawiczna, która chyba zaschła już dawno jak jakiś niepotrzebny kwiatek w sztambuchu. Nigdy żadne z nas nie czuło potrzeby, żeby powiedzieć: „kocham cię". Nigdy...

Do samochodu wsiadłam, wycierając łzy, ale zaraz mi przeszło. Zadzwoniłam do Grzesia, ale mój syn wykazał się pragmatyzmem godnym ojca.

— Mamo, no przykro mi. Przeżyjemy to jakoś, od tego się nie umiera. Zależy mi na was obojgu, kurczę, mamo, nie każ mi wybierać! I proszę cię, nie wpadaj w depresję! Rozmawiacie ze sobą, nie wojujecie, naprawdę wiem, że się wszystko poukłada, mamo... Iga cię pozdrawia.

— Nie wiem. Tak się z tym czuję, wiesz... Pozdrów ją i podziękuj.

— Mamo, mamy takich znajomych, którzy się dobrze rozeszli, to rodzice koleżanki Igi, nie po drodze im było, a dzisiaj każde z nich ma nowego partnera i się przyjaźnią. Słyszałaś o rodzinach patchworkowych?

— Grześ, co ty mówisz? Jakie patchworkowe? To jakaś teoria niesprawdzona. Jako syn powinieneś być wściekły, obrażony! Rozwala rodzinę! Sama widziałam w serialu...

— To nie oglądaj głupich seriali! Uważam, że lepsze to niż kwaśne życie i opluwanie się.

— Ojciec ci się skarżył? Uważasz, że u nas było kwaśno?!

— Mamo, sorry, kończę, bo Iga wychodzi z apteki, pa!

No, pewnie, nawet jak mu się skarżył, to przecież Grześ mi nie powtórzy. Może gdybyśmy mieli córkę... No tak, już kombinuję, jak tu z dziecka zrobić adwokata, a to — jak uprzedzała Agata — błąd! Dzieciom nic do tego. Muszę znaleźć kogoś, który by skomentował mi propozycję Mirka. Włodzio!

Włodek umówił mnie ze znajomą panią mecenas. Znaczy umówił się ze mną, przejął papiery i zawiezie pani mecenas do opinii. Siedzimy Na Rozdrożu i Włodzio jak zwykle sadzi dobre rady.

— Dziecko, facet się wreszcie wyjawił, i dobrze! Wolałabyś, żeby się tak wlokło, jak to czasem bywa? Mnie to żenuje, wiesz, jak jedna ze stron, i zazwyczaj bywa to kobieta, idzie w zaprzeczenia, histerie i za namową koleżanek postanawia pokazać niewiernemu, gdzie raki zimują. Czyli postanawia ukarać go za to, że wyznał prawdę i powiedział jej, że już nie może z nią dłużej wytrzymać.

— Może powinien wcześniej zasygnalizować, próbować ratować związek?

— A ty znasz kobitę, której mąż mówi, że coś jest nie tak, i ona się z tym zgadza?! Zazwyczaj są fochy, „jak ci się nie podoba, to fora ze dwora", albo „daj mi spokój z tymi swoimi pretensjami", albo „o co chodzi? O czym ty mówisz?! Śmieci nie wyniosłeś". No, sama powiedz, Mańka! Nie mam racji? To tylko wy, kobiety, macie to prawo, które same sobie dajecie, że decydujecie, kiedy pójdziecie na terapię z mężem, bo wam coś nie odpowiada.

— ...nie wiem, może i tak? Powinieneś być adwokatem facetów.

— Z pewnością zarabiałbym więcej! — zaśmiał się Włodek.

Jaki on jest zniszczony! Pomarszczony! — pomyślałam. — Ma duże, żółte zęby i spękane usta jak jakiś kowboj. Wypłowiałe oczy... Mógł się podobać z tą swoją falą włosów i nonszalancją. A dzisiaj to resztki starej magnackiej fortuny. Kumpel z niego dobry i wierny. Wiem, że mimo wszystko trzyma moją stronę.

Zupełnie inaczej mówią do mnie koleżanki, ale coraz mniej chce mi się z nimi rozmawiać, bo nie lubiłam nigdy jątrzenia i faktycznie trafia do mnie Włodkowa argumentacja. Mirek zdobył się na uczciwość. Sygnalizował wielokrotnie, że coś mu nie bardzo jest, a ja to zagadywałam. Może nie powinnam aż tak dramatyzować? Ląduję doskonale. Mieszkanie jest moje, pracę mam, zabezpieczenie mam...

Włodek zaciąga się papierosem, siedzimy na zewnątrz, bo on palacz nałogowiec, i mówi do mnie:

— Marianna, ty mu jeszcze podziękujesz. Bo wiesz, dlaczego kobiety robią aż takie hece z odejścia męża po latach? Bynajmniej nie z powodu miłości, dajmy temu spokój! Raz, z zemsty. Chcą takiemu dowalić z całej siły, żeby sobie popamiętał, żeby go bolało. Dwa — są wkurwione, bo odchodzi doskonale wypłacalny… bankomat! I one nie mogą tego przeżyć. Weź taką Ziutkę, no wiesz którą.

— Wiem. Faceci na mojej terapii mówią to samo. I co? Karol zostawił ją dla innej. Afera na pół miasta była. Pamiętam.

— Ale czy z powodu miłości, czy dlatego, że Ziutka, nawykła do wysokiego poziomu wydatków, zobaczyła nagle limit na koncie? Zdała sobie sprawę, że musi zacząć liczyć, ile chlebek, ile czynsz, ile telefonik, ile benzyna.

— Benzyna nie — poprawiam go. — Samochód on jej utrzymuje do dzisiaj. Dobrze, że dzieci nie mają, byłby dramat.

— Ano widzisz. Szloch i foch był na całą warszawkę. „Karol mnie rzuca, podły cham! Zdrajca, szlaja się z inną", pamiętasz? A szło o kasę. Opowiadała każdemu, jaką to teraz będzie prząść biedę. Żadnego słowa, jak jej żal fajnego Karola jako faceta. I jak się rozejrzysz, to większość porzucanych pań tak się zachowuje! Nie stawiaj się na równi z nimi. Masz pracę, masz męża, który jest uczciwy i porządny, szanuje cię i zabezpiecza. Podnieś głowę, zrób to inaczej niż one — wściekłe mścicielki. Co to da, że mu dowalisz, oskubiesz? Co to da? Ty będziesz skąpana w żółci i triumfie, a on i tak ma swoją wolność!

— Sprytne, Włodeczku! Męski punkt bardzo…

— Ale co, nienormalny? — dziwi się.

W zasadzie ma rację. Zawsze mnie brzydził sposób, w jaki się ludzie rozwodzili. Te oskarżenia, namawianie znajomych do opowiedzenia się po jednej ze stron, te rozprawy sądowe, publiczne jatki, pralnia brudów, a faktycznie chodziło o pieniądze, konto, mieszkanie, zemstę. Nic, ani słowa o miłości. Zresztą u nas też tej miłości nie było, więc może uczciwiej dać choć Mirkowi szansę…

— Włodek, Mirek kogoś ma, skoro tak to wykombinował i skoro tak się pospieszył, co? Nie umiał zaprzeczyć…

— Tak sądzę, ale jest fajnym facetem i nie chce ci sprawiać bólu, nie wie, jak ci to powiedzieć, bo wy bywacie, jak pies ogrodnika, nagle zazdrosne! Latami dupy nie dajecie, migreny itp., albo udawany orgazm i nudne wieczory, a jak on ma to swoje szczęście, to nagle afera…

On wali obuchem w łeb tą swoją szczerością. Skąd tyle o nas wie?

— A ty wiesz, dziewczyno, że przecież tobie też mogłoby się przydarzyć?

— Co?

— Pstro. No, love! A co to, jakiś limit wyczerpałaś? Pajęczyną ci zarosło? Dobra tam, dawaj pyska, jadę i dam ci znać, znaczy Danka do ciebie zadzwoni.

— Danka?

— Moja druga była żona. Emerytowana pani adwokat. Wierz mi, warto się z byłymi kumplować! Pa.

Wieczorem w domu odczytałam maila od Mirka:

Marianna!

Nieraz rozmawialiśmy o rozwodach znajomych, o kruczkach i ha-kach, i nieraz byliśmy ponad to, a teraz sami stoimy wobec takiej sprawy.

Między nami było dobrze. I pewnie byłoby tak dalej, gdyby faktycznie nie okazało się, że może być (mi) lepiej, inaczej, i wybacz mi to.

Człowiek w sposób naturalny dzisiaj ciągnie do lepszego. Samochodu, zarobków, statusu.

Tak, spotkałem kogoś, z kim jest mi jakoś inaczej, czuję się bardziej widoczny, męski, no co Ci będę pisał. Pomyślałem sobie któregoś dnia, że w takim samopoczuciu chciałbym już dotrwać do końca. A nie mam przed sobą długich lat życia. Moi koledzy z rocznika sypią się jeden po drugim. Rak, zawał, wylew...

Dlatego wybacz mi, ale zamiast letniej, wybrałem cieplejszą ką-piel...

Mirek

PS. Mam też wielką nadzieję, że ty, skądinąd naprawdę fajna i mą-dra kobieta, też łatwiej znajdziesz kogoś sensownego, nie mając już zobowiązań.

PPS. Nie ma dwudziestu lat i nóg do nieba.

Więc jednak! Czułam, wiedziałam! Brzmi to wszystko tak logicznie, sensownie, ale dlaczego tak wkurza?!

Na piątkowych zajęciach pokażę mój zwrot akcji! Nie chcę być kolejną, która chce zniszczyć byłego za wszelką cenę.

Zanim to się stało, zadzwonił zupełnie znienacka Mirek z pilnym „musimy porozmawiać, jutro, gdzie chcesz, byle w Śródmieściu". OK. Rozdroże, środek dnia. Mirek idzie poważny, ma ze sobą jakieś papiery.

— Cześć, mam kiepskie wieści.

— Co się dzieje? — pytam najeżona, sądząc, że zmienił zdanie, że się wycofuje.

— Marianna, co ty wiesz o Lilce?

— Mów od razu, nie pytaj, wiesz, co wiem, nic!

Wtedy Mirek wyjął jakieś ksero badań i zaczął mi je opisywać. Wynikało z tego jasno, że Lilka ma raka narządów kobiecych.

— Rak szyjki macicy, zaawansowane stadium. To tajemnica lekarska, ale tu jest czarno na białym, że sytuacja jest bardzo poważna.

— Ona mówiła, że to są natrętne nadżerki źle leczone… — powiedziałam głucho.

— No to ja ci mówię, co to jest. Konieczna jest natychmiastowa hospitalizacja i opieka. Ona nikogo nie ma! Tylko ciebie! Zaraz wprowadzić trzeba naświetlania, chemię… Wiesz, co to znaczy?

— Co? Że będę musiała?…

— Marianna, wiem, że jej nie lubisz, ale chociaż na początek. Bez wsparcia kogoś z rodziny, no jak?

Pojechałam na Starówkę. Zadzwoniłam do Lilki, że niby jestem w pobliżu. Nie byłam u niej dawno, oj, bardzo dawno. O! Domofon! Schody na poddasze zmęczyły mnie, to droga jak na Mount Everest! Jej mansardowe mieszkanie na Rycerskiej, niewielkie, ale wspaniale doświetlone, było pełne jej samej. Szmatki, rysunki, książki. Lilka w kusym podkoszulku, nieumalowana, taka domowa. Zdziwiona moją wizytą. Nie, nie mogę jej teraz mówić prawdy. Postanowiłam ją zbajerować. Opowiedziałam jej, dramatyzując trochę, jak bardzo mnie Mirek zranił, że ma babę, i że nie śpię w nocy, i że się przeliczyłam, i że mi źle. Chyba wypadło to wiarygodnie, bo Lilka się zabrała do pocieszania mnie i pomstowania na męski ród.

Zbieram się w sobie i mówię, sama w to nie wierząc, że to mówię naprawdę:

— Lilka, przepraszam cię, ale możesz się do mnie wprowadzić na kilka dni? Mam pilną robotę, a zamiast pracować, wiesz…

— Wiem, przeżywasz i rozkawałkowujesz sprawę. A warte to? Znajdziemy ci, zobaczysz, takiego faceta, że Mirek siądzie z wrażenia. Do ciebie? — dziwi się, ale odpowiada chętnie: — Czekaj, spakuję coś. Na ile?

— Ja wiem, na tydzień?

Lilka dała się podejść jak dziecko, a ja wiozłam ją do siebie z poczuciem winy i zastanawiałam się, co zrobić. Jak ją powiadomić o tym, że jest z nią gorzej niż źle? Że musi się wziąć ostro za leczenie.

— Lilka, a ty masz jakieś ubezpieczenie? — pytam.

— A co? Jakieś mam. Nie wiem, czy opłaciłam ostatnią składkę. Chyba tak, bo czasem taka galeria zamawia obraz. Takie byle co, ktoś się urządza i chce mieć coś tam, czekaj, co to było? Nasturcje w dzbanku. Miały być bardzo pomarańczowe, pod kolor narzuty w sypialni. Albo kopię Wyspiańskiego, ten portret jego żony z synem... Ale to nie jest jakiś, wiesz, finansowy cymes. Nie stoję z kasą za dobrze. Wiem, żeby zapłacić za leki, muszę... — patrzy w okno. Milknie.

Ma delikatne rysy. Zawsze wyglądała na młodziutką, a teraz widać, że ma ponad czterdzieści lat. Siateczka zmarszczek pod oczami i nad brwiami. Pod ustami zwiotczała skóra. I mimo to jest taka ładna! Drobna... Milczy.

— Daj spokój, załatwimy to, drobiazg! — mówię i dodaję coś o sobie, żeby zabić tę ciszę: — Ach, tyle mam na głowie, kiepsko sypiam i w ogóle...

Do domu docieramy, rozmawiając o ojcu i jego nowej pasji, starych odmianach drzew. Czy mu to wyjdzie, czy to potrzebne i jak wspaniale on się z tym czuje. Lilka jest ożywiona, wesoła. Ja skupiona, zastanawiam się, kiedy i jak przekonać ją do szpitala i leczenia.

Po pościeleniu jej łóżka u Mirka, w jego byłej sypialni, robimy razem kolację. Kroimy pomidory, pytam ją, jak chce — z mozzarellą, ze śmietaną czy same, z solą tylko. Pytam, jaką pije herbatę, bo przecież nie wiem, i na koniec lądujemy u mnie w pokoju, na moim łóżku, z winem. Lilka patrzy na mnie i pyta:

— No, to o co chodzi?

Zaczynam mataczyć coś o Mirku, o kobiecie, do której odszedł, o tym, jak mnie to wzburzyło. Lilka mówi „a nie mówiłam", ale chyba jestem nieprzekonująca, bo nie umiem się rozpłakać, wpaść w babską histerię. Stale myślę o Lilce i badaniach. O tym, że TO bywa oczywiście uleczalne, ale stadium jest zaawansowane, trzeba działać szybko. I czuję też, że mnie Lilka nie złości tak jak zawsze. Nie umiem złościć się na kogoś, kto jest tak poważnie chory. Jest mi głupio, że ona nic nie wie.

— Nie słuchasz mnie — mówi Lilka.

— Zamyśliłam się — odpowiadam prawdziwie. — Przepraszam.

— Brali mi wycinek — mówi znienacka. — Czekam na wyniki. Jak myślisz, mam raczora? A może ty już coś wiesz?

Robi mi się zimno. No, bo ma i ja WIEM…

— Li — patrzę na nią, półleżąc obok. — Masz, ale to uleczalne, więc przejdziesz leczonko jak każda odważna baba, i po japkach! — mówię to najnormalniej na świecie. Ona patrzy na mnie uważnie. Wie, skąd ja wiem. Kładzie głowę na poduszkę i zamyka oczy. Milczy… i szepcze:

— O, kurwa, wiedziałam…

Głaszczę ją po włosach. Jak kiedyś, gdy była mała i bała się czegoś. Wtedy głaskanie wystarczało. Leżymy w ciszy. Każda z nas musi to jakoś w sobie ułożyć.

— Zostań tu u mnie, Li. Zadzwonimy do Jasińskiego, co dalej, trzeba chyba na chwilę do szpitala, jakieś badania. I nie bój się. Mirek mówił, że to już jest normalnie uleczalne, tylko nie wolno zwlekać.

— Jak „nie wolno zwlekać"? To znaczy, że sprawa poważna — mówi Lila, i ma rację. Leży tyłem do mnie, na boku, ale ważne, że jest tu ze mną, a nie na tym swoim poddaszu, sama. Wzięłam zza poduszki pilota i odpaliłam nie za głośno muzykę. Objęłam ją w pasie. Pierwszy raz od dawna dotykam ją. Chcę, żeby czuła moją obecność i troskę. Tak mi jej żal! Fortepian brzmi łagodnie, pięknie.

— Co to? — pyta.

— Drugi koncert fortepianowy Griega. Gra Rubinstein. Podoba ci się?

— Ty to masz po tacie — mówi Lila.

— Co?

— On też słucha klasyki. Uważa, że w ten sposób łączy się z Wandą. Nigdy nie umiałam tego słuchać.

— Ja u taty nie słyszałam klasyki, wiesz? On słuchał jazzu. Ja to mam po Eulalii Struś, mojej korepetytorce z Otwocka.

— Jakiej znów korepetytorce? Ty to się dobrze uczyłaś!

— Taka… Chodziłam do niej na angielski. W podstawówce jeszcze.

— Opowiedz. Opowiedz mi o swojej podstawówce… — mówi i zamyka oczy. — W ogóle mów do mnie dużo!

Kiedy po przeprowadzce z Niekłańskiej zamieszkaliśmy w Woli Karczewskiej, to obie z mamą poszłyśmy do szkół w Otwocku. Mama
uczyć chemii w liceum, a ja do podstawówki, do piątej klasy. Nie było
mi łatwo, bo dzieciaki się już znały, zżyły, ale pani od polskiego, nasza
wychowawczyni, posadziła mnie z nową uczennicą Natalią, która też
dołączyła właśnie do tej klasy po pobycie w sanatorium. Natalia była
spokojna, skupiona, często chorowała, ale uczyła się bardzo dobrze.
Jej mama była polonistką w liceum i lubiły się z moją mamą. Tak więc
spędzałam w szkole czas głównie z nią.

Piąta i szósta klasa minęły jakoś bezpłciowo, normalnie, tak, że
kompletnie tego nie pamiętam, ale za to w siódmej przyszli do nas
dwaj tacy chłopacy, co nie zdali po raz któryś. Wielcy, wyrostki takie — Darek i Łukasz. W naszej klasie dołączył do nich nasz ananas,
Andrzej, i ta trójca była nie do opanowania. Przezywali nas: „Natalia,
co ma dupę jak balia", i „Marianna, co ma dupę jak wanna". Nie było
to miłe. Ale „przyszła koza do kapusty", jak mówiła moja mama! Bywało, że po lekcjach szłam do Natalii zaczekać na mamę i wracałyśmy
razem, albo tata po nas jechał — zwłaszcza zimą, gdy była plucha czy
ziąb. Ci trzej chłopacy w siódmej klasie byli zagrożeni, a że powtarzali
klasę już któryś raz, mieli wylecieć ze szkoły i zrobiło im się „cienko
koło uszu…".

Kiedyś znów coś krzyknęli na temat naszych tyłków i wtedy Natalia powiedziała spokojnie:

— Zamiast tak gadać, poprawilibyście oceny z polaka, bo wylecicie
w kosmos! Matołki!

— A ty się tak nie wymądrzaj, bo cię krosty obsypią jeszcze bardziej! — krzyknął Andrzej.

— Nie, to nie! — powiedziała Natalia z wyniosłą miną — ale ja
wiem, jak to zrobić, żebyście zdali!

Nasza pani od polskiego, odchodząca już na emeryturę, była wielką
wielbicielką Gałczyńskiego, patrona naszego otwockiego liceum. Gałczyńskiego w materiale podstawówki właściwie nie było, ale Natalia
namówiła chłopaków za radą swojej mamy, żeby wkuli na pamięć
całą *Zaczarowaną dorożkę*. Boże! Jaka to dla nich była męka! Przy-

chodzili po lekcjach do Natalii i wkuwali z naszą pomocą. Ja i Natalia bawiłyśmy się w nauczycielki, a jak już wkuli, mama Natalii, która prowadziła w liceum kółko teatralne, uczyła ich mówienia *Dorożki* na trzy głosy po aktorsku. Można było umrzeć ze śmiechu! Kiedy chłopcy poszli do naszej pani na żebry, żeby im podciągnęła ocenę choć na trzy z dwoma, a pani spytała znad okularów: „Ale za co, chłopcy? ZA CO?", oni odpowiedzieli niewinnie: „…to może… za wierszyk?". Pani westchnęła i machnąwszy ręką, powiedziała: „No mówcie, mówcie… ale to za mało…".

Chłopaki stanęli w trójkąt i wytresowani przez mamę Natalii tak polecieli *Dorożką*, że naszej pani mowę odjęło. Wzruszyła się i kazała im obiecać, że wezmą się solidnie do roboty w ósmej klasie. Z matmą, fizyką i chemią jakoś sobie poradzili, bo pan od tych przedmiotów powiedział, że jak pani polonistka da im tróje, to i on z nimi siądzie po lekcjach. A że byli ulubieńcami pana od zajęć technicznych — ten obiecał, że popracuje z nimi przez wakacje, bo w zimie z nim odśnieżali. I pracował! W efekcie tego wszystkiego chłopaki nie dość, że całkiem nieźle wystartowali w ósmej klasie, to jeszcze dali się namówić na teatr w liceum, bo mama Natalii wystawiała kilka Teatrzyków Zielona Gęś, które bardzo się chłopakom spodobały, i *Noc listopadową*, bo potrzebowała statystów. Wiem, że jeszcze chodzili do niej na jakieś próby i od tej pory uważali się za coś lepszego. Nasze tyłki już nie były porównywane do wanien i balii, i oni sami już nie strzykali śliną przez zęby, stojąc za szkołą.

Ja i Natalia byłyśmy traktowane jak księżniczki. Szczególnie się nami opiekowali na szkolnym lodowisku, na które zimą woził mnie czasem tatko, jak go uprosiłam, i na szkolnych zabawach.

Przychodzi taki czas, że pojawia się w lusterku nie nasze odbicie, a nasza projekcja. Dotąd w lusterko się patrzyło, żeby porządnie zrobić przedziałek, czy buzia niepoplamiona i czy pasty na niej nie zostało po myciu zębów. Przychodzi jednak taki moment, że w lusterku szukamy siebie takiej, jaką chciałybyśmy zobaczyć, i najczęściej jednak spotyka nas rozczarowanie. Wcale nie jesteśmy piękne! Uszy odstają, nos jakiś taki… usta za wąskie, oczy za małe, i o! Co to?! Pryszcz. Mamooo!

Z pierwszym pryszczem pobiegłam do mamy. Ona doskonale wiedziała, co robić, pouczyła, żeby samej nie wyciskać, nie dotykać brudnymi palcami, i kupiła „wodę ogórkową" i waciki. To był mój własny, pierwszy kosmetyk! Natalia miała bardzo dużo pryszczy. Mama zaprowadziła ją do kosmetyczki i Natalia mi powiedziała, że to jest trądzik i to się pojawia, jak dojrzewamy. Przyjęłam to do wiadomości bez zachwytu. Lustereczko nie informowało mnie, że jestem najpiękniejsza na świecie, a wręcz przeciwnie. Zbrzydłam strasznie, a może właśnie to zobaczyłam?!

Do tego jeszcze doszła świadomość, że będę miała lada moment, jak wszystkie inne kobiety, miesiączkę. Mama usiadła ze mną nad atlasem anatomicznym i wszystko mi objaśniła. Oczywiście moje sugestie, że TO mogłoby się pojawić wtedy, kiedy ja już zapragnę mieć dziecko, mama skwitowała: „nie da się tak, Marianko".

O tym też rozmawiałam z Natalią, ale ona mówiła mi, że to jest bardzo intymna sprawa i nie chce o tym mówić. Natalia stanowczo nie nadawała się na przyjaciółkę od serca, była bardzo wstydliwa i... nie miałyśmy wspólnych tajemnic.

Trzeci zaś mój problem rozwiązał ojciec, bo mama była akurat w szpitalu.

Nasza pani po wuefie zaprosiła mnie do swojej kanciapki i powiedziała:

— Moja panno Marianno! W samej bluzeczce to już nie powinnaś biegać! Maryniu — zniżyła głos — nie wypada już, dziecko, czasem chłopcy są na boisku... Wiesz, o co chodzi, prawda? Teraz są takie ładne staniczki dla panienek! Tylko z drutami nie kupuj, niezdrowe są, mogą się wbić, albo jakiego raka dostaniesz! Porozmawiaj z mamusią, dziecko.

— Aaa... tak — zapowietrzyłam się. Zawstydziłam się bardzo. Jak innym dziewczynkom, i mnie zakiełkowały piersi. Koleżanki pokazywały sobie staniki, a ja mogłam tylko pomarzyć. Mama nie miała czasu. „Później, Maryniu! Zdążymy, kochanie!". I tak jakoś to odkładałyśmy, a potem mama miała te ataki, które zakończyły się szpitalem.

Tatko ze mną pojechał aż do Warszawy! Na Nowy Świat, na Rutkowskiego, bo podobno tam i w pawilonach była ładna bielizna, ale ja ciągnęłam go do Bardotki — sklepu na Krakowskim, w którym koleżanka z klasy, Monika, kupiła sobie cudną półbardotkę właśnie. Bardotka była tuż za pomnikiem Kopernika.

Pani pokazała mi całe naręcze staniczków w rozmiarze zero i jeden, ale nie były ładne. Jedne były różowe pikowane, inne jakieś nijakie.

— Ja bym chciała bardotkę — jęknęłam cicho.

— No, jeszcze ci piersiątka nie urosły na bardotkę, dziecko, ale pokażę ci najmniejsze półbardotki, to może będą akurat? Bo mam jeszcze piękne niemieckie, w kwiaty!

Na ladzie zobaczyłam kilka ślicznych półbardotek i kilka pięknych niemieckich spiczastych dość staników kwiecistych jak łąka.

— Bardzo praktyczne — zachwalała pani — doskonale się piorą!

— A… druty? — spytałam ekspedientkę, trzymając w ręku kurczowo śliczny balkonik z białymi koronkami. Moje dziewczęce, senne marzenie.

— Co „druty"? Nie bój się, są porządnie wszyte, a bardoteczka nie może być bez drucików, ty zresztą masz za małe piersi na pełną bardotkę, mówiłam! Druciki muszą być! Patrz, tu wyjmujesz je do prania! Co? Podoba ci się? Biały niepraktyczny, bo się szybciej brudzi, ale piękny jest, prawda? — szepnęła ze zrozumieniem.

To był najpiękniejszy staniczek w tym sklepie, w mieście, w Warszawie, i w ogóle na świecie! Ale kosztował…

Ojciec stał z tyłu i patrzył, uśmiechając się, później zapłacił. Byłam oszołomiona urodą mojego pierwszego stanika! I jego ceną. W domu stałam przed lustrem i podziwiałam go, uważając, że to on właśnie uczynił ze mnie kobietę, a nie pierwsza, obrzydliwa miesiączka. Taki „dorosły", piękny! Z koronkami! Chodziłam teraz wyprostowana, dumna i taka uskrzydlona… kobieca!

Ósma klasa w moim życiu to czas dość niezwykły. Przesłodkie dzieciństwo chyba tu właśnie zaczyna się kończyć. Pojawia się świadomość, że trzeba będzie ruszyć się dalej poza Otwock i ojcowe podwórko, wskoczyć w świat. W każdym bądź razie ten większy niż mój pokój, moje książki i kilka szkolnych wycieczek. No wycieczki były wspaniałe, choćby do Krakowa, żeby podziwiać ołtarz Wita Stwosza. Najpierw oglądaliśmy film *Historia żółtej ciżemki*. Albo wyjazd z klasą do Jury Krakowsko-Częstochowskiej na dwudniową wycieczkę krajoznawczą z nocowaniem w PTTK-u, straszeniem się nocą duchami, piskami, takie tam, końskie zaloty!

Od siódmej klasy jeździłam w soboty po południu do Otwocka, do pani Struś na lekcje angielskiego. Mama mi ją znalazła, bo pani Struś była znajomą czy też kuzynką męża ciotki Jadwigi. Nie umiem tego dzisiaj skojarzyć, dość, że wreszcie poszłam na upragniony angielski. Rosyjski miałam w szkole.

Pani Eulalia Struś była bardzo stara, kiedyś może wysoka, a wtedy już przygarbiona, pomarszczona, z nieodłączną fifką w ręku, z tlącym się papierosem. Włosy ze śladami jakiejś dziwnej farby wiązała niedbale w ogon albo warkocz, nosiła spodnie narciarki i grubaśne wełniane skarpety zamiast kapci, i szale zarzucane artystycznie. Na brodzie miała włoski, które wyrywałam jej pęsetką, jak się poznałyśmy bliżej. Była bez wątpienia ekscentryczką.

Mieszkała w starej kamienicy niedaleko przystanku i miała w swoich trzech pokojach pełno namalowanych przez siebie obrazków. Aż po sufit ściany były nimi zapełnione! Na nich niezwykłe zjawiska rozbuchanej wyobraźni pani Struś. Ukochałam sobie kilka tych płócien, które miały mi przypaść po jej śmierci, ale albo wcale nie umarła, albo ktoś to wszystko mi sprzątnął...

Oprócz angielskiego znała francuski, niemiecki, łacinę, rosyjski i jidysz. Żyła z lekcji.

Dla mnie były to też lekcje życia w innym świecie. Opowiadała o Paryżu, Londynie, Barcelonie, Moskwie, Leningradzie i Rzymie. W każdym mieście przydarzyło się jej coś ciekawego, w jednym zgubiła pantofelek, w innym poznała pierwszego męża, w innym ją aresztowano, a w jeszcze innym piła doskonałą kawę. Plotła strasznie — uważałam, że zmyśla jak najęta. Zachowywała się jak aktorka. Robiła miny, unosiła brwi, zawieszała głos i ściszała go, nuciła. Była zabawna!

Najpierw oczywiście były to zwyczajne lekcje — słówka, słówka, czasy, słówka, konwersacje, słówka. Rzadko siedziałam i ona rzadko siedziała — łaziła ze mną po pokojach, zajmowała się paleniem w piecach, kazała mi włazić na drabinę i pokazywać, że na obrazku namalowana jest „fish", „orange" i „apple". „Powtórz!" — rozkazywała.

Lekcje były wariackie. Nieraz zwyczajne wkuwanie czasów i ćwiczenia, a z czasem różne jej opowieści. Połowa po angielsku. Tak opowiadała, że spijałam z jej usta każde słówko. Musiałam jednak co nieco powtórzyć, czy i co zrozumiałam. Najpierw się burzyłam przeciwko zabraniu mi sobotnich popołudni, ale polubiłam te lekcje i ją, i nasze tematy, i tajemnice. Opowiadała bardzo dużo o sobie, o młodości i miłostkach, ale co ciekawsze rzeczy opowiadała po angielsku. Mówiła tak:

— Pół biedy gadanie! Pomyślisz, przypomnisz sobie słówka, sklecisz kilka zdań. Wypowiesz, ale najtrudniejsze to zrozumieć Anglika i Amerykanina. Każdy mówi inaczej, szybko... Zobacz!

Doskonale naśladowała! Wręcz parodiowała oksfordzki angielski, udając starego lorda. Albo trzepała niedbałym rozlazłym *American English* i wtedy była jakąś amerykańską aktorką albo kowbojem. Była komiczna!

— ...powiedz, o czym mówiłam? — zwracała się po wypowiedzeniu jakieś kwestii.

Musiałam jej słuchać ze zrozumieniem, a nie było to łatwe. Próbowała też, tak całkiem przy okazji, nauczyć mnie ciut francuskiego, tak poza kolejką, z płyt Edith Piaf i Aznavoura. Uważała, że każdy cywilizowany człowiek powinien znać francuski, niemiecki, no i angielski — w tej kolejności, mawiała. Kilka zwrotów mi weszło, ale niewiele.

Robiła herbatę w starych filiżankach i podawała z ciastkami posypanymi cukrem. Dzisiaj, kiedy je widzę w sklepie, te najtańsze ciastka z cukrem — z mety staje mi przed oczyma moja stara pani Struś. Jak już się poznałyśmy bliżej, dawała sobie wyrywać te włoski z brody, bo dla niej były zupełnie nieistotne, a mnie strasznie drażniły, gapiłam się na nie, i wtedy ona mówiła, nadstawiając tę brodę:

— Co, znów powyrastały? ...no, gdzie masz pęsetkę, była tu gdzieś, i wyrywaj! Ulżyj sobie!

Bardzo dużo jej zawdzięczam. Między angielskim a ciasteczkiem zaznajomiła mnie z wielką światową sztuką. Miała u siebie w domu albumy malarstwa z wielu zbiorów świata. Zapoznawała mnie z obrazami Leonarda da Vinci, Velasqueza, Goi, Picassa, Matisse'a, Boznańskiej, Breughla, Malczewskiego. Eulalia Struś pochylała się nad reprodukcjami Muchy, Mehoffera i Wyspiańskiego, pojękując:

— No powiedz sama, dziewczyno, czy widziałaś coś równie zachwycającego, te linie jak węże sunące po trawie, jak bluszcz, kompletna ignorancja dla kątów! Owale, łagodne falowania! Oto secesja! A patrz tu, naturalne piękno pszenicznych włosów dziecka, kreślone prostą kredką, suchą akwarelą! — to mówiąc, podsuwała mi portrety synów Wyspiańskiego.

Bezgranicznie wielbiła muzykę klasyczną, ale specjalnie mnie nią nie udręczała. Nastawiała muzykę w ostatnim pokoju, i ta leciała sobie cicho w tle. Ale przecież, jak wspomniałam, otwarta była też na nowości. Zachwycała się piosenką francuską. Yves Montand uwiódł ją urodą i nonszalancją. Była o niego zazdrosna, bo mawiała „Cóż ta Simone może mu dać oprócz nadętej miny?". Nie za bardzo się orientowałam, o czym mówi, więc mi tłumaczyła, pokazywała, nastawiała płyty, a kiedy już mieliśmy telewizor i zobaczyłam kiedyś film z Simone Signoret, zdaje się *Kot*, zawołałam: „O, to żona Yves'a Montanda!". „A cóż to za rewelacje?" — spytała mama. „Struś mi powiedziała!" — dodałam wyjaśniająco.

W ósmej klasie też wydarzyło się kilka rzeczy przykrych. W Polsce źle się działo, tak w ogóle, i… okradziono nas.

Zbiór jabłek był bardzo dobry tego roku, ojciec tak się cieszył. Skrzynki znów stanęły pod sam pułap! Tatko miał masę wspaniałych odmian zimowych.

W połowie grudnia byliśmy na kolacji u wujka Gienia i ciotki Krysi na Muranowie. Tak bardzo nie chciałam jechać, ale mama się rozgniewała, że wujek mnie tak kocha, a ja jestem niewdzięczna! Nie lubiłam zanadto cioci ani Patryczka. Ciocia była taka… cygańska, ciemnowłosa, młodsza od mamy i miała zawsze świetny humor, żartowała głośno, śmiała się, ale często to były żarty z wujka… Nie podobało mi się to. Wuj kochał ją bardzo, to było widać, uśmiechał się i machał ręką, kiedy ciocia tak sobie z niego podpiwała, a kiedy czasem ojciec coś próbował o tym mówić, ucinał to krótkim: „Daj spokój, Misiek! Taka ona już jest!". Ach, bywałam na nią zła!

Tym razem nawet było jakoś inaczej. Patryka w ogóle jakby nie było, bo dostał od dziadków projektor i z taką jedną smarkulą oglądali filmy rysunkowe w jego pokoju. Ja byłam z dorosłymi, przy stole. Ciocia wróciła właśnie z Budapesztu i przywiozła ostrą paprykową kiełbasę, wino i coś, co się nazywało palinka. Wszyscy to pili i chwalili. Tylko ojciec nie pił, bo prowadził. Wujek powiedział, że ma dla niego „małpeczkę", i dał mu śliczną miniaturkę tej palinki. Dla nas ciocia też miała małe prezenty, ale dostaliśmy je po cichu, bo każdy by chciał, mama dostała pończochy, a ja czekoladę. Miło się ciocia zachowała, aż mi się zrobiło głupio, że jej nie lubiłam dotąd.

Przy kolacji było nerwowo, ciocia nie żartowała jak zawsze, tylko częściej mówiła „cholera jasna", wujkowie palili masę papierosów, a różne ciocie i znajome mówiły ciągle, co ile zdrożało. Któraś sarknęła, że sklepy mięsne teraz przypominają szatnie, bo tam teraz same haki. Ja się roześmiałam, ale nikt inny, wtedy ta pani powiedziała do mojej mamy:

— Na wsi chyba łatwiej, prawda? Hodujecie jakieś zwierzęta?

Mama na to:

— Nie, my mamy sad...

— No ale choć kury?

— Ja nie znoszę ich zapachu... — mama zamilkła, a ktoś powiedział:

— Kury też pozabierają, wszystko zabiorą!

— Krysia, podaj jeszcze jarzębiaku, kto chce winka, czy może żytniej?! — zawołał wujek Gieniu.

Nie lubię, kiedy dorośli się tak zachowują — piją, dużo palą, kłócą się, smucą. Zazwyczaj na imieninach czy innych przyjęciach żartują, no czasem się upijają, ale teraz wesoło nie było. Usiadłam przy małym stoliczku pod dużą lampą i wyjęłam kolorowe czasopisma. Ciocia przyniosła mi z sypialni jeszcze dwa, grube, zagraniczne „Quelle" i puściła oko. Może ona też nie lubi kłótni?

Później podała na stół słodycze i zaparzyła bardzo mocnej węgierskiej kawy w węgierskiej maszynce, którą zachwalała, ale nikt się za bardzo tym nie interesował, bo wujkowie byli bardzo już podenerwowani tym, co się dzieje i co wyprawia Gomułka. Któryś z wujków już nieźle nalany wstał i zaczął go przedrzeźniać, a jego żona go uciszała. Wszyscy się zastanawiali, co to będzie, i mieli zasępione albo gniewne miny. Korciło mnie, żeby iść do Patryka, bo tam przynajmniej nie było tak nadymione, i wiem, że miał filmy disnejowskie, ale było mi trochę wstyd, byłam przecież taka... dorosła! Siedziałam więc cicho pod lampą, jadłam obraną dla mnie specjalnie pomarańczkę od cioci i przeglądałam te zagraniczne magazyny. Zastanawiałam się, dlaczego na zdjęciach z innych krajów jest tak kolorowo i pięknie, panie i dzieci mają takie wesołe miny, piękne sukienki, jest tak dużo ładnych rzeczy, a u nas nie.

Dorośli ględzili i ględzili, byłam zmęczona i śpiąca, aż się zebraliśmy wreszcie.

Kiedy dojechaliśmy do domu, już wiedzieliśmy, że coś się stało, bo brama była rozwarta. Ktoś wiedział, że tu jest magazyn z jabłkami. Uprzątnięto cały! Wielkie, wysokie drzwi do magazynu wyszarpnięto, chyba podczepiając do ciągnika. Ktoś musiał podsłuchiwać, wiedzieć, że się wybieramy w gości, że nie ma nas! Kto?!

W domu porozwalane, chyba szukali pieniędzy. Zabrali tylko telewizor.

Mama się popłakała. Ojciec milczał. Była głęboka noc, mimo to pojechał na milicję. Wrócił wściekły, bo milicjanci powiedzieli, że przyjadą rano i żeby niczego nie ruszać. Wstałam późno. W kuchni już siedział Kobyliński, mama, tatko, milicji nie było i nie było. Za to na stole leżała „Trybuna Ludu", a z niej mama czytała, co i ile zdrożeje.

Milicja przyjechała po dwóch dniach, mówiąc, że mieli ważniejsze sprawy. Byli niegrzeczni. Sugerowali, że ojciec sam się okradł, potem, że Kobyliński to zrobił. Dobrze, że mnie nie było, bo bym na nich nakrzyczała, a przynajmniej tak mi się wydawało, kiedy przy obiedzie mama mi mówiła, co się działo podczas ich wizyty.

Okropny był ten grudzień. Wujek Gieniu i Kobyliński stale siedzieli w kuchni i rozmawiali bardzo dramatycznym głosem. Mama stała oparta o parapet i miała smutną twarz. Czasem trzymała się za głowę. Wieczorami słuchali Wolnej Europy, więc im schodziłam z drogi. Czytałam, uczyłam się, skoro nie było telewizora.

Wujek Gieniu obiecał nam nowy.

— Nie zapominaj, że mam bardzo obrotnego teścia i żonę, która obszywa nie byle kogo! — mówił do taty, puszczając oko.

Kobyliński pocieszał ojca, że przynajmniej warzywa się uratowały, te, co je zebrali jesienią i były skopcowane. Wuj i ojciec postanowili, że magazyn musi mieć system alarmowy! Okazało się, że koszty są wielkie, a my bez grosza, ale wujek oczywiście miał pomysł. Obaj siedzieli wieczorami nad jakimiś wykresami, kupili kable, wtyczki, dzwonek, lampę, później coś lutowali, dłubali w magazynie i robili masę prób, aż wreszcie zrobili! Wujek powiedział, że gdyby nie „Młody Technik", musieliby zapłacić ciężkie pieniądze, a tak zrobili za grosze. Ojciec nawet rzucił: „To może zaczniemy produkować takie alarmy?". Kobyliński jak zwykle uważał, że sprawę rozwiązałby pies, ale mama zaraz go zgasiła, że bandyci w takiej sytuacji trują psa, i Kobyliński zamilkł. Ich nigdy nie okradli, bo oni mieszkają wszyscy na kupie i zawsze są w domu.

Mama zmęczona tym wszystkim powiedziała tacie, że nie wie, jak ma urządzić wigilię. A tata na to, że dla niego mogą być ziemniaki w mundurach i sól, byleśmy obie z nim były! Mama po lekcjach była na poczcie wypłakać się przez telefon cioci Jadzi, bo nie chciała tacie robić przykrości, ale ciężko jej było na sercu. Byliśmy bez pieniędzy, mama była załamana. Ciocia Jadzia zapowiedziała swoją wizytę i powiedziała mamie, że wiktuały przywiezie ze sobą. Przyjechała na Wigilię z koszem jedzenia, drobnymi prezentami. Po jej wyjeździe przyjechał wujek Gieniu z ciocią i Patrykiem, i wszyscy byli bardzo rozgadani, ciocia przywiozła banany, pomarańcze i kawę. Mama podała ciasto. Na koniec wizyty ciocia mówiła, że nie zamierza znosić tego upodlenia, że to skandal, żebyśmy żyli jak zwierzęta, bez możliwości wysuwania nosa poza klatkę, z racjonowaną żywnością i biedą, na które nie zasługuje państwo zwycięskie.

— Jak oni mi to wyjaśnią, cholera jasna, że my, którzy zwyciężyliśmy faszyzm, że my, naród zwycięzców, żyjemy jak nędzarze, nie mamy paszportów, stoimy w kolejkach po smalec. Co to za upodlenie?! Myślicie, że ten Gierek coś zmieni?

— Krysiu… zawołaj Patryczka, jedziemy już — powiedział smutno wujek, patrząc na ojca. — Na razie nic nie poradzisz, kochanie. Sama wiesz najlepiej, jak jest. Gierek jest człowiekiem z innego rozdania. Zobaczymy.

— Wiem, cholera jasna! — Ciocia zła zakładała Patrykowi kurtkę, a ten bawił się jakimś zagranicznym pistoletem od dziadka. — Zobaczymy!

Rodzice byli chyba bardziej optymistyczni mimo tej kradzieży jabłek. Mnie czekał trudny rok.

W ósmej klasie zimą, w styczniu na apelu, nasz dyrektor zapowiedział, że za miesiąc będzie szkolny bal karnawałowy! Tym razem pojechałam z rodzicami do Warszawy po materiał na sukienkę i po pantofle. Długo wybierałyśmy z mamą, a tatko umierał z nudów, ale był bardzo dzielny. Objechał z nami mnóstwo sklepów. Wreszcie stanęło na pięknej ciemnobordowej tkaninie. Tydzień myślałyśmy z mamą nad fasonem, aż w sobotę przyjechał wujek w jakiejś sprawie do taty i jak się dowiedział, w czym rzecz, zabrał nas do siebie do domu. Ciocia przywitała nas nieco zdziwiona, a wujek zaraz jak to on zawołał od progu:

— Krycha, pomoc jest potrzebna! Panna Marianna wybiera się na bal, dawaj te swoje „Burdy”!

Okazało się, że ciocia miała w domu stosy niemieckich magazynów mody „Burda”, które z mety wyjęła i zaczęłyśmy oglądać, wymyślać. Mamę troszkę to żenowało, więc siadła z boku, bo ciocia ewidentnie przejęła stery. Wertowała ze mną dziecięce i dorosłe wydania „Burdy”, „Sandry”, i to było takie fascynujące! W końcu wybrałyśmy bardzo ładną sukienkę, odcinaną w biodrach, z cięciami po bokach i dekoltem „na wodę". Ze sprytnym bolerkiem z długimi rękawami, które założone wyglądało tak, jakby suknia miała długie rękawy, a po zdjęciu suknia była bez rękawków.

— No na balu zawsze się robi gorąco! — tłumaczyła mamie.

— No ale dziewczynce w ósmej klasie, bez rękawów? — mama nie była przekonana.

— No to uszyjmy jej sukienkę z marynarskim kołnierzykiem — zakpiła ciotka. Mama się zamknęła, bo i wujo się włączył:

— Wandeczko, to bal, i jeszcze będzie ją miała do liceum, prawda, Krycha?

— No, a kto to uszyje? — spytała ciocia, gryząc ślicznie opiłowany, perłowy paznokieć i patrząc na nas czujnie.

— Myślałam, że poproszę Kobylińską, bo ja sama to umiem tylko pościel i firanki, a Kobylińska to nawet spodnie umie uszyć!

Mama uważała, że to jest wyjście. Wujek się roześmiał, ciotka za nim. Zaraz wzięła ze mnie miarę i spytała o pantofle. Stanęło na tym, że jak nic nie znajdziemy, mamy przyjechać do niej, do miary, a już ona coś wymyśli. W mieście ani w sklepach państwowych, ani w pawilonach u prywaciarzy nie było niczego w kolorze bordowym. Były nawet niebrzydkie czarne czółenka, ale na płaskiej podeszwie... Ojciec odpuścił.

— Czarne zawsze zdążymy ci kupić, zobaczymy, co Krycha wymyśliła.

Pojechaliśmy do miary. Jak już zdjęłam sukienkę pełną szpileczek, ciocia z miną czarodzieja wyjęła z pudełka... najpiękniejsze wiśniowe lakierki świata, na francuskim słupku. Siadłam z wrażenia. Były takie... dorosłe! „Jugosłowiańskie!" — zapodała ciotka. Wyściskałam ją i mamę. W domu postawiłam je sobie na nocnej szafce, żeby je ujrzeć, gdy się obudzę. Były w identycznym kolorze co moja sukienka! Doskonale wiedziałam, co czuła Ania Shirley, gdy Mateusz z Małgorzatą uknuli spisek i Ania dostała wreszcie swoją suknię z namarszczonymi bufkami. Dla mnie to były buty na obcasie!

W dniu balu mama niestety miała atak i nie podziwiała mnie. Sama się uczesałam w koczek, który rozpuściłam, jak już zrobiło się gorąco, i zdjęłam bolerko, a dyrektor opuścił salę z szanownym gronem i wreszcie włączono naszą młodzieżową muzykę głośniej niż dotychczas. Zaczął się mój pierwszy bal... Beatlesi śpiewali *I wanna hold your hand*, a ja tańczyłam z tym okropnym Darkiem, który już wcale nie był taki okropny i nikomu nie pozwalał mnie przezywać, dobrze tańczył i miał nawet kilka czwórek. Był wysoki i postawny, ale wcale nie on mi się podobał. Niestety Hirek, mój rycerzyk z ósmej B, do którego zaczęłam właśnie wzdychać, nie przyszedł po prostu, więc tańczyłam do upadłego z każdym, kto mnie poprosił. Było wspaniale! Nie przeszkadzało mi wielkie oczko, które mi puściło w rajstopach, ani to, że się spociłam, co było widać na mojej kreacji. Co tam! Taka zabawa! Serpentyny! Konfetti! I nawet przyszli potańczyć młodsi nauczyciele!

— Przedostatni taniec i koniec! — zapowiedział zdecydowanie pan od wuefu.

Bal zakończył ze mną wielkolud Darek, szurając ślamazarnie, bo ostatnia była *Delilah* Toma Jonesa — przytulanka, żeby każdy chłopak mógł swoją wybrankę wziąć w ramiona. Doskonale tańczył szybkie, ale wolnych nie umiał! Za to na koniec szepnął „Kocham cię, Mańka" i uciekł!

Od tego balu Darek patrzył na mnie spode łba nieustająco, a ja spoglądałam na przerwach na Hirka, który zupełnie mnie nie zauważał. Natalia na nikogo nie patrzyła, tylko zakuwała do egzaminów. No ja w domu też. Tym bardziej że wymyśliłam sobie naukę w Warszawie.

Były i inne smutne sprawki.

Natalia się na mnie obraziła, kiedy jej opowiedziałam, jak Darek wyznał mi miłość na balu. Jej wtedy nie było, bo miała zapalenie oskrzeli. Skąd miałam wiedzieć, że się w nim podkochiwała?! Darek na mnie wyczekiwał po szkole i odprowadzał do przystanku, a ja byłam na niego zła. Nie obchodził mnie i przez niego straciłam koleżankę — jedyną sensowną, jaką miałam. Zakazałam mu, więc zaczął mi przynosić jakieś tomiki wierszy z zakładkami. Założony był zawsze jakiś miłosny wiersz. Aż mi się go żal robiło. Kompletnie mnie nie interesował...

I wreszcie najgorsze!

Ten kolega Darka, Łukasz, też przerośnięty, zadawał się podobno z jakimiś miejscowymi chuliganami, i jak się kiedyś pobili koło cmentarza, to oni zostawili tam tego pobitego Łukasza i on zamarzł na śmierć.

Właśnie wróciłam od pani Struś, kiedy zobaczyłam, że w kuchni u nas siedzi smutny Darek. Zezłościłam się. Czego on tu?! Zwariował?

— Nie chcę już żadnych wierszy! — prawie krzyknęłam.

— Maniu! — upomniała mnie mama.

— Czego chcesz? — zapytałam niegrzecznie.

Darek, wielki i zwalisty z szopą dawno niestrzyżonych włosów, wstał powoli, skubiąc paluchy swoich wielkich dłoni i cały był poszarzały na twarzy. Stał, gapiąc się na mnie i chyba nie mógł mówić.

— No, co? — ponaglałam już mniej ostro, bo się wystraszyłam.

— Łu... Łukasza dzisiaj rano znaleźli...

Poryczał się. Mama mu dała kropli i jak się uspokoił, opowiedział, jak było.

— Z rana do jego starych przyszła milicja. On na parterze mieszka, a ja na piętrze, tylko że moi starzy i jego starzy od wczoraj pijane leżą... a ja już mam dowód od tygodnia, to mi gliny powiedziały, żebym na świadka poszedł i żebym rozpoznał go, znaczy Łukasza. Jezu, ci mówię, jaki on był siny, pobity! Nie wiedziałem, do kogo przyjechać, to przyjechałem do ciebie...

Mama aż siadła z wrażenia. Ja stałam nadal. Potem Darek zjadł z nami zupę z pajdą chleba, bo było bardzo zimno, i dopiero wtedy mama go wypuściła do domu, owijając mu szyję szalikiem ojca i upychając mu jeszcze ten szalik za poły marynarki, bo on przyjechał rowerem, ten cały Darek, w takie zimno!

Wszyscy byliśmy wstrząśnięci, bo Łukasz się przecież „wyprostował", uczyć się zaczął i do tego kółka teatralnego chodził. Obaj z Darkiem siedzieli kilka razy w różnych klasach, no był przerośnięty, ale by zdał tę ósmą klasę! A teraz umarł, nie żyje...

To był taki pierwszy pogrzeb w moim życiu, który bardzo przeżyłam. Płakałam jak wszyscy, bo polonistka z liceum, mama Natalii, która nauczyła chłopaków tej *Zaczarowanej dorożki* i wciągnęła do kółka teatralnego, mówiła o nich, o Łukaszu, Darku i Andrzeju, w kościele zamiast księdza całe przemówienie! O tym, jak się człowiek może odnaleźć i zawrócić ze złej drogi, i że oto mamy namacalny dowód tego, i pokazała wtedy na Darka jako najlepszego przyjaciela Łukasza, i powiedziała twardo, że jak Darek nie zrozumie, co się stało... I wtedy Darek świeżo ostrzyżony, w garniturze, płaczący cicho w pierwszej ławce, powiedział głośno „Rozumiem, rozumiem".

Potem był strasznie długi kondukt na cmentarz do grobu, i wtedy zmarzłam na kość. Później miałam zapalenie oskrzeli. Kobylińska przyszła stawiać mi bańki i dopowiedziała resztę, bo jej bracia znali całą sprawę.

To była jakaś ciemna historia z kradzieżami i ojcem Łukasza, i żeby osłonić ojca, Łukasz zadarł z tymi chuliganami, bo na nich doniósł na milicję, a oni go nocą zabrali z domu, jak wszyscy byli napici, stłukli i rzucili pod murem cmentarza. Tam umarł. Ten ojciec to się powiesił miesiąc później, a matka się też wkrótce zapiła. Miałam przed sobą egzaminy, więc po wyzdrowieniu szybko wróciłam do nauki i już o tym nie myślałam. Za to Darek szykował się do wojska. Dostał nawet powołanie i pytał, czy będę do niego pisała. Zaprzeczyłam. No po co miałam kłamać?

Przed odjazdem do jednostki Darek przyjechał do mnie rowerem pożegnać się i przywiózł mi elegancki bukiet frezji z kokardką. Jak się pochwalił — odpracowany u miejscowego badylarza.

Wiosną to już była nerwówka.

W sekretariacie w warszawskim liceum pani bardzo się dziwiła, że mi się chce z tak daleka dojeżdżać, ale był ze mną ojciec i zaraz powiedział, że będzie mnie dowoził i że jestem bardzo zdolna!

Uczyłam się jak szalona, chciało mi się! Czułam taką potrzebę, tym bardziej że moja stara pani Struś zawsze powtarzała: „Kochana moja, najwyższą twoją wartością jako kobiety i człowieka zawsze będzie najprzód wiedza i intelekt, no i jakiś tam urok, który, powiedzmy sobie, masz". Czułam jej wsparcie, byłam taka odważna i wierzyłam w siebie!

Zdałam do warszawskiego liceum!

Z Lilką

— Nie śpisz jeszcze? Nie zanudziłam cię? — nachyliłam się nad Lilką.

— Nie. Fajnie opowiadasz, ja tak nie miałam ciekawie jak ty.

— Już wyłączyć muzykę? — spytałam.

— Nie, zostaw. Ładne. Niech sobie gra cicho.

Nie rozmawiałyśmy już. Ja myślałam o tym, co teraz czuję, bo nagle gdzieś przepadło to moje „nielubienie" Lilki. Dziwne. Czułam się jak wtedy, gdy do nas przyjechała po wypadku rodziców, mała, wystraszona, i została na kilka dni. Poczułam się jej opiekunką, jak się rozbeczała po odjeździe jej babci, i moja mama przyprowadziła ją do mojego pokoju w piżamce. Teraz chciałam dać jej do snu małpę, bardzo podobną do mojej z dzieciństwa, która się przetarła ze starości i zaczęła się osypywać trocinami. Kupiłam ją dla Tadzinka, ale on jest już za dorosły na takie coś. Przecież to chłopiec, który się interesuje zabawkami konstrukcyjnymi!

Lilka ma zamknięte te oczy i oddycha miarowo. Zauważyłam, że ma na nosie maleńkie piegi.

— Li… śpisz? — spytałam.

— Prawie, a co? — mruczy.

— Chcesz Małpę do snu? — usiłuję żartować, jechać na wspomnieniach.

— Po co, skoro ty tu jesteś? — odpowiada poważnie i ściska mi rękę, a potem całuje mnie w tę rękę i mówi jeszcze: — Mogę tu zostać?

Zasnęła w moim łóżku. Okryłam ją delikatnie, nie chciałam jej budzić. Zapadła w taki głęboki sen. Sama nie mogłam spać, więc poszłam do ostatniego pokoju i zadzwoniłam do wujka Gienia.

— Wujku? Cześć, muszę ci coś powiedzieć, o Lilce. Mirek zdradził mi, że ona jest bardzo chora. Nawet mi dał ksero jej badań.

— Co ty powiesz? A co jej jest?

— Kobiece sprawy, rak. Mam ją tu, u siebie. Śpi, a ja w nerwach. Jutro, najdalej pojutrze, muszę ją zawieźć do szpitala na dalsze badania.

— Ojojoj! — Gieniu nie wie, co powiedzieć, milczy, wreszcie ratuje się słowami: — Wiesz co? Najwyżej wszystko jej usuną! Tak, nasza gosposia przed wojną tak miała, to się jakoś tak nazywało... Wertheim. Tak, usuwają te narządy z rakiem i już! Potem przeleczą to pigułami, naświetlą może... Co?

— Nie wiem. Znaczy wiem, że musimy teraz się spiąć bardzo, a ona jakaś słaba, chyba niedożywiona, bo ostatnio... Oj wujku. Okropne to wszystko. I głupio mi.

— Daj spokój, Marian — mówi wuj — daj spokój. Dobrze, że się nią zajęłaś. Jakbym był potrzebny, czy jakie leki, to mów, dzwoń!

— Opowiadałam dzisiaj Lilce o tym, jak mi ciotka Krysia uszyła sukienkę na bal i kupiła pantofelki. Jugosłowiańskie...

— Taaak? Pamiętasz to? Miłe... Kryśce byłoby miło.

— Pa, wujku.

— No, pa.

Nalałam sobie sporą szklankę whisky, bo mnie nosiło. Jutro muszę zostawić ją tu, bo mam rozmowę z szefową o tej kampanii, ale szybko wrócę. Mirek ma oddzwonić, kiedy mamy się stawić na oddziale onkologii.

Zadzwoniłam też do Agaty, że w piątek nie przyjdę, no może za tydzień, ale jutro nie. Zrozumiała. Ależ mnie nosi! Weszłam do pokoju. Lila śpi jak dzieciak, w tej samej pozycji, w jakiej ją zostawiłam. Wsunęłam się pod swoją kołdrę i nie wiem kiedy zasnęłam.

„Masz za mało czasu? Weź sobie dodatkowe zajęcie!" — mówił profesor Kołakowski. I mądrze! Najważniejsze to mieć dużo na głowie, wtedy się nabiera odpowiedniego dystansu do wszystkiego.

Rano wstałyśmy obie. Lilka się uparła, że zje ze mną śniadanie. I zjadła! Normalnie i z apetytem jajko na miękko, kanapkę z masłem i szczypiorkiem, kubek kawy z mlekiem.

Wychodząc, powiedziałam do niej:

— No, to życz mi szczęścia! Dzisiaj pokazuję moje dzieło naczelnej.

— Ona nic nie wie?

— U nas jest tak, że jak ktoś wyskakuje z jakimś dziwnym pomysłem, to Regina chce mieć ogląd całości. Spojrzenie z każdej strony, analizę rynku albo oczekiwania społeczne, wiesz. Lubi dostać do ręki kompletnie dopracowany projekt i wtedy rzadko się wycofuje, a jak to są jakieś projekciki, takie trelki-morelki, to łatwiej jej odmawiać.

— A, cwaniutkie! No to daj tyłek, to cię kopnę na szczęście, i idź!

— To dwa kopy, bo jeszcze spotkanie z Mirkiem.

— Kopnęłabym, ale jego w dupę — dąsa się Lila.

Ciekawe. Nie wkurza mnie jej uśmiech, jej obecność, i dziwnie mi ją zostawiać we własnym domu, ale… przecież to siostra. Mam się obawiać siostry?! W dodatku śmiertelnie chorej?!

— Daj buziaka, gówniaro — mówię do niej czule. — Wracam po południu. Jakby co, dzwoń.

Pojechałam.

Niestety, życie bywa kostropate. Musiałam trafić na paskudny dzień naczelnej. Była ostra, czepiała się.

— Powrót starych dobrych manier?! — cedziła słowa, nie dowierzając. — Marianna, czegoś tu nie rozumiem...

— Czekaj, Regina, tu masz wywiady, rozmowy, sondaże.

Ogląda, ale już wiem, że nie widzi, nie czyta ze zrozumieniem, jest zaprzątnięta czym innym.

— To kolosalne koszty! A jaki zysk?!

— Kampania o czytaniu dzieciom przyniosła zysk edukacyjny, kulturowy, niemierzalny...

— ...ale miała patronów po zbóju! Ministerstwo Kultury... pytałaś?

O, kurczę no, wolałam to zostawić na koniec, nabrałam powietrza.

— Rozmawiałam z samym ministrem, nie mają teraz kasy na takie akcje, ale powiedział, że on jest całym sercem!

— Świetnie, to damy to jego serce na okładce. Marianna, halo! Tu ziemia! Kto to sfinansuje?! I komu to potrzebne?

— Rozmawiałam z Olem, to mój kolega fundraiser, znajdzie sponsorów.

— Dupa Jasiu, na małą akcję, ale kampanię?! Ty wiesz, jakie to pieniądze?! Kogo jeszcze urobiłaś?

— No, wiele zacnych nazwisk da wywiady bez kasy, a tu masz listę ewentualnych darczyńców, resztę ma dosłać ten Olo. Tu masz wypowiedź radiowców i redakcji telewizyjnych, które się włączą, mam ich słowo.

— Słowo? Marianna, to jest niepoważne. To wielka finansowa wtopa, mimo bardzo zacnego tematu, i powinnaś to wiedzieć. Zobacz, to ledwo pokryje koszt kilku billboardów, a gdzie reszta? I czego ty się spodziewasz? Mańka, błagam cię. Ja tu mam szpagat nie lada ze sprzedażą, mamy za dużo zwrotów, masz tu zestawienie sprzedaży tytułami za ostatni kwartał. To nie jest szczyt moich marzeń... Powiem ci tak, prywatnie jestem za, bardzo za, ale jako szefowa muszę cię zestudzać. Nie, Marianna, nie damy rady, nie pociągniemy tego! To są fantasmagorie!

Z szefami się nie dyskutuje, kiedy są nie w humorach, a Regina była. Sekretarka szepnęła mi, że jest kiepsko i żebym sobie dała spokój, bo podnieśli czynsz za lokal. Cholera jasna! Zostawiłam dobry wywiad ze znaną aktorką o manierach teraz i w czasach PRL do jednego z następnych numerów i... poszłam. Włodek, do którego zadzwoniłam, był uprzejmy i nie mówił: „A nie ostrzegałem". Sądził, że przy dużej dawce szczęścia mogłabym się wstrzelić w jakąś koniunkturalną dziurę. Ino że dziury... nie było. Były kłopoty finansowe Reginy.

— Kwiatuszeczku — mówił mi Włodek przez telefon — no i nic się nie stało!

— Oszalałeś? NIC?! A moja harówa?!

— Miałaś doskonałe zajęcie na czas tych twoich problemów z mężem, nic tak dobrze nie robi na mazgajstwo jak robota! A teraz wywal ją do kosza, bo powiem ci prawdę, to była jedna wielka bzdura. Najważniejsze, że miałaś ciśnienie i adrenalinę wtedy, gdy zamierzałaś się roztkliwiać nad sobą. A walka z chamstwem? Mania, proszę cię, sama w to nie wierzysz... powiedz!

— Czyli oszukiwałeś mnie?!

— Historia mnie rozgrzeszy. Twój entuzjazm zwyciężył twoją ewentualną histerię. I o to chodziło! Dziecko, zaraz wymyślisz coś naprawdę dobrego i poczujesz słodki smak zwycięstwa!

— Ty... — chciałam mu bluzgnąć od najgorszych, ale przecież on jest znacznie starszy ode mnie, nie wypada.

— Dziecko, kocham cię, wiesz o tym, i nawet jak mi nawtykasz od chujów marnych, zniosę to dzielnie. Masz już mały dystans do...

Nie wiem, co gadał dalej, bo walnęłam telefonem. Byłam potwornie wściekła. Koszmarnie wręcz! Gdyby był obok, oplułabym go, skopała albo rozdeptała jak prusaka w kuchni.

Taka wściekła dojechałam do Na Rozdrożu, na spotkanie z Mirkiem. Z rozpędu przyjechałam za wcześnie, więc poszłam połazić po ogrodzie botanicznym. Na szczęście, bo tam mój bojowy nastrój zniknął.

W botanicznym cicho i cieniście. Wielkie drzewa osłaniają alejki od ataku słońca latem, ale teraz jest wczesna jesień albo to ja się spieszę, późne lato, w każdym razie wiem, dokąd iść, żeby mieć cień. Kiedyś tak lubiłam słońce, a teraz męczy mnie. Dziwne — u taty nie, w mieście — tak. Usiadłam. Dzwoni Włodek.

— Czego? — pytam wrednie.

— Moja cudna! — śmieje się stary bazyliszek. — Już ci wkurw minął? Już mnie kochasz na powrót?

— Nigdy cię nie kochałam, Wołodia, streszczaj się.

— Dzisiaj jest zły czas. Nie wywalaj projektu! Przyjdzie pora, wyjmiesz go jak królika z kapelusza. JA ci to mówię!

Wiem, że chrzani. Chciałby jakoś się odczarować, zrehabilitować. Stary gnom, wredota.

— Wredota — mówię na głos.

— Tak, to ja! — Włodek jest szczęśliwy, że nie walę słuchawką, że go nie zjechałam, nie wykreśliłam z listy. Może i chciał dobrze?

— Psycholog z ciebie jak z koziej dupy patefon — mówię mu ostro.

— Lepszy niż myślisz, kwiatuszeczku.

Rrrr! Wkurza mnie dzisiaj wszystko i każdy.

— Danka doradza dogadanie się. Twój mąż jest hojny i nie warto chyba iść z nim na udry, co?

Żegnam go i powoli idę do kawiarni. Co tym razem?

Tym razem Mirek spokojnie mi powiedział, że przygotował pozew rozwodowy i pokazał mi kopię.

— Sądzę, że jesteśmy w stanie dogadać się najnormalniej na świecie, a nie ciągać po sądach, co? — spytał.

— Nie wiem… W końcu to nie ja… Mirek, a gdzie będziesz mieszkał?

— Marianna, jeśli się dogadamy, sprzedam krakowskie mieszkanie po starych i kupię tu coś w Warszawie. Zostawiam ci spore pieniądze na koncie, zrób z tym coś mądrego. Może nie jest tego na willę z basenem, ale wpłać to na jakiś fundusz i cześć. Jeśli zgodzisz się, żebym to mieszkanie, wiesz…

— A nasze oszczędności walutowe? Twoje — poprawiam.

— Obiecałem to mieszkanie Grześkowi, więc wpłacę im na lokatę i sam też będę potrzebował czegoś na start.

— A… ona nic nie wnosi? — mam odwagę spytać o tę panią, której nie znam, o której wolałabym nie wiedzieć, ale po co udawać?

— Czy musimy…? — pyta Mirek, a mnie to wkurza podwójnie.

— Tak, Mirku, tak! Chcę wiedzieć, skoro rozstajemy się w tak kulturalny i higieniczny, spokojny sposób!

— Wolałabyś szopkę? Awanturę?

— Nie wiem… Sądziłam, że będę na ciebie bardziej wściekła, ale to Włodek mi wyjaśnił, że kiedy w grę nie wchodzi kasa… on tak powiedział, „jak oddzielisz pieniądze, zakusy majątkowe, tak jak oddzielasz skórkę i ości śledzia od reszty, zostanie ci prawda”.

— I…?

— Miałeś rację, chyba wypaliła się miłość, chociaż zastanawiam się, czy w ogóle była? Skoro nie stać mnie było na zazdrość, więc nie mam o co być zła. Zarabiam, mam mieszkanie, specjalnie mnie nie ograbiasz… a do twojej nieobecności przywykłam. Może faktycznie byłam głucha, jak mi mówiłeś, że „jest do bani”?

— Wybacz, Mańka. — westchnął, chyba mu ulżyło.

Mnie, o dziwo, też.

— A jak tam z Lilką? — pyta.

— No a jak? Mieszka u mnie. Już jej napomknęłam, oswoiła się z myślą, że musimy wdrożyć leczenie. Kiedy mamy jechać do Centrum?

Mówię „my”, jakby to było oczywiste. Dziwne. Mirek mówi:

— Jasiński wie wszystko, dzwoń do niego. Tylko pospieszcie się, wiesz, co masz robić? Pomóc ci jakoś?

Wracałam do domu zdziwiona tym, co mu powiedziałam, ale jeszcze bardziej tym, co poczułam. Załatwmy to jak cywilizowani ludzie, bo faktycznie wrogości ani w Mirku, ani we mnie nie ma, czyli rozpadło się na dobre, a ja tego nie widziałam… *Mea culpa*. Zgodziłam się na tę normalniejszą wersję pozwu. Bez adwokatów, szarpania się o majątek — szybko i bez żenujących sądowych scen. Nie zatrzymam go, bo i jak? A jeśli nawet, to po co? Co da mój sprzeciw? Nieuchronnie się rozpadło i tyle. Przykre. No, przykre.

A tamta pani? Chowam głowę w piasek. Niby wiem już, że Mirek kogoś ma, ale nie chcę o tym rozmyślać. Dziwi mnie tylko to, że szlag mnie nie trafia. Bo… nie. Kłuje trochę. Kim ona jest? Pewnie któraś z pielęgniareczek, pewnie ta pyzata Zosia z recepcji, zawsze tak miękko o nim mówi. Ona? Chyba tak! Hm. No to na zdrowie!

Teraz Lilka jest ważniejsza, sama jest nieporadna, niby wie, że chora, ale nie powinna być sama, i kto ma jej pomóc jak nie ja?

Zadzwoniłam do redakcji. Na szczęście mam poodrabiane lekcje tymi Indiami na zaś, Regina zachwycona nie jest, ale i nie żąda stałej obecności, dobrze jak jej na chwilę zejdę z oczu.

Raz w tygodniu dzwonią Grześ i Iga — wymiennie, są troskliwi i wypytują, co u mnie. Już nie wiem, co im odpowiadać, więc to ja ich wypytuję o Tadzia. Chętnie zmieniają temat i każde z osobna opowiada, jaki wierszyk Tadzio przyniósł z przedszkola, co narysował i jakie jego nowe zdjęcia powiesili na serwisie internetowym, żebym sobie obejrzała. Na razie nic nie mówię Grześkowi o Lilce, raczej o dziadku — czy dzwonił, bo Grześ jakoś mało jest troskliwy jako wnuk. Takie pokolenie. A może ja też taka byłam?

Korek na Trasie Łazienkowskiej zawsze mnie dobija. Że też nie mamy więcej mostów niż tylko tych kilka i masę remontów. Wrocław ma ich mnóstwo, pozazdrościć. No, cholera jasna! Wiadomo było od zawsze, że stolica, że się będzie rozbudowywać, to my zawsze czekamy do ostatniej chwili i każda decyzja jest jakaś taka wymuszona na zakłopotanych władzach. Zaczyna się wieczny lament, że nie ma kasy, zaczynają się wywłaszczenia, oczywiście nikt nie chce oddać gruntu, bo „moje, nie dam", i każdy nowy most jest o dziesięć lat spóźniony.

Jest ciepło, duszne miasto stoi leniwie, buspasami mkną kombinatorzy, a to dopiero pierwsza! Co będzie później?

Ach, lubię mój skręt w Zwycięzców! Chwilenka i już jestem u siebie!

W domu słyszę muzykę, Lila się chyba porządziła w moich płytach. Słyszę Barbrę Streisand. Lilka czyta coś, zwinięta na moim łóżku.

— No, jak było? — podnosi na mnie oczy, odgarnia włosy.

Opowiadam jej o spotkaniu z Mirkiem, jest niezadowolona. Uważa, że to nienormalne tak się rozstawać. Że powinnam wzbudzić w nim poczucie głębokiej winy, pastwić się nad nim.

— Zostawił cię jak stary samochód, a sobie pewnie kupił młodszy model, oni tak mają, a ty taka anielica jesteś i się dajesz! — fuka na mnie.

Śmieszna jest, głupia, nic nie rozumie. Nie wie, jak między mną a Mirkiem było, co to jest małżeństwo i jak wiele rozwodów omówiliśmy, sycąc się niesmakiem, gdy nagle, wydawać by się mogło, kochająca się para rozstawała się z hukiem, nieładnie i bez klasy, tonąc we wzajemnych oskarżeniach, świństwach, kłamstwach. Nie chcieliśmy tak.

— Co zjemy? — starałam się zmienić temat.

— Co bądź — odpowiada i nadyma się. — Nie jestem specjalnie głodna, ale mogłabyś zrobić zupę koperkową... ze śmietaną.

Nie mam śmietany, ale skoczę do delikatesów, aby tylko jadła.

— A co z tą twoją kampanią? — pyta, stając w drzwiach kuchni, bo przyczłapała tu za mną, zainteresowana każdym moim poczynaniem. Miłe!

— Dupa — kwituję, bo właściwie nie chcę o tym mówić.

— Tak czułam... Dobre maniery dzisiaj to jakbyś chciała pisać o mchach i paprociach. Komu to potrzebne?

— Lila... — zaczynam z właściwej strony — jutro raniutko jedziemy do Centrum.

— Wiem, wiem.

Milczymy obie. Lila siada i opiera się o ścianę, a ja robię nam tę zupę. Właściwie jej, bo ja zup prawie nie jadam. Może powinna być na jakimś wywarze mięsnym? Ach, nie ma czasu! Będzie na rosołku z kostki, teraz są dobre takie, „bulion cielęcy", do tego mrożona włoszczyzna, koper mrożony, bo mam, na szczęście, więc wyjmuję go z lodówki.

— ...dużo — mówi cicho Lila.

— Co dużo?

— Koperku dużo daj.

Uśmiecham się. Przecież tak mnie wkurzała zazwyczaj... Nad tym garnkiem zastanawiam się, co się ze mną stało.

— Wiesz, że cię nie lubiłam? — Mieszam w garnku i powoli odwracam się do niej. Ona milczy, więc mówię dalej: — Byłam na ciebie zła o to, jak mówiłaś „tatusiu" do ojca, okropnie mnie wkurzałaś. WIESZ?!

— Wiem, ale jesteś moją siostrą, i to starszą, więc nie masz wyboru. I ja nie mam, nie dam rady wymienić cię na lepszy egzemplarz, więc znoszę cię taką, jaka jesteś!

Mówi to chyba poważnie! I dodaje, wyciągając ręce:

— Chodź tu...

Podchodzę, a ona obejmuje mnie w pasie i tuli nos w mój brzuch, jak dziecko.

— Jesteś moją Mimblą.

Boi się. Wzrusza mnie, więc gładzę ją po tych jej pięknych lokach i tak bardzo mi jej żal. W jej ślicznym ciele zalągł się rak. Wredny, cichy, czarny zabójca. Niepostrzeżenie namnażał komórki, a ona nic nie wiedziała! Cholera jasna! Musimy zwyciężyć!

— Wyjdziesz z tego, Li. Ja ci to mówię, tylko wiesz, jak cywilizowana baba: walczysz! Walczysz, mała!

— ...z tobą — dodaje i siedzi taka wtulona we mnie, bezbronna, dziecinna.

— Chodź, idziemy po śmietanę. Kupimy jakieś wino na wieczór, chcesz?

Lilka poszła ze mną tak jak stała. W domowym błękitnym dresie, jej wariackich trampkach w kratkę, niezasznurowanych, a włosy zawinęła i spięła ołówkiem wziętym z mojego biurka. Nie przejmuje się sobą.

W moim sklepie zachowuje się jak mały dzieciak. To spore delikatesy, Alma — te droższe, więc Lila rozgląda się i czyta naklejki na włoskich pszennych paluszkach (kładę do koszyka), na cieniuśkiej hiszpańskiej szynce (kładę do koszyka), pokazuje mi cieniutkie miętowe płateczki oblane czekoladą (do koszyka), dwie wielkie gruszki (sama mi wkłada do koszyka) i zachwyca się pleśniowym serem (do koszyka oczywiście). Na winach się nie zna, wzrusza ramionami i mówi „Weź jakie bądź, aby nie słodkie!". Biorę dobre mołdawskie czerwone i przy kasie wysyłam Lilkę, żeby pobiegła po śmietanę, bo zapomniałyśmy, oczywiście. Biegnie, szurając tymi niezwiązanymi trampkami jak dziecko. Jest drobnokoścista, mała, młodzieńcza, a teraz w ogóle wygląda jak smarkula i tak się zachowuje. Jest grzeczna, jak córeczka. Sama sobie się dziwię. Jeszcze niedawno tak jej nie lubiłam...

Lilka zmiata miskę zupy, a wieczorem tę cienką, słoną szynkę nawijam jej na włoskie pszenne pałeczki, do tego ser i gruszka, boski zestaw! Pijemy wino ze szklanek.

— Ale rozpusta, co? — mówię.

— Fajnie, że mnie wzięłaś. Zdechłabym w domu sama — mówi, patrząc na mnie poważnie.

— Sama cię potrzebuję, bo jak Mirek...

— Nie pitol — przerywa mi — ja wiem. Wiem, że ci się rozwaliło z Mirkiem, że upieprzyłaś ten projekt, ale dałabyś sobie radę beze mnie... ach! Litościwa siostro!

— Litościwa? Co ty gadasz? Litość... — zamyślam się. — Co to jest litość? I czy to negatywne?

— Nie wiem, kiedyś myślałam, że tak, a dzisiaj nie wiem. — Lilka patrzy w dal i mówi dalej: — Nawet jak się mną zajęłaś z litości, to mi tu fajnie u ciebie! I zupa była pyszna! Pijemy wino i jakoś mi lżej. No bo dlaczego mnie zabrałaś? Niby że ci smutno z powodu rozstania z mężem?

— Poczułam taką falę, ja wiem… jakby obowiązku, bo jakby żyła moja mama, to by się zajęła tobą, mną, i to nie z litości, a dlatego, że była z natury empatyczna i opiekuńcza.

— Czyli — moja siostra patrzy na mnie — ważne jest, skąd to uczucie wypływa, co? Taki litościwy gest, cośkolwiek ponad obojętność, aktywność, coś zamiast niczego, jałmużna, pomoc chwilowa, czyli kawałeczek dobra.

— No ale zazwyczaj litość kwalifikowana jest jako coś niefajnego. Ksiądz Wojciech mówił mi, że litość jest obraźliwa dla obdarowującego i obdarowanego, a skąd wiadomo, że ów dar, gest jest z litości, a nie ze współczucia, i jak daleko jest współczucie od litości? A gdzie w tym jest miłosierdzie i co to jest? Patrz, ale filozofujemy — prychnęłam, żeby już zmienić temat.

— A mnie, Mańka, gówno obchodzi, dlaczego to zrobiłaś, wiesz? Ważne, że nie jestem sama, tylko z siostrą! Twoje zdrowie, Marianno anielico!

— Twoje — podnoszę szklankę i już nie chce mi się zaprzeczać, bo Lilka wszystko odgadła. I dobrze. Sama się dziwię, co się stało. Coś we mnie pękło, czy to litość? Nie wiem! Nigdy nie czułam litości, nie mam pojęcia, co to takiego. Chyba bardziej współczucie, żal, że ją to dotknęło, bo oczywiście byłam na nią zła, wściekła za to zaanektowanie sobie mojego ojca, wdarcie się do naszej intymności córczanej, ale… szczerze mówiąc, to takie idiotyczne — gniewać się o to! Nawet jeśli to jakaś forma litości, kurczę, a nie wiem, nie wiem, czy to jest to! To dobrze, że ona tu jest, mnie też jest lepiej, bo sama upiłabym się takim winem na smutno albo pobierała nauki u Włodeczka, jak dalej żyć, a tak? Wszystko wydało mi się mniej ważne wobec tego przyczajonego diabła w ciele Lilki. Ja jestem zdrowa i nic mi nie jest, a ona jutro idzie na wojnę. Takie chuchro!

— Musimy dać radę! — podejmuję decyzję. — Szlag z rakiem! Jest, tak mówią, już zazwyczaj uleczalny! Mamy dwudziesty pierwszy wiek! — wznoszę szklankę i stukamy się z Lilką głośno.

— Niech spierdala! — woła Lilka.

I oby w to uwierzyła…

Centrum Onkologii na Ursynowie. Kiedyś nowoczesne, dzisiaj dusi się i ledwo daje radę przy takim wzroście zachorowań, i przydałoby się drugie takie, a może i trzecie — też miałoby co robić.

Jesteśmy bardzo wcześnie. Lila znów wygląda jak dzieciak, bo jest w jeansach, bluzeczce, włosy związane w ogon i bez makijażu. Nie jest portretem wiosny ani rajskiego ptaszka. Jest chorym ptaszkiem, choć nie widać tego po niej, ale ja to wiem… Na parterze przy rejestracji jest już pół Polski. Ci ludzie tu nocowali?! Zastanawiam się. Lila jest zniechęcona i chce wracać.

— Patrz, jaka kolejka! Do jutra się nie dopchniemy — mówi z zawodem w głosie.

— Szybko idzie — mówi ktoś, kto czeka znacznie dłużej i jest w innej pętli, ale stoi obok nas, bo pętle się kręcą po hallu.

Faktycznie, dość sprawnie to idzie, po godzinie idziemy pod wskazany pokój, do doktora Jasińskiego. Lilka się upiera, że mam wejść i być z nią.

Sam doktor miły, młody, konkretny i ma już badania Lilki. Ona słucha spokojnie, jakby rozmawiała o grypie. Ja jestem rozkojarzona, bo wiem więcej niż ona i trochę mnie telepie z nerwów.

Doktor już zaklepał dla Lilki miejsce na jutro, bo pojutrze ma być naświetlanie. Już, zaraz, teraz, szybko, żeby nie tracić ani godziny!

W samochodzie pytam ją, czy mamy wszystko do szpitala. Koszulę, bieliznę.

— Koszuli nie mam, bo ja sypiam nago, a zimą w piżamach — jest spokojna i rzeczowa — i kapci też nie mam.

Jedziemy do dużego marketu po koszulę i kapcie. Kupuję jej puchate, cieplutkie, bo w szpitalach zawsze nogi marzną, i skarpetki też takie puchate, i dwie koszule, jedną z Kubusiem Puchatkiem, a drugą z Prosiaczkiem.

Lilka jest jakby duchem nieobecna. Myśli, jest skupiona, kręci sobie loczka na palcu. I dobrze, przynajmniej nie oponuje, nie kryguje się. Wiem od ojca, że nie ma pieniędzy. Jeszcze szczoteczkę do zębów, mydło i mydelniczkę, szczotkę do włosów, kubeczek z Kubusiem. Bawi mnie trochę to kupowanie, jak dla przedszkolaka. Wreszcie wracamy.

— Wiesz, co to jest ta brachyterapia? — pytam.

— Tak, naczytałam się. To naświetlanie punktowe. Taki pręt wprowadzają do ciała w pobliże... „tego" miejsca i naświetlają.

— Przez cipkę?!

Kiwa głową. Jestem zła, bo mnie to zaskoczyło i zmierziło.

— A czemu ci po prostu nie usuną i cześć?

— Nie wiem, może na to jest jeszcze czas? Usunąć zawsze można, najpierw się leczy.

Akurat — myślę. Radioterapia to zabijanie komórek raka, a nie leczenie. Ja bym nie chciała w sobie ich mieć, tylko natychmiast wywalić. Niechby wzięli skalpel, wycięli i do kosza! Aż się spociłam od tego myślenia, okropne! Nienawidzę tego, że musimy stawić czoło rakowi. Zawsze się brzydziłam rakiem, byłam pełna nienawiści do tych zjadliwych, wrednych i podstępnych komórek i nie chciałam mieć z nimi do czynienia. Dlatego badałam się zawsze terminowo i dokładnie. Oby tylko nie dać takim szansy! Teraz i tak muszę się z nimi zmierzyć.

Problem Lilki stał się i moim problemem. No bo jak inaczej?

Lila już do wieczora mało mówiła. Nie zagadywałam jej. Przy kolacji wypytała mnie raz jeszcze o rozwód i dziwiła się, że tak mi to łatwo przyszło, jakby zapomniała, że już o tym rozmawiałyśmy. Nastawiałam *Pod słońcem Toskanii* z Diane Lane dla zwiększenia luzu przed jutrzejszym dniem. Oglądałyśmy to, leżąc w moim łóżku.

— Po tych wszystkich szpitalach pojedziemy do Toskanii? — spytała Lilka i zaraz dodała: — Zepnę się w sobie i zarobię jakieś pieniądze!

— Pojedziemy! Nie miałam wakacji, mam odłożoną kasę, pojedziemy!

Leżałam za nią, objęłam ją w pasie i gapiłam się na film. Piękny narzeczony Frances opowiada, jak się robi limoncello.

— Lubisz? — pytam, a ona kiwa głową, więc klepię dalej: — Jak wrócisz ze szpitala, będzie limoncello, bo umiem robić. Będzie akurat. Jutro nastawię, mówię ci, pycha!

Po filmie sama poprosiłam Lilkę, żeby została ze mną w łóżku. Wiem, że się boi.

Przypomniałam jej, jak to dawno temu, kiedy ona była jeszcze małym glutem, była u nas latem. Miała z osiem, dziewięć lat? Była takim już wyrośniętym dzieciakiem, więc koniecznie chciała mieć swój pokój, gdy mama zapytała, gdzie chce spać: sama w gościnnym czy ze mną? Ja byłam okropna, czułam się dorośle i wyniośle, więc prychałam na małą Li. Mała Li wiedziała to dokładnie, więc się uniosła i powiedziała, że chce sama w gościnnym! I wszystko było dobrze, bo już nie czytałam jej bajek na noc i nie musiałam niańczyć, ale raz w nocy była „sucha burza". Jakieś hałasy, wiatr dmuchał jak wściekły i wyły psy po okolicy.

Nie wytrzymała. Przylazło toto po nocy do mojego pokoju w koszulinie na bosaka, wlokąc za sobą ukochanego zająca.

— Śpiiisz? — spytała takim szeptem, że i trupa by obudziła.

Nie spałam, sama kuliłam się w łóżku, bo Kobyliński mówił, że w taką noc, jak wieje „na sucho", to znaczy, że ktoś się obwiesił. Czułam się okropnie, a że byłam przecież prawie dorosła, to nie będę wołała mamy na pomoc!

— Nie śpię, mały glucie, a co? Boisz się?

— Nieeee — odpowiedział dzielny glut drżącym głosem — ale jakby ci było, wiesz, źle samej, to przyszłam!

— A tam! Sama pewnie sikasz w majty ze strachu!

— ...sama... sikasz! — szepnęła chyba na granicy płaczu.

Tupnęła bosą nóżką i odwróciła się na pięcie. W otwartych drzwiach stała w poświacie księżyca i wyglądała jak z teatrzyku cieni.

— Chooodź, głupia! — zawołałam za nią. — No chodź! Żartowałam!

Odwróciła się i zamknęła za sobą drzwi do mojego pokoju, jak gdyby tam, w korytarzu właśnie było siedlisko strachów, i weszła pod moją uniesioną kołdrę.

Leżała koło mnie grzeczna i cicha, sztywnawa, aż nagle podskoczyła z głośnym jakimś „aj", gdy weszła do nas mama w nocnej koszuli i w chustce na ramionach, i zapaliła nocną lampkę.

— Manieczko, nie wiesz, gdzie... — wyszeptała, zanim jeszcze ją zapaliła. — O! Tutaj jest Lilusia! Nie boicie się, dziewczynki? Taka wichura okropna, śpicie?

— Nie, mamo — odpowiedziałam poważnie — nie śpimy, bo Lilka uciekała przed strachami, a jeden to nam się schował pod łóżko... chyba. Wygoń go!

Mama uśmiechnęła się, nachyliła pod moje łóżko i poświeciła tam lampką.

— Nie ma go, wydawało ci się. To co, po buziaku na spanko?

Nadstawiłyśmy się na mamusiowe pocałunki i od razu zrobiło się lepiej.

Tak bardzo lepiej, że objęłam tę małą pchłę, a ona jak kociak wtuliła się we mnie i szepnęła głosem małego, grzecznego aniołeczka:

— No to teraz strachy mogą nas w dupę pocałować!

— Lilka! — mało nie zdechłam ze śmiechu, a potem dodałam: — W dwie dupy, dla ścisłości! I nie mów brzydko, smarkulo!

— Ja tak powiedziałam? — Lilka zdziwiła się, gdy jej to przypomniałam. — Ty to masz pamięć! No to posuń się, bo moja poduszka jest większa niż ta twoja. Naprawdę mam zostać?

Posunęłam się i zrobiłam jej miejsce. Zgasiłam lampkę. Nie wiało, nie było żadnej wichury, ale gdzieś pod moim łóżkiem zaczaił się strach i straszył nas obie.

— Myślisz, że to boli? — szepnęła Li, jak już się ułożyła do snu.

— Nawet jak boli, to zaciśniesz zęby. Walczymy nie z krostami ani zgniłym zębem, przecież wiesz.

Ścisnęła mnie za rękę i po jakimś czasie zasnęła.

Nazajutrz zostawiłam ją w tym Centrum Onkologii. Pielęgniarka zabrała Lilę na górę, w koszuli z różowym Prosiakiem, w moim szlafroku. Ja zostałam z reklamówką ciuchów, a ona z torbą pełną puchatych kapci, drugą koszulką w miśka, z książką Martyny Wojciechowskiej o podróżach i butlą wody poszła na górę. Grzeczna Lila.

No, teraz to muszę powiedzieć ojcu.

Zanim jednak pojechałam do Otwocka, wpadłam do domu, bo chciałam nastawić pranie. Nie zaglądałam też kilka dni do skrzynki, a rachunki nie lubią czekać. Wśród nich był zwyczajny list, dziwnie opieczętowany, zdecydowanie do mnie, z zakładu karnego...

Coś takiego! Kartka w kratkę z bloku listowego. Czarny cienkopis. Pieczątka u góry, że „ocenzurowano".

Witam Cię, Marianno!
Mały szok, prawda? Tak, to ja, Czarek. Minęło masę lat.
Wybacz, że do Ciebie piszę, ale... Od początku:
Jak widzisz, jestem osadzony w Zakładzie Karnym i pewnie myślisz:
„doigrał się". Może i słusznie. Dość długo się obijałem po zakładach

karnych, bo i narozrabiałem w życiu, próbując żyć ponad prawem.
Uważałem, że jestem sprytny i wspaniały.

Niedawno trafiłem na Roberta, mojego terapeutę resocjalizatora,
i pracujemy już razem dwa lata. Odczarował mnie na tyle, że nie palę
i zacząłem grzebać w życiu, i żeby zacząć żyć inaczej, na nowo, „na
czysto" (wyrok mi się kończy za 5 lat, jak dobrze pójdzie), muszę się
rozliczyć z przeszłością. Jedną z moich „ran" z przeszłości jesteś Ty.
Skrzywdziłem Cię i chcę Cię prosić o wybaczenie.

Przypadkowo w czasopiśmie złapałem Twoje pisanie i żeby nie
zdjęcie, nie wiedziałbym, że red. Roszkowska to ty! Wiem, że wyszłaś
za mąż, ułożyłaś sobie życie, ale nie śledziłem go. Ze zdumieniem do-
wiedziałem się, że mieszkasz tam gdzie zawsze. Wybacz mi, spytałem
listownie dozorcy, czy nie wie, co się z Tobą dzieje. Oprócz wybaczenia
prosiłbym Cię o możliwość wymienienia z Tobą kilku zdań, jak z czło-
wiekiem. Nie skreślaj mnie. Bardzo się zmieniłem.

Z szacunkiem — Czarek.

Oniemiałam.

Duch z przeszłości wylazł i zaniepokoił. Zabrałam list i pojechałam
do taty. Czarek?! Po tylu latach? Minęło ich ponad trzydzieści. Czego chce? Jakiegoś... wybaczenia? Niemożliwe. Robiło mi się gorąco
i musiałam bardzo uważać, bo kilku facetów już zatrąbiło na mnie.
Widocznie jechałam jak dureń. Odsunęłam Czarka w cholerę, może
poczekać jeszcze jakiś czas teraz, aby dojechać bez wypadku. Oj, mam
dzisiaj kiepski dzień!

Zastanawiałam się, jak ojcu powiedzieć o chorobie Lilki. Naokoło?
Bezpośrednio, bez ogródek? A o tym dziwnym liście?

Przedarłam się przez rozjazdy, ronda, skrzyżowania i jadę sobie
teraz Traktem Lubelskim na wprost, do taty. Mogę Wałem Miedze-
szyńskim, ale jakoś tak wolę tędy. Kiedyś puste pobocza teraz zapeł-
niły się sklepami, hurtowniami i reklamami. Warszawa wdziera się
w głąb kraju — puchnie. Mama miała rację, niedługo dopełznie do nas
i znów będziemy mieszkać w mieście! Powtarzała to za ojcem, jakby
pocieszając się, kiedy zamieszkaliśmy na wsi.

Zaczyna mżyć, choć pogoda niezła, ale to koniec września. No
trudno. Nie zauważyłam, jak minęło lato. Skręt w kierunku Woli Karczewskiej i już jestem przed bramą tatki. O, i Gienek jest! Czemu mnie
to nie dziwi?

Chłopaki wychodzą do mnie obaj. Moje dwa Gargamele! Już jestem wyściskana, już wprowadzona do domu. Gienek przywiózł pyszne tiramisu, tatko robi kawę.

— Wiesz, jaka fajna? Z cykorią, taka jak kiedyś zbożowa, a to prawdziwa jest!

— Michał, jak kawa rozpuszczalna może być prawdziwa? — wuj nie lubi rozpuszczalnej. — Tyle razy ci mówiłem, kupię ci porządny ekspres, to zobaczysz, co to jest kawa!

— Odczep się z tym swoim kupowaniem! Stać mnie i jakbym chciał, to bym już tu miał dwa ekspresy!

— Po cholerę dwa? Jeden, a dobry! Kryśka miała taki węgierski i mi zostawiła, z niego kawa... ech! Profanie! Bo ty zawsze mi robisz to błoto z fusami, masz tu gdzieś to naczynie z sitkiem? — Szuka naczynia, w którym sitko przeciska się przez wrzący napar i oddziela fusy. Zawsze stoi za cukrem w szafce nad chlebownikiem. Kupiłam specjalnie dla niego.

Przekomarzają się, nie umieją inaczej. Wreszcie siadamy i opowiadam delikatnie, co z Lilą. Gieniu udaje, że nic nie wiedział, tatko zmartwiony.

— Patrz, od czego to jej się wzięło? — Kiwa głową pełen zadumy. Poszarzał z troski. — Biedny dzieciak! No i, ale... co dalej? Co z nią?

— Nic, tatku, zajmuję się Lilą, nie martw się.

Opowiadam o szpitalu, o brachyterapii, choć sama mało wiem, sączę w nich i w siebie optymizm i nadzieję. Ech, życie! Lila, taki motyl, i nagle tak jakby sobie skrzydła upaprała błotem.

Potem zdobywam się na odwagę i wyjmuję też ten list od Czarka. Ojciec bierze zdumiony, zakłada okulary, czyta, obraca w dłoniach. Jest oburzony, chce to spalić.

— Jak on śmie cię niepokoić?! — mówi zły.

Wujek jest raczej zaciekawiony, co to się z tym łajdakiem porobiło. Bierze list, czyta raz jeszcze i mówi:

— Czyli trafił wreszcie do pierdla! I dobrze mu tak!

— Wujku!

— Święta się odezwała! To łajdak! Należało mu się, nie, Michu?

— Bez dwóch zdań — mruczy tatko.

Gieniu teraz gada coś o resocjalizacji w więzieniach, że czytał...

— A co to kogo obchodzi?! — sroży się ojciec. — Po co on jej głowę zawraca?! Skrzywdził mi dziecko i niech znika! Ja bym mu ręki nie podał!

— O, to nieładnie — Gienek już dworuje sobie z ojca. Już się chłopaki drażnią. Zwariuję z nimi! — To nie po chrześcijańsku! — mówi
Gienek niby poważnie. — Choć goleń mu podaj!

— O, powiedział, co wiedział! — Tatko bierze to na serio. — Ty
taki chrześcijanin, jak z koziej…!

— Ale chrzczony!

— I ja chrzczony, ale uczciwie, jak już się z Kościołem rozstałem,
to rozstałem, i szlus! A ty kościelny ślub brałeś, w tajemnicy!

— Ale kiedy to było! W PRL-u, i to był akt protestu, nadto dziadek
Kryśki naciskał.

— W tajemnicy to protest? No żeś teraz palnął!

— Chłopaki! — mityguję ich. — Co to ma do rzeczy? Mam odpisać, żeby spadał, czy w ogóle do kosza?

— Daj, spalę — mówi twardo ojciec.

— Odpisać, że masz go w dupie — decyduje Gieniu — i że nikt mu
ręki nie poda, a najwyżej jaja mu wykręcimy, jak żarówkę!

— Wujku!

Muszą się różnić!

Musieli też sobie ulżyć i zastanawiali się, za co poszedł siedzieć.
Nie bez satysfakcji. Dwaj starzy tetrycy! Oczywiście już się zbierali
lecieć do szpitala, do Lili. Tatko z koszami jabłek dla lekarzy, Gieniu
z koniakami, żeby ją „dobrze leczyli". Ledwo wyhamowałam ich za-
pędy.

Pojechałam sama po południu, gdy wracałam od nich, i ledwo zdążyłam.

Wpadłam tuż przed końcem wizyt. Poopowiadałam Lilce o tacie,
Gienku. Trochę poweselała. Zostawiłam ją wystraszoną tą jutrzejszą
radiologią.

Biedna ona!

Ostatnie zajęcia sprzed tygodnia wydawały mi się niepotrzebne. Wszyscy się upajali mieleniem tego samego, jak to im jest źle samym, jak to podle i smutno, że zostali porzuceni, i na szczęście Agata rozładowała to jakoś sprytnie, zadając nam taką pracę domową, żeby spisać na kartce to, co chcielibyśmy powiedzieć osobie, która od nas odeszła. Kiedy się spotkaliśmy po tygodniu, Agata ustawiła na środku pokoju krzesło, które imitowało tę osobę.

Pierwsza zaczęła pani Henia. Stała bezradnie z kartką, którą chyba z córką przygotowały, ale wyszło jej to żałośnie i teatralnie, bo widać, że nie wierzy w to, co mówi — czyta.

— Zygmunt… Hm — przerwała, ale zaraz zaczęła dalej, jak wykutą na pamięć lekcję. Widać córka kazała — ja nie wiem, dlaczego odszedłeś po tylu latach. Przecież był to związek dobry i bez kłótni. Może z rzadka kłóciliśmy się jednak, ale jak to u ludzi — czytała z kartki. — Ale ja przecież w niczym ci nie zawiniłam, gotowałam i wychowałam nasze dzieci w porządku, w domu zawsze miałeś czysto uprane i podane.

Głos jej się załamał i znów się popłakała. Ta psychoterapia dla niej nie ma żadnego sensu! — myślę sobie. Ona jest jak manekin, przychodzi tu, bo „córka kazała", i tyle, ale kompletnie nie rozumie, co chce osiągnąć. Nie rozumie, co się stało, że ten jej Zygmunt wybrał wolność i być może miał dość miłej i czystej skądinąd pani Heni. Nigdy nie pracowała, nie wygląda na oczytaną, wygadaną i „przylepną". Może spotkał taką, która się śmieje w głos, czyta, rozmawia i lubi baraszkować w łóżku, mimo wieku, bo ze skargi pani Heni wynika, że odszedł wcale nie do młodszej… O mój Boże… Żal mi jej.

— Pani Heniu — Robert się odważył spytać — a pani to kochała męża, sypialiście ze sobą?

Henia nie rozumie, o co Robert pyta. Po tylu latach o takie coś pytać? Spuszcza wzrok. Milczy. Agata prosi ją, żeby usiadła, ale ona wychodzi po prostu. Uraziło ją to pytanie.

— No co? — Robert udaje niewiniątko. — Musiało to kiedyś paść!

— Ale ty jesteś jednak tłuk ziemniaczany! — Karolina mówi to niby z przyganą, ale uśmiecha się, bo sama o tym myślała.

Agata wybiegła za panią Henią i poprosiła ją, żeby przyszła sama jutro, po zajęciach. Teraz Miłka i Karolina dały popis jadu, czytając swoje listy. Jedna pożegnała swojego męża z góry i na zimno, jadąc mu po poczuciu winy, sycząc i sycząc, aż mi się zrobiło go żal, a druga sklęła brzydko doprawdy, wyzywając od najgorszych i opowiadając, jak to ją skrzywdził i nigdy nie rozumiał jej zawiłej kobiecej duszy. Borys tylko kręcił głową, a Robert nie wytrzymał:

— Posłuchaj siebie. To wredne — powiedział.

Miłka oczywiście powiedziała wyniośle, żeby zajął się sobą, bo ona mu nie przeszkadzała, jak wypłakiwał swój żal za ukochaną, a ja już nie czułam żadnej z nimi więzi. Mnie też zostawił mąż, ale nie umiem być taką żmiją, nadto nigdy nie uważałam się za centrum wszechświata ani krynicę mądrości! Jak wiele kobiet sądziłam, że Mirek powinien być ze mną choćby przez zwykłą przyzwoitość, ale Włodek mi to wyjaśnił rubasznie. „Przez przyzwoitość?! Życie w chłodzie i kłamstwie uważałabyś za przyzwoite?! Dziecko, to takie… dulskie! To jakby mu nogi spuchły, a ty kazałabyś mu chodzić w ciasnych lakierkach. Daj żyć, kobieto! I tobie mogłoby się to zdarzyć, ho, ho! Gdybyś na przykład zdecydowała się na romans ze mną! Rozwiódłbym się w try miga! Ale ty taka oporna jesteś…". Wariat, zawsze tak żartuje, ale ma rację z tymi lakierkami…Teraz i ja tak uważam. Trudno, Mirek „spuchł". Trzeba go puścić.

Robert perorował do Miłki:

— Jesteś straszną egotyczką. Ja, ja, ja, nic innego tu nie słyszymy, i że twój mąż skurwysyn, to po licho za niego wyszłaś?! Jak jesteś taka mądra, trzeba było iść za księcia, a nie skurwysyna — Robert ewidentnie był zły.

— Ciebie też rzuciła twoja gwiazda i co, tylko się mażesz! — Miłka kpi z Roberta.

— Ja szukam winy w sobie, a ty tylko na zewnątrz, wszyscy są winni, tylko nie ty! — odgryza się Robcio. Oj, chyba jej nie lubi!

— No właśnie — Agata przerywa tę pyskówkę. — Czy wiecie, że każda ze znajomych wam osób ma swój osąd sytuacji? Stąd powiedzenie „prawda leży pośrodku". To dobry trop, Robercie, szukać błędów w swoim postępowaniu. Największym błędem par jest niesłuchanie siebie nawzajem, zła komunikacja. Latami bywa, że jedna ze stron komunikuje coś drugiej, ale bezdyskusyjnie. Tak powstaje bariera. Często też mówimy „porozmawiajmy", i nawet gdy dopuszczamy partnera do głosu, to go nie słyszymy, bo kiedy on mówi, my już układamy sobie w głowie kontratak. Nie słuchamy argumentów. Nie chcemy słyszeć prawdy. Czasem jej też nie mówimy, żeby nie zranić partnera, na przykład że mu śmierdzi z ust albo że jego dotyk nas mierził.

To były ciekawe zajęcia, ale już nie dla mnie. Ja wiedziałam, gdzie strzeliłam błąd, do krzesła imitującego Mirka powiedziałam coś na do widzenia i tyle.

— To na pokaz? Czy naprawdę nie jesteś na niego zła? — zapytała Karolina.

— Kurczę, no już nie jestem! Kolega mi to wyjaśnił. Mój mąż odważył się powiedzieć mi prawdę. Źle mu było ze mną, mówił mi o tym, ale ja, srala mądrala, nie słuchałam, aż wreszcie ucho nam się urwało...

— ...temu misiowi — dokończył Robert i zachichotał.

— No właśnie.

— I co, tak ma prawo? Odejść sobie? — Miłka prychnęła, jak to ona.

— No, system niewolniczy to był pod piramidami — odpowiedziałam jej złośliwie.

— A przysięga?

— No właśnie! — pierwszy raz odezwał się Borys.

Popatrzyłam na Agatę. Chyba dała mi pole.

— Człowiek młody, z głową w chmurach, przysięga coś bardzo ciężkiego, ważnego. Coś, czego być może nie da rady spełnić. Bo kiedy jedna ze stron nie dotrzymuje obietnicy i łamie ją, to uważam, że obietnica już jest nieważna. Ale i tak bywa, że czas weryfikuje owe przysięgi. Miłości nie można obiecać. No jak?! Miłość jest prawdziwa albo udawana, albo w ogóle jej nie ma, wiecie jak jest przed ołtarzem i z jakich powodów ludzie się pobierają? A tu — przysięga. Pominę oczywiście problem małych dzieci — dobrze? Im nie powinno się zawalać świata, ale kiedy dzieci są dorosłe albo ich nie ma, a ktoś się zorientował, że nie kocha albo nie jest kochany, albo miłość pękła obustronnie, albo spotkał większą, to co?! Życie pokazuje, że w bajkach: „Cierp, ciało, skoroś przysięgało", ale życie jest życiem. Kto z nas chciałby być z kimś, wiedząc, że jest niekochany? Że ktoś jest z nami tylko z obowiązku? Że cierpi z nudy, żalu, samotności?

— Czyli przysięga nic niewarta, według twojej teorii? — Borys nie daje za wygraną.

— Wyjaśnię to na przykładzie — Agata idzie mi na ratunek. — Książę poślubia Kopciuszka, uroczą i miłą biedną pannę. Obsypuje ją dobrem wszelakim i żyją zasobnie. Po kilku latach Kopciuszek pod wpływem dóbr staje się Złotą Panienką. Jeśli torebka, to tylko od Prady, jeśli pantofelki, to tylko od Blachnika, a jak samochód, to tylko czarne nowe ferrari i mąż ma się nim zajmować od tankowania po wymianę opon! Oczywiście wyjazdy, wakacje, SPA… Książę stwierdza, że ma obok siebie jedną ze złych sióstr, a nie miłego Kopciuszka o dobrym sercu! Kopciuszek gros czasu poświęca na wizyty w gabinetach kosmetycznych, po których nawet nie można go w buzię pocałować, a dobre serce ma, owszem, dla swojego pieska, bo już ułomnego braciszka księcia na święta zaprosić nie chciał. Książę mógł poczuć głębokie rozczarowanie?

— Do mnie pijesz? — Miłka jest urażona.

— Skąd! — Agata uspokaja ją spojrzeniem. — Miałam tu kiedyś taką parę. Mąż ożenił się z miłą panną, a po latach ocknął się obok Królowej Lodu i… dramat. Nie chciał już tak dalej. Marzył o ciepłej, miłej kobiecie, która by go miziała po plecach i czekała z zupą ogórkową. Pokazuję wam, że rozwijamy się czasem w różnych kierunkach i po latach ta pani już nie jest tą panienką sprzed lat, a ten pan — chłopcem sprzed lat. Miało prawo się coś rozpaść, jeśli o związek nie dbaliśmy, a czasem nawet dbanie nie pomaga. Wtedy kiedy są takie różnice, problemy, albo tkwimy przy sobie w imię przysięgi i poczucia winy, i „bo co ludzie powiedzą", i jest nam zimno, byle jak, ale nie umiemy inaczej, boimy się zmian albo decydujemy się na zmianę, zawsze licząc na lepsze. Na przykład bite żony nie potrafią sobie wyobrazić, że nawet w przytułku miałyby lepiej. Tam by nie obrywały.

— Czyli — powiedział Robert — powinienem… jej, Wioli znaczy, wybaczyć?

— Robciu, a co, miała wyjść za ciebie, skoro nagle się zorientowała, że jej się ciepło robi na widok twojego brata?! — spytałam go pierwszy raz bezpośrednio.

Sama się poczułam teraz mądrzejsza. Jasne! Kłamstwo, udawanie… Po co? Po co nam to? Można inaczej.

Na dzisiejsze zajęcia szłam, chcąc się właściwie pożegnać z grupą. Ja już złapałam pion. Moją głowę teraz zaprząta Lilka. Mirek, no cóż, bolało, wkurzało, choć chyba bardziej nie znajdowałam wytłumaczenia, bo nie chciałam, ale rzeczywiście, jak pomyślałam, że miałby być ze mną przez zaciśnięte szczęki... Miłości nie da się udawać, a u nas jej nie było od dawna. Było coś w zamian, przyjaźń, normalność, rutyna, codzienność... Coś, za czym nie płaczę. No nie i już!

Agata przedstawiała nam nową osobę. Drobna trzydziestolatka. Zaprezentowała nam swój problem tak:

— Witam, mam na imię Ola. Jestem absolwentką resocjalizacji. Nie dziwcie się, że tu przyszłam do Agaty. Szewc chodzi bez butów. Jestem osobą nadwrażliwą, może dlatego wybrałam taki kierunek? Idealistka, marzycielka. Szczęście mi sprzyjało, spotkałam mojego księcia. Wyszłam za mąż za najwspanialszego chłopaka na świecie — dobry, mądry, czuły i wrażliwy. Nie było na świecie większej miłości niż nasza, większego szczęścia. I... skrócę, bo zwariujecie, i... po dwóch latach spotkałam tego właściwego — zamilkła zmieszana.

— O kurczę. Problem z nadmiarem? — spytałam, żeby jej jakoś ulżyć.

— Straszny dramat, bo zakochałam się tak bardzo głęboko, że to było jak choroba. Tym bardziej że przecież miałam kochanego męża. Nie było jak tego zahamować, to jest taka siła, taki grom z nieba, tego się nie da opisać! Wpadłam w depresję, leczyłam się, wreszcie Agata mną potrząsnęła, że muszę coś zrobić, bo nie da się tak żyć.

— Którego kochasz?

— Każdego, ale Bogusia głębiej. Marek już wie i potwornie cierpi.

— Coś, kurczę, o tym wiem — mówi Robert.

— On się wieszał z miłości — mówi naszej nowej Miłka.

Ola patrzy na Roberta i ma już łzy w oczach.

— Jezu, tylko nie to...

— A co? — pyta Borys chłodnym głosem. — No co?

— Wiem, że nie mogę być z nimi dwoma, jak wybiorę Marka, nie będziemy szczęśliwi, bo będę nieszczęśliwa bez Bogusia, i Marek to wie, a jak odejdę do Bogusia, Markowi pęknie serce, już pęka...

— Ja nie rozumiem, z czym tu przyszłaś! — Borys jest zły. — Właśnie podjęłaś decyzję, że będziesz z tym Bogusiem, tak? Życie w kłamstwie cię nie satysfakcjonuje, a i mnie by mierziło, więc o co ci kaman?

— Tak, wiem, decyzję podjęłam, będą dwie szczęśliwe osoby i jedna nieszczęśliwa zamiast trzech nieszczęśliwych, ale ja nie umiem sobie poradzić z rozpaczą Marka. Z własnym poczuciem winy!

— ...litość... — sarknął Robert — w buty ją sobie wsadź.

Wtedy odezwałam się ja:

— No właśnie. Dzisiaj chciałabym wam powiedzieć, że mam zupełnie inny problem. Mam w domu moją siostrę, Lilkę. Mówiłam wam kiedyś, to moja przyrodnia siostra. Jest chora na raka. Nie lubiłam jej latami, a teraz się nią zajmuję i nie czuję tej złości co kiedyś. Czyli to jest... litość?! I co to jest litość? Co ja czuję, kiedy mi flaki rozrywa żal, kiedy dostaję wścieklizny, że ona ma raka? Czy to samo czuje Olka wobec Marka? Co to jest litość? A co to jest współczucie wobec tego? Jak sobie z tym radzić?

— Olki problem to taki jak na jednym rysunku Mrożka, jeden facet skacze po drugim, leżącym i wrzeszczy do niego: „Czy ty wiesz, że ja TEŻ cierpię?!" — powiedział Robert już weselej.

— Trochę tak się czuję — powiedziała Ola.

— Marianna, ty potrzebujesz wsparcia, bo ja, gdybym miał wkurzającego brata, to nie wiem, czy bym był taki dla niego, a ty, Ola, wybacz, ale ty tu przyszłaś po opierdol! Bo każdy się z tobą niańczy, terapeuci i pewnie rodzice, jak widzą twoje łzy, jak bardzo ci żal... jak mu?... Marka, ale kurczę, no to nie kibole mu rozkwasili nos, a ty, kochana, rozdarłaś mu serce. I szlus!

To nie była łatwa sesja. Karolina i Miłka siedziały lekko znudzone i patrzyły na Olę niechętnie. Nie rozumiały jej. Aż takie wyrzuty z powodu faceta?!

Już mi się nie chce ich słuchać.

Pamiętam wywiad, jaki robiłam ze znaną aktorką, która kiedyś była odsądzana od czci, gdy wyszła za starszego od siebie aktora. Mówiło się, że „dla kariery". Po latach jako wdowa zapłakiwała się z tęsknoty za nim. Opowiadała, jakim był czułym, cudownym mężem, jak razem chodzili do parku, jak razem rozmawiali wieczorami, dyskutowali, jak się krzątali w kuchni, czekali z kolacją na córkę, a mnie skręcało z zazdrości. Taki związek! Taka miłość! A Ola ma dubla. Trafiło jej się dwóch wspaniałych i większa miłość wyparła tę wielką. O, nie ma łatwo, a sprawa w ogóle raczej taka nierzeczywista. Ale ja mam teraz większy problem, chyba już nie będę chodziła „na grupę".

Wracałam do domu, myśląc, że to nieważne, co to we mnie jest: litość, współczucie czy co tam innego. Aż zajrzałam do encyklopedii, które mętnie to tłumaczą, używając zamiennie słów współczucie, ból, żal... No to co to w końcu jest? Ja czuję żal, że Lilka ma raka. I odeszło mi całkiem to głupie uczucie zazdrości o ojca, o jego uwagę dla niej. Ona mnie już nie drażni, raczej wzrusza. Od chwili kiedy rozmawiała ze mną szczerze o chorobie — to jakby zdjęła kostium elfa, wiosny, i zobaczyłam samotną kobietę — chorą i przerażoną dziewczynkę.

Zadzwonię na oddział, kiedy mogę ją odwiedzić i zabrać do domu.

Z notatnika wypadł mi list Czarka... O cholera. Zapomniałam. Siadłam i napisałam szybko:

Czarku!

Z pewnością to nic miłego być w zakładzie karnym, ale skoro spotkałeś tam człowieka, który tchnął w Ciebie lepszy pierwiastek, to znaczy, że warto było.

Tak, mieszkam w moim ukochanym mieszkaniu. Pracuję w czasopiśmie i czasem coś wydaję drukiem, mam syna i wnuka, uważam się za kobietę spełnioną. Teraz zajmuję się chorą siostrą, dlatego wybacz, ale nie mam czasu na korespondencję.

Życzę Ci powodzenia w spełnianiu swoich powinności i marzeń.
M.

Uznałam, że napisałam to jędrnie i krótko. Niech ma! Niech się cieszy i niech mi da spokój! Nie umiem jak wujek szurnąć mu w twarz przekleństwem. No taka jestem może... durna? Jak to Lilka mówi? Durna anielica? OK, niech będzie. Odesłałam. Cześć sprawie. Mam teraz ważniejsze problemy na głowie.

Naprawdę!

Odpowiedź przyszła nadspodziewanie szybko, po dwóch dniach! Czarek pisał w natchnieniu. Pięknie i uniżenie. Właściwie dałam się nabrać...

Cudowna Marianno!
Nie mogłem sobie wyobrazić większego szczęścia niż ten, TEN list!

Już straciłem nadzieję... Mój Mentor nauczył mnie, że trzeba szanować każdego, i ja szanuję każdą myśl o Tobie, i za każde moje złe słowo błagam Cię — wybacz.

Codzienność tu jest do zniesienia, wolno mi czytać.
Boski wynalazek! Książki...

W tym dość uniesionym stylu Czarek czaruje na czterech stronach.
Zadziwia formą i dosyć ckliwymi wywodami, ale, myślę sobie, to
ta więzienna samotność. Może to będzie dobry materiał na artykuł?
O resocjalizacji? Niechaj pisze! Cztery strony Czarkowych wywodów
skwitowałam tak, że przeczytałam, że to ciekawe, co pisze, że mam
masę zajęć, ale brzmi interesująco to, co się z nim zrobiło...

Byłam ciekawa, na ile starczy mu pary w gwizdku, jak długo będzie
umiał tak czarować, i po co mu to, skoro niczego nie chce, tylko wałkuje
na czterech stronach, jaka to ja jestem i byłam cudowna, wspaniała, i jak
to on mnie nie docenił, i czy zechcę pisać do niego czasem? Hm. Ależ
umie brać pod włos! Gdybym była głupsza albo miała serce wyschnięte
i spragnione — pewnie chętnie wszczęłabym korespondencję z resocja-
lizowanym przestępcą, który wali się po piersiach, aż huczy po okolicy,
a i pisze jak jaki natchniony poeta, ale mnie to jechało jakoś...

Z pomocą przyszedł mi pan cenzor, bo oto następny list od Czarka
otwieram i co czytam?

Cudowna, Wspaniała Urszulo!
Czym jest dla mnie Twój list? To jak łyk źródlanej...

Uśmiałam się! Jakaś Urszula teraz też czyta list do Cudownej, Wspa-
niałej Marianny, i albo zaśmiewa się jak ja, albo wściekła drze i pomstuje — łatwowierna. Oj, durny jednak ten Czarek — cwaniaczek! Nudzi
się w tym mamrze ewidentnie! A cenzor jaką ma zabawę, podmieniając
listy! „Dziękuję panu, kochaneczku"! — myślę o nim ciepło, o cenzo-
rze, rzecz jasna, który chichocząc, wkładał listy do kopert. Ciekawe, ile
tam tego było, do ilu jeszcze Aś, Mariann, Beat, Urszul?

Materiału na artykuł nie będzie, ale tatko miał rację, trzeba było
list szurnąć do pieca, a nie robić z siebie współczującą anielicę.

Pewne rachunki krzywd są nie do wyrównania, panie Czarku, więc
zmykaj mi tu z tą swoją fałszywą pisaniną.

Jestem w szpitalu u Lili co kilka dni. Bywa, że na bardzo krótko, ale
ona sama mnie zapewnia, że nie ma takiej potrzeby, że siostry są takie
kochane, że sobie radzi.

— Mania, daj spokój, ja czasem tak paskudnie się czuję, że mi się nic nie chce, ale to efekt leczenia. Wtedy mi przeszkadzasz, a nawet drażnisz. Nie znoszę wymiotować przy ludziach!

— Ale tu są panie na sali...

— To pacjentki jak ja, one rozumieją.

— A ja?!

— Marianna, daj spokój! Naprawdę... No! Dyziu, nie męcz ojca!

Jeszcze ją stać na żart! Po radiologii ma spadek temperatury, czasem dygocze, jest słaba jak kot. Ma wyschnięte wargi, skórę, łzawią jej oczy, jest bladozielona i te wymioty, puste odbicia!

Wygania mnie, a ja szanuję jej decyzję. Jedna z pań na korytarzu mnie zaczepia:

— Pani się nie gniewa, my tak mamy, niby czekamy, tęsknimy za rodziną, ale jak jesteście, to was gonimy. Widzimy zakłopotanie, szanujemy wasz czas...

Pokiwałam głową. OK, dostosuję się, ale nie zamierzam całkiem jej zostawić.

O czym miałam nie wiedzieć

Z Mirkiem spotkałam się jeszcze, żeby zrobić „techniczne ustalenia". W kawiarni oczywiście, żeby nie powodować jakiegoś emocjonalnego powrotu. Wybrałam Bristol. Przyszedł o czasie, ubrany na sportowo, w nowych miękkich mokasynach, jakiś taki świeży, wypoczęty. No tak, wolność mu służy. Ja tylko się umalowałam nieco i związałam włosy w kucyk. Nie mam potrzeby epatować go przywiędłą urodą, a raczej może gasnącą — to lepiej określa stan, w jakim jestem. Faktycznie dawno już się nie staram, jestem, jaka jestem, tym bardziej że pisałam ostatnio o lubieniu siebie, o wartościach płynących z cech charakteru etc... Teraz poczułam, że to wszystko gówno prawda. Nawet moje koleżanki z dobrego babskiego kolorowego też piszące o urodzie „płynącej z wnętrza" korzystają z życia i salonów urody! O takim porzuceniu wszelkiej ozdoby gwarzą tylko popaprane ekolożki jedzące namoczoną pszenicę i kiełki. Mało znam kobiet o surowej własnej urodzie, błyszczącej po pięćdziesiątce. Do nich zaliczam Małgosię, aktorkę, która jest buddystką, mistrzynią zen i bez makijażu wygląda powalająco. Robiłam z nią wywiad i gapiłam się nieprzyzwoicie na jej zmarszczki świadczące o częstym uśmiechaniu się, na jej nawilżoną skórę i dojrzałe piękno.

Przez pewien czas naśladowałam ją. Kupiłam sobie lniane kiecki, wycieniowałam włosy i zapomniałam kompletnie o farbie, wklepywałam tylko dobre kremy i nic poza tym. No, nie wyglądałam powalająco, Regina zaciągnęła mnie do swojego gabinetu i spytała, czy mam jakieś problemy... A ja tylko chciałam być eko...

Usiedliśmy przy stoliczku i Mirek zamówił kawy, dla siebie cappuccino, dla mnie espresso.

— Coś się stało? Byłeś taki tajemniczy przez telefon — zaindagowałam go poważna, a nawet ciut nastroszona, sądziłam, że może chce zmienić wcześniejsze ustalenia.

Mirek uśmiechnął się tajemniczo i poczekał, aż przyniosą kawę, pytając, co u mnie, i nie słuchając zbyt uważnie odpowiedzi.

Kiedy już mieszaliśmy w filiżankach, zaczął:

— No to najpierw muszę cię prosić o dyskrecję.

— Ale... dlaczego? O co chodzi?

Nie podobało mi się to. Jakaś tajemnica? Nie, nie ze mną te numery!

— Marianna, musisz, MUSISZ mi obiecać, że zachowasz to dla siebie, proszę!

— Nnno, dobrze, skoro prosisz, ale w czym rzecz?

Mirek uśmiechał się rozbawiony, a mnie to wkurzało, bo domyślałam się, że chodzi o jakieś sprawy, które chyba nie powinny mnie obchodzić.

— No, to muszę ci powiedzieć, że jestem po niezłej łaźni... — zawiesił głos i, jak widzę, strasznie chce dozować mi napięcie.

— Mirek, proszę cię...

— Więc tak, tylko błagam cię, ani słowa, dobrze? Otóż zadzwonił do mnie ojciec, znaczy Michał...

— Mój tata?

— Tak, żebym koniecznie przyjechał do niego.

— Żartujesz? Po co?

— Ano właśnie! Jak się wyraził, „ma ze mną do pomówienia".

— Rany boskie! A prosiłam go — żachnęłam się.

— Poczekaj, no nic nie poradzisz, on ma swoje racje, problemy i wiesz, no... OK, zadzwonił i nakazał mi zameldowanie się u siebie. Więc ustaliliśmy termin i pojechałem.

— ...już się boję. Po licho się wtrąca? — zdenerwowałam się.

— Mania, wyluzuj i słuchaj, bo sprawa cudna jest. Otóż pojechałem, bo wiesz, uznałem, że to zaniedbaliśmy, znaczy ja zaniedbałem. Powinienem jakoś poważnie powiadomić go o zaistniałej sytuacji, głupio.

— Poczekaj, Mirek, ja go powiadomiłam i prosiłam... A zresztą! Mów!

— Pamiętaj, że to właściwie on nas ostatecznie wyswatał i parł ku temu, żebyśmy, wiesz. Więc poczuł się zlekceważony jako teść, że teraz, kiedy zdecydowaliśmy się...

— Kiedy ty zdecydowałeś — wtrącam uczciwie.

— No tak, ale teraz jesteśmy po wspólnych ustaleniach i wydaje mi się, że ty też już widzisz, że lepiej jest tak, jak wymyśliłem... śmy. Maryniu, przecież sama wiesz, że, no dobrze, nie roztrząsajmy, wracam do tematu, tata miał rację, czując się pominiętym, a to sprawa rodzinna, więc słusznie przywołał mnie do porządku. Tym bardziej że ja zawsze tatę szanowałem i szanuję nadal.

— I...? — chcę już się dowiedzieć, jak było.

— Pojechałem, i oczywiście mógłbym postawić dolary przeciw orzechom, że zastanę tam...

— No nie dziwota, to są moje dwa kochane Gargamele, dziady najdroższe! I co? Moje stare rycerstwo stanęło w obronie mej? — już się uśmiechnęłam na samą myśl o tych dwóch, co tam czekali na Mirka z wyostrzonymi językami i spuścili mu manto.

— No właśnie. Czułbym się zresztą dziwnie, gdyby Gienka tam nie było, w końcu jesteś ich oczkiem w głowie. Najpierw poczułem się dyskomfortowo, bo panowie mieli miny surowe, wiesz, poważni, zaprosili do kuchni na herbatę. Już zastawiony stół, znaczy herbata w kubeczkach i ciasto. Zaraz przeszli do meritum: „Co masz nam do powiedzenia, Mirku?". Najpierw mnie to spięło, bo, do licha, jestem od lat dorosłym facetem, a oni mnie nie spowiadali nigdy z niczego! Jakim prawem teraz? No ale przez wzgląd na ich siwe głowy pokornie zacząłem tłumaczyć się z… mojej decyzji.

— I jak oni? Leciałeś tak… szczerze? Wszyściutko?…

— Najpierw tak ogólnikowo, ale panowie słuchali bardzo uważnie, a to zmusiło mnie do większej szczerości, wybacz.

— No ale co, wywlokłeś tajemnice alkowy? Że nam nie bardzo było w łóżku? Mówiłeś o tym?! Nie wierzę… Mirek, no!

— No może nie aż tak dosłownie, ale panowie sami o to zahaczyli! Mańka, mieli przygotowane pytania, jak w wojsku, surowo i po żołniersku pytali mnie, dlaczego zostawiam cię po tylu latach, z jakich to powodów, czy jest za tym… czekaj, jak to oni się wyrazili?… Jakaś flama? Czujesz? „Flama"! Boże, co za język, i jakbyś widziała wyraz twarzy Gienia! Nigdy go nie widziałem takiego poważnego! Musiało go to sporo kosztować, utrzymanie takiej zaciętej miny, bo jak go znasz, już by rzucił jakimś tekstem, żartem…

— A ojciec?

— Michał tak samo, siedział wyprostowany, obcy, poważny. Ściągnął brwi i perorował o męskim honorze, odpowiedzialności i że nie spodziewał się czegoś takiego po mnie. Dobił mnie tym strasznie. Zaraz też Gienek dodał szalenie poważnym tonem, że nie zasługujesz na takie traktowanie i że on nie pozwoli ci tak cierpieć tylko dlatego, że ja jestem niepoważny, i czy ja zdaję sobie sprawę, jaką ty cenę płacisz za to. Powiedziałem, że wiem i staram się ogromnie, żeby cierpienia było jak najmniej, że znacznie bardziej cierpielibyśmy oboje, żyjąc tak dalej. Nie kupili tego, są innej daty, i powiedzieli, że nie rozumieją, co mam na myśli. Mówię ci, zrobiło się… gęsto, a ojciec spytał, co teraz zamierzam i jak chcę ci to wynagrodzić.

— Wynagrodzić?

— Marianna, oni cię tak kochają, że chyba chcieli mnie tam ukatrupić, nadziać na pal, a przynajmniej skłonić do zmiany decyzji, sądząc, że wdałem się w jakiś tani romansik. Wiesz?

— Przecież im tłumaczyłam... no przepraszam! Maglowali cię jeszcze długo? Swoją drogą dałeś się, sam tam przyjeżdżając!

— Ale... zwariowałaś? Nie przepraszaj, fajnie było! Byli... cudowni! „Mirku, bywa tak w pewnym wieku, że mężczyzna ma żal do życia, że sobie nie użył, i my to rozumiemy — mówił Gienek. — Niejeden z nas sobie skoczył tu czy tam, żeby, jak to się mówiło przed wojną, przeczyścić sobie krew — ale synu! Czy to musiało się tak skończyć? Wiesz, że te obecne młode pannice nie mają mężczyźnie takiemu jak ty nic do zaoferowania! Są, owszem, ładne i mają wszystko na wierzchu, są bardzo dostępne, bezczelne, to mężczyznę uwodzi, ale Mirek, no czy dla takiej... warto rzucać dom, rodzinę?”. Nadto obiecali mi, że jakoś ci to wszystko wyjaśnią, a ty mi wybaczysz.

— O Jezu! To chłopaki poszli po bandzie! — już mnie to rozbawiło. Mój ojciec i wujek kompletnie nie umieli zrozumieć powodów Mirka. Mnie to zajęło sporo czasu i cierpliwości Agaty, żeby zrozumieć, że skoro czuł się aż tak beznadziejnie, to... odszedł i szlus. — Mów dalej! — zachęciłam Mirka.

— Musiałem im sporo natłumaczyć i dopiero po godzinie, czy nawet półtorej, zeszli z tonu mentorów i sędziów. Nie wiem, na ile chłopaków przekonałem, że nasza dalsza egzystencja w pewnym jednak zakłamaniu i gasnących emocjach nie byłaby dla ciebie dobra, i zamiast cię oszukiwać, szukać szczęścia po cichu i w tajemnicy, wieść podwójne życie... wolałem powiedzieć ci prawdę. Tłumaczyłem im, że życie w kłamstwie byłoby dla ciebie rodzajem obelgi, więc wolałem szczerość. Dobrze powiedziałem?

— Hm... wybrnąłeś w miarę inteligentnie, i co oni na to?

— Wyciągnęli wiśniówkę Kobylińskiego i zaproponowali, żebym pojechał nazajutrz.

— Żartujesz?! I...?!

— To był piątek, sobotę miałem wolną. Wypiliśmy, gadając długo i szczerze o życiu i w ogóle. Wiesz, nigdy tak z twoim ojcem nie rozmawiałem! A i Gienek wyluzował, kiedy im dokładnie przedstawiłem nasze sprawy majątkowe, przepraszam cię, ale musiałem.

— I tak bym im powiedziała, ale nie pytali. Oszczędzają mnie, mało rozmawiamy o naszym rozwodzie, a więcej o Grześku i Lilce, i innych tam.

Zamilkłam, dopijając kawę. Moje dziadostwo wytoczyło przeciw Mirkowi broń, a potem razem się napili, podpisując pakt o nieagresji! Za moimi plecami!

— Przysięgałem, że ci nic nie powiem, ale bardzo mnie język świerzbił, żebyś wiedziała, jakich masz obrońców! I wiesz... trochę mi żal...

— Czego?

— Bo ja z moim ojcem, jak wiesz, nigdy tak nie rozmawiałem, nie miałem takich kontaktów! A teraz z teściem i z Gienkiem złapaliśmy taką... męską nić porozumienia! Kurczę!

— Z nimi rozwodu nie bierzesz... — rzuciłam filozoficznie, ale sama nie wiem, jak by to miało wyglądać. No nie bierze, ale co, zostaną kumplami nadal?

Wracałam trochę ubawiona, ale przede wszystkim wzruszona moim ojcem i wujkiem. Starali się jak mogli, chcieli pokleić to nasze małżeństwo, ale zamiast tego tylko zbliżyli się do Mirka i tyle. No... napili się z nim, a tego nie było nigdy! Co mnie jeszcze zaskoczy?

Przyszła zima. Prawie.

Zupełnie nie wiem kiedy. Niepostrzeżenie. Byłam tak zajęta Lilką, sobą!

Po szpitalu zabrałam ją do mnie, na Zwycięzców, bo była bardzo słaba. Miała ogólne zapalenie śluzówki, byle co ją męczyło, a zwłaszcza na przykład mycie zębów czy nawet czesanie. Ale szybko jakoś doszła do siebie. „Znaczy, że moc jest z nią" — skomentował to Włodek. Zajmowanie się nią nie było czymś niemiłym. Zresztą moja siostra opędzała się od pomocy, coraz częściej mówiąc: „Czekaj, zrobię to wolno, ale sama!". Po dwóch tygodniach pojechała do siebie. No, wolna wola, a zresztą przecież nie zamelduję jej tu na stałe! Zdrowieje, mam nadzieję! Mam ją na telefonie, ale przecież nie zamienię się nagle w jej niańkę.

Wyjątkowo źle mi się ułożyło w pracy, bo Regina wyczuła, że wszystko co robię, to jednak nie do końca z zaangażowaniem. Nie wiem, dlaczego kontrowała każdy mój pomysł, nic jej się nie podobało, dawała mi tematy z przydziału — według mnie miałkie i mało istotne. Naturalnie od września już były święta na tapecie, których miałam kategorycznie dość. Zdjęcia potraw, aranżacje, wywiady, teksty i weź bądź tu kreatywna, kiedy wszystko już jest wymaglowane w opór. W końcu Regina zgodziła się łaskawie na wywiady z ludźmi spędzającymi Boże Narodzenie w tropikach albo w miejscach innych niż śnieżna Europa.

Znalazłam dojście do młodego konsulostwa w Hawanie, z którymi nawiązałam miłą korespondencję. Oczywiście na wywiad nie polecę, ale od czego Internet? A okazało się, że pan konsul robi fantastyczne zdjęcia, więc z wywiadu wyszły mi dwa materiały, poznawczy i świąteczny. Zdjęcia za darmo, super! Nadto jeszcze rozpoczęłam korespondencję z pisarką, która spędza już trzecie święta w Korei Południowej. Też mi bardzo pomogła, bo „ma pisane" i właściwie odwaliła robotę za mnie, użyczając mi swoich zapisków z czasów spędzanych tam świąt.

Wygadana, a właściwie wypisana! Obiecała mi ładny materiał o jej późnej miłości do numeru lutowego z walentynkami. Korea?! Też nie miała dokąd jechać!

Trochę mi głupio, bo ja raczej nieobeznana jestem z literaturą popularną i żywotami pisarek, początkowo pomyślałam, że ona tam z jakimś Koreańczykiem wije gniazdko, ale okazało się, że z Polakiem! No, to jeszcze lepiej!

Co do reszty tematów — zastój. Moja kampania zaległa w biurku i już z niego nie wyszła, mimo że Olo nawet znalazł sponsorów. Inne moje pomysły też nie znalazły uznania u Reginy. Muszę ruszyć konceptem książkowym, bo wypadnę z obiegu, a zima to akurat pora na pisanie.

Z piątków u Agaty na razie zrezygnowałam. Akurat skończyłam podstawowy cykl radzenia sobie z tematem rozstania z mężem i faktycznie poradziłam sobie nad podziw, ale nie wiem, czy to te piątki, czy Włodek, podziałały na mnie otrzeźwiająco, uspakajająco. Dość, że odejście Mirka okazało się wcale nie takie straszne. Agata wyjaśniła mi to całkiem zwyczajnie na kawie, u niej w domu:

— Strach ma wielkie oczy, a szczególnie lęk przed nieznanym, gdy każdy ci mówi, jakiż to potworny dramat, a tymczasem bywa bardzo różnie, sama widziałaś: pani Henia właściwie obumarła psychicznie, Robert był po próbie samobójczej, ale szybko doszedł do siebie i wybaczył ukochanej, a ty, no sama powiedz, nie było aż tak źle, prawda?

— Henia jest prosta i nie ma własnych pieniędzy, i właściwie nie zatroszczyła się o własne życie, mąż był jej całym światem, a u nas jest inaczej. Ja mam swój zawód, własne zainteresowania, i Włodek miał rację, nie odpowiadałoby mi dalsze życie w kłamstwie i poświęcenie Mirka w imię „przyzwoitości".

— A jak jest teraz? Na jakim jesteś etapie?

— Jutro rozprawa sądowa. Znaczy, formalny rozwód. Mirek nie jest mi wrogi, ja jemu też nie. Nie sądziłam, że to będzie możliwe, tym bardziej że, jak się okazało, a właściwie było wiadome, odszedł do... jakiejś pani. To chyba taka recepcjonistka u nich w firmie, miła nawet, dość prosta dziewczyna. Widocznie takiej potrzebuje.

— Tak, prawda, wspominałaś. I co, poznałaś ją?

— Nie i nie mam na razie tej potrzeby, ale i nie dźga mnie to, nie jadę na jakiejś chorej zazdrości, no bo skoro nie kocham Mirka... Lubiłam go i lubię nadal, ale faktycznie, bez niego też żyję, i to całkiem normalnie, jako singielka, więc skoro on na tym zyskał... Bardzo nam pomaga, znaczy Lilce i mnie.

— A co z nią?

— Po szpitalu uparła się, że wróci do siebie. Oczywiście tuż po tych naświetlaniach dojrzewała, jak wiesz, u mnie, ale potem „siama, siama". Mirek czuwa i jakby co, to wiesz, najlepsi lekarze, ale chyba ta radioterapia i chemia urwała smokowi łeb! Lilka znów coś tam maluje do butiku, ma zamówienie na portret pewnego małżeństwa. Tylko czy da radę? Ach, zobaczymy! Jej są tak potrzebne pieniądze! Regina zgodziła się na artykuł o malarstwie erotycznym. Będzie o Mai Berezowskiej i Lilce! Tak się cieszę! Zawsze to reklama, bo mówiłam ci, ona naprawdę była znana! Lilka, znaczy! Może coś drgnie w jej życiu? Odwróci się ta durna karta? Tak bym chciała!

Moja dzielnica zimą wygląda mdło, ale za to taty sad i ogród pod pierwszym śniegiem, okolica zabielona, sam spokój! Częściej tam teraz jeżdżę, a już soboty i niedziele spędzamy zawsze razem — ja, Lilka, Gienek i tatko. Lilka rysuje suchymi akwarelami nasz wspólny portret. Złorzeczy na światło, na to, że się ruszamy, usadza nas, rządzi się, już dwa szkice pracowicie poprawiane sto razy wywaliła, ale maluje! A poza tym je, ma apetyt, a to dla nas jest podstawowa wykładnia jej powrotu do zdrowia.

Często już w piątek pakuję torbę i jadę po Lilkę.

— Witaj, siostro — mówi do mnie ciepło, teatralnie jak w *Seksmisji*, powłóczy wzrokiem, muska w policzek i wsiada do samochodu na ulicy, bo nie chce, żebym wchodziła po nią na górę. Te schody u niej są zabójczo strome! Zawsze, kiedy docieram do niej na szczyt, dyszę jak lokomotywa.

— Cześć, malutka — daję jej buziaka. To nowy świecki zwyczaj. Doprawdy dziwne, że ta złość na nią całkiem mi odeszła! Nie chcę jej udusić, zaszlachtować, ani żeby zamilkła — nic takiego! Może to ze mną coś nie tak?

— No, opowiadaj! — Lila sadowi się owinięta pięknym, grubym szalem, który zrobiłam jej na drutach podczas moich dyżurów w szpitalu. Ta radioterapia była skojarzona z chemią, żeby raczysko pogonić w cholerę zdecydowanie, bo stan początkowy Lili był, oględnie mówiąc, kiepski. Ona wszystko znosiła dzielnie i na milcząco. Cierpiała, bała się, rzygała cicho i czekała cierpliwie na polepszenie. Poddawała się leczeniu z namaszczeniem, a ja byłam na oddziale tak często, jak tylko mogłam. Gargamele, czyli Gienek i tatko — wymiennie ze mną, ale te kobiece cierpienia sprawiały, że zachowywali się nieporadnie i wynosili szybko.

— Ależ pani Lila ma świtę! — siostry się cieszyły na nasz widok.

Sporo spała, więc dziergałam ten szal, siedząc tam czasem... Piękny jest doprawdy, w jej kolorach z grubej, nierównej wełny różowo-
-biało-pomarańczowo-złocisto-zielonej. Szeroki, zawija się jej na głowie i wokół ramion, opatula ciepło. Miło mi, że go nosi.

Mam jej teraz opowiedzieć, jak było w sądzie.

— Wiesz... najpierw byłam spięta, Mirek też, ręce mu drżały, ale sędzina, kiedy odczytała, że za porozumieniem stron i nie dzielimy publicznie majątku, to znaczy nie będziemy sądowi dupy zawracać i publicznie robić szopek, powiedziała, że za tak zgodną postawę sąd, gdyby mógł, zwróciłby nam połowę kosztów. Wyobrażasz sobie? Mirek uśmiechnął się do niej i do mnie, ja też się uśmiechnęłam, no bo w końcu porozumienie było naprawdę.

— Chrzanisz... I koniec? Żadnych zeznań, nic? Pytań?

— Żadnych. Tylko czy potwierdzam, że ustały między nami więzi te, no... materialne, intymne i te jeszcze jakieś, no że między nami to już nic nie ma.

— A nie ma?

— Przecież wiesz... No, nie ma od dawna i dopiero sobie to uświadomiłam dzięki Mirkowi i Włodkowi. Byliśmy ze sobą ostatnie kilka lat z przyzwyczajenia i pewnie bylibyśmy nadal, ale skoro Mirek spotkał to swoje love... Niech przynajmniej on ma dobrze.

— Zaraz cię kopnę w dupę! — Lilka powiedziała to poważnie zła.
— Mówisz o sobie jak o trupie, jak o jakiejś starej babce, a ty masz dopiero pięćdziesiąt lat! Wkurza mnie to twoje gadanie, wiesz? Anielica z oskubanymi piórami!

Obraziła się na mnie, a u taty zrobiła mi całą psychoterapię po Lilczanemu. Postawiła mnie przed lustrem i wykpiła wszystko, co się dało, ostro i bez żenady — moje byle jakie włosy i fryzurę, styl ubierania się i... figurę.

— No ale o co ci chodzi, Lilka?

— O to, że już się zrobiłaś na taką... starą babę. Co to za spodnie są?

— Wygodne, do pracy mam inne, a tu, do taty, są wygodne, no!

— Akurat! To po Grześku? Co to jest za moda? Kiedy je kupowałaś, dwadzieścia lat temu? A to, co to jest? Fryzurka na szczurka? A te tutaj tłuste boczki? Kurczę, siostra, ty ładna jesteś, ale kuchta z ciebie straszna! Zabieram się za was wszystkich! Dieta! Zdrowie! Ja i Garga-

mele musimy jeść zdrowo — warzywka i białeczko, wszystko nieprze-
tworzone, więc wędliny sklepowe i konserwy won! Żółte sery won!
Wszelka chemia won! Ty się też dołączysz, kochana! Ja jako jedyna
mogę węglowodanki, czyli pierogi i naleśniki, a wy nie bardzo, bo to
tuczy. O, wujek Gienek ma lekką oponkę, tatuś też, a ty, Maryniu, to
już w ogóle się zrobiłaś… wałek! Mam tu przez dietetyczkę wszystko
napisane, a w tej książce też jest masa wiedzy, tu mam wydruk z Inter-
netu, o szkodliwości cukru, soli i białej mąki — won z tym!

Cały weekend to była Lilki rewolucja w tatkowej kuchni. Wyrzuciła
napoczęte opakowania mąki, jakieś też makarony i zakazała zwykłego
cukru.

Teraz używamy tylko ciemnego cukru, muscovado, bogatego w jakieś
minerały i inne dobrocie, jemy makarony razowe i ryż brązowy, a nawet dziki. Dziady go nie lubią, ale z sosami Lilki grzecznie zjadają.

Uważaliśmy, że to cudowna zmiana, że po tym okropnym zagroże-
niu rakiem Lilki, która była szarym, cierpiącym cieniem, po okropnych
badaniach początkowych i niezłych wynikach obecnych darujemy
wszystko, aby tylko dalej tak zdrowiała.

Lila była wyznawczynią nowej religii zdrowego odżywiania się!
Trudno, jakoś to zniosę. Zresztą, może i miała trochę racji? Zamawia-
łyśmy w Internecie jakieś ekologiczne mąki i makarony i widziałam,
jak ją to pochłania. I dobrze! To ważne, co jemy. Niech wyzdrowieje!
Ma tyle energii, chęci!

W domu, wieczorem po umyciu się patrzyłam w lustro. No kurczę,
nie jestem młoda, przecież nie ma co się oszukiwać! O, tu obwisło,
tu zwiotczało, choć wklepuję krem, a tu mam zmarszczki. I co? Aj!
Faktycznie, nieładna ta moja figura, ale komu mam się podobać? Po
co? Tłuszcz mi zaległ tu i tu, i tu… no… mam tyle lat, ile mam, i młodsza nie będę. Niepostrzeżenie mi narosło. Niepostrzeżenie dzieje się
wszystko co złe.

Niepostrzeżenie zdechło między mną i Mirkiem, a ten rak w mojej
siostrze też zakradł się niepostrzeżenie. Teraz będziemy uważać i dbać
o siebie!

Często teraz jeździłam na Zamoście do taty. Gienek też bywał częściej, bo jego pani serca wyjechała do siostry, do Zurychu, na jakiś
czas.

Pytałam go, czy tęskni, ale ta cała sprawa jest przez niego traktowana tajemniczo. Mało nam opowiada o niej i o sobie i choć to dziwne, nie starałam się go wypytywać, uważając, że ma prawo do prywatności. Smutno mu było, że wyjechała, i tylko westchnął, że „gdyby chciała, to może jednak wróciłaby prędzej".

Może ona go nie kocha? Muszę z nim jednak porozmawiać!

U taty jest naprawdę fajnie, mimo okropnej pory roku! Zaczęliśmy już jesienią palić w tatkowej kuchni, mimo że są kaloryfery i centralne, ale kuchnia na drewno daje inne powietrze, na dworze zrobiła się zawieja, sypie pierwszy śnieg tak na ostro. Płatki śniegu robią minitrąby, wirują! Jak w jakiejś taniej bajce.

Początek grudnia. Ciemno, zimno, wieje, a my w cieplutkiej kuchni razem, zdrowi i dobrze nam. Każde z nas robi swoje. Gienek czyta „Newsweeka" i „Przegląd", ojciec przegląda jakieś wydruki, które mu zrobiłam o starych odmianach jabłek na nowo adaptowanych przez Instytut Sadownictwa, ja stukam w laptopa, bo wreszcie ruszyłam konceptem i piszę książkę *Gotujemy, jemy, jemy, czyli rozmowy z sybarytami*. To rozmowy z prawdziwymi wielbicielami dobrej kuchni o tym, co to jest dobra kuchnia, trochę przepisów na to, jak to w świecie się robiło i robi, i dlaczego na pohybel nowoczesnym rozwiązaniom typu wielkie zaplecza kuchenne, w których szef wrzeszczy na kucharzy, że ma być szybciej, szybciej! Nie znoszę tego! Wystraszeni podkuchenni, znerwicowani kucharze i pośpiech jako żywo nie pasuje do idei slow food i sybaryctwa.

A Lilka... Lilka zaczęła odkrywać kuchnię zdrowia. Cały czas mnie podpytuje, bo tak naprawdę nie wiem, jak ona jadła, ale najprostsze rzeczy stanowią dla niej zagadkę. Odkryła masło ghee, czyli klarowane.

— Mania, a jak robię gulasz warzywny, na maśle ghee, to cukinię obieram ze skóry czy nie?

— Obierasz zimą, bo jest twarda, sprawdź paznokciem, a latem i jesienią jest miękka, więc nie, bo to błonnik.

— A bakłażana?

— Nie. Tylko posól go lekko, niech puści sok, i osącz.

— A czemu?

— Bo gorzkawy bywa. Li, a dlaczego nie weźmiesz gotowej mrożonki?

— No, coś ty! Bo to są warzywa ze zdrowej hodowli, tak, tatku? A w mrożonce to cholera wie co jest!

O, jaka święta nagle! Na sto procent nigdy sobie tym głowinki nie zawracała!

Tata kiwa głową. Nie tylko ojciec tu prowadzi ekogospodarstwo. Jeszcze Marciniaki. Ojciec ma owoce eko, i marchew, pietruchę i selery, pory i ziemniaki. Tak się jeszcze bawią z Kobylińskim w drobnicę. Pieniądze z tego marne, robota spora, ale oni nie umieją, starsi panowie, usiedzieć na tyłkach. Sady przestały się opłacać, więc już dawno ojcowe drzewka są eko, bo prowadzone właściwie bez chemii, dla kaprysu i z miłości!

A Marciniaki, znaczy Marciniakowie, mieszkający dalej za Kobylińskim, mają hodowlę ekobrokułów, bakłażanów, cukinii, fasolek różnych, pod folią — czysto i ładnie. Lilka zachwycona swoim nowym pomysłem i wiarą. Spełnia się, gotując nowe potrawy, wkłada je do pojemniczków i zabiera do domu.

W niedzielę rano budzę się i już wiem, że pójdziemy połazić po świeżym śniegu! Jest jasno, może nie słonecznie, ale tak świetliście, i pada śnieg. Padał chyba całą noc! Leży taki świeżutki puch i aż korci, żeby odciskać w nim swoje ślady!

Lilka się ociąga, bo ona jest piecuch, ale ja się upieram.

— Chodź pooddychać, Mała, chooodź! Jak chcesz, wezmę cię na sanki!

Ociąga się, ale ubiera, popatrując na mnie i wzdychając. Owija się szalem i wreszcie wychodzi. Staje, wdycha powietrze i ogląda świat.

— Pięknie jest, prawda? — pytam.

— Pięknie — odpowiada głucho. — Ciekawe, czy to moja ostatnia zima?

— Zwariowałaś?! Chcesz kopa, głupolu? — nachylam się, robię kulę i rzucam w nią. — Nie mów tak! Walczymy i zwyciężymy, zobaczysz! Chodź!

Poszłyśmy podreptać starymi ścieżkami.

— Pamiętasz, tu kiedyś rosły maliny — mówię do Lilki, bo chcę ją zagadać, rozbawić, odciągnąć złe myśli.

— Tu? Nie pamiętam… Marianna, ty masz taką dobrą pamięć, a ja, wiesz… że kompletnie nie, a powinnam, jako malarka — i nagle mówi: — ale pamiętam, że o tam był obóz tych studentów, mieli żółte i zielone namioty, i taki jeden chudziak łaził na golasa. Miał takiego kindybała, mówię ci! O, takiego! — pokazała mi, na rozstawionych dłoniach.

— Takiego? No co ty! Podglądałaś ich?

— No! Łaził z namiotu do namiotu goły, a ten jego siusiak majtał mu się jak wielka pasztetówka. Wtedy pierwszy raz widziałam takiego siura, bo na podwórku u kolegów to dziecinne były, maluśkie!

— Ty wariatko! Kokietowałaś ich. Tych studencików, aż się tata złościł.

— Zatrzymajmy się — powiedziała Lilka — i oddychajmy! Głęboko wciągaj powietrze nosem, aż do wątroby, a wydychaj powoli, buzią. No!

Oddychałyśmy tak, przystając co jakiś czas. Li twierdziła, że się tak pozbywamy złych komórek. Jedna pacjentka ją nauczyła w Centrum Onkologii, chodziła na specjalne kursy.

Szłyśmy ścieżką blisko Świdra. Po lewej były łąki i zarośla nadświderskie, a po prawej pola, na których ojciec z Kobylińskim od lat uprawiali swoje warzywa. Dzisiaj są pod śniegiem, śpiące bruzdy. Latem pysznią się warzywami. Daleko za nimi widać zagrodę Kobylińskich, a dalej, dalej, pieczarkarnię jego synów.

— Patrz, jak się małe Kobylińszczaki rozwinęły. To wszystko dzięki naszemu ojcu! — powiedziała.

— Skąd wiesz?

— Bo tata dał Kobylińskiemu robotę, jak ten się skłócił z teściem, a potem jak synkowie podrośli, sami zobaczyli, że wykształcenie i nowoczesność dają szmal!

— No, prawda. Namawiał ich do nauki?

— Namawiał! A teraz oni sami poszli też w inne grzyby, te, wiesz, shiitake, boczniaki, mun…

— Nasz tatko to zawsze był taki… wiesz — Lilka się zatrzymała.
— On jest po prostu świetny facet! Zobacz, Mańka, ty i ja mamy biologicznie tego samego ojca, a Michasia kochamy jak wariatki, mimo że jest naszym ojczymem, twoim przez ślub twojej mamy, a moim przez mój wybór. Dzięki — objęła mnie.

Milczałam jakiś czas. Faktycznie, ojczymem! A ja go sobie zaanektowałam tak bardzo, że się nawet na nią wkurzałam, że się do niego podłączyła! Dla nas obu jest jakby obcy, a tak go kochamy! Ja do samego dna, bardzo.

— Zimno mi, wracamy? — spytałam.

— Mańka, ty się nie złość na mnie — zaczęła Lilka.

— Coś ty! Już dawno mi przeszło!

— Ja nie o tym! Ja widzę jako malarka, jaki jest w tobie kobiecy potencjał, tylko ty tego nie widzisz! I ja go z ciebie wyciągnę, tylko mi pozwól, dobrze? Dieta, odchudzanko, jest zima, łatwo nie będzie, uprzedzam, zmiana emploi, i w ogóle. Zobaczysz! Wiosną będziesz inna! Niepostrzeżenie, bo ja się za ciebie wezmę! Obiecuję! Nie złość się, że cię zjechałam, ale najpierw muszę cię zbuntować przeciw sobie samej!

— Jak musisz, to buntuj, ale nie wiem, co z tego wyjdzie. Li, ja mam swoje lata, i dla kogo niby mam się tak stroszyć? Odchudzać?

— Dla siebie! Inaczej na siebie spojrzysz.

Wieczorem znów siadłam do komputera. Ładny artykuł mi wychodzi o Mai Berezowskiej i mojej Lilce erotomance-malarce.

Skleciłam go później ładnie i Regina nie miała nic przeciwko temu, żeby go zamieścić w marcowym numerze. No, proszę! Jak miło.

Święta Bożego Narodzenia były zaskakujące, bo pojawił się Grześ z Igą i Tadziem. Rodzice Igi pojechali na zaproszenie przyjaciół na Seszele i Grześ mnie uraczył wspaniałą wiadomością:

— Mamo, zwalamy ci się na głowę!

— Kiedy?

— Wiesz, postanowiliśmy uszczęśliwić was na siłę, ciebie i dziadka, i będziemy na święta. Iga to wymyśliła.

— Iga...?

— No ja oczywiście też uważam, że to dobry pomysł, co ja gadam, znakomity pomysł! To jak? Jakoś to zniesiesz?

Cieszyłam się bardzo. Kupiłam do domu taty nową pościel i łóżeczko dla Tadzinka, kilka zabawek, żeby się nie nudził, i sanki na gwiazdkę. Zrobiliśmy rodzinną naradę, podzieliliśmy się rolami, żeby te święta były wyjątkowe.

Przede wszystkim ustaliłam z Lilką menu i zadzwoniłyśmy do Kobylińskiej z pytaniem, czy znalazłaby się jakaś kobieta do pomocy, żeby wysprzątać dom taty tak gruntownie. Miałam się tym zająć wielokrotnie i stale coś było ważniejsze! Znalazła się, jedna z dalszych sąsiadek, powolna, ale dokładna, i pracowała cały tydzień. Ojciec się denerwował, ale wiedział, że tak musi być. Zajął się przygotowaniem zdjęć i albumów dla Grzesia i Igi, bo przecież warto zapoznać ją z historią rodziny jakoś głębiej niż wtedy, gdy była tu raz, na szybko, jako narzeczona Grzesia.

Już dawno nie czułam takiej aury świąt. Zbladły dla mnie, dla nas, gdy Grześ wydoroślał, gdy zaczął wyjeżdżać na obozy, a my spędzaliśmy święta z tatą i wujem. Lilka... nie wiem, co robiła. Teraz będzie z nami pierwszy raz. Ojciec i wujo bardzo się postarali i ozdobili posesję lampkami. Chyba tylko po to, żeby zejść z drogi pani najętej do sprzątania, a ona... Nie poznałam ojcowego domu! Lśnił jak lustro!

Wypucowany, odskrobany i wyczyszczony w najdalszych zakamarkach. Zapłaciłam jej, czerwona i zawstydzona.

— Bardzo pani dziękuję, jakby co, mogę zadzwonić?

— Tak, tylko ja nie zawsze mogę. Mężczyzna jak sam mieszka, to zawsze to tak wygląda. Pani dzwoni! Do widzenia!

Ufff! Poczułam się przy niej jak uczennica, która nie odrobiła lekcji, jednak dom teraz wypiękniał i pachnie! Ale ojciec westchnął tylko „Nigdy więcej!".

Zadzwoniłam do Lilki i spakowane na tydzień pojechałyśmy do taty piec, smażyć, gotować. Tak się ucieszyłam! Tyle razy to opisywałam, a teraz czułam to naprawdę — świąteczne podniecenie. Wszystko zagrało — chłopaki, tatko i wujek, w swetrach, czapkach i szalikach nosili drewno, żeby nie zabrakło, bo jednak zarządziłam palenie w piecach. W moim pokoju wciąż stoi piec! Tam śpimy ja i Lilka. Na górce położymy Grześków z Tadziem, a wuj od zawsze śpi w pokoju mamy, tatko w swoim. Gdy Gienek tu jest, zawsze wstają świtem, a ja później, więc mi nie przeszkadzają ich poranne ablucje i szuranie.

W kuchni ustąpiłam miejsca tacie i Lilce. Sama chciałam, ale zobaczyłam, że ona ma wielkie chęci pokazać, co umie, a ojciec chętnie pomaga, więc tylko usiadłam na krzeselku — drabince i przeglądałam stare zdjęcia, które tatko zdjął z górnej półki regału z książkami. Obcykana tu jestem jak jakaś gwiazda! Jest też sporo Lilki.

— Patrz, jaka byłaś szprotka — pokazuję jej czarno-białe zdjęcie dziewczynki stojącej na tutejszym podwórku, z kubkiem chyba malin, usmarowana nimi uśmiecha się wesoło.

Lilka zerka i śmieje się. Opowiadamy sobie różne rzeczy, wspominamy. Po to są święta.

— O, ciotka Jadwiga! Tato, patrz! Ja nie mam tego zdjęcia!

— A kto to jest? — Lilka nachyla się.

— Nie pamiętasz? Starsza siostra mamy. Jak rodzice przejęli to gospodarstwo, to zaczęli remont i wysłali mnie do tej ciotki właśnie, żebym im się tu nie pętała. Nie chciałam, bałam się jej, ale nic nie mówiłam...

— Naprawdę? — ojciec aż zdjął okulary — naprawdę, Baranku? Bałaś się Jadzi? A ja sądziłem, że...

— Ja ją dopiero tam, w Garbatce polubiłam. — I opowiedziałam im o tych moich wakacjach, na które jechałam jak skazaniec.

(żółte kartki)
Ciotka Jadwiga

Ciotka Jadwiga była siostrą mamy, znacznie od niej starszą. Jak mama, dość wysoka, szczupła, tylko… stara. Nosiła okulary, nie malowała się i była właściwie siwa. Włosy lekko falowane ściągała z tyłu głowy w jakiś mały koczek, zapinany klamrą od mamy.

Mieszkała na tyle daleko, że widywałam ją rzadko, kilka razy w życiu, i szczerze mówiąc, bałam się jej. Była wdową, nie miała dzieci. Mieszkała w Garbatce, gdzie mąż zostawił jej ładną, starą, drewnianą willę. Najpierw opiekowała się tam kimś ze strony męża, zdaje się jego bratem kaleką, a potem starą kuzynką. Z czasem została sama i żyła z pomocą Franciszki, która przychodziła do cioci codziennie dopomóc w gospodarstwie. Niewiele było tam do roboty i ciotka zatrudniała ją właściwie do towarzystwa bardziej niż do pracy. A, i jeszcze do gotowania, bo sama tego nie lubiła robić. Kiedy przyjeżdżała do Warszawy, nachylała się nade mną jak wielka wieża i pytała, ileż ja mam latek. Miała skrzekliwy głos i długie korale, które podczas gdy się nachylała, majtały mi przed twarzą. Mama zawsze prosiła, żebym powiedziała cioci jakiś wierszyk, oczywiście wcześniej przygotowany, i ja musiałam deklamować grzecznie, bo w ogóle to byłam grzeczna, no i w moich czasach inaczej dzieci się nie zachowywały, jak tylko grzecznie.

Ciotka głośno wzdychała na to, że mieszkanko takie mikre, i szeptem dodawała, gdy tatko wychodził do kuchni:

— Prosiłam cię tyle razy, Wanda, u mnie wiele miejsca, powietrze odpowiednie dla dziecka!

— Ale Jadziu, co ja miałabym tam robić?! — mama cierpliwie mówiła to samo za każdym razem. — Mam tu pracę!

— Ach! Coś by ci się tam znalazło… — burczała ciotka, a tak naprawdę to jej się nudziło samej.

Rzadko się uśmiechała, była zasadnicza i kostyczna. Nie byłam zachwycona pomysłem rodziców, ale mama mnie podeszła:

— Córeńko, dom cioci jest duży, stary, pełen zakamarków, więc się tam o siebie nie będziecie ocierać, a ciocia obiecała zaufać ci i dać ci ciut swobody, więc sobie tam wydepczesz własne ścieżki. Ja bardzo lubiłam tam bywać! Chyba w lesie będą już poziomki! To piękne miejsce i może poznasz jakieś koleżanki w twoim wieku?

Wiem, że chcieli jak najlepiej, a ja przeszkadzałabym im w remoncie...

Do cioci zawiózł mnie wujek Gienek, z moim nowym rowerem w otwartym bagażniku. Całą drogę bałam się, że wyleci, choć był przywiązany sznurkami. Mimo to świetnie mi się z wujem jechało! Śpiewaliśmy na głos piosenki, w tym moją ulubioną *My jesteśmy tanie dranie*, i żartowaliśmy sobie.

Ciotka przywitała mnie dość miło, ale miała smutną twarz i rozmawiała z wujkiem, kłopocząc się wielce o mamę.

— Jak pan sądzi, to dobry pomysł? Zabierać Wandzię na jakąś... wieś?

— Przecież pani też mieszka na wsi! — roześmiał się wuj.

— Ba, ale to wieś letniskowa i ja nie uprawiam ziemniaków, nie hoduję bydła...

— Otwock to też miejscowość letniskowa, szanowna pani, a Michał nie zamierza, z tego co wiem, hodować bydła. Nastawia się na warzywa hodowane, jak to on mówi, intensywnie.

— Cóż to znaczy?

— Szklarnie, miła pani! To wielka przyszłość i szansa dla podwarszawskich ogrodników.

— Mój Boże — powiedział ciotka — oby im się powiodło. No chodź, dziecinko, pokażę ci twój pokój. Zostanie pan na obiedzie, oczywiście? Bardzo proszę!

— Dziękuję, ale zmuszony jestem odmówić! Tam na mnie czekają, każda para rąk się liczy! Żegnam miłe panie! — to mówiąc, ucałował rękę ciotki, a do mnie szepnął: „Trzymaj się, Marian! Będzie dobrze!".

Kiedy odjechał, ciocia wzięła moją walizeczkę i zaprowadziła mnie do domu. Dziwnie pachniał suchym drewnem i kurzem, było w nim ciemno, ale spodobała mi się wielka weranda, do której się wchodziło po schodach skrzypiących niemiłosiernie.

— Ale skrzypią, co? — ciocia próbowała być miła. — Jakby się ktoś zakradał, zaraz to usłyszę! Ho, słuch to ja mam dobry! No chodź, chcesz spać na dole czy na pięterku z własnym balkonem?

— ...z balkonem poproszę.

Nigdy nie miałam własnego balkonu, a już zobaczyłam, że ten pokoik na dole jest tuż koło korytarza i jest w nim okropnie ciemno.

Pokoik na górce z balkonem, który znajdował się na dachu werandy, był słoneczny i jasny. Pachniał ziołami, które wisiały koło okna. No i byłam tu sama, bo cioci sypialnia była na dole. Rower mógł sobie stać na werandzie, bo się ją zamykało na noc, na zasuwę.

Ciocia chyba nie lubiła dzieci (nie miała własnych), więc rano karmiła mnie Franciszka, jej gosposia, chuda i głuchawa. Miała przymrużone jedno oko i patrzyła bokiem, jak kura. Wiecznie o coś naburmuszona stawiała mi rano śniadanie na stole, na werandzie, bo ciocia jadała wczesnym rankiem i zaraz szła opiekować się chorą znajomą, i wracała dopiero na obiad.

Rower dostałam na pocieszenie i żebym się nie nudziła u cioci. Spędziłam na nim całe wakacje w tej Garbatce, dzika i swobodna. Lasy sosnowe i gorące, rosnące na piachu czystym i sypkim, urwiska piaskowe, strumień, nie miały dla mnie tajemnic, ścieżki i dróżki znałam jak swoje podwórko, tory kolejki wąskotorowej i polanki pełne niedojrzałych jeszcze malin, jeżyn, ale i czerniejących jagód i poziomek. Po kilku dniach byłam już przejedzona jagodami.

Początkowo, żeby się nie zgubić, znaczyłam sobie dróżki. Oczywiście to był pomysł ciotki, kiedy jej powiedziałam, że z pewnością nie będę się oddalała od domu, bo się zgubię. Ciotka na to: „A pamiętasz mit o Ariadnie?". Nie znałam go, więc ciocia po obiedzie usiadła ze mną koło rozłożystej jabłonki, na ławce, i przeczytała mi go na głos. Już nie wydawała mi się taka surowa. Bardzo ładnie czytała...

Dała mi do kieszeni serpentynę, która została jej jeszcze z czasów, gdy pracowała w domu kultury, i pinezki. Najpierw oznaczałam swoje dróżki kawałkami tej serpentyny, a potem zauważałam punkty charakterystyczne. Wygiętą sosnę, połamany drogowskaz, wielki kamień czy piaskowe osypisko. Po tygodniu mój zielony rower i ja bez lęku jeździliśmy po garbackich lasach!

Zawierałam też jakieś chwilowe znajomości z letniczkami, ale głównie samotnie spędzałam czas, wymyślając sobie niestworzone historie, zwiedzając puszczę, bawiąc się na piaskowych urwiskach, a podczas deszczu odkrywając skarby na strychu ciotki. Naturalnie spytałam ją, czy mogę. Ciocia odpowiedziała, że jak się nie boję, proszę bardzo! Byłam pewna, że chodzi o duchy, ale niestety okazało się, że chodzi tylko o wejście na ten strych po stromych schodkach, przy których chwiała się poręcz.

Znalazłam tam stare urządzenie do gręplowania wełny, do przędzenia, lampy naftowe i wiklinowe kosze, słoje i baniaki do wina, kufer ze starymi ciuchami i pantoflami na obcasach, może nawet sprzed wojny? Pogniecione kapelusze. Przymierzałam te wszystkie suknie i pantofle, sprawdzając najpierw, czy w nich nikogo nie ma. Czasem wysypywałam mysie bobki.

Oczywiście, jak na każdym takim strychu, stała tam niska szafka z pękniętym lustrem i oczywiście dorobiłam sobie do tego całą baśń o kimś, kto patrzył w to lustro, rozmawiał z tym lustrem i z jakichś powodów (zapewne miłość) pękło temu komuś serce i lustro wraz z nim. To wszystko oglądałam sobie nabożnie na nagrzanym strychu, patrząc, jak w smudze ciepłego światła tańczy wszechobecny kurz. Na ten czas pająki łaskawie uciekały w swoje nory i nie straszyły mnie.

Otwierałam małe okienko i wpuszczałam do wnętrza powietrze poruszające to muzeum ożywczym przeciągiem, żeby po zamknięciu znów wszystko znieruchomiało, jak na zdjęciu.

Przyszedł deszczowy tydzień. Rower stał nieprzydatny, a ja umierałam z nudów, gdy ciocia zawołała mnie do wielkiego gabinetu z regałem pełnym książek i podsunęła drabinkę.

— Tam, na tej drugiej półce od góry, w tej żółtej oprawie, i tę drugą weź, zieloną! — komenderowała.

Byłam nabzdyczona, bo nie chciało mi się czytać jakichś ciotkowych staroci. Zabrałabym ze sobą swoje ukochane książki, ale mama stwierdziła, że nie ma sensu zabierać tych, które już czytałam, Nienackiego, Ożogowską, Broszkiewicza. Jego *Kluskę, Kefira i Tutejszego* mogłabym przeczytać jeszcze raz! „A tam z pewnością będzie jakaś biblioteka, córeńko!".

Z półki zdjęłam jakąś starą książkę, *Anię z Zielonego Wzgórza*. Wydanie w płóciennej oprawie z narysowaną głową dziewczynki w słomianym kapeluszu na okładce. Pewnie jakieś starodawne bajdy...

Po obiedzie, gdy lało i lało, ciotka postawiła na werandzie paterę z truskawkami i miskę śmietany.

— Siadaj i nie krzyw się, zakładam się o tysiąc dolarów, że ci się spodoba!

— Ale, ciociu, skąd ja cioci wezmę tysiąc dolarów? A ciocia ma tyle?

— Masz rację, z tych, co się zakładają, jeden jest głupiec, a drugi oszukaniec, no to... pocałujesz mnie w rękę!

— A jak mi się nie spodoba?

— E… to ja ciebie… kopnę w zadek!

Najpierw mnie zatkało. U cioci TAKI język? Później się obśmiałam, bo ciocia nadal miała bardzo poważną minę. Założyła okulary i otworzyła książkę. Usiadłam w starym bujaku i postanowiłam… jakoś to znieść… Ciocia zaczęła:

Dworek pani Małgorzaty Linde stał w tym właśnie miejscu, gdzie wielki gościniec prowadzący do Avonlea opadał w dolinę otoczoną olchami i porosłą paprociami, poprzez którą przerzynał się strumyk mający swe źródło het, daleko w lasach otaczających dwór starego Cuthberga…

Najpierw słuchałam lekko znudzona, bo byłam nastawiona na „nie", jednak wciągnął mnie świat rudej pannicy! Nie byłam co prawda ruda jak ona, ale natychmiast utożsamiłam się z nią, z jej samotnością, z kostyczną Marylą, ucieczką w świat marzeń. Tyle że dotąd moim światem marzeń był raczej świat wyczarowany w *Tych z Dziesiątego Tysiąca* Broszkiewicza i moje własne fantazje, a tu ciotka otworzyła mi drzwi do całkiem innej rzeczywistości. Najpierw dzięki Ani Shirley odkryłam, że mam takie same potrzeby jak ona, że dorośli mnie nie rozumieją, więc tak jak ona uciekałam w świat marzeń! To było takie łatwe! Mogłam jak ona wyczarować sobie dosłownie wszystko! No i oczywiście zapragnęłam mieć rude włosy, bo piegi miałam od zawsze. Pela odczarowała mi je, mówiąc, że jak słońce się do kogoś uśmiecha, to zostawia mu taki ślad na buzi, brązowe kropeczki, a wujek Gienek powiedział mi tak: „Ty wiesz, Marian, ktoś kiedyś będzie chętnie całował cię po tych piegach i może znajdzie drogę do twojego serca?". Zabrzmiało to bardzo romantycznie! Tak że machnęłam ręką na te piegi. Potem stały się modne za sprawą niejakiej Pippi, ale to znacznie później!

Ciotka zamknęła książkę, wstała i popatrzyła za okno.

— Przestało na tyle, że pójdę do mojej chorej znajomej i do kościoła. Idziesz ze mną?

— Nie, ciociu, zostanę! — odpaliłam.

Ciotka założyła kalosze, wzięła pelerynę i parasol i pomachała mi zza furtki. Poszła, a ja rozsiadłam się na ławce na werandzie i czytałam dalej *Anię*.

Czytałam o niej po obiedzie, leżąc na trawie koło domu albo koło rzeczki, na powalonej wierzbie, po kolacji na werandzie, i wieczorami po umyciu, w łóżku. Tylko po śniadaniu nie, bo w tym czasie jeździłam coraz dalej i poznawałam coraz to nowe zakątki Garbatki i okolic. Wracałam na obiad, korzystając z ciotczynego zegarka, który mi zakładała na rękę i groziła palcem: „Na pierwszą, pamiętaj!". Do obiadu siadałyśmy w ciemnym stołowym, bo tam w upał było najchłodniej. Tam ciocia snuła swoje opowieści o rodzinie, o okupacji, opowiadała rozwlekle i monotonnie, ale to było lepsze niż ugrzeczniona cisza, której się początkowo bałam.

— Widzę, że ci *Ania* odpowiada?

— Tak, ale już kończę — odpowiedziałam smętnie.

Z radością dowiedziałam się, że u cioci są następne tomy!

W ten sposób ciotka Jadwiga kupiła sobie święty spokój. Las, strych i *Ania* wchłonęły mnie jak czarna dziura, jak druga strona lustra. Byłam niemal samowystarczalna, grzeczna i nie nastręczałam ciotce żadnych powodów do zmartwień.

Niestety do chwili, gdy omal się nie utopiłam w stawach, w których miejscowa przetwórnia trzymała beczki z kiszonymi ogórkami. Żeby mógł tam być staw, trzeba było spiętrzyć wodę małej rzeczki. Koło wieczora już nikogo tam nie było, znaczy w przetwórni, a beczki nie były zatopione głęboko, ledwo, ledwo pod wodą. Wybierałam się czasem w to miejsce rowerem. Bywał tam wtedy taki wysoki chłopak, który chodził sobie po tych beczkach, a raczej skakał, robiąc rozbryzg wody. Popisywał się, gwiżdżąc sobie i kompletnie na mnie nie patrząc. Za wszelką cenę chciałam mu dorównać, więc i ja wskoczyłam na te beczki. Skakaliśmy po nich i nawet składnie mi szło, kiedy trafiłam na jedną oślizgłą i wpadłam do wody. On się piekielnie wystraszył i też wskoczył, a mi noga uwięzła między beczkami i chyba źle by ze mną było, gdyby nie stróż, stary i kulawy, i jego pies. Właśnie się krztusiłam i łykałam wodę, gdy to bydlę wskoczyło do wody, i wtedy tak się wystraszyłam, że mnie ugryzie, że szarpnęłam nogą i się oswobodziłam. Chłopak i pies wyciągnęli mnie z wody. Pies się darł jak głupi, cieć też, a ja kasłałam i bałam się, że mnie wszyscy skrzyczą. Cieć zawinął mnie w jakiś śmierdzący koc, wsadził w stary wózek i kazał chłopakowi mnie odwieźć do domu.

Ciotka oczywiście zezłościła się na mnie, ale i sama była przerażona, więc nie krzyczała za bardzo. Franciszka, ciotkowa gospodyni, zrzędząc pod nosem, zrobiła mi kąpiel w wannie, pomstując, że w tym bajorze cholera wie co mogłam złapać, jak nie pijawki, to świerzb. A kiedy już siedziałam na werandzie i piłam gorące kakao, przyjechał tamten chłopak z moim rowerem. Ciotka wyszła mu naprzeciw, wypytując o jakieś szczegóły, ale on się wykręcił i odjechał.

— Ciociu, a jak on się nazywa? — zapytałam nieśmiało.

— Jażem! — odpowiedziała ciotka.

— Jak?!

— Powiedziałam ci! Pytam go, co tam się stało dokładnie, a ten zamiast się jakoś przyzwoicie przedstawić, to tylko powiedział: „…ja żem tylko wyciągnął tego bachora, bo po cholerę za mną lazła?".

Czasem byłam upominana wieczorem przez ciotkę, żebym się na pewno umyła i napisała do mamy list, „bo pewnie umiera z tęsknoty".

Mama pisała do mnie ładne kartki pocztowe małym, ślicznym maczkiem, że ogromnie z tatą pracują, że odnawiają dom, że będę miała swój pokoik marzenie… Ja naturalnie wspomniałam o trzepaku, i że „tu jest fajnie", i że czytam, jak mama prosiła. I dopisałam też, że jakby mama się zastanawiała, co mi kupić na urodziny czy gwiazdkę, to ja poproszę *Anię z Zielonego Wzgórza*. O topieniu się nie wspomniałam słowem. Listy zawoziłam rowerem, oczywiście na pocztę, uważając na przejeździe kolejowym.

I jeszcze… spadłam z drzewa i straciłam oddech, ale ciocia tego nie widziała, tylko Franciszka, która obierała włoszczyznę na schodkach. Zapowietrzyłam się strasznie, aż mi oczy wyłaziły, bo nie mogłam wciągnąć powietrza. Zanim dobiegła do mnie, myślałam, że się uduszę, a ta łupnęła mnie w plecy porządnie, otwartą dłonią, i wtedy mnie odblokowało. Patrzyła na mnie, czy zipię, a potem wróciła do marchewek, mamrocząc: „A ja mówiłam, że dzieciak to kłopot, mówiłam! Ale czy mnie kto słucha?".

Naturalnie miałam też posiniaczone kolana, otartą skórę na nich i zadrapanie po gwoździu na czole, ale pod włosami nikt nie widział. Na strychu był taki gwóźdź, a nad nim pudło z kapeluszami i zadrapałam się potężnie. Zachowałam się przytomnie bardzo — bo sama sobie umyłam zranienie, sama osuszyłam i wykolońskowałam ciotki wodą kolońską, zdychając z bólu. Sama wytarłam wszelkie ślady i sama pod nieobecność Franciszki spaliłam wszelkie dowody zbrodni. Wieczorem bałam się, że i tak może wdać się zakażenie i umrę, więc korzystając z wiedzy zdobytej z książek, zlepiłam trochę chleba z pajęczyną i zasnęłam z takim opatrunkiem na skroni. Rano zdzierałam to wraz ze strupem, krew się lała, i znów musiałam wszystko powtarzać z tą wodą kolońską. Tym razem krew zatamowałam ojca sposobem — kawałkiem gazety! Bliznę miałam jeszcze długo!

Zbliżał się koniec moich wakacji u cioci. Już tęskniłam do domu.

Ku memu wielkiemu szczęściu ciotka mi podarowała te tomy *Ani*, które miała, czym zaskarbiła sobie moją wielką wdzięczność, a gdy zawisłam jej z piskiem na szyi, powiedziała:

— O, no wiesz, po co mi tyle książek? Tylko kurz się na nich zbiera, no już, daj spokój! Co za wygibasy! Wariactwo cię opętało czy co?

Miałam swoją Anię! Byłam Anią!

Wujek Gienek jak wysiadł z samochodu i mnie zobaczył, uśmiechnął się i powiedział:

— A co to, drożdżami cię tu karmili?

Na to ciocia machnęła ręką.

— Ach, zawsze mówiłam Wandzi, że wiejskie powietrze… — i zacięła się. Przecież właśnie jechałam na wieś… Wracałam już nie do Warszawy, a na nasze Zamoście, koło Woli Karczewskiej.

— Ale ty masz gadane — powiedziała Lilka, nie odwracając się, a za sobą usłyszałam wujka Gienka:

— Pamiętam, jak cię tam wiozłem! Taka byłaś wystraszona i taka dzielna! Daj pyska, fajne to były czasy. A my z Wandą i Michałem to żeśmy tu z tego pożal się Boże byle czego królewski pałac zrobili, pamiętasz, Michał? Z każdą rurą był problem, a Wanda powiedziała, że najpierw łazienka i szlus! I była, a jakże! Z gorącą wodą! Pamiętasz?

Ojciec tylko kiwał głową, obierając cebulę. Pamięta! Dla mamy zrobiłby wszystko, więc Gienek pojechał gdzieś i przywiózł wężownicę do pieca taką, jaką mieli w piecach przed wojną niemieccy gospodarze. Miała mama kanalizację i ciepłą wodę, a za jej przykładem Kobyliński swojej żonie po roku zrobił to samo.

Lilka wspominała jakieś swoje przygody stąd, których nie znałam, jakieś historie o swojej mamie, o Wigilii u sąsiadów. Wujek opowiadał o świętach podczas okupacji. Był mały, niewiele pamięta, ale to były ostatnie święta z jego mamą. Wypiliśmy po lampce wina i poszliśmy spać.

Wigilia

Rano Lilka kręciła się niespokojna. Wreszcie pękła:

— Mania, sądzisz, że to, co ugotowałam… Ja nie robiłam nigdy takich rzeczy! Od dawna nie świętowałam Wigilii normalnie, tylko w takim towarzystwie, wiesz. Od jakiegoś czasu to nawet była moda na dziwne potrawy, ja piekłam ciasta, bo umiałam. Powiedz…

Wyraźnie potrzebowała pochwał przed frontem.

— Li, spisałaś się! Nie wiem czemu, mi się nie chce ostatnio, a ty mnie zastąpiłaś!

— Bo ty do tego swojego pisma o tym piszesz, robisz zdjęcia w połowie roku, to ci się zdąży znudzić. A ja dawno już nie świętowałam tak… tradycyjnie.

— Czekam, Li, aż spróbuję tego śledzia z ananasem i ryby w galarecie. Aaa, jak znosisz małe dzieci?

— Tadzia? Nie wiem. Nie miewam kontaktu z maluchami, ale zazwyczaj jak takie widuję, to mnie wkurzają, bo są paskudnie wychowane. Drą się, a matki im na wszystko pozwalają.

No to może być problem — pomyślałam, bo to przecież dla Tadzia nowe miejsce i nowi ludzie.

Przyjazd Grzesia, Igi i Tadzia rozczarował mnie trochę, bo przyjechali późno i z mety zapowiedzieli, że następnego dnia są umówieni z Mirkiem i lecą wszyscy do Barcelony, żeby pobyć tam do Nowego Roku. Panu Bogu świeczkę, a diabłu ogarek — pomyślałam. Dałam spokój, trudno. I tak dobrze, że przyjechali.

Odebrałam ich ze Wschodniej, tam łatwiej zaparkować niż w Śródmieściu, i zawiozłam na Zamoście.

— Sądziłam, że może zostaniecie już u mnie na kilka dni, albo u taty… — zaczęłam niezręcznie i niepotrzebnie.

— Mamo, jeszcze będzie okazja nieraz, Tadzio podrósł, dobrze znosi podróże, a tata nalegał, pokajał się, że mało spędziliśmy ostatnio czasu razem, więc wiesz…

— No, tak. — Mogłam zionąć złośliwością, że akurat teraz sobie przypomniał, że dotąd to tylko praca i dyżury, i trzeba było aż rozwodu… Ale pomyślałam „Agatą". Po co pielęgnować w sobie taką żółć?

Czy to coś zmieni w kwestii przeszłości? Nic! Ale zmieniło teraźniejszość. Może w dobrym kierunku? Westchnęłam.

— Mamo, przecież to nie jest nic przeciw tobie — Grześ się sumitował.

— Ależ kochanie! Ja nie o tym i nie dlatego. Fajnie, że się z tatą urywacie i że pomyślał o odpoczynku. Źle wyglądał ostatnio, stresy, sam wiesz. Mam inny problem, Lilka...

— Co z nią? — Grześ jest dociekliwy, Iga siedzi z Tadziem z tyłu i oglądają Warszawę całą w roztopionym śniegu, szarą i niepiękną. Tadzinek coś mówi mamie, pokazując tramwaje, dyskretnie i cicho, bo tak go Iga uczy, żeby nie przeszkadzać, gdy inni rozmawiają.

— Lilka ma raka. Leczony, ale nie wiem na ile skutecznie, i jak to poszło. Mam nadzieję, że brachyterapia dała rezultaty. To jednak nie przelewki i wiesz, stało się coś dziwnego, kiedy zachorowała, a Lilka nikogo bliskiego nie ma, zajęłam się nią najpierw z prostego obowiązku, a przecież pamiętasz, jak mnie drażniła, a teraz... Coś się zmieniło. Nie zdziw się, ale jest między nami już normalnie.

— Tak? Dla mnie super! Nie lubiłem nigdy rodzinnych animozji, a ciotka Lilka zawsze wydawała mi się outsiderką, ale lubiłem ją, może właśnie za tę jej niepokorną duszę?

— Ona już nie jest niepokorna.

— Złamało ją?

— Nie, nie tak. Złagodniała. Nie jest już taka... czupurna, zaczepna. Ale może to przejściowe? Stała się jakby taka bardziej skupiona i...

Z tyłu odezwała się Iga:

— Taka choroba bywa wstrząsem i wiele spraw przewartościowuje.

Ta moja synowa jest zasadnicza i zwięzła!

Nareszcie wydostaliśmy się na „naszą" szosę i jechaliśmy do domu. Podobno w Krakowie biało i mroźno. Szkoda, że Warszawa brejowata. Żadnego nastroju! Czy mamy zawsze mieć kompleksy wobec Krakowa?! Już wiem, że na Rynku śnieg i świąteczny nastrój festynu, i choinka, i koniki, które Tadzio uwielbia, i oświetlenie, i w ogóle, a u nas zaganiana stolica, bez nastroju, za to dysząca pośpiechem. Zapchane ulice, parkingi i oczywiście nie umiemy sobie załatwić nawet śniegu na święta.

Mój syn stał się takim krakusem! Od kiedy wyjechał na studia, właściwie stracił serce do Warszawy, a kiedy poznał Igę, jej rodzinę, zupełnie w nią wsiąkł. Nawet było mi ciut przykro, czułam zazdrość, ale uważałam, że to normalne, i odgryzałam się koleżankom, pytającym czemu Grześ tak rzadko przyjeżdża, że nie jest mamusi syneczkiem, że pępowinę należy przecinać dla dobra dziecka, żeby przestały się zachowywać jak typowe polskie kwoki. Nawet napisałam o tym artykuł, upstrzony wywiadami z matkami, których dzieci wyjechały daleko, z pytaniem, jak one to znoszą. I one też takie właśnie dzielne mówiły mi, że to znak czasu, że to mądre decyzje, że świat się skurczył, że jest strefa Schengen, że samoloty staniały, że Internet, telefon… To wszystko prawda, ale dzisiaj brzmi mi to chyba lekko sztucznie. Czy jednak nie dorabiamy sobie teorii do zwykłej tęsknoty?

Chociaż właściwie zaganiani ja i Mirek nie mieliśmy czasu szczególnie pielęgnować tego uczucia osamotnienia. Ja ostatnio bardzo dużo pracowałam, Mirek też, i nieobecność Grześka była „wpisana w nasz rodzicielsko-zapracowany krajobraz" — jak to ładnie ujęłam w artykule. W niedziele czasami, gdy Mirek nie miał dyżuru, a ja większej roboty, pojawiał się temat Grzesia, ale wtedy albo dzwoniliśmy, albo jechaliśmy na krótko do Krakowa, zatrzymując się w pobliskim pensjonacie, żeby ich nie krępować. Z rodzicami Igi zjedliśmy raz czy dwa rodzinny obiad, pełen staroci przy stole, na stole i dookoła.

W starej kamienicy jedna z ciotek uratowała mieszkanie przedwojenne, udało się odkupić sąsiednie, należące przed wojną do tego mieszkania, a oddzielone bezmyślnie powojennymi czasami, i zamieszkali wszyscy razem w dużym, zawiłym wielopokojowym, starym, klimatycznym miejscu, urządzając je zgodnie z przedwojennym smakiem. Nie ma tu niczego nowoczesnego, chyba tylko w kuchni i w łazience. Rodzice Igi wyciszeni, powściągliwi i oddani tej pielęgnacji tradycji cali i z pietyzmem. Obrazy, meble, sztućce, obrusy — wszystko! Jak w muzeum. Są mili, a Henryk — ojciec — ma ogromną wiedzę historyczną, niestety to właściwie jedyny temat do rozmowy, bo oboje są historykami i nie podoba im się nic, co współczesne. Wraz z ciociami, babciami chronią się w tej skorupie historii jak w azylu. Wszystkim jest żal Abrama i Janki, którzy wyjechali w '68 roku. Dziś mieszkają w Goeteborgu.

— Grześ — pytałam mojego syna zdumiona. — Jak ty w to wszedłeś? Ty, taki luzak?

— Mamo, mnie to bardzo odpowiada, bywamy u rodziców przecież nie codziennie, żyjemy po swojemu, a przecież nie kto inny jak ty nauczyłaś mnie kochać dziadka Edka, dziadka Michała, a babć to mi zawsze brakowało. Tato znakomicie interpretuje historię, mama dobrze gotuje, ciocia Misia jest cieplutką i kochaną istotą, babcia Wera ma dziewięćdziesiąt lat i jeszcze wiele pamięta, a ciocia Ela prawie nic nie mówi, ale za to żyje jakby pięćdziesiąt lat temu wstecz. Ja to lubię! To jest fantastyczna kontra dla tego, co się dzieje wśród nas, młodych! U nas tak nie było — dodawał jakby z żalem.

— Czego nie było?

— No, takiej aury przeszłości, takiej namacalnej, prawdziwej. Niby wiem, że wy z ojcem macie swoją przeszłość, ale nie taką plastyczną jak u Igi w domu rodzinnym. Mnie to ujęło. Zresztą wiesz, że zawsze lubiłem historię, bo Kosiewicz ją dobrze wykładał, i mam z rodzicami wspólne tematy.

Czasem mnie to kłuje, gdy Grześ tak mówi, i on o tym wie. Zaraz poprawia:

— Z tatą też przecież gadałem o medycynie tyle, że dzisiaj jestem lekarzem, mamo, nie bierz tego tak, ale... No to chyba dobrze, że jesteśmy rodzinni, prawda? Wielu moich znajomych uważa rodziców za nudziarzy i za obciążenie.

— No już dobrze, nie usprawiedliwiaj się tak! — pocieszałam go. Dzisiaj sama potrzebuję pocieszenia.

— Szkoda, że nie zostaniecie dłużej. Szykuje się fajna Wigilia i w ogóle... — rzucam nie wiadomo po co, bo przecież nie przebukują biletów do Hiszpanii.

— Będziemy przyjeżdżali, mamo. Tadzio rośnie i coraz łatwiej nam się podróżuje! Prawda, synku? — Grześ odwraca się i Tadzio przytula jego twarz małymi łapkami, dotykają się nosami jak Eskimosi. Ściska mnie zazdrość o ten gest. Brak mi czułości. Grzesiek kiedyś też tak się tulił...

Na podwórku wita nas Gienek, dziarsko zamykając za nami bramę i pokrzykując coś wesoło. Wychodzi tatko i rozkłada ręce szeroko, ściskając się serdecznie z każdym, kuca przed Tadziem, ale ten wkłada głowę w Grześkowe nogi — boi się jeszcze tego dziwnego pana, chociaż odwraca się i spogląda spod czapy. Zostawiam ich i idę do kuchni. Lilka w fartuchu robi za panią domu — no doprawdy! Jeszcze rok temu wściekłabym się, a dzisiaj po prostu się uśmiecham, bo cieszę się, że zdjęła mi z głowy te przygotowania i że, a to najważniejsze, zapomniała o tym swoim raku.

— Kapcie! — krzyczy na mnie i wygraża mi mopem, ale zaraz zrezygnowana odstawia go. — Ach, dobrze, później, bo zaraz i tak wyświnią mi tu! Potem zmyję.

Jest niby groźna, ale ja wiem, że przykrywa w ten sposób rodzaj zagubienia. Chyba jednak nigdy nie spędzała świąt tak normalnie. Zawsze jakoś po swojemu, mimo że zapraszaliśmy ją, wymyślała jakieś swoje teorie i wykręcała się. Kiedyś było mi to na rękę, a dzisiaj tak wiele się zmieniło. Na lepsze. Tak, na lepsze! To dobrze nie czuć już, że jej nie lubię, odkryć, że polubiłam, że mnie nie wkurza, nie drażni. No nie tak, że całkiem poszło w taki cukier i miód, ale jest inaczej, zbliżyła nas jej choroba.

Tadzio chodzi i ogląda z Igą każdy zakamarek, patrzy na nas, oswaja nowe miejsce. Ojciec spogląda na niego z zaciekawieniem. Dawno nie miał do czynienia z małym człowieczkiem, peszy go małomówna Iga, z Grzesiem to jeszcze jako tako, rozmawiają lekko spięci, tatko tym bardziej, że nie widział Grzesia od dawna, a Grzesiek, bo taki jest — mało wylewny. Coraz bardziej upodabnia się do Igi.

Pomagam jeszcze trochę w kuchni, rozmawiając z Igą, a panowie siedzą i rozmawiają w pokoju. Wszyscy moi panowie — łącznie z Tadzinkiem.

Weszłam tam, niosąc paterę orzechów, i aż się uśmiechnęłam — moje chłopaki! Mój ojciec, syn, wnuk i wujek — moje najukochańsze grono. Nie są do siebie podobni, każdy jest inny. Tatko szpakowaty, wuj prawie siwy z głębokimi już zakolami, Grześ blondyn i Tadzio ciemnooki, ciemnowłosy. Siedzi na kolanach u Grzesia i słucha. Rozmowa jakaś niezobowiązująca, o liniach lotniczych, lotach, podróżach.

— Chłopaki, niedługo siadamy, nie ma co czekać do nocy, bo nam kiszki marsza grają, zaraz się ostatecznie ściemni. Zrobimy sobie przerwę po daniach głównych, a na słodycze siądziemy może po spacerze, pójdziemy sobie na spacer? — pytam Grzesia i Tadzia.

— Szkoda, że nie ma śniegu, wzięlibyśmy Tadzia na saneczki z latarką...

— Szkoda — kiwa głową mój syn, bo pamięta chyba, jak go tu mój ojciec brał na takie wyprawy saneczkowe wieczorami, zimą, po śniegu, z latarkami. Opowiadali sobie różne bajdy, tropili wilki i niedźwiedzie, utrzymując, że widzieli WYRAŹNE ślady! Nie polemizowałam. Podobno urywały się przed zagajnikiem, więc dalej ich nie tropili!

Wigilia była jak to u nas najzwyklejsza na świecie, chociaż Lileczka bardzo się starała o piękny jej wystrój, więc pod tym względem była nadzwyczajna. Ona ma takie zdolności robienia czegoś z niczego! Ciemnozielony obrus, gałązki choiny i jemioły spryskała srebrem, na nich bielusieńkie kokardki, aniołki z koronki (sama robiła), na obrusie leżące posrebrzane orzechy i gdzieniegdzie małe pomarańcze ponakłuwane goździkami, które pięknie pachniały. Smukłe, białe świece i kwiaty gipsówki udające śniegowe gwiazdki — wszystko to było wypieszczone jej ręką. Ojciec był zaskoczony i przygarnął Lilkę do piersi, a ja... nie poczułam zwyczajowego ukłucia zazdrości. Sama ją pochwaliłam, bo widziałam, jaka jest ucieszona tym, że ją doceniono, że spędza święta najnormalniej na świecie, a nie byle jak.

Podzieliliśmy się opłatkiem trochę niezgrabnie i sztucznie, pełni jakiegoś jednak dystansu i zakłopotania. Trudno, musimy się częściej spotykać, to nam przejdzie — pomyślałam i powiedziałam to głośno, jako życzenie:

— Daj buziaka, synek, i wiesz co? Życzę sobie i wam częstszych spotkań. Prawda, że to potrzebne, mój Panie Grzegorku?

Iga parska i pyta:

— Panie Grzegorku?

— Mama i ojciec tak na mnie mówili, jak byłem małym glutem. — Grześ rzucił okiem na Igę z uśmiechem, a potem kiwnął głową. Tylko kiwnął, jakby może pytał ją wzrokiem o wsparcie. Co to znaczy? Idze przy opłatku z nią powiedziałam to samo, ale ona tylko uśmiechnęła się swoim kocim uśmiechem i powiedziała:

— Postaramy się, mamo, jasne!

Rzadko mówi do mnie „mamo". Teraz miało to podkreślić ciepło jej potwierdzenia, czy tak? Chyba tak. To ona gra pierwsze skrzypce w rodzinie mojego syna — teraz to widzę. I dobrze! Oni, lekarze, nie mają czasu, żeby jeszcze ogarnąć dom, związki, zawiłości. Mądra kobieta jest tęgą szyją rodziny i Iga chyba taka jest, mimo że szczupła, wiotka i cicha jak Japonka, ale zorganizowana i dająca Grześkowi oparcie. Dobrze trafił!

Siadamy nareszcie.

Przystawki — śledzie i ryba w galarecie w minikokilkach pięknie ugarnirowana, kapitalny krem chrzanowy słodko-ostry, i wystarczy, bo musimy mieć miejsce na inne potrawy.

Zupa grzybowa z naszych suszonych prawdziwków wyszła Lilce esencjonalna i brązowa. Podana z ociupiną kaszy była naprawdę pyszna. Smażony karp à la tempura, w małych kawałeczkach maczanych w cieście — novum, ale przyjemne, bo smażony w bułce nigdy nie budził mojego entuzjazmu, więc opowiedziałam o tym Lilce, a ona to wykorzystała. Smaczne mięso bez ości, dobrze wyfiletowane zaskoczyło swoją formą szczególnie Grzesia. Chwali! Lilka cieszy się i głośno opowiada, jak się to robi, jak wyjmowała małe kłujące ostki moją pęsetką do brwi.

Gienek wspomina na moją prośbę Wigilię okupacyjną, Tadzinek wierci się i ma już dość, napasiony głównie kartofelkami, które wcina najchętniej. Korci go choinka i to, co pod spodem!

Dopijamy wino i też kończymy. Ileż można jeść!

— Patrzcie, deszcz pada! No szkoda! — Grześ wstał, podszedł do okna i przybliżył nos do szyby, bo chyba nie dowierza, jest wyraźnie zawiedziony.

Po szybie bębni zimny, ohydny deszcz. No, coś takiego! Tak już od wielu lat się porobiło, że w Wigilię nie ma porządnej świątecznej aury! Skandal!

— Ja bym napisała o tym, do kogo trzeba! — rzucam, żeby tylko coś powiedzieć, i zbieram talerze.

— A do kogo by trzeba? — pyta wujek.

— No właśnie? Skarga do Pana B.? Do sejmu?

Zabieramy naczynia do kuchni, przedłużamy tę chwilę, kiedy zaczniemy rozdzielać prezenty. Wszyscy już dorośliśmy, one nie mają dla nas wielkiego znaczenia, gdzieś uleciało podniecenie „co ja dostanę?". Kompletnie nie mam tego dreszczyku. Zresztą jak widzę, ani tatko, ani Gienek. Iga jest spokojna, Grześ tylko wesoły, robi nam zdjęcia, próbuje być reporterem.

— Daj już, daj, teraz ja… — Iga przejmuje aparat, ona robi zdjęcia po swojemu, z lekkiego zaskoczenia, niepozowane, bo ona widzi już okiem, jak obiektywem.

Grześ trzaska też niby z zaskoczenia, ale on się specjalizuje w takich „przyłapankach". Wyjdą nam głupie miny, jak wywalam język, bo mnie cyknął, jak szłam z górą talerzy do kuchni, tatko i Gienek w jakimś dziwnym układzie z kieliszkami wina, Lilka z wazą grzybowej i w fartuszku, gdy wychodzi z kuchni.

Jestem pewna, że od Igi przyjdą zdjęcia pocztą, wydrukowane pięknie — wybrane, konkretne zdjęcia-obrazy. Grześ prześle mailem linka na komputerowy portal albo mailem wielki plik nieobrobionych jego reportażówek — jak o nich mówi. Po prostu zapisane na karcie to, co dzisiaj zobaczył.

— Choooinka czeka! — woła Gienek, a ja i Lila dobiegamy z talerzykami do ciast i filiżankami. Stawiamy je na stole i posłusznie siadamy. Siadamy, gdzie się da, na fotelach, kanapie, starej otomanie pod ścianą. Grzesiek rozdaje paczki. Tadzio dostał fantastyczny wóz strażacki. Akurat dla jego łapek, kolorowy, z serii Lego dla dzieci. I drugi zestaw, samochód z przyczepą. Jest wniebowzięty — Grześ też, bo zaraz usiądą to składać. Oprócz tego jeszcze piękny zając uszyty ręcznie przez Lilę. Z miękkiego niby-futerka w kolorze jasnofioletowym. Wiem, że poświęciła na to jedną ze swoich dizajnerskich poduch. Zając jest staroświecki, cudny! Ma świetną minę i znakomicie wszyte skoki, tak że posadzony — siedzi! I jeszcze piłka, i już Tadzio otoczony jest papierkami, kokardami i prezentami. Oczy wielkie i rumieńce na buziaku — rozczula mnie. Jest taki spokojny, grzeczny, zainteresowany pudełkami. Czeka, aż Grześ skończy, tuląc zająca, którego Iga sadza mu na kolankach, pytając, jak go nazwą.

Stare chłopaki, czyli tatko i wujek, dostali piękne bluzy polarowe, Grześ ode mnie błękitną koszulę, Tadzio zestaw „mały lekarz", Lila książkę kucharską Jamie'ego Olivera, a Iga bajeczny szal. Ja biżuterię chyba od Lili, książki, i pendrive'a jako wisiorek.

Każdy ogląda prezenty jednak zaskoczony, jednak oczarowany chwilą. Uśmiecham się i mam mokre oczy. Pierwsze święta bez Mirka. Moje pierwsze święta jako rozwódki... Włodzio zabronił mi takich ckliwości, kiedy mi składał życzenia dwa dni temu koło redakcji.

— Tylko pamiętaj, Mańka, do cholery, żadnego czułostkowego rozmamłania!

— Włodek, łatwo ci powiedzieć, moje pierwsze...

— Przestań! A ile było Wigilii, że Mirka nie było, bo miał dyżur? Przestań, jest jak jest, patrz naprzód!

— Nie wymagaj ode mnie, żebym nic nie czuła...

— A sobie czuj! Tylko nie rozdrabniaj, jak to wy kobiety lubicie, na kawałątka i każde wbijacie sobie jak nóż, ja nie wiem, wy tak kochacie dramatyzować! No, daj pyska, dziewczyno. Wszystkiego dobrego!

— Włodek, a ty gdzie spędzasz święta?

— Nie martw się, nie zdycham w samotności i łzach, ja nie obchodzę, siedzę w domu, oglądam stare westerny, piję starego bourbona, bo jestem stary, i jest mi bosko!

— Na pewno? Może wpadniesz?

— Do ciebie? Wybitnie mi to nie grozi! Nie znoszę ryb, ckliwej Wigilii i użalania się nad biednym, samotnym Włodziem, a jak mi będzie smutno, zadzwonię do znajomej kurewki i spędzimy sobie święta, świntusząc!

— Jesteś okropny i niereformowalny!

— Jestem! — Włodek pocałował mnie w rękę i przytulił. Potem pomaszerował do przystanku. Ostatnio coraz częściej chwali się, że olewa samochód, bo korki go wnerwiają, więc jeździ środkami miejskiej lokomocji. Może to prawda? A może więcej pije?

Nie boli mnie za bardzo nieobecność Mirka. Włodek ma rację, bywało, że go nie bywało. Dyżur u lekarza to normalna rzecz. A poza tym postanowiłam faktycznie nie rozdzierać szat. Nie ma go na własne życzenie, a ja mam tu rodzinę, dzieciaki i moje dwa stare grzyby. I dobrze!

Wcześnie poszliśmy spać. Lilka, bo choroba ją jednak zmieniła, jest słabsza i dba o siebie, ja zawsze lubiłam kłaść się wcześnie, bo całe życie wiecznie niedospana, Tadzinek — bo dzieciak, Iga — bo zasnęła z nim. Grześ został z Michałem i Gieniem oglądać jakieś filmy na satelicie i nie wiem, kiedy skończyli.

Bomba wybuchła przy śniadaniu…

Zeszliśmy się do stołu normalnie, sprawnie, na dziewiątą trzydzieści. Grzyby już dawno wstały, obaj ogoleni i już znów po domowemu, bez wigilijnej elegancji — w swoich sztruksowych spodniach, koszulach flanelowych — jak bliźniacy! Zdążyli rozpalić w piecu i pod kuchnią, żeby było nastrojowo i cieplej, bo centralne nastawiają na dziewiętnaście stopni, a jak chodzi piec i kuchnia, to nawet mniej.

Miło i serdecznie przywitaliśmy się, Iga ziewała i uśmiechała się przepraszająco, tłumacząc, że „tu się doskonale śpi". Pomyślałam z maleńką nostalgią, że i ja kiedyś uwielbiałam pokoik na przygórku właśnie za dziwną i tajemniczą aurę erotyczno-senną, bo zarówno seks, jak i spanie tam były fantastyczne.

I kiedy z czułością myślałam sobie, że trudno, nie ma Mirka, ale jesteśmy razem, Grześ chrząknął, spojrzał na Igę i powiedział:

— Kochani... Mamy dla was wiadomość. Dla nas jest fantastyczna, otóż wuj Igi, Abram, zorganizował nam miękkie lądowanie u siebie, w Goeteborgu. Robota, lokum...

Mistrz ten mój Grześ! Musiał się zastanowić, jak to najkrócej ująć, i wszystko niby jasne! Jednak wszyscy zamilkliśmy, oczekując, że coś więcej doda.

Iga była spokojna i żuła coś, uśmiechając się do Tadzia, który jadł jajo na miękko z filiżanki mojej mamy. Grześ zrobił pauzę, ale widząc nasze miny, powiedział:

— Ejże! No co za miny? Przecież nie powiedziałem Nowa Zelandia, tylko Goeteborg! To blisko, a dla nas znakomicie! Iga tam ma fantastyczne warunki rozwoju u niego w firmie, bo wujek ma tam wielką agencję reklamową i potrzebuje fotografika, a też galerię sztuki, więc Igi dzieła można będzie tam sprzedawać.

— A ty?

— No właśnie! Ciocia pracuje w szpitalu i mam tam zapewnioną ciepłą posadę, niezłe pieniądze i znakomite perspektywy. A zapytacie o mieszkanie? Jest! Na początek niewielkie, ale za to zarówno szpital, jak i dom są na obrzeżach miasta, domek jest wąski, piętrowy, z miniogródkiem! W szeregowej zabudowie.

— Niewielkie?! — dopytał wuj.

— Niewielkie, sto piętnaście metrów, ale jak dla nas wystarczy. Mamo, no co?

— A... w Krakowie tak było źle?

Milczymy. Iga nie powie nic — ja to wiem, więc ciężar tego uzasadnienia spoczywa na Grześku. To, co mówi, nie jest miłe.

— Kochani, mamy Tadzia. To nie jest kraj dla nas, wybacz, dziadku! Dziadkowie. Ja zarabiam mało i w dodatku na oddziale jest bardzo przykra atmosfera, Iga stale próbuje znaleźć jakieś zlecenia, ale to jest jakiś koszmar, gdyby nie pomoc ojca, byłoby nam ciężko. Wreszcie Tadzio, za jakiś czas przedszkole, szkoła, a co to jest polska edukacja? Zacofane metody, tornistry ciężkie jak u himalaistów, co druga szkoła pod wezwaniem papieża i ta cholerna ksenofobia.

— Ale... że jaka, że co? — dopytywał wzburzony już tatko.

— Dziadku, jest coraz gorzej. Nasłuchałem się od koleżanek mateczek o rozbojach w szkole, mobbingu, udręczaniu mniejszych i słabszych...

— No daj spokój, w normalnej szkole? — Gienek jest zdumiony i podejrzewa Grześka o koloryzowanie.

— Tak, w normalnej szkole, dlatego kto może, oddaje dzieci do szkół prywatnych, ale nas na to nie stać.

— ...a i te szkoły — Iga wtrąca coś jednak — to zasadniczo katolickie.

— Nie wierzę, aż taka nietolerancja?

— Nie masz pojęcia, jakie problemy mają dzieci z rodzin niepraktykujących, bo każdy początek lub zakończenie roku — msza, święto jakieś — msza, na religię wszystkie dzieciaki, choć połowa rodziców praktykuje czysto teoretycznie, ale katolicyzm deklarują wszyscy. Koleżanki synek jest w podstawówce osamotniony, nie chodzi na religię i... lekko nie jest, chociaż wielu rodziców tłumaczy się, że „no wie pan, moja mama naciskała, więc Piotruś chodzi na religię, zresztą jak dorośnie, sam wybierze".

— Co za hipokryzja — ojciec jest wyraźnie zły — nasączony religijnie „sam wybierze"? To właśnie posyłanie dziecka na religię jest już czynieniem wyboru za nie! Co za...!!!

Ojciec wstał i podszedł do okna wyraźnie poirytowany.

— No dobrze, przyznaję wam rację. Ale... tylko dlatego wyjeżdżacie?

— Dziadku, tłumaczyłem ci już. Mam tam zapewnioną pracę, i to za bardzo godziwe pieniądze, a nie za głodową pensję i konieczność brania dyżurów nawet takich, które mi kompletnie nie pasują, bo „jestem młody, a młódź nie dyskutuje". Iga ma pracę i możliwość rozwoju, a Tadzio znakomitą świecką opiekę przedszkolną i szkolną.

— A język polski? To prawda, że w Szwecji go nauczą? — ojciec nie daje za wygraną.

Gienek się odezwał:

— Michał, no przecież! W Szwecji bardzo się dba o emigrantów. Grześ, ja przepraszam, że się wtrącam, może nie powinienem, ale moim zdaniem jedźcie! Michał — zwraca się do ojca. — No sam pomyśl, skoro tu mają ciężko i pod górkę...

— My też mieliśmy ciężko i pod górkę! — tatko się żachnął, bo chyba zrozumiał, że teraz to już długo ich nie zobaczy, a po wczorajszej wigilii zrobił sobie jakieś nadzieje, że może zaczniemy jakoś częściej... I ja tak pomyślałam. Siedziałam, nic nie mówiąc. Lilka też. Podparła dłońmi brodę i słuchała, patrząc na Tadzia umazanego jajem. Podała mu serwetkę, a on nieporadnie, ale zdecydowanie wycierał sobie buzię. Iga siedziała zwrócona do Grzesia, jakby musiała nadążać z ewentualną pomocą.

— Kochani, zrozumcie! Dla mnie to nie ma znaczenia, gdzie mieszkamy — tu czy tam. Świat się skurczył, a raczej stał się szalenie dostępny, błogosławić Schengen! Nie ma granic, staliśmy się zjednoczoną Europą, i to jest piękne! Mogę jechać tam, gdzie nas nikt nie wyzywa!

— A kto cię wyzywa?! — zawołał ojciec.

Grzegorz zamilkł i popatrzył na Igę. Ta spuściła oczy i westchnęła, wtedy Grześ powiedział z takim swoim szyderczym uśmiechem:

— Ano rodacy! W naszej kamienicy mieszkają dwie rodziny żydowskie, nasza, znaczy Igi, i sąsiadka z parteru, pani Limanowicz. Pod jej oknami, a my mieszkamy na drugim piętrze, ktoś namazał farbą olejną „Żydostwo spierdalać", ze strzałką w górę. Działamy z Igą w takiej grupie społecznej „Razem" i staramy się walczyć z ksenofobią, ale u nas to niemożliwe.

— To walcz! — zawołał ojciec. — A ty się poddajesz!

— Może i tak, ale jak mały krabik ma walczyć z oceanem? Szkoły obwieszone Janem Pawłem i krzyżami, a my nie dość że niewierzący, to jeszcze Żydzi.

— Ty chyba nie? — wyrwało się Lilce tym razem, a odpowiedziała jej Iga:

— Nie, ale wżenił się w Żydówkę.

Lilka poczerwieniała, a Iga o dziwo kontynuowała:

— Niezależnie od katolickich szkół i ksenofobii, martwi mnie sposób nauczania, przeładowany nienowoczesny program, ogromne obciążanie dziecka stresem i zupełny brak ochrony pedagogicznej przed ewentualnym mobbingiem, przemocą. Boję się tych starszych dzieci nastawionych na rozbój, szantaż i niemoc wszystkich, bo nikt nic nie może! Musi dojść do nieszczęścia, jak ta sprawa sprzed kilku lat, kiedy jedna dziewczynka drugiej wbiła nóż. Nie podoba mi się sposób nauczania, bo dzieci nie umieją tak naprawdę czytać i pisać, nie utrwala się tych umiejętności cierpliwie i na spokojnie, więc wyrastają niedouczone, nie czytają, źle piszą i nie potrafią liczyć! Ja nie chcę, żeby Tadzio tak był nauczany!

Iga mówiła to spokojnie, ale dobitnie. Ja milczałam, bo wiem, o czym mówi. Pisałam o tym niedawno. Napisałam cały cykl na ten temat, rozmawiając z różnymi osobami. Jak grochem o ścianę!

Urzędnicy Ministerstwa Oświaty są z siebie bardzo zadowoleni, nauczyciele pojękują, ale boją się krytykować, a rodzice — całkiem bezradni.

Zrobiło się cicho.

— Synku... Igusiu — zaczęłam. — To wasza decyzja. Jak widzę, już przemyślana. A co z rodzicami i ciotkami? — dodałam pytająco.

— No a co może być? — odpowiedział mi Grześ. — Ciotki są stare, rodzice Igi też nie młodnieją i muszą się nimi opiekować. Zostaną tu, w Krakowie, w kamienicy z haniebnymi napisami. To dla nas przykre, ale co mamy zrobić?

Grzegorz podszedł i położył dłonie na ramionach Igi. Lilka zabawiała Tadzia, składając z serwetki jakieś proste origami. Gienek dopijał herbatę, a tatko oparty o parapet patrzył na nas z bólem w oczach. Zrobiło się dziwnie, nieswojo. Nie bardzo wiedziałam, jak reagować. To po jakie licho ja się tak ucieszyłam, że skoro Tadzio jest już taki duży i podróżuje, to będziemy się częściej widywać? Że złapałam z Igą jakiś kontakt, mimo że ona taka skąpa w emocje i milcząca? Przełamałyśmy jakąś niewidzialną barierę, poczułam, że rozmawiamy szczerzej, serdeczniej, a tu... Zrobiło mi się głupio, smutno. Przecież niby nic takiego, wiele osób wyjeżdża, ale to obcy ludzie, a tu nagle dotyczy to mojego syna.

W dodatku nie zostaną do jutra, bo są umówieni na dzisiaj z Mirkiem i potem razem lecą do tej Barcelony.

— Grzesiu, a...

Chciałam go zapytać, czy Mirek leci ze swoją... no... z tą kobietą, ale mi to uwięzło w gardle. Zapewne zabrzmiałoby to mękoląco, oskarżycielsko, a ja nie chcę z siebie robić ofiary.

— Co, mamo?

— Już nic, przepraszam, zgubiłam wątek. To nie zostaniecie nawet na obiedzie?

— Mamo, no sorry, ale nie. Możesz nas podrzucić na Ursynów? Mamy tam się spotkać z Mateuszem, kurczę, dawno go nie widziałem, on robi teraz pediatrię i też coś bąka o wyjeździe, a potem ojciec po nas wpadnie.

— Naturalnie, jak chcesz. Chcecie — uśmiechnęłam się i wstałam zza stołu. Było mi zimno i jakoś przykro. Przecież nie jestem zazdrosna?

Już do końca te święta wlokły się sztucznie i beznadziejnie. Wszystkim nam było dziwnie i chyba nikt z nas nie umiał sobie znaleźć miejsca. Gienek czmychnął do siebie już drugiego dnia pod byle pretekstem, a ojciec był jakiś milczący i naładowany. Puściło mu podczas wieczornej kolacji:

— I co? To tak ot sobie wyjadą? To jest jakaś ucieczka!

— Tato, daj spokój, dzisiaj to nie ucieczka, a wolny wybór. Słyszałeś argumenty, są uzasadnione. Nie oni jedyni wyjeżdżają.

— Aj tam! — tato jest bardzo rozczarowany postawą Grześka, bo wie, że teraz to ja się poczuję bardzo osamotniona. — Zostawia cię...

— Tatku, on nie jest odpowiedzialny za moje dobre samopoczucie, to jego życie i nie zniosłabym, gdyby się dla mnie poświęcał.

Nagle odezwała się Lilka:

— Teraz są tanie loty i można będzie go odwiedzać, jakby mieszkał w Grójcu!

— A gówno tam, sama nie wierzysz w to, co mówisz! — tato nie dawał za wygraną, srożył się, bo chyba nie wiedział już, jak reagować dalej. Dla niego taki wyjazd to zesłanie i już! Jakiś Goeteborg?

Postanowiłyśmy pójść z Lilką na spacer, ojciec czuł się niedobrze, więc został w domu. Okropna jest taka zima. Lodowate błoto, gołe drzewa i krzaki, brudnozielony Świder płynący jakoś w skupieniu, nieprzyjazny. Jest pochmurno i chłodno. Brodzimy, brudząc nasze buty w trawie i błotnistych kałużach, wdychamy świeże powietrze, ruszamy się, żeby spalić wczorajsze nadmiary kolacyjne i mało rozmawiamy.

— Ojciec jakiś szary — zauważa Lilka — przejął się Grześkiem.

— On się wszystkim, Lilka, przejął. I moim rozwodem, i twoją chorobą, i Grzesiem. Sporo w tak krótkim czasie!

— Mańka... — zaczęła Lila i popatrzyła na mnie poważnie — nie zapytałam cię, bo nie chciałam, wiesz, żeby wyszło na to, że szukam sensacji, ale, kurczę, no powiedz, jak to było na rozwodzie?

— Na rozwodzie? — pytam bez sensu. — Hm. Nie uwierzysz. Normalnie. Nie poczułam żadnego... nic. Jak wspólna bytność w jakimś urzędzie.

— No ale co? Ty z adwokatem z jednej strony, a on...

— Jakim adwokatem? Myśmy się rozwiedli za porozumieniem stron. Spotkaliśmy się pod sądem i poszliśmy razem.

— Razem? Łapka w łapkę? Pieprzysz...

— No nie łapka, oczywiście, ale i aorty mu nie wygryzłam, ani nie oplułam. A co, spodziewałaś się czegoś takiego?

— Próbowałam sobie wyobrazić, jak to jest rozstawać się po tylu latach. W końcu zostawił cię.

— Lilka, niby tak, ale jakoś mną to nie wstrząsnęło tak, żebym wołała o pomstę do nieba, szlochała czy darła szmaty na sobie, dlatego pomyślałam, że chyba coś się w nas wypaliło i może dobrze zrobił? Nie jestem już zła, może rozczarowana? Przynajmniej sobie dupę uratował.

— A ty?

— Co „ja"?

— No, co ty teraz? Zostałaś jak ta durna, sama!

— Proszę cię. A co, wolałabyś, żeby był ze mną i cichaczem wyrywał sobie laski? Tylko po to, żeby mi smutno nie było? Dziękuję. I tak było już coraz bardziej rutynowo, obco, a ja udawałam, że to taka norma. I wiesz, kiedy sobie zdałam sprawę, że to taki kit, pic? Wpadłam kiedyś u Agaty na taką scenę, gdy ona stała w kuchni i zmywała, a on, ten jej partner, wycierał talerze, stał oparty pupą o zlew, przodem do niej, i rozmawiali wesoło, tak czule. Półgłosem. Takie to było intymne, kiedy ona podała mu kubek i wyciągnęła usta do pocałowania. Aż mnie skręciło z zazdrości, bo u nas to... już od bardzo dawna, albo i wcale...

— I co?

— Nico...

— Nigdy cię nie zrozumiem — wzruszyła ramionami.

— Nigdy Mirka nie lubiłaś, prawda? — zaglądam Lilce w oczy.

— Tak, ale zazdrościłam ci czasem stabilizacji i tego, że masz kogoś, do kogo można się odezwać.

— Tak...? Sądziłam, że kochasz swoją wolność. Widzisz, jak się nie znamy? A wiesz co, Li, że ja teraz, kiedy jestem w domu sama i mam przed oczami Agatę, tę moją terapeutkę z tym jej długowłosym facetem, to czuję, że coś mnie w życiu ominęło.

Lilka popatrzyła na mnie, a po chwili obie zacytowałyśmy Osła ze *Shreka*:

— Niech mnie ktoś przytuuuli!

Podeszłam i przytuliłam ją. Obie się przytuliłyśmy do siebie i stałyśmy tak nad brzegiem Świdra. I wtedy ona, ta moja świeżo polubiona przeze mnie siostra, szepnęła mi w kołnierz:

— Kocham cię, wiesz? I dobrze, że cię mam.

A ja… popłakałam się, bo poza tatą nikt mi tego ostatnio, ani nawet nie ostatnio, nie mówił. No Włodeczek — ale on tak tylko pitoli…

Wycałowane przez ojca wróciłyśmy do naszego życia — każda swojego. Lilka na swoje poddasze, przekonana, że i tak zanadto mi wlazła na głowę, a ja do swojego mieszkanka, bo miałam masę zaległości pisarskich i redakcyjnych — potrzebowałam świętego spokoju.

Serce czasem staje

W domu dopiero zrobiło mi się przykro, że Grześ, Iga i Tadzio właśnie lecą sobie do Barcelony z Mirkiem i chyba z tą jego... tą, no... kobietą, flamą, babą. Nie chciałam być uszczypliwa, ale jakoś brakowało mi odpowiedniego słowa i zwyczajnej sympatii. Baba jakaś. Jakaś, no i już! Co mnie to obchodzi?

Wydawało mi się, że po rozwodzie, po tym całym kołowrocie, gdy dzięki Agacie łagodnie się rozprawiłam z własnymi uczuciami, nic mnie nie zaskoczy, a jednak.

Najprawdopodobniej Grzesiek ukartował to z Mirkiem, a może nie, nie wiem, ale sypnął mi mój syn garścią zdjęć z Barcelony. Otworzyłam plik.

Zadowoleni, radośni, w sweterkach i szalach, ale bez kurtek, słonko mają nawet! Tu park Güell i ławeczki kolorowe, Tadzio stoi obok mamy, a obok niego jakieś inne dzieci. Tadzio na jaszczurce Gaudiego trzymany przez Igę, tu Mirek roześmiany z Tadziem na ramionach... No, i skoro Barcelona, to La Ramblas, fotki z figurami ulicznych artystów, i wizyta na szczycie góry, z której miasto widać jak na dłoni. Tadzio ogląda świat przez wielką lornetkę! I jedno zdjęcie, kiedy są wszyscy razem. Wszyscy... to znaczy jest też TA KOBIETA.

Serce zatrzymało mi się w klatce. Poczułam falę gorąca, zaparło mi dech zupełnie autentycznie! Zrobiłam zbliżenie, powiększenie... gapiłam się i gapiłam. Pani korpulentna, może ciut młodsza? W jeansowej kurtce, czarnych spodniach, ma kolorowy, tęczowy szal na szyi, okulary przeciwsłoneczne, bardzo krótkie włosy, uśmiech. Mirek obok, też uśmiechnięty, dalej Tadzio na rękach Grzesia i Iga.

Zrobiło mi się słabo. Już myślałam, że sobie poradziłam!

Wiedziałam, że jest jakaś ONA, ale spychałam to na dalszy plan. Świdrowało, ale walczyłam z tym uczuciem złości zaciekle, bo tak mi radziła Agata. Czemu mam być teraz w szponach zazdrości? Przecież Mirek ani nie był superkochankiem, ani jak wejrzałam w siebie, nie kochałam go już, zaledwie lubiłam, przyzwyczaiłam się do niego — to najlepsze określenie tego, co czułam przez ostatnie kilka lat.

Nie lubiłam wakacji, bo było go obok za dużo, i jakoś bywało obco, więc od kilku już lat wyjeżdżaliśmy w różnych porach — on zimą, ja wiosną, zmęczona chłodem pakowałam się i śmigałam na Cypr albo do Tunezji. On wolał narty.

A ona? Też kocha narty? Dziwnie stoi, pyza taka, jakby ciut krzywo. Albo mi się zdaje. Więc nie jakieś młode zboże? Żadna tam wiotka panna?! Nie rzucił mnie dla męskich chuci, które są przypisane facetom po czterdziestce, tylko dla pulchnej kobiety w moim wieku, i to wcale nieurodziwej!

To mogło oznaczać tylko to, że ja w porównaniu z nią byłam... kiepska. Co ona ma takiego, czego ja nie miałam?! Po chwili się zmitygowałam. Pomyślałam Włodkiem: „A czy to ważne?!".

Włodek mi tłumaczył, że przecież muszę w takiej sytuacji najpierw wejrzeć w siebie i odpowiedzieć na pytanie: „O co ci chodzi, Marianno?". Zazdrość? O kogo? O co? Dlaczego?

Drogi Włodziu — myślałam sobie — a tak po prostu! Żadna zazdrość specjalna, bo przecież ten mój mąż tylko był obok mnie. Chyba już nie było miłości, więc i zazdrości być nie powinno. Nie powinno, a jednak szarpnięcie jest! Jakiś rodzaj zawodu, uczucia, że jestem kiepska, skoro znalazł sobie inną, i to nie supermodel z nogami do nieba. Znaczy, że ona ma jakieś inne walory. Jakie? Lepiej gotuje? Jest mądrzejsza?... Lepsza w łóżku? Widocznie tak! — odpowiedziałby Włodek i dodałby nieco bestialsko: zapewne robi mu loda i jest chętna, a ty, Marianno, oganiałaś się od niego jak od namolnej muchy. Zgadłem?

Oganiałam, nie oganiałam... No, seks był kiepski i rutynowy, prawda. Loda?! Nie, jakoś nie. Nigdy mu nie zrobiłam loda. Wydawało mi się to nie na miejscu, niefajne, nie w naszym standardzie. Kiedyś sądziłam, że to kwestia moich demonów, kiepskiego startu erotycznego, a przecież z Jarkiem-Ofelią było inaczej! Ciekawa, rozpalona namiętnością nie raz brałam do ust jego fantastycznego Wojownika i nie było to wstrętne! Gładka, elastyczna, ciepła skóra i widoczna frajda były radością, lubiłam to! Z Mirkiem — nie. Nie! Nie byłam w stanie sobie nawet wyobrazić czegoś takiego. Jak to Włodek mi tłumaczył? „To nie jest tak, że każdy z każdym, dziecko!". Czyli byłam z Mirkiem źle dobrana, a on z tą panią dobrał się i jest szczęśliwy? I cześć?

Chodziłam cały wieczór struta i zdumiona moją reakcją.

Zadzwoniłam do Agaty, krótko rozmawiałyśmy, bo coś ją oderwało, ale mówiła do mnie miękko i zwyczajnie o tym, że mam prawo tak się czuć, ale jak już zacznę racjonalizować, to przyznam, że Mirek i ona mają prawo do siebie.

— Odpuści ci, zobaczysz. To tylko pierwszy szok. Chcesz wpaść w tygodniu?

W tygodniu, to znaczy, że ani jutro, ani pojutrze, bo mamy weekend.

— Poradzę sobie — odparłam.

Radziłam sobie, jak mogłam, gapiąc się i gapiąc na wybrankę Mirka, aż wreszcie zadzwoniłam do Grześka.

— Cześć, synek, oglądam zdjęcia. Chyba było fajnie, co?

— Cześć, mamo, faktycznie było! Iga zafascynowana Barceloną, zresztą była już tu, a ja nie. Wiesz, że nawet było ciepło? Widziałaś, że jesteśmy bez kurtek? Ostatniego dnia pogoda siadła i było zimno, ale...

— Grzesiu, a jak tam...

Milknę. Nie wiem, jak go zapytać o tę kobietę. Trochę jestem zła, trochę zazdrosna, a trochę staram się racjonalizować.

— Mamo, ja wiem, że może zrobiłem to niedelikatnie, ale chciałem wywołać jakoś tę rozmowę. Wiesz, że albo nas zaprzęgniecie do swoich trudnych emocji, rozgrywek, i ja to rozumiem, albo postaramy się wszyscy o jako taką normalność.

— Hm. Gadasz jak terapeuta, jak moja Agata.

— No błagam cię, mamuś, wiesz, jak byłoby nam trudno, gdyby między wami trwała jakaś wojna? Ja chciałbym móc zachowywać się wobec was jak dotąd, bez opcji „stań po czyjejś stronie", jak to u moich niektórych znajomych bywało. Matka najeżdża na ojca, ojciec na matkę, koszmar!

— Starałam się.

— Wiem i doceniam to, wierz mi, mamo, że kocham was oboje, ale też rozumiem ojca argumenty, twoje jakby też, tylko z tobą ostatnio mniej rozmawiałem, przepraszam cię. Z ojcem byliśmy blisko. Ojciec jakby się tłumaczył, jakby mnie przepraszał.

— Ciebie?! Przecież rozwiódł się ze mną?

— No, ale miał kolosalne wyrzuty sumienia, mamo... Wiesz już, co to są rodziny patchworkowe? Iga mówiła...

— Wiem, ale nie spodziewaj się po mnie, że padnę z zachwytu. Miła jest? — pytam teoretycznie, bo ze zdjęcia widzę, że chyba miła.

— Tak, chyba tak, nie znam jej za dobrze, ale miła, spokojna, może nawet byście się polubiły. Iga mówi, że to byłoby zdrowe i w porządku...

— Hm, wybacz, że nie skomentuję. Zresztą, co mnie to obchodzi? Odzywaj się, kochanie, i ucałuj Tadzinka i Igusię. Nie jest wam za zimno w tym Goeteborgu? Za mokro?

— Nie, mamo! Mamy w domu saunę! A ty pozdrów stare dziady i Lilkę, jak z nią?

— Chyba dobrze, zaraz do niej zadzwonię. Pa.

„Polubiły się"? Skąd im to przyszło do głowy? Od kilku lat jestem mniej towarzyska, a już psiapsiółek, koleżanek nie mam. Przeszło mi babskie ćwierkanie nad filiżanką kawy w kawiarni. Ble-ble o niczym. Zaczęłam unikać tych spotkań.

Zamknęłam się w pracy, w domowych sprawach, w książkach i… wylądowałam na bezrybiu! Ploty dostarczają masy tematów! A ja nie mam dobrego tematu, przędę jakieś ogony. Smutno mi, więc sporo czytam i dzwonię do Lilki, taty, wuja. Potrzebni mi są. Inni — znacznie mniej.

Nie czuję się z tym źle, choć od kiedy Mirek się wyniósł na dobre, doskwiera mi czasem cisza w domu, brak drugiej osoby. On zaś ma ten swój miód, zrozumienie i to, czego chciał, a czego mu widać tak brakowało.

Włodek to skwitował po swojemu, kiedy był u mnie przedwczoraj na kawie:

— No i bardzo dobrze, że ma babę, serce ty moje!

— Faceci — prychnęłam.

— No jasne! Facet jest transparentny i przewidywalny. Widzisz, słońce, dałaś mu łaskawy rozwód bez awantur i powód do bycia dla ciebie szczodrym!

— Nie rozumiem, filozofie! Jaśniej.

— Marianno, on jest porządny i ma poczucie winy, a ty dodatkowo brakiem chryi, babskiej awantury wlokącej się nieprzyzwoicie w nieskończoność podtrzymałaś w nim to uczucie. Wywołujesz wdzięczność. Nadto pomyśl, co by było, gdyby tak Mirek kisł z tobą w domu? Robiłoby się coraz kwaśniej i kwaśniej, a on w tajemnicy przychylałby sobie nieba. Ale zdobył się na odwagę, powiedział, co mu legło na wątrobie, uzyskał wolność, i oto mamy stan bardzo korzystny dla ciebie!

— Włodek, pitolisz! Nie doleję ci więcej wina!

— A szkoda, bo zasługuję! Kochana moja, otóż ty, dając popis klasy, sprawiłaś, że mu głupio. Tym bardziej że cię oszukiwał, że niby baby ni ma. Tak?

— Tak.

— No i teraz będzie ci to wynagradzał. Już wie od Grześka, że ty wiesz, że jego laska też była w Barcelonie. Mężczyzna jest prosty. Postara się ci to jakoś wynagrodzić, przeprosi cię za tę niespełnioną Barcelonę.

— Skąd wiesz?

— Kiedyś mi wypłakałaś w marynarkę, że obiecał ci Barcelonę i nie miał czasu, bo coś tam...

— A tak. Pięć lat temu. Sądzisz? Mnie na tym już nie zależy.

— Ale jesteś zła o babę.

Miał rację. Byłam zła. Irracjonalnie wściekła o tę jakąś nieznaną mi kobietę, do której odszedł. Bo póki odszedł sobie w siną dal, że to niby źle mu było itp., to w porządku, bo i w naszym związku nic już ciekawego się nie działo, a rozwód tylko mi uświadomił, że nie ma o co walczyć, bo ani miłości, ani czułości, ani seksu, ani intymności, więc co? Tkwiliśmy przy sobie siłą inercji, temperatura letnia i właściwie poza żalem nie czułam specjalnej rozpaczy, rozczarowania, nawykła do samotnych dni i nocy. Ale kiedy sobie pomyślałam o jakiejś ONEJ, zapiekło...

— Włodek, a powiedz, nie wkurzało cię, że twoje byłe lądowały w męskich ramionach i były szczęśliwe?

Popatrzył na mnie bolesnym okiem mędrca. Zmarszczki jakby specjalnie mu się namarszczyły, oko wyostrzyło, uśmiech zastygł na twarzy, stając się nagle uśmiechem clowna.

— A jak myślisz, czemu jestem alkoholikiem?

— Mówiłeś, że nad tym panujesz.

— Każdy tak mówi, ale fakt, dzisiaj już nie leżę na dnie przez jakieś idiotyczne zapijanie się w sztok, nie zawalam spraw, piję tyle, ile uznaję za stosowne, ale kiedyś tylko tak umiałem to zagłuszyć. Niby wiedziałem, że „z nim ma lepiej", ale wiesz, ambicja... męska ambicja! Najgorszą zemstą dla małżonka, który cię porzucił, jest twoje szczęście! Tak... bolało, kiedy piękniały u boku innych facetów.

— Czemu odchodziły?

— Bo ja nie umiem dbać o związek. Nie wiem, co to znaczy. To są jakieś wasze skomplikowane zabiegi, procesy, wymagania... Nie mam pojęcia, czego wam potrzeba do szczęścia! Zarabiałem, przynosiłem kasę, pieprzyłem się znakomicie, dbając o komfort żony i... nie wiedziałem, czego jeszcze chcecie! Nie jestem, rozumiesz, romantyczny...

— Nie chrzań, to nie o to chodzi. Zdradzałeś. Podobno byłeś pies na baby.

I tu się pokłóciliśmy. Włodzio zaczął mi wykładać męską teoryjkę o męskiej zdradzie, że to inna sprawa niż sądzę, że oni faceci jak bzykają na boku, to nie angażują się uczuciowo, a żony z tego robią aferę. W życiu tego nie pojmę!

— Włodek, to wytrych! Bzdura!

— Widzisz, słonko, Gruzinki wiedzą, że są dla męża święte. Czasem tak święte, że mąż musi sobie czasem…

— Wiem, „przeczyścić krew". To ohydny wykręt!

— Marianno, mamy równouprawnienie i dzisiaj wy nam robicie to samo! Wy też już wiecie, że można oddzielić seks od miłości do żony! Nigdy nie miałaś romansu biurowego? Nigdy?

— Nie, Włodek. Miałam pokusę, ale nie.

— Święta Marianna… Jest coś, za co cię lubię, dziecko. To twoje pryncypia. Miło jest wiedzieć, że ktoś taki się uchował. Czemu ja cię nie spotkałem wiele lat temu? No, idę już, bo znów cię zacznę molestować.

Dzisiaj mnie wkurzył. Staje się żałosnym pajacem, kiedy plecie takie androny „czemu ja ciebie…". Wydaje mu się, że ktoś, jakaś dobra wróżka umiałaby go odczarować, i za cholerę nie umie skumać, że do tego potrzeba ciężkiej, własnej pracy, a nie czarów. Agata powiedziałaby, że jest od dzieciństwa zblokowany i nic się na to nie poradzi. Ilu jest takich ludzi? Takich związków? Zblokowani, wychowani kiedyś w normach, przeświadczeniu, że uczucia są po to, żeby je skrywać, że mówienie o uczuciach było nie OK, że ktoś ma się domyślić, o co mi chodzi, a jak się nie domyśli, to trudno, taki już jest ten świat. Nieszczęśnicy.

Agata uczyła nas mówić o uczuciach, doceniać je i słuchać ich. To chyba dzięki tym zajęciom umiałam zobaczyć Lilkę inaczej niż dotąd. Czy gdybym umiała wcześniej nazywać swoje odczucia, to… wcześniej rozwiodłabym się z Mirkiem, czy zacieśniła związek?

Myślałam o tym, zmywając filiżanki, gdy zadzwonił telefon i strzelił do mnie okropną wiadomością.

Tato!

Długi korytarz szpitala na Szaserów był mi dziwnie znajomy, a jednak już nieznajomy. Dawno tu nie byłam. Biegłam w zielonym, fizelinowym fartuchu na Odział Intensywnej Terapii. Przed drzwiami stał blady, zdenerwowany Gienek.

— Cześć, ojciec jest na sali. Kobyliński zadzwonił po pogotowie, powiedziałem mu, że do ciebie sam zadzwonię.

— Jak on? — spytałam zdyszana, przerażona.

— Nie wiem! Nie chcą mi nic mówić!

Telefon do Teresy, koleżanki Mirka, wiele ułatwił. Weszliśmy do ojca, pielęgniarka uspokoiła nas, że stan jest już stabilny, że był zawał, ale „proszę się uspokoić, panujemy nad sytuacją".

Ojciec, mój tatko, leżał nagi pod prześcieradłem, podłączony do monitorów, z rurkami w nosie i elektrodami na ciele. Niby spał, ale to był dziwny sen, sztuczny, on inaczej śpi! Miał dziwnie zapadnięte policzki i taki był... bez kontaktu! Nie śmiałam go potrząsnąć, żeby się obudził i powiedział „Baranku", a tak bardzo chciałam!

Zrobiło mi się gorąco, spociłam się, usiadłam i wygrzebałam pod prześcieradłem jego bezwładną dłoń. Gienek poszedł do pielęgniarki pytać. On musi wszystko wiedzieć. Siostra już wie, że jestem byłą żoną lekarza z tego szpitala, a Gienek to rodzina, więc traktuje nas życzliwiej. Rozmawiają, a ja trzymam tatę za rękę, taką bez czucia, ciepłą, ale nie ściska mnie! Nie wie, że tu jestem.

— Tatku — szepczę — tatusiu...

Pielęgniarka wychyla się zza kanciapki i mówi łagodnie:

— Może pani mówić głośniej do taty, niech on usłyszy, że pani jest!

Widziałam to na filmach, wiem to od wielu osób, których ktoś z rodziny był w komie, że trzeba mówić, że chory słyszy, że czasem ten nasz głos potrafi zdziałać cuda, zawrócić z drogi... I nie umiałam wykrzesać z siebie nic sensownego poza „tato, tatusiu". Zaraz też mi się zebrały łzy w oczach i poczułam strach, że odejdzie, a ja mu jeszcze tylu rzeczy nie powiedziałam! Ja nie chcę! Ja nie jestem na to gotowa! No jak to?! Nie teraz! Beczałam i beczałam, aż wujek przyniósł mi herbatę i szepnął:

— Uspokój się, Marian, bo jak cię palnę, to żobaczysz. Czego beczysz? Żyje! Żyje!

Popatrzyłam na niego, na mojego wuja zdumiona. Był spięty, ale starał się z całych sił być wyluzowany! To „jak cię palnę" było powiedziane nie do mnie, a do... ojca! Żeby wiedział, że on, jego najlepszy kumpel Gienek, nie uważa za stosowne przejąć się jakimś sercowym incydentem Michała i sobie żartuje, i podkpiwa.

Kiedy wreszcie tatko podniósł ciężkie powieki i szepnął to moje upragnione „Baranku", odpuściło mi. Uśmiechał się, ale widać było, że czuje się słabo i woli spać. Daliśmy spokój z czuwaniem przy łóżku ojca, kiedy pielęgniarka zapewniła nas, że jest już dobrze i nie mamy na co czekać, że z każdą godziną będzie lepiej i jutro zastaniemy go w lepszej formie.

Nie zadzwoniłam do Lilki. Wiem, będzie wściekła. Nie zadzwoniłam do Grześka ani Mirka. Wiem, też będą wściekli, ale Lilki nie ma co niepokoić teraz po nocy, a oni są w tym swoim Goeteborgu, co im da ta wiadomość? Zadzwoniłam tylko do Kobylińskiego, informując go szczegółowo o stanie taty i zapewniając, że ma wspaniałą opiekę, że nie, nie trzeba nikomu dać w łapę, że jego córka, pielęgniarka, nie musi tam jechać, żeby czuwać nocą przy łóżku, i że tak, tak, tatko jest w najlepszych rękach. Bałam się o Gienka. Stał na zimnie przed szpitalem i trząsł się cały. „To nerwy" — powiedział i wsiadł do samochodu. Pogadałam z nim chwilę, żeby taki zdenerwowany nie jechał, i kazałam zadzwonić po przyjeździe do domu. Jeszcze mi tego brakowało, żeby zdenerwowany przypakował w coś po drodze...

Wreszcie i ja wsiadłam do swojego samochodu i odpaliłam. Kiedy wjechałam w Wiatraczną, żeby dojechać do ronda... Nagle jak nie ryknę! Poczułam, jak całe moje ciało spina się i wybucha płaczem. To powściągane emocje szarpnęły mną tak, że depnęłam po hamulcach i zatrzymałam się prawie w miejscu. Trzęsło mną, szlochałam, dając upust napięciu. Ktoś zapukał do drzwi samochodu.

— Co pani, kurwa, wyprawia?! Mało pani w dupę... Oessssu, co est, co pani est?

Młody, łysy człowiek najpierw na totalnej złości, teraz przerażony stoi nachylony nade mną.

— Co pani? Zawał ma? Co pani?! Kurwa! Tomek! Daj telefon! — woła do swojego samochodu. — Może pogotowie? Tu jest szpital niedaleko.

— Nie, nie, nie trzeba! — wreszcie coś wyszeptuję. — To mój ojciec miał zawał. Wracam ze szpitala, przepraszam. No, przepraszam!

Zjechałam na chodnik i popłakałam sobie, puszczając wolno opiekuńczego skądinąd łysego faceta z kumplem Tomkiem. O mój Boże! Jak mi puściło! Nie, no nie jestem gotowa na to! Nie ma mowy o tym, żeby tatko umarł, nie teraz! Jest w doskonałej formie, inni są starzy, ale nie on! Szczepi drzewa, łupie siekierą drwa jak młodzik, śmieje się, kiedy jest śmiesznie, wścieka się, kiedy ma powód, nie jest staruszkiem! Nie kłapie sztuczną szczęką, nie nosi pampersów, nawet nie ma problemów z prostatą! Nie drepcze, tylko dziarsko chodzi! Nie, to pomyłka! To jakieś sercowe duperele, to nie jest jeszcze jego czas, nie!

Jechałam do domu aleją Waszyngtona. Noc, zimno. Prószy drobny śnieg. Pozapalane lampy, mokry asfalt, w domach mało świateł. Późno już, a to jest dzielnica starych ludzi. Oni już śpią w cieple, razem, stare żony w łóżkach ze starymi mężami albo osobno, bo chrapią. Nie tylko mężowie, żony też. „Tatusiu, tatku" — mówiłam do siebie i było mi bardzo smutno. Zdałam sobie sprawę, że oto już powinnam zacząć się bać jego odejścia. Oczywiście że nie teraz! Teraz go nie puszczę, ale to zaczął się już ten czas, gdy rodzice odchodzą.

Nie lubiłam wspólnego spania, prawda. Może na początku, albo u rodziców na przygórku, ale później nasze noce i dni podporządkowały się Mirkowym dyżurom i często spałam sama, wolałam tak. Mirek często brał noce. Mówił, że doskonale sobie radzi i że to lepiej. Nie polemizowałam. Takie trochę życie na mijankę. Nie tuliliśmy się nocami, raczej przeszkadzaliśmy sobie, więc spaliśmy pod osobnymi kołdrami, a potem, jak Grześ się wyprowadził, wreszcie spałam osobno! Tak mi było lepiej, nie lubiłam obłapianek, całej tej cielesności... Ale ONA zapewne lubi... uderzyła mnie prosta myśl. Włodek ma rację, to takie proste! Wyobraziłam sobie tę pulchną kobietę z Mirkiem w łóżku, dziwne... On z taką kluchą? No ale są ze sobą, to zapewne ona lubi z nim seks, a on z nią...

Dobrze im! I już. I niech sobie mają swój seks, swoje spanie, a ja jadę do mojego kochanego domu i łóżka. Boże! Jaka jestem śpiąca! No tak, pisałam o tym, jak to w stresie adrenalina chlusta do krwi, napina mnie na maksa i uwalnia glukozę, która po opadnięciu krzywej stresu sprawia, że jestem senna. Jak to się organizm ładnie broni!

Zaparkowałam byle jak, czując, jak mi powieki ciążą, i poczłapałam do domu. Spaaać! Przed snem zadzwoniłam na OIOM. Z tatkiem dobrze — mogę zasnąć!

Mój organizm widocznie nie czytał tego o glukozie, bo mimo senności nie mogłam zasnąć. Miałam gonitwę myśli, niepokoju, który nagle zupełnie wypełnił moją głowę.

Nie byłam sensatką, już dawno osiągnęłam stan spokojniej, mądrej „kobiety dojrzałej" i nie miewałam skłonności do plotek zapierających dech w piersiach ani do podniecania się byle czym. Bardzo spokojnie, choć oczywiście z uczuciem przyjmowałam wydarzenia, które rozfalowały społeczeństwo, ale taka już moja praca — kiedy rozmawiam z kimś o sprawach nawet sensacyjnych, sama nie powinnam ulegać emocjom. Nie szlochałam po śmierci Lady Diany ani Michaela Jacksona, wiedziałam, co ich zaszczuło, zniszczyło, co za sensacja? Ohydna strona życia gwiazd. Ambiwalencja wypadków, dramatów. Które są dramatyczne, a które — nie? To zależy od publiki! Od stopnia sensacji. Napisałam kiedyś dobry tekst faktycznie zupełnie nielifestylowy, a polityczny. Sytuacja w kraju, a raczej pyskówka w telewizyjnym studiu dotycząca naszych postaw wobec dramatycznych wydarzeń, nadinterpretowania ich na potrzeby polityczne sprowokowała mnie do zajęcia stanowiska. Nie były to zapiski blogerki, normalny gazetowy tekst! I on mi się tak spodobał, że oczywiście wysłałam go mojemu mentorowi.

Czytał to i mruczał przez telefon:

— No, no widzisz, dziecko, ty byłabyś dobra jako dziennikarz społeczny! Bo polityki nie tykaj! To okropne łajno… — zawiesił głos, zaciągnął się dymem. — Masz dar, dziecko, to może już dość tego lifestylu?

— Łatwo ci mówić, trafiłam do dobrego pisma, pensja idzie, a ja teraz nie mam ochoty eksperymentować. A jak mi nie wyjdzie?

— Dziecko, posłuchaj starego, zaczniemy tak, że polecisz dwa, trzy teksty na moim nazwisku, potem powiem naczelnemu, że de facto to było twoje pióro, co?

Leżałam w łóżku niby senna, ale mój mózg stale nadawał, skakał z kanału na kanał, jakbym przełączała kanały radiowe. Kiedyś, bo dzisiaj kanały radiowe to właściwie tylko muzyka, muzyka, muzyka, łup, łup, łup, wiadomości, reklama, muzyka. Koleżanka proponowała mi pracę w radiu, ale na bardzo niekorzystnych warunkach, bez etatu, i wiedziałam, że miałabym trudną szefową. Zresztą po jakie licho im dziennikarze, skoro to tylko reklamy i muzyka? No Trójka — nie, ale nie mam wejścia do Trójki. Dwójka — cudowna, kochana Dwójka, kompletnie nie moja grupa docelowa, ale słucham czasem! Pracować tam nie umiałabym. Nie mam wejścia. Nie, radio stanowczo nie. Ja lubię słowo pisane i może faktycznie czas na ewolucję?

Już druga w nocy! Czemu ja nie śpię?! Ewolucję? W moim wieku? Zdałam sobie sprawę, że to już druga połowa życia i że dotąd niewiele osiągnęłam, dokonałam. Zrobiło mi się smutno, dojmujące uczucie jakiegoś żalu, pustki, nieważności wszystkiego oprócz taty rozlało mi się po ciele i podeszło do gardła. Zacisnęło się w klatce piersiowej, w żołądku. Leżałam skulona i smutna. Nie, to jakaś paranoja! Pomyślałam, wstałam i podeszłam do szafki. Wyjęłam pękaty kieliszek, koniak i wypiłam — ciepło wypełniło wnętrze. Dokończyłam, och, teraz chyba mi poluzuje! A jutro pojadę do taty i zahaczę o Ewę, koleżankę ginekolożkę. Ona mi bez łaski zapisze coś na to coś, co mam. Te niepokoje, bezsenność i doła. Nic. Muszę się czymś zmęczyć.

Nie zasnę.

Ta noc jest straszna, ciemna, lepka, ohydna. Boję się o tatę, Gienek też wyglądał dzisiaj strasznie… staro! Nie dam rady zasnąć! Zapaliłam lampkę i sięgnęłam po album ze zdjęciami. Czytać nie dam rady, radio — nie! Nocne audycje są dołujące.

Co tam, pooglądam! Coś muszę robić, a na nic innego nie mam ochoty. Pooglądam przeszłość. Bez mazgajenia się, tak jak archiwalny film!

Nasze wakacje, wojaże, sylwestry i imprezy. W tym albumie tylko my — ja i Mirek. Na pierwszej stronie zdjęcia z wesela, czarno-białe i wariackie. Wieczorne ognisko i wspaniały nastrój był, jak na obozie. Ciepły wrzesień, ja się szybko przebrałam, Mirek też, i tańczyliśmy na naszym podwórku wśród tatowych drzew, najpierw pod muzykę z taśm, a potem dwie gitary, organki i ognisko… Młodziaki poszli spać do magazynu, bo ojciec z Kobylińskim nawieźli im tam słomy, narozkładali sobie koców, śpiworów i było znakomicie. Rodzice Mirka spali na górce, a my u mamy w pokoju.

Wszyscy znajomi byli zdania, że to było najfajniejsze wesele i że te wszystkie knajpiane się nie umywały. Oczywiście rodzice Mirka nie komentowali. Z uprzejmymi uśmiechami odjechali dnia następnego. Nie byłam ich wymarzoną synową…

Na zdjęciu nasz piękny fiat 125p. Kolor koniakowy! Jak to brzmiało! Tatko powiedział: „No, brązowy, no!". Ile to auto przeżyło!

A tu nasze zdjęcie ze stanu wojennego, kilka dni przed Wigilią, przy koksowniku, z żołnierzami w Wilanowie. Wracaliśmy całą paczką od znajomych, z Konstancina i tak sobie poszliśmy pogadać z wojakami. Ja się opierałam, a Mirek był ciekaw.

— Mańka, przestań, chcę zobaczyć, co myślą.

— Ale po co? Nie idźmy tam, boję się.

— Zwariowałaś?! To Polacy, tylko pod rozkazem, chodź! Im też głupio, że muszą tu stać.

I miał rację. Fajnie nam się z nimi gadało, chociaż byli bardzo powściągliwi, ale kiedy zobaczyli, że nie napadamy na nich — zapalili z nami papierosy. Wyczuwałam, że są nam wdzięczni. Oni też niewiele z tego rozumieli. Idiotyczny stan wojenny…

— Znaczy, wojna?! — pytałam Mirka.

— Nie, no coś ty! — tłumaczył mi, że nie, ale nie rozumiałam, po co te czołgi, na kogo? Na mnie? Na nas? Ja mam małe dziecko! Jaka wojna?! Dopiero później okazało się, co to znaczy. Kilku naszych znajomych internowano, dziewczyny zostały same w domu, przerażone, i zaczęła się zwyczajna pomoc. Do głów, do serc wdarł się lęk: „Moi znajomi w więzieniu?! Normalni, zwykli, mądrzy ludzie?!". Stan wojenny nie mieścił mi się w głowie, co za określenie na wyrost! Nie ma wojny! To zwykłe strasznie, żeby nas wziąć w karby — coś jak „uważaj, bo przyjdzie dziad i cię zabierze". Teraz dziad ogłosił stan wojenny, a na ulicach pojawiło się wojsko, koksowniki i normalna w tej sytuacji atmosfera lęku, zagrożenia… No żeby tylko Budapeszt się nie powtórzył ani Praga. Nie! Nie powtórzy! No, my Polacy się nie damy!

Sądziłam, że to potrwa kilka dni, że zaraz ich wypuszczą. Postraszą nas najobrzydliwiej jak tylko można, zdyscyplinują, ale wróci normalność. Moja wiara w to była dziecięca i określana dzisiaj mianem *wishfull thinking*, ale to było spowodowane moim głównym priorytetem — GRZEŚ!

Byłam tym moim macierzyństwem oderwana od rzeczywistości, pochłonięta pieluchami, kartkami i nie miałam siły wieczorem nawet na telewizję. Dziecko i ja, ja i dziecko. Mirek całymi dniami w szpitalu, miał swoje sprawy. Był wściekły na siebie: „Kurrrwa, a mogłem się przenieść do Przemienienia Pańskiego". Nie wypytywałam go, i tak by mi nie powiedział, co się działo u niego w szpitalu. Nie umundurowali go, był cywilem, ale w wojskowym szpitalu.

Sama musiałam w śnieg i mróz wozić małego Pana Grzegorka na bilans, do lekarza, i kłóciłam się z ojcem, który mi tłumaczył, że powinnam się z dzieckiem przenieść do niego „na ten czas". Ale jak? Od taty do przychodni jeszcze dalej, benzyny mało, a jak zabraknie? Ojciec się złościł, ja nie chciałam, musiałam być w domu, bo Mirek do czego miał wracać? Do pustego mieszkania?

Powoli dzień po dniu uczyłam się, jak żyć w nowych warunkach.

O, właśnie! Ładnie wklejone do naszego albumu kartki na mięso.

Nauczyłam się, kiedy i jakie zakupy robić — we środy dostawa mięsa na Waszyngtona, z pręgą wołową, której sklepowa nie cięła, więc dawałam jej kartkę z siedmiuset gramami mięsa z kością, a brałam pięć kilo tylnej albo przedniej pręgi wołowej! Co prawda z wielgachnym gnatem, ale ile mięcha i jaki rosół z tego był! Sklepowa machała toporem i cięła mi to na trzy części, a ja wracałam do domu z miną, jakbym upolowała mamuta. Doskonale pamiętam, jak Pela dusiła pyszną wołowinę, której ja nie lubiłam, ale ojciec się zachwycał, że się „rozpływa w ustach", a Pela robiła minę cadyka i mówiła: „… o pręgę trzeba umieć porządnie udusić".

Nigdy nie skalałam się wstawaniem po szynkę o czwartej rano. Nigdy! Powiedziałam do Mirka:

— Po moim trupie, nie dam się tak upodlić! Nie będziemy jeść szynki rzucanej nam jak psom.

Mirek załatwiał to jednym:

— Oczywiście, kochanie, to ja lecę — i leciał!

Naturalnie z czasem Kobyliński stał się naszymi delikatesami. Handlował wieprzowiną i wyrobami, a jego ojciec pędził bimber aż miło, bo przypomniała mu się okupacja i poczuł przypływ inwencji, kiedy zaczęła się zabawa w wymienianie. Oleju na mydło, mydła na powidło, majtek na kaszę. „Za bimber się wszystko kupi!" — mówił i pędził z żyta, ziemniaków, czasem z melasy. Ten z melasy był pyszny! Teść Kobylińskiego robił z niego przepalankę i nazywał ją koniakiem. Mówił podobno do zięcia: „No, zanieś panu Michałowi, niech da dla pani Marianny, bo ona jedna docenia moją przepalankę! Mówi, że od koniaków lepsza!".

Wydawało się, że taki stary, chory gbur, a tu życie w niego wstąpiło! Młody Kobyliński, przyjaciel ojca, podsuwał dla mnie wędliny, a ja za to wszystko, co mogłam, wymieniałam na olej i proszek do prania, bo Kobylińscy brali wszystko jak leci.

Nie było to takie łatwe. Pamiętam, jak Pan Grzegorek miał już ze dwa latka, była zima, a mnie szepnęła kobieta w sklepie na Walecznych, że w hali na Banacha, na drugim końcu Warszawy „dają, pani kochana, po butelce oleju na łeb! Na dzieciaka to drugą pani dostanie". Wsadziłam Grzesia do autobusu, wózek typu parasolka, PRL-owski wyrób, był może mało wygodny, ale lekki, a choć to była pora obiadu, dałam dziecku w łapkę kawałek bułki i pojechałam. Z trzema przesiadkami, w topiących się zwałach śniegu brnęłam po ten olej. Pamiętam to! Małe kółeczka wózka ciężko się toczyły, ale Grześ był dzielny bardzo.

W hali zobaczyłam kolejkę jak ze złego snu… Wiła się przez całą salę! Stanęłam, bo przecież po to jechałam! Szło dość sprawnie, a kiedy dobrnęłam wreszcie, sprzedawczyni kazała okazać dowód. Spytałam urażona, dlaczego? A ona, że jak mam tam napisane, że zamężna, to na męża też mi da. Mało jej tam nie wyściskałam. Dostałam trzy flachy! Na siebie, Mirka i Grzesia!

Nastały debilne, upodlające czasy zdobywania wszystkiego. Mirek kompletnie nie wiedział, o czym mówię, kiedy mu tłumaczyłam, żeby się nie martwił, bo zamiast wódki kupiłam więcej czekolad i jak przyjedzie ojciec, to zabierze to czekoladopodobne coś i zostawi kanister benzyny od Kobylińskiego.

— A Kobyliński skąd ją ma?

— Domyśl się — odpowiadałam, a Mirek tylko wzdychał.

— Żeby tylko za to do pierdla nie poszedł.

Najgorsze to było przyzwyczajenie. Bo myśmy się zaczęli przyzwyczajać, jak rośliny i zwierzęta — przystosowywać do nowych warunków. Ojciec był wściekły, oburzał się, a ja byłam mistrzynią w kalkulowaniu, co, gdzie, jak wymienić, pojechać, kupić. Jak my wszystkie! Zamiast biernej wściekłości, po prostu żyłam najlepiej, działałam najsprawniej jak mogłam. Uważałam, że utyskiwaniem niczego nie zdziałam. Według ojca miałam porządnie wychować dziecko, dać mężowi spokojnie pracować, a jemu, znaczy ojcu, dać... święty spokój.

Ten cały stan wojenny to było najpierw zdziwienie, szok, oczekiwanie na rychły koniec, bo przecież to absurdalne i zaraz się skończy, i... trwanie w tej schizofrenii. Kiedy ciotka Jadwiga bywała u nas, a ja byłam jeszcze mała, a przypadkowo była Pela, to słuchałam z otwartym dziobem, jak one sobie radziły podczas okupacji! Jak jeździły na wieś po różne rzeczy, jak z niczego robiły coś.

I teraz, kiedy nastał ten dziwaczny stan wojenny, ich rady były jak znalazł! Czułam się jak one. Daję radę, nikt mnie nie złamie, nie upokorzy brakiem szynki! Kartkami i całym tym cyrkiem. To musi kiedyś minąć!

Dokładnie pamiętam to myślenie.

O, a tu mam wklejone kartki na cukier! Jakie małe, jak znaczki pocztowe z napisem „2". Pamiętam to doskonale, kiedy byłam w warzywniaku u nas na Zwycięzców, nakupowałam warzyw, nowalijek i zabrakło mi pieniędzy. Janek, sprzedawca, mówi:

— Doniesie pani!

— Nie, panie Janku, ja nie lubię na krechę. Zaraz, może coś tu mam — i zaczęłam szukać w portmonetce, wyjmując jakieś wymięte bony PKO. Janek zobaczył bon pięćdziesięciocentowy i mówi:

— O, to będzie! I jeszcze dwa złocisze.

Ja na to:

— Nie mam, a może pan weźmie bon na cukier?

I Janek na cały sklep zawołał:

— O, ludzie kochane, co za czasy, że za włoszczyznę kobita płaci złotówkami, dolarami i jeszcze papierami wartościowymi!

Z mięsem to ja nie miałam problemów żadnych, raz że Kobyliński, a dwa... końska jatka na Zwycięzców. Przypomniałam sobie, że z Pelą jeździłam czasem na Grochowską do tej jatki po koninę, bo ona uważała, że taki właśnie koński tatar jest najlepszy.

Gdy się zaczęły kłopoty z mięsem, to pojechałam z Grzesiem sprawdzić, czy ta jatka jeszcze jest. Czy konina jest na... kartki?

W sklepiku małym trochę ludzi, mięsa mnóstwo... Stanęłam w kolejce i widzę, że żadne kartki tu nie są potrzebne. Kupuję kawał ładnego mięsa na pieczeń i mówię, że szkoda, że u nas nie ma takiej jatki, a sklepowa na to, że gdzie niby? I okazało się, że ja nie wiedziałam, że na Zwycięzców, koło pani Żurawskiej, znaczy koło sklepiku warzywnego słynnego z wiejskich serów i śmietany, jest jatka, i to z wędlinami! Co za ślepa gapa ze mnie! Od tej pory stałam się klientką poleconej jatki. Kabanoski, kiełbasa cytrynowa... bez kartek!

A tu zdjęcie moje i Grzesia — stoimy w kuchni i trzymamy w rękach jakieś flaczkowate woreczki. Zaśmiewamy się, bo mówimy na nie „rybie siurki".

Kupiłam, nie mając pojęcia, co to jest — kalmary, bo z ryb w sklepie bywały tylko ostroboki, dość paskudne, i nagle dowieźli te kalmary. W domu hop, do encyklopedii, do książek kucharskich, a tam nic o potrawach z kalmara! Usmażony był jak dętka od roweru. Dopiero słynna pani Gumowska w czasopiśmie kobiecym przestrzegła nas, że zanim kalmara usmażymy, należy go sparzyć wrzątkiem.

Mirek się śmiał z nami z tych „rybich siurków". Rzadko się wtedy śmiał. Właściwie wtedy żyliśmy w dwóch różnych światach. Miał swoje problemy, o których mi nie mówił, bywał zasępiony, zmęczony, szary. Już wtedy mieliśmy pierwsze kłopoty z intymnością. I to nie mnie „bolała głowa". Wiedział jednak, że muszę uszanować jego tajemnice. I może też wolałam wiedzieć jak najmniej? Pochłonęło mnie macierzyństwo i nowy styl życia — polowanie na wszystko, zdobywanie.

Najgorzej było z ciuchami. Ale i z tym dałam sobie radę. Biegałam na giełdy rzeczy używanych, które rozkwitły na różnych stadionach, w ogródkach jordanowskich itp. Kupowałam, wymieniałam... A jak były święta typu Wianki, czy święto „Trybuny Ludu", wiadomo było, że rzucą jakieś fajne ciuchy. Kupowało się z ciężarówek — ładne bawełniane bluzki, dziecięce łaszki, męskie koszule. Aż dziwne, jak bardzo jaskrawo mi się to przypomniało. Pojadę w niedzielę do taty, to powspominamy.

Może dam radę pospać, chociaż trochę?

Przyłożyłam głowę do poduszki i nie wiem, jak zasnęłam wreszcie takim wymęczonym, smutnym snem.

Zima przechodziła smętnie i ciężko. Nie miałam urlopu, zajmowałam się tatą i pracowałam, żeby zagłuszyć dojmujące uczucie samotności po wyjeździe Grzesia, odejściu Mirka, które początkowo brałam za tymczasowe, ale dzisiaj wiem, że to fakt jak najbardziej „autentyczny", tym bardziej że przecież wyprowadził się ostatecznie i ostatecznie spotkaliśmy się wreszcie na miłej i grzecznej, nad wyraz wzorowej sprawie rozwodowej.

Właściwie jestem sobie i jemu wdzięczna, że nie urządziliśmy rutynowego piekła. To, co wyprawiają ludzie, przechodzi moje wyobrażenie. Horror. Adwokaci, którzy dwoją się i troją, żółć i wyzwiska, lodowate, chlaszczące i obraźliwe słowa, nienawiść, wielogodzinne narady w gabinetach mecenasów — jak zgnoić małżonka, rzadziej małżonkę. W moim środowisku widzę to wyraźnie, że to mężczyźni chcący się uwolnić z zimnego związku spuszczają głowy i godzą się na szalejące furie, w które przeistoczyły się ich małżonki.

Pytałam o to Włodeczka na wspólnej kawie w Bristolu. Ach, lubimy się tam spotykać! On kocha to miejsce jeszcze z dawnych czasów, ja teraz je odkryłam, bo wygodnie mi na kanapie koło okna i lubię tutejsze espresso, ciszę, brak namolnej muzyki i dyskretne zachowanie kelnerów.

— Włodek, za twoich czasów kobiety też wpadały w taką furię rozwodową?

— Oczywiście! Wy zazwyczaj wpadacie. Kochacie teatr, dramat, darcie szat i szmat…

— Ja nie.

— No tak, dlatego cię kocham, bo jesteś wyjątkowa, ale to jest takie powszechne, przewidywalne! Pokaż mi tę, która się rozwodzi, a powiem ci, jak to zrobi.

— Ze znajomych oczywiście?

— Znasz Zosię Pietruszewską?

— ?

— To jej panieńskie, no wyszła za szefa tego… — Włodek nachyla się i szepcze mi nazwę poczytnego pisma.

— A! Tak, znam! I…?

— Niby tak urocza, miła, ty wiesz, co ona wyprawiała, kiedy on jej oświadczył, że ma dość?

— Czego miał dość? Jej? Miała rację, ślub się bierze...

— Dziecko — przerwał mi — ślub się bierze z nadzieją na jakieś dobre bzykanko i miłą atmosferę w domu. A tymczasem Zosieńka złapała znakomitego fundatora swoich zachcianek i on się szybko zorientował. No przecież nie kto inny jak ona oficjalnie jęczała, że nie znosi gotowania, że od szumu pralki dostaje migreny, więc najęli gosposię.

— No mógł ją nająć, nie żeniąc się — sarknęłam feministycznie — praczka mu była potrzebna czy żona?

— Oczywiście, ale okazało się też, że jest potrzebna tylko jego kasa! Zosia przestała się nim interesować, ważny był tylko stan konta. Żadnych czułości, seksu, bo nagle zaczęła mieć jakieś, wiesz, bóle głowy i „nie ruszaj mnie". Mówił mi, że nie znosiła jego dotyku, zaczęła się uchylać, gdy jej mówił dzień dobry po pracy z rutynowym buziakiem. Żadnego ciepła, nic! W domu jedyna uśmiechnięta to Ukrainka, która witała go uprasowanymi koszulami i pysznym obiadem. Miał dość.

— Miał romans z tą Ukrainką?

— Nie. Miał dość Królowej Złego Nastroju i pożegnał się. Wtedy Zofija wpadła w furię i postanowiła go ukarać za tak złą decyzję. Zamieniła mu życie w piekło. Śledzenie, włamywanie się do komputera, przeszukiwanie kieszeni, komórek, laptopa, jakieś syczące sugestie i oskarżenia, nasyłanie szpiegów i tysiące męczących esemesów, przykrych, idiotycznych, wrednych. Dlatego wujek Włodzio cię oświeca, bo wasz kobiecy Ruch Wsparcia Koleżanek działa idiotycznie, napuszczacie się nawzajem, podjudzacie, namawiacie do najgorszych zachowań i nazywacie to wsparciem! Uwielbiam cię za brak koleżaneczek.

— I kochasz za to, że to ty jesteś taką moją koleżaneczką?

— Skoro nie mogę być twoim kochankiem... a właśnie, minął ci już czas żałoby? Dasz się uwieść, czy co?

— Nie — warknęłam zwyczajowo, a potem zamilkłam na chwilę i dodałam jak nie ja:

— Dam. Za... dziewięć i pół tygodnia. Umiałbyś się ze mną tak kochać, jak Mickey Rourke?

— Tak gastronomicznie z jogurtem, miodem i truskawkami? To was kręci? Daj spokój, kobieto, to już chyba nie ja... Co u taty? — zmienił temat.

— Dobrze. Nie dawał się za skarby wypchnąć do sanatorium, a jak go w końcu Gienuś namówił, wrócił po tygodniu rozczarowany i zły. Dobrze się czuje.

— A Lili, śliczny kwiat?

— Też dobrze. Może chemia pomogła? O, mógłbyś się w niej zakochać. Piękna, samotna, potrzebuje opiekuna, a nie jakiegoś głupka.

— Coś ty! To dziecko! Siusiara, a ja nie nazywam się Łapicki. A wiesz, widziałem Andrzeja na jakimś spacerze z żoną. Ma facet szczęście!

— Tak sądzisz? A ona?

— Co ona? Ma faceta dżentelmena. Mistrza! Jak to było? Szampon i odżywka w jednym. Też szczęściara!

— Ale na krótko, wszak wiesz…

— Wiem, dziecko, wiem… ja już też mam mało czasu. No, pójdę już. Nie potrzeba ci niczego?

— Potrzeba. Załatw mi z nimi wywiad o normalności w takim związku: 60 lat różnicy!

— Wszystko, ale nie to. Oni się już nagadali, prasy mają dość, ale umówię cię z żoną mojego kolegi — tu znów mi naszeptał do ucha nazwisko znanego faceta, który zniknął z życia scenicznego, bo podobno ma depresję. Włodek jest dyskretny i lubi mi szeptać do ucha jakieś nawet wyimaginowane tajemnice. Wiem, bo zawsze zaciąga się moimi perfumami.

— O, dobrze! Załatw. Włodziu, to uważasz, że ja i Mirek zachowaliśmy klasę? Bo ja sądziłam, że to po prostu oznaczało, że nic nas tak naprawdę nie łączyło.

— Błąd, gołąbeczko! — Włodek triumfował, bo on wie! I mi to uświadomi zaraz, bo podniósł do góry swój kościsty palec, wiadomo, że powie coś ważnego. — Kochanie, to, że zgasło uczucie, to bywa, i to bardzo często, ale to nie znaczy, że was nic nie łączyło. Przecież macie normalny kontakt, a ty jego obecnej nie robisz laleczek z wosku, prawda?

— No, nie…

— No widzisz, wspomnisz wujka Włodka. To, co was łączyło, łączy was nadal — przyjaźń. Zobaczysz! Nieoceniona jest z byłymi! Wujek Włodek coś o tym wie! No, daj pyska, lecę.

Ulżyło mi.

Grześ się bardzo starał i co tydzień rozmawiał ze mną na Skypie. Jestem pewna, że to była reżyseria Igi. Zapewniał, że wpadną w lecie, jak będzie miał maleńki urlop, ale to nie to samo, co mieć go tu wraz z Igą i Tadziem gdzieś blisko, w Polsce. Czułam dotkliwie ich nieobecność. Już ten Kraków był daleko, a Goeteborg?!

Cisza i pustka w domu nie były czymś strasznym, Mirek zawsze intensywnie pracował, ale sam fakt, że to nie tymczasowe, że dom nie zapełni się jednak męskim zapachem, gadaniem, szuraniem kapciami. Brak mi tego. Przyzwyczajenie, czy naprawdę tęsknię?

Poza tym okresem, kiedy mieszkała ze mną Lila, jestem sama i coraz częściej miewam takie melancholie…

Może wziąć ze schroniska psa?

Lilka dopięła swego, tak długo wierciła mi dziurę w brzuchu, aż zdecydowałam się wreszcie wziąć za siebie i zaczęłam chodzić na fitness.

Właściwie zaczęło się od tego, że miałam zrobić reportaż o znanych kobietach i o tym, jak wypiękniały po takich mądrych zajęciach, na które zaczęły chodzić po jakiejś zawodowej albo osobistej załamce. Aktorka, pisarka i pani polityk. Towarzyszący temu pan trener i pani dietetyczka, a wszystko to o tym, że w zdrowym ciele… itp.

Aktorka zaczęła, bo miała mało ról i przestano ją zauważać, gdy skończyła czterdzieści pięć lat i lekko utyła, pisarka, bo przesadziła z afirmacjami i zapasła się — jak sama o sobie mówiła — niechcący, ale smacznie, a pani polityk zajadała świeży rozwód.

Z panią polityk rozgadałyśmy się jak bratnie dusze, mimo że kompletnie nie jestem za jej opcją polityczną i dziwię się, że taka niegłupia kobieta, a siedzi w partii o zdecydowanie nie moich poglądach. Nie jestem katoliczką, nie czczę Kościoła jako instytucji i organizatora mojego życia i nie uważam, żeby nam dzisiaj potrzebne były kolejne muzea, instytuty pamięci i cała ta sienkiewiczowszczyzna, ale o odejściu męża i smutku, samotności i poczuciu beznadziei słuchałam ze zrozumieniem. Nie zgadzałam się tylko z tym poczuciem niskiej wartości. We mnie odejście Mirka niczego takiego nie obudziło. Jest Lilka, która dba o mój kręgosłup moralny, stale mi kadzi, jaka to ja jestem mądra i że teraz powinnam pokazywać się mu jako cud-laska. „Niech zobaczy, młotek jeden, co stracił!". Nie umiem jej wyjaśnić, że mi to wisi pionowo w dół i dynda jak wahadło, że nie zamierzam go powtórnie uwodzić i za wszelką cenę udowadniać, że stracił swoją życiową szansę na szczęście, bo szczęśliwi to my razem chyba nie byliśmy.

Owszem, wreszcie po rozmowie z panią polityk zobaczyłam, że dobre ciało, schudnięcie i doskonały wygląd spowodowały, że doprawdy… zmieniła się na lepsze. Jest uśmiechnięta, wesoła, nawet zalotna, czyli paradoksalnie odejście małżonka dało jej kopa, siłę do zmian na lepsze! Przynajmniej w kwestii wizerunku!

Pamiętam, że jeszcze rok temu znajoma dziennikarka barwnie opisała jej owłosione łydki i zadyszkę, jakiej dostała na schodach sejmowych. I pani polityk postanowiła pójść tą samą ścieżką co jedna z pań posłanek, którą wizażyści zmienili z niezgrabnej baby w piękną blond laskę. A ja? Hm. Czy to dla mnie?

I nagle złapał mnie w szpony trener fitness, w którym robiłam zdjęcia moim bohaterkom. Kilka, może kilkanaście minut od mojego domu, na nowym osiedlu, duży obiekt sportowo-basenowy, a w nim spora sala fit & fun, masaż, i wszystko to czyste, nowe, pachnące. Kiedy kolega fotograf pstrykał foty, ja nagle usłyszałam:

— Marianna?! — obok mnie stał Mister Twister, czyli trener owych pań.

— Tttak, a co? My się znamy?

Zdumiało mnie to, bo nie znam faceta!

— Mańka! Daj pyska, nie pamiętasz mnie? Jarek! Liceum, sąsiednia klasa B, profil mat-fiz!

Stoi sobie chłop jak dąb, w moim wieku chyba, łysy, robi wesołego wytrzeszcza i czeka, aż mu zawisnę na szyi.

— Ale... — gmeram w głowie, a tam pustka kompletna! No, nie znam gościa na amen i głupio mi uświadomić mu, że mnie z kimś pomylił, więc rzucam: — Ale... Przepraszam, to na pewno o mnie chodzi?

— Mania, wysil się, pamiętasz akademię ku czci... kurczę, no nie pamiętam, ku jakiej to było czci, ale wystawialiśmy w szkole, no! parodię *Hamleta* Przybory, pamiętasz? Zaraz... „O rany, jak ciemno, co stanie się ze mną?! Onegdaj zmarł tato, ojczyma mam za to i zmartwień też nawał, bo drania to kawał...". No, Mania! Reżyserowała to Grażyna Rusin, a ty grałaś Hamleta!

— Nnno, tak... a ty? — wytrzeszczam oczy, mózg fałduje mi się i skręca w konwulsjach. Kim jest ten facet, do licha?!

— Ja grałem Ofelię!... No?!

Prawda, Ofelię grał taki nasz kolega z mat-fizu, Jarek Wujko. Ale... Jaruś był piegowaty, kudłaty rudzielec, chudy i wiotki jak gałąź wierzby, palił ekstra mocne bez filtra i miał plecki wątłe, wygięte w pałąk, a klatę jak rasowy gruźlik, kaszlał od tych fajek i łaził taki wymięty, wlokąc za sobą rozkloszowane spodnie wiecznie opadające mu z suchego tyłka, do tego rozchełstane koszule i wyglądał jak własna karykatura. A tu stoi przede mną, co prawda lekko łysiejący, no powiedzmy sobie szczerze — łysy, ale chłop jak z reklamy Mr

Propera do zmywania naczyń i uśmiecha się, pokazując białą klawiaturę uzębienia! To jest... Jaro? Jarek?! Ofelia?!

— To... ty? — spytałam zdumiona i przeświadczona, że mnie nabija w butelkę, że zamordował tamtego Jarka, ukradł mu tożsamość i robi ze mnie wariatkę.

Przy napoju izotonicznym przypomniał mi prawie całą swoją Ofeliową kwestię, opowiedział, co u niego. Jak nie zdał na fizykę i pijany zameldował o tym ojcu — nauczycielowi wuefu, a ten, mając jakieś plecy na AWF-ie, wkleił tam synka, żeby roku nie zmarnował. Jaro pracował też jako nauczyciel, ale dziesięć lat temu, jak wyszedł z odwyku na Sobieskiego i zetknął się na poważnie z AA, zaczął na serio trenować fitness, zrobił jakieś kursy i dzisiaj, proszę! Pokazuje mi ciało Herkulesa, wyrzeźbione miąchy, napiętą opaloną skórę, szeroką klatę i kaloryfer na brzuchu. Na ścianie dyplomy z zawodów dla seniorów.

Dał mi natychmiast pięćdziesiąt procent zniżki, karnet i kazał obowiązkowo, bezdyskusyjnie przyjść w środę. Pożegnałam panie i kolegę fotografa, w domu zrobiłam opracowanie wywiadów i wysłałam do autoryzacji paniom i Jarkowi.

Dziwiąc się sobie, zaczęłam do niego wpadać raz w tygodniu, o co oczywiście się wściekał, że to za mało, więc czasem nawet dwa razy w tygodniu. Zabawnie było kupić sobie odpowiednie obuwie i galoty do ćwiczeń, bo powyciągany spłowiały dres, w którym poszłam po raz pierwszy, zawołał o pomstę do nieba, a ja sama w zestawieniu z paniami tam ćwiczącymi wyglądałam jak stara baba. Tego samego dnia pojechałam do outletu i stuningowałam się za małe pieniądze. Porządne, przewiewne czarne butki treningowe, spodenki pod kolano, dwie pary, szare i czarne potrójnie przecenione, i wyszczuplone ładnie po bokach koszulki, na które namówiła mnie sprzedawczyni. Chciałam używać swoich zwykłych, domowych tiszertów, ale skoro mam nowe wszystko? Nadto pani mi powiedziała kilka prawd — że normalne tiszerty mają krój worka i pod szyją są niewycięte, a to powoduje, że buzia wygląda okrąglej, a to, proszę, koszulki wzmocnione i wcięte po bokach, dekolt w karo, o! Jak ładnie! Dałam sobie wcisnąć to „O! Jak ładnie!” początkowo zła na siebie, bo były droższe od przeciętnego podkoszulka, ale na sali zmieniłam zdanie. Wyglądałam porządnie i tym lepiej mi się ćwiczyło.

Najpierw oczywiście zadyszka i wstyd, bo się pociłam jak małpa w kąpieli, ale Jarek wybił mi z głowy wszelkie wstydy, bo, jak powiedział, wypacam toksyny, a to powód do chwały!

Podczas picia kolejnej porcji płynu izotonicznego o smaku cytrusowym opowiedział mi więcej o powrocie z tamtego świata, dokąd wdepnął na chwilkę po zawale, o ćwiczeniach, spotkaniach z trzeźwymi alkoholikami, dumie z sukcesów i nieudanym dzisiaj życiu osobistym. Miałam dzięki temu kolejny dobry materiał, ale oczywiście nie do naszego pisma. Włodzio pomógł mi go sprzedać do męskiej gazety i ku chwale ojczyzny dostałam miłą kasę i prośbę o kolejny jakiś mocny akcent.

Jarek na szczęście nie podrywał mnie, czego się bałam po jego deklaracjach, że podkochiwał się we mnie w liceum, w maturalnej klasie, zanim się nie odkochał, bo poznał swoją pierwszą żonę — Dominikę. Traktował nasze spotkanie po latach swobodnie i po kumpelsku, mimo że jest sam. Na razie niespecjalnie chudłam, ale po schodach wchodziłam jak kiedyś, za młodu, już bez zadyszki!

Ćwiczenia polubiłam, stały się dobrym wypełniaczem czasu. Raz był to fitness u Jarka, a czasem szłam na basen. Byle nie siedzieć sama w domu!

— Co u twojego staruszka? — spytał kiedyś Jarek.

— A co ci mój staruszek? — zdziwiłam się.

— A bo miałaś z nim fajnie, jak cię woził do szkoły z tego twojego Otwocka, fiatem, prawda? I pamiętam, że miałaś z nim taki dobry kontakt. Zazdrościłem ci, bo mój to zawsze był taki...

Zawiesił głos. Pamiętam, że raz Jarek opowiadał, jak mu ojciec spuścił manto za jakieś spóźnienie i wyszło na to, że to była jego normalna praktyka wychowawcza. Pokazał nam pręgi na plecach bezwstydnie i z jakąś nawet udawaną obojętnością.

Wiem, że ojca zazdrościli mi wszyscy! Fajny, przystojny i zawsze na szkolne uroczystości popołudniowe przywoził mnie pod samą szkołę naszym fiatem 125p bahama yellow i odbierał też, rozwożąc do domu moje koleżanki, dowcipkując i zachowując się szarmancko. Odprowadzał je do samej klatki, bo to było paskudne osiedle. Byłam dumna, że mam takiego ojca!

Kiedy opowiadałam o nim Agacie na zajęciach, snułam taką swoją autoterapię, ale nie mogłam jakoś usprawiedliwić moich kiepskich, męskich wyborów. Miałam takiego wspaniałego ojca, wujka Gienka, a moi faceci jakoś... Ech, trudno! Życia nie cofnę, a te sprawy męsko--damskie chyba właśnie mi się skończyły. Dobry seks po pięćdziesiątce? Wolne żarty!

Od Jarka wzięłam telefon do Anieli, ale czy zadzwonię? Nie wiem.

Zima wlokła się ospale, mokro, chropowato. Właściwie zaczęło się przedwiośnie, typowo polska pora roku — zimna, paskudna i nieróżniąca się niczym od zimy, tylko nazwami miesięcy.

Ojciec dochodził do siebie, Lilka bywała u niego częściej ode mnie, Gienek jakoś też się ogarnął z tą swoją tajemniczą czy raczej płochliwą, a może zwyczajnie — nietowarzyską panią Elą i wpadał do ojca rzadziej, ale jakiś zaćwierkany, zadowolony, zakochany?

Na obiedzie u taty pociągnęłam go troszkę za język:

— No, opowiedz choć trochę o niej! Naprawdę nie dałaby się tu przywieźć na obiad? Chcemy ją poznać!

— No wiesz, nie, mówiłem to już Michałowi, Elżbieta jest taka... inna, wiesz, i stale nierozwiedziona. Jej mąż od lat jest w domu opieki, alzheimer albo inne fiksum-dyrdum, i ona ma z tym taki, wiesz... moralny zgryz, że romansujemy, a ona przecież de facto mężatka!

— To powiedz jej, że my jesteśmy normalni i nas takie sprawy...

— Marian, kochana moja, ja to wiem i ty to wiesz, ale Ela jest płochliwa, no i trudno. Dajmy jej trochę czasu!

— No ale wy się spotykacie już jakieś dwa lata!

— No tak, jednak jest jak jest i wybaczcie mi, ale weekendy mam tylko dla niej, bo w tygodniu ona bardzo zajęta, bo jeszcze wnukiem się opiekuje.

— I pewnie jej dzieci nic o tobie nie wiedzą?

— Oczywiście! No bo kto ja jestem? Kochanek ich matki? Niezręcznie jakoś, więc jesteśmy sobie w weekendy tylko ona i ja. Takie moje małe szczęście.

Lilka zauważyła, że coś się i u mnie zmieniło, ale nie drążyła. Jest zajęta nowymi dietami i opieką nad ojcem, naszym poczciwym zawałowcem. A ja się wreszcie cieszę, że jedno ma opiekę drugiego, bo z kolei tatko uważa, że on się opiekuje Lilką. Pilnuje, żeby łykała leki, zabiera ją na spacery i rozmawiają. O czym? Nie wiem. Jestem zajęta pracą i fitnessem...

Ofelia. Kto by pomyślał? Jak do tego doszło?

Wieczór był deszczowy, na zewnątrz wiatr i ziąb. Zadzwonił Ofelia, czyli Jarek, z zachętą:

— Wpadnij, Mańka, dawno cię nie było.

— Jak to dawno? Tydzień temu! Miałam te dni jakieś...

— Rusz tyłeczek, co? Weselej mi z tobą. Chodź, rzuć wszystko w diabły i chodź, poćwiczysz!

— Nie, chyba nie, nie chce mi się w taki ziąb.

— Ale u mnie ciepło i... czekam! Ludzi nie ma... Jak chcesz, wyślę ci wierszyk. Właśnie go ułożyłem!

Istotnie, na mailu miga mi wiadomość. Otwieram i czytam:

Rzuć wszystko w diabły,
W kąt odrzuć cnotę
Zrób coś dobrego — pociesz IDIOTĘ.
Co smętny siedzi i czeka na Cię.
No chodźże wreszcie, uwierz IDIOCIE.
Dobry w radości, dobry w żałobie
IDIOTA tęskni, myśli o Tobie.
I czasu nie licz, chwili nie zwlekaj, IDIOTA myśli
IDIOTA czeka!
Marianno:
Bo gdy na harce przyjdzie ochota
Szczęście zapewni tylko IDIOTA!

Rozczulił mnie, uśmiałam się i... pojechałam.

Ćwiczyłam dzielnie i wesoło. Właściwie byliśmy sami, bo wielki miejscowy mięśniak właśnie skończył, gdy siadłam na przyrząd do oćwiczenia boczków. Jaro wyłączył rytmiczną muzyczkę i wrzucił Nat King Cole'a, mówiąc, że to już na wyciszenie, że teraz jeszcze dziesięć minut orbitreka ze szczególnym uwzględnieniem rąk, że ma być to intensywne, ale nie za szybko, a potem łagodnie zakończyć.

— Zobacz tu, jak już masz wzmocniony pas brzuszny. Dotknij, napnij, czujesz? No? Jest dobrze, dziewczyno!

W szatni byłam już sama, wciągnęłam brzuch i stanęłam bokiem do lustra. No, jeszcze czeka mnie praca! Ale po łagodnym solarium tydzień temu mam ładną skórę i już nie wydaję się sobie taką kluchą. Pod prysznicem gorącym i ożywczym zmywałam z siebie pot, gdy wszedł Jaro owinięty w ręcznik. W ogóle nie poczułam skrępowania. Dziwne. Uśmiechał się łagodnie i miał coś bardzo ciepłego w oczach. Nie mówił nic, tylko zakręcił wodę, wyjął mi z rąk gąbkę i położył moje dłonie sobie na ramionach. Nie wiem, dlaczego nie protestowałam, żadnego zażenowania, raczej ciekawość i chęć, żeby to się rozwijało. Jednocześnie zdumienie mną samą. Marianna, co ty robisz?!

Jaro przytulił mnie do swojego ciała gorącego i mocnego, sprawdzając, czy go odepchnę, czy nie… Nie odepchnęłam. Poczułam się jak aktorka grająca w scenie erotycznej, bo już wiedziałam, że nie, to nie trener, tylko spragniony mnie facet!

Lekko drżała mu dłoń, kiedy dotknął mojego policzka, był śmiały i nieśmiały, i jednocześnie chyba gotów na moje „nie", ale ja zupełnie niespodziewanie dla mnie samej chciałam tę scenę odegrać jak najlepiej, chociaż nie miałam pojęcia jak.

Nigdy mnie coś takiego nie spotkało, widywałam to tylko na filmach.

Jego usta były miękkie, miały smak napoju izotonicznego o smaku cytrusowym, a pocałunek (Boże, jak ja się dawno nie całowałam!) zaskakująco przyjemny i bardzo podniecający. O, tak! Nie przerywaj Jarku-Ofelio! Nie przerywaj, jest cudownie! Nie musiałam stawać na palcach, Jaro podniósł mnie i całował tak zawieszoną mu na szyi, obejmowałam go, czując, że jest wielki i silny. Zaniósł mnie do ciemnej przebieralni, bo chyba zgasił światło, gdy wchodził. Tylko spod prysznica sączyła się ukosem poświata. Przez sekundę pomyślałam skrępowana, że jestem przecież zupełnie naga, w porównaniu z innymi tu paniami jednak pulchniejsza, mam wałeczek na brzuchu i… ach, czort z tym! Zsunęłam mu z bioder ręcznik i kontynuowaliśmy pocałunki. Dotykam jego ciała! Pod skórą czuję mięśnie wyćwiczone i pełne energii. Na brzuchu odczuwam jego gorącą namiętność, a kiedy usiadł na ławeczce, spojrzałam w dół. Najpierw wystraszył mnie rozmiar jego członka. Wielki i błyszczący jak w tajskiej rzeźbie z hebanu, która stała u Włodka w gabinecie. Teraz ten, żywy, patrzył na mnie z dołu, tym swoim jedynym okiem. Stałam blisko, kolanem dotykając bożka miłości, a tymczasem Jarek… Jarek-Ofelia, mój licealny kolega, masował mi i głaskał uda, całując jednocześnie brzuch, a kiedy wsunął palce we mnie ciepłą i śliską, zaskoczona zawyłam z pragnienia i nie miałam zamiaru odskakiwać, uciekać. O nie! Dalej!

Tak to jest opisywane w dobrych erotycznych książkach, że „jej ciało dygotało, a między udami poczuła puchnące, tętniące, wilgotne pragnienie". No tak, tak! Dokładnie to czułam! Byłam po latach postu nadwrażliwa na wszelki tam dotyk. Nie ceregieliłam się już i po prostu usiadłam na tym wielkim i czekającym cierpliwie kutasie.

Tak! Och, dokładnie tak to powinno być! Rozsadzające, rozkoszne napięcie, dzika chęć ujeżdżania go, sprawiania sobie najdzikszej frajdy!

Ławeczka z oparciem jakby stworzona do takiego aktu. Jarek trzymał mnie za biodra, pozwalając na to, żebym kołysała się we własnym rytmie. Przytuliłam się do niego, bo jakimś przebłyskiem lekko się zawstydziłam swoją odwagą i krzykiem, jaki mi się wydarł z piersi. Objął mnie i pocałował bardzo namiętnie. Wtedy poczułam, jak w każdej mojej tkance pieni się burza hormonów, jak tysiące drobnych banieczek tlenu wdziera się do krwi i dąży do miednicy, a z niej dalej, gdzieś na koniuszek kręgosłupa, i wreszcie eksplodują we mnie głęboko, rozlewając się falami. Drgam i spazmuję jak już dawno, dawno nie... a może po prostu zapomniałam, jak to jest? On też szczytował, trzymając mnie mocno i dysząc głęboko, a potem, jak opadłam, roześmiał się i mocno mnie przygarnął.

— No! Cudna jesteś! — szepnął.

Nie mówił nic więcej, tylko czekał, aż się pozbieram, aż mi wróci oddech, i kiedy to się stało, wróciła też trzeźwa ocena sytuacji.

Co ja tu robię?! Na kolanach kolegi z klasy równoległej. Meister Propera podającego się za Ofelię. Co ja tu robię, w szatni fitnessu, naga, przed chwilą głośno reagująca na odzyskany po latach orgazm?! Co to jest?! Dodał mi do napoju jakiejś zachęty? Afrodyzjaku?! Już chciałam go zapytać, ale wstał, trzymając mnie za rękę, żebym nie spadła mu z kolan i lekko skierował pod prysznic.

— No, idź i wracaj, zaraz zamykamy!

Odprowadził mnie do samochodu. Padało, wiało wściekle, była noc, więc szybko wsiadłam i otworzyłam okno.

— Pa — powiedziałam, bo nie miałam pojęcia, co powiedzieć, a on tylko nachylił się i cmoknął mnie w nos.

— Do następnego. I nie bój się, jak nie będziesz chciała, już cię nie zmolestuję! A ćwiczyć trzeba! No, jedź ostrożnie, bo to zamarza, patrz!

Faktycznie, robiła się „szklanka", więc jechałam powoli.

W domu nuciłam coś, uruchamiając pralkę i robiąc sobie herbatę z malinami.

Wlazłam do łóżka, nastawiając muzykę. Nie chcę telewizji! Chcę sobie teraz przeżyć to, co zrobiłam! CO ZROBIŁAM!

Popłynęła piękna pieśń Cesárii Évory i Marisy Monte *É Doce Morrer no Mar*. O czym to piosenka? Nie wiem, nie znam słów, to kreolski, albo ta odmiana portugalskiego? Ale skoro jest morze — *Mar* i *Morrer* — śmierć, to musi być o miłości, a to, co dzisiaj przeżyłam, to jak utonięcie w morzu, boski orgazm! Prawdziwy, jakiego od lat nie doświadczyłam.

Ale miłości w tym nie ma, to tylko taki jej fizyczny obraz, ciało, cielesność, coś czego mi bardzo brakowało, a z czym pożegnałam się już dawno, sądząc, że mi to już niepisane! Leniwie piłam herbatę, muzyka sączyła się romantycznie, a ja najzwyczajniej w świecie popłakałam się z jakiejś niewysłowionej tęsknoty przeplatanej z radością, taki dziwny warkocz uczuciowy — że tak mi było dzisiaj dobrze, i tak żal, że dopiero teraz, i szkoda, że to nie miłość, i jak dobrze, że nie żadne komplikacje uczuciowe, a za to prosty, otwarty Jarek, który najzwyczajniej mnie wziął. I to z jaką maestrią!

Włączyłam sobie film *Lepiej późno niż później* z wysuszoną, ale uroczą Diane Keaton i starym satyrem Nicholsonem. Zawsze mnie ten film wzrusza i bawi, choć wydawało mi się, że w scenach erotycznych Diane mało wiarygodna z tymi jej okrzykami.

Pomyślałam rozbawiona, że ja dopiero co bzyknęłam się z Ofelią, i roześmiałam się na głos, takie mi się to wydało śmieszne, nieprawdopodobne, a przecież czuję ten żar do teraz.

Zima nie odpuszczała. Niby to przedwiośnie, a znów lodowato. Koniec marca, zaraz kwiecień, a zimno i żadnych symptomów wiosny. Nie rzuciłam się jakoś szczególnie wariacko w ten romans z Jarkiem, ale chętnie chodziłam na zajęcia, zwłaszcza wieczorami. Czasem dość szybko zostawaliśmy sami, czasem trzeba było doczekać, aż ostatni klient wyjdzie.

Jaro-Ofelia okazał się fantastycznym kochankiem. Najpierw spokojnie ćwiczyłam, wiosełka, brzuszki, biodra, trochę ćwiczeń z ciężarkami, orbitrek, cały czas myśląc o tym, co będzie po ćwiczeniach. Moja wyobraźnia i ciało wyrwane z wieloletniego letargu chciało końca ćwiczeń! To było jak najlepsza gra wstępna.

Mój trener obsługiwał innych klientów, sprzątał salę, nawet mopował podłogę, nie patrząc na mnie znacząco, nie posyłając mi wiele mówiących spojrzeń. Nic! Pełna dyskrecja. Czasem podchodził, mówiąc:

— Oddychaj, tak! Dobrze! Dobrze!

Albo poklepywał mnie po plecach, przypominając o postawie. Czasem rzucał jakieś spojrzenie, ale bez żadnej ostentacji.

Po zamknięciu drzwi za ostatnim gościem, albo kiedy sama już na salce skończyłam ćwiczenia, zaczynaliśmy swoje zabawy. Często pod wspólnie branym prysznicem. Kontynuowaliśmy na materacu, obok ławeczki z ciężarkami, w szatni albo w pokoiku masażystki. Tam po szaleńczych, szybkich pieszczotach Jarek na leżance masażystki nabierał na dłonie balsamu i masował mnie, szybko przechodząc do masażu bardzo erotycznego. Kiedyś spytał, czy znam tajski masaż, a gdy zaprzeczyłam, zaczął wędrówkę językiem, zaczynając od stóp.

Twierdzi, że mam śliczną pupę. Odpowiadam mu na to, że nie wiem, o czym mówi, bo nigdy jej nie widziałam. Próbował zważyć moje piersi, bawi go seks i cieszą moje reakcje. Dobrze mi robią te jego komplementy! Dobrze mi robi fitness i Ofelia!

Żadnych zobowiązań, westchnień i propozycji. Nic! Odprowadza mnie do samochodu i koniec pieśni.

Lilka sama do tego doszła, że coś się ze mną dzieje. Ma niezawodną intuicję. Kiedy w niedzielę tatko poszedł pozmywać po obiedzie, ona popatrzyła się na mnie z uśmieszkiem i powiedziała:

— No, kto to?

— Co „kto"?

— No? — ponaglała mnie, a ja grałam głupią:

— Co „no"?

— Z tobą to się gada jak z psem Cywilem... — Lilka się spięła i wysyczała: — Z kim się spotykasz, bo aż ociekasz seksem!

Ta jej bezpośredniość! Żachnęłam się, ale po co mam ją oszukiwać?

— Banał, facet z fitnessu. Trener.

— No, to banał — potwierdziła. — Ale żadne tam amory, tak? Siostra?

— Coś ty! Żadne! To prosty chłopak po AWF-ie, w moim wieku, a właściwie kolega z liceum. Mówię na niego Ofelia.

— Ciekawy kochanek. — Lilka się uśmiechnęła lubieżnie, oblizując łyżeczkę z musztardy. — Dobry jest? A zresztą już widzę, że dobry! Zabezpieczasz się? No nie od ciąży, ale wiesz... Tylko się nie zakochaj, błagam!

— Nie zakocham! Mówię ci przecież, że to prosty chłopak. Mówi „włanczać".

— Wibrator w ogóle nie mówi — prychnęła. — I nie zarazi cię, nie oplotkuje, nie musisz mu robić loda...

— I nie umie całować — odgryzłam się jej.

Akurat to robi cudownie! Na samą myśl zrobiło mi się gorąco.

Wszyscy dostrzegli zmianę we mnie. Co jest? W redakcji z mety zauważono, że szczupleję, a przecież na wadze bez sensacji, no i sama Regina powiedziała mi na rozmowie, na którą zostałam zaproszona:

— Marianna, ty, jak sądzę, wyszłaś już z traumy?

— Jakiej? — nie skojarzyłam. — Że tata już znacznie lepiej?

— No miałam raczej na myśli twój rozwód, wszystkie cię wspierałyśmy.

Wspierałyśmy? No to doprawdy dyskretne było to wsparcie...

— A tak, wiesz, Regina, może i dobrze się stało? To, że Mirek odszedł, to jakoś mnie nie boli, tylko że Grześ z Tadziem tak daleko. Szkoda, ale co poradzę?

— Może zrobiłabyś jakiś materiał o takiej emigracji? Z punktu widzenia tych, co jadą i mają się tam dobrze, oraz z punktu widzenia tych, co zostali i tęsknią, bo jednak to rozbija rodzinę bardziej niż rozwód. Albo tekst o rodzinach patchworkowych? Znalazłabyś jakiś materiał ludzki, zrób wywiad, warto to pokazać jako alternatywę dla wojen domowych.

Pogadałyśmy jeszcze tak półprywatnie i Regina popatrzyła na mnie analitycznie i powiedziała:

— Wyglądasz jakoś inaczej, jakbyś... kwitła wewnętrznie. Oj, mój mały paluszek mi mówi, że to zwyczajne dopieszczenie. Facet! Zgadza się?

Poczerwieniałam, wiem to, i tylko się uśmiechnęłam, uciekając wzrokiem. No bo co, Reginie mam się spowiadać z romansu?

Włodzio też z mety to zobaczył. Zawiozłam mu świeżą prasę i drobne zakupy, bo dozorczyni z jego kamienicy, której zleca to na co dzień, złamała rękę, robiąc piruet na zamarzniętej kałuży. On stale pokasłuje i dla odmiany strzeliło mu coś w kręgosłupie, więc zdecydowałam za niego, że ma się z domu nie ruszać.

— Masz tu — powiedziałam, kładąc zakupy na stole w jego staroświeckim mieszkaniu — prasa, bułka, masło, wzięłam ci ćwierć kilo różnych wędlin i twarożek. A tu masz maść do smarowania i voltaren do łykania, a to duże do ssania. Byłeś u lekarza? Rzęzisz i rzęzisz... za długo już masz tę „rzężączkę".

— Nie nudź! — mruknął i stęknął, stając koło mnie wykręcony boleśnie. — Wiem, że wyglądam jak Quasimodo, prawda? Lumbago, no bywa, nie nudź!

— Ale ja o tym twoim kasłaniu...

— A tam, za dużo palę i to zaziębienie... Jak już jesteś, to zrób mi herbaty, co? I sobie.

Pozmywałam mu, zrobiłam herbatę, pochowałam do lodówki produkty i zmusiłam do zażycia voltarenu. Ledwo siedzi z bólu, ale za nic nie dał się natrzeć żelem.

— Zwariowałaś ze szczętem! — warknął. — Chcesz mnie upokorzyć? I potem rozpowiadać na mieście, jaki mam zwiędły tyłek?

— No oczywiście, bo ja wszystko rozpowiadam na mieście! — Popatrzyłam na niego z politowaniem, udając, że mnie to wkurza.

— Sam się nasmaruję, daj mi spokój i udawajmy, że jestem zdrów! Co u ciebie, piękna? Kto cię tak przeleciał, że ci oczka płoną?

Skąd wie?! Przecież TEGO nie widać!

— A... — zawahałam się, w końcu Włodzio to plotkarz, ale moich spraw, prawda, nie wlókł na miasto, więc odpowiedziałam: — Zaczęłam chodzić na zajęcia!

— Jakie?

— No, to się dzisiaj nazywa fitness.

— A za drugiego bolszewika się mówiło „korektywa"...

— Nie, „korektywa" to były takie ćwiczonka lelum polelum, takie leciutkie, a ja ćwiczę na przyrządach! Patrz, jaki mam twardy brzuch!

Wstałam i napięłam mięśnie, które pod warstewką jeszcze niespalonego tłuszczyku napinają mi się pięknie! Na szafce opodal zobaczyłam tę Włodkową statuetkę z wielkim sterczącym fiutem z hebanu, i pokraśniałam.

Włodzio dotknął mnie i spytał jak to on:

— Aj tam! Coś innego, twardego daje ci power, zgadza się? Trener jaki, czy przypadkowo spotkany wyćwiczony lowelasik? Na moje oko jakiś młodziak!

— Pudło! Jest w moim wieku!

— No to smarkacz, ale ja myślałem, że cię bzyka jeszcze ktoś młodszy! Wyglądasz na trzydziestkę!

— Oj, przestań mi słodzić, i tak ci nie wierzę. Jest z mojego rocznika. I nic więcej nie powiem!

Włodek patrzył na mnie z uśmiechem starego czorta. Ja uśmiechałam się, pijąc herbatę. No przecież to, że założyłam dziś wysokie obcasy, nie świadczy chyba o tym, że mam kochanka?! Sądzę, że Regina mu wygadała. Znają się, a on umie wyciągać ludzi na zwierzenia! Trudno, sama jej powiedziałam, a przed Włodkiem tajemnic nie mam. Czasem mi go żal. Takie bogate życie, tylu znajomych, i ja mu przywożę bułkę i prasę.

— Nie wstawaj — powiedziałam, wychodząc. Dałam mu buziaka, ale on jak zwykle sięgnął po moją dłoń i ucałował. Stara szkoła!

— No widzisz, panno Marianno — westchnął — jak wam to dobrze robi?

— Znaczy co?

— Porządne bzykanko! Choć za moich czasów mówiło się ciut wulgarniej.

— Jak?

— No coś ty! Nie dla twoich uszu! No idź już, idź i zrób ten materiał o gejach. Zrobimy z tego użytek! Obiecuję.

Lilka zadzwoniła w tygodniu, że wpadnie, ale najpierw zadzwonił Mirek.

— Cześć, dzwonię, Maryniu... — wzdycha — bo mam niewesołe wieści. Jasiński wpadł na mnie przypadkiem w szpitalu i powiedział, że Lilka była na badaniach. Ma nacieki na kości ogonowej.

Jęknęłam i usiadłam z wrażenia.

— Jest pewien?

— Tak, Lila była u niego na kontroli, nie mówiła ci, że gorzej się czuje?

— Mówiła, że się podziębiła i że ją plecy bolą, bo sama przemeblowywała mieszkanie.

— Ona u ciebie mieszka czy u siebie?

— Nie, od jesieni znów na Starówce. Jak się lepiej poczuła, zaraz czmychnęła do siebie, bo dostała kilka zleceń na portrety. Czytałeś ten mój tekst o niej? O artystkach tworzących grafikę erotyzującą? Wyobraź sobie, że po nim kilka osób...

— Marianna — przerwał mi i nabrał powietrza. Zawsze tak robi, jak ma coś ważnego na końcu języka — ...to poważnie wygląda. Zdaje się, że to jakoś szybko postępuje.

Zamilkłam. Ten rak żyje?! Nie dał się?

— O, Jezu. Operacja? Kolejna chemia?

— Nie wiem, nie znam się, Jasiński coś ci powie, zadzwoń.

— A co u ciebie?

— Przepraszam, że ostatnio nie dzwonię, ale mam... mamy trochę własnych problemów.

— Znaczy ty masz? Czy oboje macie?

Pierwszy raz normalnie mówię o jego... partnerce, pierwszy raz mnie to nie boli, nie krępuje. Dziwne. Może przebolałam? Nawet tego nie zauważyłam! Przypomniały mi się moje figle z Ofelią i zrobiło mi się lekko.

— Tak, Jula ma problem z pracą. Właśnie została zwolniona z kolejnej. Wiesz, wiek, biodro i... w ogóle. Zresztą, to nie sprawa na telefon. Chciałem, żebyś jakoś Lilkę skontrolowała, co ona z tym zrobi.

— Naturalnie, dziękuję ci. Tak... a u ciebie? W porządku?

— Tak, dziękuję, u mnie tak. Zacząłem chodzić na koszykówkę z Markiem, wiesz którym?

— Tak, wiem, a... Julka, tak jej na imię, prawda? Czy Julka... jakie ona ma wykształcenie?

— Pielęgniarskie, ciężko w tym temacie, ale jakbyś coś słyszała... Wiesz, tu jest taki dodatkowy problem... a zresztą, pogadamy później, bo muszę kończyć.

No tak. Pierwsze koty za płoty. Pani z Barcelony to Julka. Więc pielęgniarka... No tak, czemu mnie to nie dziwi?

Lilka! Czemu ja nie myślę o Lilce, tylko zawracam sobie głowę partnerką mojego byłego męża? Ale teraz Lilka! Dzwonię do niej, umawiamy się u mnie na gadanie i spanie, żeby w sobotę pojechać razem do taty.

— Może Gieniu by przyjechał wreszcie? — mówię na głos. — Tyle czasu nie był u ojca! W ogóle się nie odzywał, nie dzwonił. Nie wiesz, co się stało? Li?

— Był w sanatorium z tą swoją panią Elą, a teraz, zdaje się, wybierają się na narty.

— Zwariował?! Jak to na narty? Przecież są roztopy...

— Zadzwoń do niego, to ci powie, pa, taksówka czeka, zaraz u ciebie będę!

Czekając na Lilę, zadzwoniłam do wujka.

— Halo? No cześć, taki jesteś zakręcony tę swoją panią marzeń i snów, że zapomniałeś o mnie!

— Marianku, wybacz mi! — głos wuja jest autentycznie przepraszający. — Byliśmy nareszcie razem, co prawda w sanatorium, a jak wiesz, nie znoszę tego, ale z Elą wszystko jest do zniesienia! Ty wiesz, że pani doktor to mi powiedziała, że ja jestem w doskonałej formie? I ciśnienie, i serducho, i ogólnie, wiesz, kozak jestem!

— No, domyślam się, a te tam sprawy? Radzisz sobie, czy lecisz na wspomaganiu?

— Za smarkata jesteś, żebym ci odpowiadał na takie pytania!

— Wujku! Ja też jestem w wieku, wiesz... No to wpadniesz w weekend do tatki, czy znów jesteś żonaty?

— Kochanie, wybaczysz mi, bo do Michała już dzwoniłem, zdecydowaliśmy z Elą pojechać na narty, na lodowiec! Wyobraź sobie, ona od dwudziestu lat nie zjeżdżała! Kupiliśmy jej takie zgrabniutkie deski i śmigamy za granicę! Pojutrze!

— To ona nie pracuje?! Przecież stale zajęta była tą apteką, wnukiem...

— Zdecydowała się na zdrowotny urlop, a tak naprawdę, to powiem ci w tajemnicy, że to taki jej manewr, żeby rodzinę odzwyczaić od tego ciągłego „mamo, wpadnij, pomóż". Chcemy jakoś, wiesz...

— Żartujesz? Zdecydowała się?

— Jak wrócimy, obiecała, że da się zawieźć na Zamoście do Michała, wtedy przyjedziesz z Lilą i się poznacie! Będzie to już takie, wiesz, oficjalne poznanie się z wami.

Lila... O, właśnie!

— Wujku, a wiesz, z Lilką kiepsko, ma nacieki na kości ogonowej, ale nie martw się! Zaraz rozpoczniemy bitwę, już Jasiński coś wymyśli. Mirek obiecał wszelką pomoc.

— Mój Boże — westchnął Gienek poważnie zmartwiony.

— Wracajcie z tych nart, spotkamy się na obiedzie, a już z pewnością będę miała jakieś lepsze wieści o Lilce. Musi być jakiś skuteczny sposób! Raka się leczy, do licha!

Zadziwia mnie Gienek. Tak jakoś ożył przy tej pani Eli. Chce mu się żyć, dostał wiatru w żagle? Zakochany! Ewidentnie zakochany! I jej jestem taka ciekawa! Podobno pani z klasą i śliczna, i w ogóle oj, oj!

Troszkę mi szkoda tego piątkowego wieczoru, bo planowałam fitness, ale trudno. Zadzwoniłam do Jarka-Ofelii, że z seksu, znaczy z ćwiczeń dziś nici. Mój kochanek jęknął, ale zaznaczył, że czeka na mnie w poniedziałek o zwykłej porze! Zrobiło mi się ciepło w podbrzuszu.

Nie wierzę, że to ja! Te zajęcia po fitnessie kompletnie mi pokręciły w głowie, w hormonach! Tak mi się to podoba, tak bardzo mi się to podoba, że aż mi głupio! Przecież on zapewne nie mnie jedną tak... Ta myśl wcale mi się nie spodobała. Uświadomiłam sobie, jak ja jestem głupia i bezmyślna, bo robimy to bez gumek! Nagle zrobiło mi się gorąco z przerażenia. A jak ja coś od niego złapię? OK, spokój! Przebadam się, jasne! O, ja głupia, głupia!

Lilka, weszła i zakasłała.

— Widzisz, co za pogoda! Wszyscy kaszlą, złapałam gdzieś jakiegoś wirusa albo co. Oj, jak się zmęczyłam! Niby drugie piętro, ale się zziajałam. Och! — Wyprostowała się, wyginając do tyłu, i złapała powietrze jak po długim i wyczerpującym ćwiczeniu.

Zrobiłam kolację, przebrałyśmy się w dresy i załadowałyśmy się na moje łóżko pogadać. Lilka powiedziała, że o niej później. Najpierw mam jej opowiedzieć wszystko ze szczegółami o trenerze.

— Z trenerem, jak to zauważyłaś, banalnie, i zapewne nie jestem jedyną, którą bzyka.

— Oni tacy są, mają czar mięśniaka, to baby głupieją, wybacz, ale szczera jestem. Ogłupiałaś bardzo, czy tylko ciut?

— Nie ogłupiałam wcale, tylko bardzo dobrze mi to zrobiło. Sama wiesz, Lilka, że między mną a Mirkiem nie było szału.

— A niby skąd miałam wiedzieć? Nie byłaś usposobiona do rozmawiania ze mną na ten temat. Na żaden temat — przypomniała tonem udającym obrazę.

— Prawda, no to teraz wiesz...

— Domyślałam się, bo byłaś taka... kwaśna. A on, powiedz, jaki jest?

— Trener? Jak Meister Proper z reklamy.

— Taaak? Mięsko takie? I co, biegły w te klocki czy drwal?

— Jaki „drwal"?

— No jak drwal, łup-łup i po krzyku, ale za to dobrze i mocno.

— A, nie. Jaro jest, no... biegły w tej sztuce. I fantastycznie całuje.

Lilka leży wsparta na poduszce i słucha z chochlikiem w oczach. Uśmiecha się i nie jest obojętna. Miło mi się zwierzać z tych moich intymnostek.

— Tylko uważaj, Mańka, bo babki często mylą taki dobry seks z czymś, co im się wydaje miłością. Nie zakochaj się, dobrze?

— Nawet jakbym się zakochała, to co, umrę?

— Nie, ale w twoim wieku to niebezpieczne, bo jeśli już, to powinnaś pokochać z wzajemnością, a taki kochaś to motylek, co wiesz, z kwiatka na kwiatek. Uważaj, żeby ci nie złamał serca!

Kiedy już mi udzieliła wszelkich porad, wreszcie ją wyciągnęłam na rozmowę o jej zdrowiu. Lilka wstała i poszła do przedpokoju po żółtą teczkę. Wyjęła z niej badania i podała mi.

— Musimy znów... — szepnęła. — Cholernik się uczepił mojego ogona.

Czytałam to, co już wiedziałam. Prawda, rak się odrodził i trzeba teraz zdwojonej mocy, walki! Jeszcze raz! Żal mi Lilki. Widzę, że mimo pogody, udawanego rozsądku jest wystraszona.

— Li, w poniedziałek jedziemy razem do Jasińskiego. Poruszymy niebo i ziemię, zadzwonię do Grzesia do Goeteborga, raka się dziś leczy! — powiedziałam to dobitnie, żeby i sobie dodać odwagi, wiary. Moja biedna Lila!

Teraz postawiłam jej na brzuchu miskę z suszonymi figami i orzeszkami, nalałam do szklanek ciemnego, lekkiego piwa i włączyłam nasz ukochany serial *Przystanek Alaska*. Potem oglądałyśmy *Czarownice z Eastwick*, a na końcu, jak przebrałyśmy się w nocne koszule, zasypiałyśmy przy jakimś horrorze na TVN-ie. Lilka zasnęła szybciej, ja zgasiłam telewizor, odtwarzacz, lampkę i przytuliłam ją do siebie. Jest taka krucha i chuda!

Lilka znów zamieszkała ze mną.

Niby wszystko było normalnie. Rano poważna rozmowa z doktorem Jasińskim. Mówi, że jeszcze biopsje i badania, ale że chyba ciut za późno na chemię. Dodaje jednak, że nic nie jest przesądzone i on zaprosi na konsultację doktora Kalika. Jest takim trochę *enfant terrible* onkologii na Ursynowie, młody, po czterdziestce zaledwie, ale uparty i dziwak. Był w Indiach, łączy w swojej praktyce medycynę klasyczną i to, czego się uczył w Tybecie, Indiach i Chinach. Nielubiany w środowisku, bo inny i nieprzymilny, ale Jasiński poleca go jako kolegę i… wariata, który ma spektakularne osiągnięcia. Musimy tylko poczekać, bo doktor Kalik właśnie wyjechał i wraca za dwa tygodnie.

Lila przyjęła ten fakt spokojnie. Spodobała jej się opowieść o niepokornym lekarzu. Poczeka, a na razie znalazła w necie jakąś dietę, która ma „zagłodzić" raka. Jakiś dr Breuss podobno pozbył się sam raka w ten sposób i uzdrowił wiele osób. Lilka siedziała w Internecie kilka dni, z wypiekami na twarzy, czytając fora i rozmawiając z ozdrowieńcami na czacie.

Kupiłyśmy kapustę, którą ukisiłyśmy same, pojechałam do ojca po dziesięć kilo cebuli z ekouprawy, buraki, marchew i inne warzywa. Lilka z entuzjazmem zaczęła głodówkę, która ma wygryźć z niej raka.

Tłumaczyłam jak umiałam, że to niebezpieczne, może głupie, ale każdy mój argument spławiała swoimi:

— Rak jest formą nieswoistą, to dzikie tkanki narosłe głupio i bez sensu, są dla mojego ciała obce, ale jak zabraknie w moim pokarmie białka, moje ciało samo po nie sięgnie, ale najpierw po te twory nieswoiste właśnie! I zjem sama swojego raka. Muszę tylko wytrzymać te czterdzieści dwa dni.

— ILE?! Przecież ty już jesteś chuda, a co z ciebie zostanie, kiedy nie będziesz nic jadła? Nie, nie zgadzam się!

— Zobaczysz zdrowy szkielecik, który, jak już uporam się z tym rakiem, upasiesz jakimiś pierogami i makaronem. A tatko nasmaży mi naleśników i zgrubnę!

— Lilka, daj spokój, za dwa tygodnie wraca doktor Kalik!

— Do tego czasu nie będę siedziała i pasła mojego raka! Po cholerę?! W tym czasie go zagłodzę, Mania, daj spokój! To naprawdę mądre! Tobie też ta dieta głodówkowa doskonale zrobi!

Zaczęłam z nią dla towarzystwa. A co tam! Jakby co, dojem poza domem, a z domu na jej rozkaz wyniosłam wszystko, co było do jedzenia, żeby nie kusiło. Wszystko! Zawiozłam to do taty i opowiedziałam o pomyśle Lilki, bo nie mogę trzymać go pod kloszem. Był u niego akurat Kobyliński, ale nic nie mówił, tylko kiwał głową i wycierał oczy. Teraz ma całkiem białe brwi i rzęsy, a za młodu były lekko beżowe. Kobyliński jest właściwie albinosem, a dzisiaj siwym albinosem. Odezwał się:

— Siostra szwagra żony mojego starszego syna była w Hrubieszowie, bo tam jest taki jeden, co leczy raka magnesem i dietą. Nakłada na rękę taką obrączkę i zapisuje, co jeść, a czego nie, i też mówili, że białka nie wolno, bo rak się tym żywi.

I pokiwał głową jak Indianin Chigliak z *Przystanku Alaska*.

Zamilkliśmy, bo co tu mówić?

Obgadaliśmy też Gienia i ten jego wariacki pomysł z wyjazdem na narty, ale ojciec mnie zaraz usadził:

— Baranku, Gienek doskonale jeździ na nartach i skoro chce ją zabrać, i ona się zgadza, to znakomicie!

— Tato, ale wujek ma siedemdziesiąt osiem lat! Nie badał się pod kątem osteoporozy, ona też…

— Nie zapominaj, że to farmaceutka! Badali się oboje! Mówił mi, bo ja to samo mu mówiłem, że się tam połamią i wiesz, tylko kłopot! Zostaw, niechaj sobie jadą! A co to, nie dla ludzi?

Kochany ten mój tatko. Dla ludzi, dla ludzi wszystko, tylko on nie korzysta ani z sanatorium, ani żadnej od lat kobiety sobie nie przytulił. Dzisiaj widzę, że może to przeze mnie. Może nie chciał mi robić przykrości? Zawsze wykręca kota ogonem i nie daje się wyciągnąć na zwierzenia o tym.

Pożegnałam tatkę i wróciłam do Lilki popijającej wywar z cebuli, z małej filiżanki.

— Nie jest tak źle — oznajmiła mi. — Drugi dzień, a ja niespecjalnie głodna!

— Ja troszkę, ale znośnie mi — potwierdziłam.

Istotnie, nie czuję jakiegoś strasznego łaknienia, a umysł mam świeży i na zajęciach fitness, na które Lilka wypuściła mnie z uśmiechem, czułam się silna i sprawna. Tym razem po ćwiczeniach wylądowaliśmy na materacu, ale oprzytomniałam po kilku pocałunkach:

— Jarek, przepraszam cię, ale… powiedz, nie jestem jedyna, prawda?

Zaskoczony wziął wdech i patrzył na mnie uważnie.

— A… co? Nie no, jesteś teraz jedyna! Marianna, nie sądzisz chyba, że ja tu młócę każde zboże, które się trafi! Coś pstryknęło między nami i… jesteś, ale tylko ty, a co?

— OK, wierzę ci, ale… Jarek, jesteśmy trochę nierozważni, bo wiesz, w zasadzie nie znamy się, a tak…

— Chodzi ci o gumki? Marianna, ja jestem owszem, lubiący te rzeczy, ale nie kretyn i luj jakiś. Jak się spotykam z jedną panią, to nie z drugą, a z racji pracy, przebytych chorób badam się często. Ty, według tego co mówiłaś, byłaś przy jedynym facecie całe życie, to lekarz. No prawda, poniosło mnie pierwszego wieczoru, ale gdybyśmy ty albo ja byli nosicielami, to przecież czerwona lampka by się zapaliła, prawda?

— No… zasadniczo masz rację, nie jestem nosicielką ani wirusa wątrobianego, ani opryszczki, ani tych tam, wiesz… ale to nierozważne w naszych czasach!

— Dobrze. Przebadajmy się, OK? Ja już jutro, bo akurat mam badania.

— To ja też!

Dotknął mnie swoją ciepłą dłonią w przegub powoli odzyskiwanej talii i wzięło mnie… Oddałam mu się z gorącym pragnieniem, banalnie. Cudownie!

Fakt, prosty jest, żadne tam intelektualne ble-ble. Pragmatyk i zwyklak, ale kocha się bosko! Nigdy mnie nie ciągnęło do dotykania mężczyzny TAM, a teraz on mnie do tego przyzwyczaja, dotykam jego Wielkiego Szu z rosnącą sympatią. Ta gładka skóra, napięcie, lekkie drganie, to jakby inna osoba! Inny facet, który zna mnie jak nikt, penetrując moją dziurkę najintymniej, bezczelnie i czule.

Zwariowałam! To dla mnie nowe pole, całkiem nowa ja. Od kilku tygodni myślę o seksie tak często jak facet. Prawie stale przypominam sobie jakieś stop-klatki z naszych igraszek i czerwienieję, zamykam oczy, czasem wzdycham głęboko. Tyle lat zmarnowanych na kiepski związek, bez seksu, no prawie bez, bo to, co było, to jakaś pańszczyzna i nuda. Bo że bez orgazmów, to pewne. A jak widzę, można inaczej. Z Ofelią to typowy seks bez żadnej otoczki. No, lubię to, lubię go, tak zaczynam niecierpliwie czekać na to nasze małe tête-à-tête. I coraz bardziej lubię ten jego uśmiech, rozognione, namiętne oczy i to, że zawsze dba o mój komfort. Często myślę o nim czule, a czasem, że może by tak zagęścić to, co jest? Pójść gdzieś razem? Jak Lilka wyzdrowieje, bywać u siebie, zasnąć razem w łóżku?

Ja z Ofelią? Hm, pomyślę.

Jak na filmie

No i Jarek przydał się jako mięśniak i bohater. Nie sądziłam, że go zobaczę w takiej akcji, poznam od tej strony!

Któregoś popołudnia wracałam do domu z zakupów, pogryzając ukradkiem kabanoska. Taszczyłam do domu cebulę i wodę mineralną Jan i Zuber, bo mają mnóstwo minerałów.

— Witaj — usłyszałam, kiedy już skręciłam w podwórko.

Drogę zastąpił mi facet z lekkim zarostem, z łysiną, szpakowaty po bokach, w okularach… Kto to, do licha, jest? Co to za poufałość?

Patrzyłam na niego zacięta, zła, no bo głodna, a on usiłował mi wcisnąć jakiegoś kwiatka. Różowa róża.

— Pan… My się znamy?

— O, tak, i to dobrze! — roześmiał się, brzmiąc znajomo.

— Pan mnie z kimś myli! — chciałam go wyminąć, ale on zaprotestował.

— Nie, Marianno, z pewnością nie! — zdjął okulary i dopiero wtedy coś mi w duszy jęknęło zgrzytliwie. Czarek?! Tak, teraz poznałam, to Czarek. Strasznie się postarzał, jest zniszczony, starszy, niż można by się spodziewać. Niższy? Inny…

— Ale co ty tu…?! — pytam wręcz arogancko.

— Marianna, proszę cię, przecież się znamy, jak chcesz, pomogę ci zanieść siatki, mam sprawę.

— Nie, nie chcę, o co ci chodzi?!

— Właściwie o nic, wyszedłem niedawno i tak się zbieram, żeby do ciebie zagadać.

— Siedziałeś kilkanaście lat?!

— O, z przerwami. Razem z dziesięć, bo mi wpadało a to rok, a to dwa… bez zawiasów. Ale pisałem ci, że trafiłem na mentora, prowadził u nas zajęcia, i chyba się naprostowałem.

— Gratuluję, cześć — nie byłam skora do rozmowy.

— Przepraszam, ja rozumiem, że jesteś zła. Ja poczekam. Cześć!

I włożył mi ową różę do siatki z zakupami, bo ręce miałam zajęte, w jednej siatka, w drugiej klucze od mieszkania i torba na ramieniu. Nieskora byłam do przyjmowania kwiecia. Zresztą od niego? W życiu!

Zszedł mi z drogi i przepuścił do klatki schodowej. Patrzył na mnie z uśmiechem. W kuchni zwaliłam zakupy na blat i walnęłam łapą, aż mnie zabolała.

— No, jaki bezczelny! — prawie wrzasnęłam.

— Kto? — Lilka weszła w dresie z gazetą w ręku, z okularkami do czytania wiszącymi jej na czubku nosa.

— Ty wiesz... — nie mogłam tego z siebie wydusić. — Ty wiesz...?! Kto mnie zaczepił na dole?! — sapałam.

Lilka siadła i wlepiła we mnie oczy okrągłe i czekające na sensację.

— Janusz Gajos w stroju czołgisty Kosa!

— Lilka, ty się wygłupiasz, a tu nie ma żartów!

— OK. Kto? Wujek Fester z *Rodziny Addamsów*? — Ona ma dzisiaj nastrój!

— Czarek... — powiedziałam głucho.

— Jaki... O matko, ten Czarek? Gdzie? Tu?! — Lilka skoczyła do okna, a ja ją zaraz pociągnęłam za dres.

— Co robisz, wariatko?

— No a co? Ty się go boisz? Czarek?! No ma tupet! Ale jak, wyszedł z pierdla i prosto do ciebie? Nie ma gdzie mieszkać?

— Nie, no już wyszedł jakiś czas temu. Siedział kilkanaście lat etapami. Kryminalista, no! Teraz podobno jest po resocjalizacji, ale po cholerę tu przylazł?

— Z miłości...— Lilka zgrywa się i śmieje. — Kasy mu trzeba! Nalać ci wywaru?

Piłam wywar z cebuli, a w ustach czułam smak kabanosa. Zastanawiałyśmy się, o co mu chodzi. Dzwonić na policję czy nie? No niby nic mi nie zrobił, ale ta jego zaczepka zburzyła mi spokój.

Następnego dnia, kiedy szłam do pracy, rozglądałam się po podwórku i kiedy wracałam — tym bardziej, ale Czarka już nie było. Dał mi kilka dni. Pojawił się w poniedziałek. Zastąpił mi drogę, znów z kwiatkiem.

— Cześć, nie zachodziłem na górę, żeby nie niepokoić tej kobiety, z którą mieszkasz. Zmieniłaś orientację? Sorry, żartuję, to twoja sprawa oczywiście. Usiądźmy tu, na ławce, pogadamy.

— Czarek, nie mamy o czym! — powiedziałam to dobitnie. — Kwiatów nie przyjmuję. Mamie zanieś.

— Zmarła pięć lat temu.

— To jej zanieś na cmentarz.

Próbował mnie zagadywać, ale nie ustąpiłam. W końcu spasował, mówiąc:

— Dobrze, jesteś zaskoczona i boisz się, dam ci czas, ale proszę, porozmawiaj ze mną!

— Nie, i nie sądzę, żebym zmieniła zdanie. Czarek… nie wiem, na co liczysz, ale to zły pomysł. Idź swoją drogą i przestań mnie niepokoić. Opiekuję się chorą siostrą i chcę spokoju. Do widzenia!

— Do zobaczenia! — powiedział, siląc się na wesoły ton. — I nie bój się mnie!

I istotnie było to „do zobaczenia", bo znów po kilku dniach pojawił się na moim podwórku, na szczęście już bez kwiatka, znów mnie zagadywał wbrew mojej woli. Próbował szybko i chaotycznie usprawiedliwić się i wyjaśnić mi, że on jest już baardzo inny, odmieniony, i że jestem jedyną wartością w jego życiu, podobne ble-ble…

— Czarek, przestań! Mnie to nie interesuje, nie mamy ze sobą żadnych wspólnych…

— No wiem, ale przez pamięć przeszłości…

— W przeszłości byłeś uprzejmy mnie skrzywdzić, nie mnie jedną zresztą, więc jak możesz, daj mi spokój i nie zawracaj mi głowy. Wkurza mnie to twoje nagabywanie!

Tłumaczył się, przepraszał, że to nie jest nagabywanie, ale element jego psychoterapii, rekonwalescencji czy resocjalizacji, że on potrzebuje kontaktu ze mną, żebym mu wybaczyła, bo coś tam… Zwyczajny bełkot, byle tylko dłużej przytrzymać mnie w polu uwagi. To się stało przykre. Kolejny raz, kiedy go zobaczyłam, wściekłam się, a on się tylko śmiał i pytał, po co się tak złoszczę, przecież to wizyta „z gałązką oliwną".

Później już tylko siedział na ławce i machał mi, gdy szłam do domu, co doprowadziło mnie do białej gorączki.

— Zadzwoń na policję! — Lilka była po mojej stronie.

— No co powiem? Że mnie wkurza, bo chce zgody? Nie atakuje mnie, nie dokucza… Pomyślą, że jestem palnięta histeryczka, że go najpierw prowokowałam, a teraz jak trwoga, to wiesz…

— Ja bym zadzwoniła! To jest nękanie! To jest karalne! Oglądałam program o tym, rzecznik policji mówił…

Nie słuchałam jej, bo wpadłam na doskonały pomysł. Akurat wypadło mi wolniejsze popołudnie, więc prosto z pracy pojechałam do Jarka. Był poniedziałek, wielka szansa na obecność Czarka.

Jarek posłuchał i poprosił masażystkę o zastępstwo.

— Wrócę za godzinę. Honorowa sprawa! — rzucił pani Joli i wyszliśmy.

Podjechaliśmy pod dom i weszliśmy na podwórko. Czarek siedział na ławce. Gdy zobaczył mnie z Jarkiem, uśmiech mu spełzł z twarzy. Minęłam ławkę i powiedziałam:

— Czarku, pan ci wyjaśni!

Poszłam prosto do klatki schodowej, a Jarek zatrzymał się koło mojego molestatora. Miał ręce w kieszeniach, ale jego postawa i postura mówiły same za siebie. Zaczął grzecznie:

— Proszę pana, pani nie życzy sobie spotkań i nękania, to wyraziła jasno, więc teraz ja proszę grzecznie, spłyń, chłopie, z prądem fal i nie pokazuj się pani, bo ja lubię, jak ona jest spokojna. A jak ona będzie spokojna, to i ja będę! Czy to jasne?

Czarek się szarpnął w stronę Jarka, szepcząc, żebym nie słyszała:

— Spierdalaj, chuju, bo ci posturka nie pomoże, w kiciu poćwiczyłem trochę i nie ze mną te numery. Kumasz?

— No nie zamierzam się licytować, tylko grzecznie proszę. Jedna jej maluśka skarga i odwiedzisz Konstancin. Ja też mam za sobą odsiadkę w Radomiu, więc mnie nie wystraszysz swoją zacną przeszłością, łosiu. Jesteś już obfotografowany z datownikiem, więc policja nie będzie miała wątpliwości, że to nachodzenie, a ja umiem tak ci zrobić kuku, żeby śladu nie zostawić. A teraz ukłoń się grzecznie i zrób wymarsz stąd, na zawsze.

Czarek zrezygnował. Poszedł zły. Ja wyszłam z klatki i zaprosiłam Jarka na górę.

— Dzięki, Marianna, ale ja się urwałem z roboty, muszę wracać. Odwiozłabyś mnie?

— Och, jasne!

Kiedy jechałam z Jarkiem do fitnessu, spytałam go o ten Radom.

— Coś ty, jaki Radom? Siedziałem tylko w areszcie na Mokotowie, ale mam kuzyna recydywistę. Od niego wiem wszystko. W sumie wątpię, czy dałbym radę kogoś pobić.

— Nie żartuj! Ty?!

— Mania, ja tak wyglądam, mam pijacką przeszłość, ale w napierdalankach jestem kiepski! Cienias. Nie znoszę krzywdzić, więc, no wiesz… Chyba żebym się nakręcił, jakby mnie bił czy coś. No, chyba nie wróci… Ale jakby co — to zrób mu zdjęcia. Z datownikiem, dobrze?

— Zrobię. Szkoda, że o tym nie pomyślałam! Dziękuję, Jaro!

— Wpadniesz dzisiaj? — zapytał najnormalniej na świecie, z lekką nadzieją w głosie.

— A, nie wiem, chyba tak! — uśmiechnęłam się i pomachałam mu.

Kiedy wracałam, znów poczułam obawę, ale Czarka nie było. Mógł stać za śmietnikiem, za krzakami, ale na razie go nie widać i nie słychać.

Na jakiś czas wzmogłam czujność, rozglądałam się za każdym razem, kiedy wracałam z pracy, ale Czarek się nie pokazał. Za to dostałam list. Pisał obrażony, urażony, z pozycji niewiniątka, że on chciał tylko porozmawiać, zadzierzgnąć przyjaźń, a ja nasłałam na niego mięśniaka i jestem „be" i bardzo go rozczarowałam!

— O, jak przykro! — westchnęła Lila z udawanym smutkiem i roześmiała się. — Ale uważaj, proszę cię, bo tacy to bywają mściwi. Czknie mu się za pół roku, rok, jak tobie się będzie zdawało, że już po wszystkim!

— Zapamiętam! — obiecałam.

Czekamy z Lilką na powrót Wielkiego Maga, doktora Kalika. Lila pije zioła, soki cedzone z warzyw, sok spod kapusty. Kazała sobie jeszcze dokupić vilcacorę. Kupiłam! Kupię jej wszystko, czego zapragnie, byle zdrowiała. Ja jej już teraz towarzyszę w głodówce, bo skoro pijemy masę soków, to nie może nam się nic stać. I czasem tylko zjadam miskę tej kiszonej kapusty, a jak mnie faktycznie dopada głód, gotuję sobie soczewicę albo zjadam jajko na twardo. Wtedy jest mi głupio, mam wyrzuty, że Lila wytrzymuje, a ja nie. Ona ma większą motywację, prawda, ale to z mojej strony nielojalne. Ogólnie, da się wytrzymać, najgorszy jest pierwszy tydzień, ale w zasadzie nie czułam jakiegoś dojmującego głodu, ssania w żołądku. Owszem, po fitnessie i seksie z Jarkiem bywałam głodna i wtedy Jaro dawał mi jakiś koktajl białkowy, płyn izotoniczny, a w domu Lilka już miała dla mnie gotową zupę z soczewicy posypaną kminkiem i czarnuszką albo jakiś przecier z warzyw.

— Masz, po seksie musisz jeść, bo takie ćwiczenia wyczerpują! — podaje mi miseczkę i uśmiecha się. — Schudniesz pięknie! Tylko pij wodę, żeby ci zmarszczki nie powyłaziły.

A ja piję, piję i siusiam na potęgę, oczyszczam się, zrzucam nadmiary, powinnam się cieszyć!

Jednak Lilka bardzo mnie martwi.

Agata powiedziała mi, żebym nie przeciwstawiała się jej pomysłowi. Może faktycznie ta głodówka to drastyczna sprawa, ale pije soki, więc minerały i elektrolity ma w normie, a jeśli ma taką silną wiarę w tę teorię, to ważne dla samopoczucia.

— Ale ona ma już nacieki! — żalę się Agacie.

— Wiesz sama, ile daje sugestia, autoleczenie i wiara w wyzdrowienie. Daj jej pole, nie sącz niepewności, a wręcz wspieraj ją! Są takie rzeczy, o których się słyszy, i oczy ci wyłażą ze zdumienia.

— Zwariuję, wiara w cuda?!

Z jednej strony brzmi to sensownie, a z drugiej wolałabym bardziej spektakularne leczenie. Coś wypalić, wyciąć i wyrzucić za siebie! Niech on już wraca, ten doktor Kalik, cudotwórca!

Wrócił. Lilka schudła tak, że wygląda teraz jak Twiggy. Oczy się jej zrobiły jakby większe, ale czuje się dobrze i faktycznie włosy i paznokcie ma piękniejsze! Ja też czuję się doskonale na tej głodówce, schudłam, odzyskałam talię i włosy lepsze. Chyba to dobra droga, bo skoro tak to wygląda, to znaczy, że jest dobrze! Badania mi wyszły znakomite, nie tylko krew, ale i hormony, mocz w normie etc. Niestety, Lilce nie.

Z badaniami w teczce pojechałyśmy wreszcie na spotkanie z doktorem. Faktycznie, wygląda inaczej, bo siedzi za biurkiem w prywatnej poradni, w jeansach i kolorowym swetrze. Ogląda prześwietlenie, czyta wyniki badań, myśli i popatruje na Lilkę. Bada ją, dokładnie słucha serca, pulsu, ogląda język i trzyma za dłonie.

Myśli, myśli... Kompletnie nic nie mówi. My też... Wreszcie się odzywa:

— No, nie jest dobrze.

Już chciałam coś powiedzieć, gdy Lilka wzięła oddech i zaczęła:

— Proszę pana, znaczy doktorze! Wiem, ale robię, co mogę. Jestem na głodówce doktora Breussa, czuję się bardzo dobrze, zresztą widzi pan to po czerwonych krwinkach, po mnie, jestem silna i w dobrej kondycji, żeby podjąć dalsze leczenie! Ja się naprawdę świetnie czuję! Vilcacora mi dobrze robi, pan wierzy w vilcacorę?

— No, tak, tak, ale jak widzę, głodówka nie pomogła, rak jest, pani Lilko.

— Może ona go nie zeżarła, ale też nie dała mu się zbyt szybko rozwinąć?... Może? — dodaje już mniej pewnie.

— Tego nie wiem, ale istotnie wygląda pani lepiej niż inni w takich sytuacjach. Staniemy, jak to się mówi, na głowie. W Centrum stosuje się kilka rodzajów chemii, ja stosuję więcej — wszelkie dostępne.

Wtrącam się:

— A jakaś operacja? Żeby powycinać jej wszystko, co jest... wie pan?

— Nie, nie na tym etapie. Zobaczymy, jak pani zareaguje, jak organizm sobie poradzi, wszystko to się okaże. Proszę przyjść pojutrze, siostra panią zapisze. Tu jest skierowanie, widzimy się wobec tego, ale zaczyna pani normalnie jeść.

— Ale białko też?! — pyta Lilka dramatycznie. — Białkiem się rak żywi!

— OK, niech to będzie dieta warzywno-owocowa, ale ze strączkowymi, dobrze? Oleje koniecznie.

— Lniany, budwigowy? A soki noni? Sok z pszenicy? Czy pan słyszał o metodzie doktora Ashkara? — Lilka jest obkuta w terminologii z dziedziny samoleczenia, natury etc.

— Może być budwigowy, oczywiście prawidłowo przechowywany, bo zapomniała pani o śluzówce podczas tej diety, a oleje są niezbędne. Może pani pić tran, sok noni, jak najbardziej. Z pszenicą dajmy sobie spokój, nie rośnie na polach jeszcze. Pojutrze — tak? Wlewy będą na Andersa, były tam panie?

Zapisano Lilkę na pierwszą chemię.

Dla mnie to powód prawie do radości, Lilka ma wątpliwości, bo naczytała się sporo przeciwko. Ale jej lęk i jednocześnie determinacja sprawiły, że pojechałyśmy. Byłam nastawiona na dramaty po chemii, ostre wymioty, osłabienie, ale nie było aż tak źle. Owszem, w domu wymiotowała, osłabła, ale uśmiechała się i mówiła: „Do jutra! Do jutra! Jutro będzie lepiej, Mania!". Wynosiłam do łazienki małe wiaderko z jej rzygowinami, wstrzymywałam oddech, bo ten zapach wywoływał odruchy wymiotne. Byłam dzielna! Ta chemia, całkiem inna niż w Centrum, musi jej pomóc! Ona ma takie parcie na zdrowienie!

Teraz Lilka najadła się zmiksowanej zupy z warzyw, popiła to szklanką soku z buraków i zasnęła. Nie poszłam dzisiaj na ćwiczenia i nawet nie żałowałam. Lilka jest ważniejsza. Dzwonił ojciec, uspokoiłam go, że jest... dobrze.

— Baranku, ale twoja praca? Może Lileczka u mnie pobędzie?

— Tato, pomyślimy, bo na razie dajemy radę. Ja rano wychodzę, ale Lilka normalnie śmiga po mieszkaniu, gotuje zupę, radzi sobie doskonale!

Faktycznie, jest w bardzo dobrej formie. Poodkurzała, poukładała pranie, gotuje i tylko nie wychodzi z domu. Nie lubi mojej Saskiej Kępy. Wydaje mi polecenia, a ja po drodze z pracy kupuję co trzeba. Widzę w niej lęk i nadzieję. Agata spotkana koło apteki zapewnia mnie, że ta nadzieja to podstawa wyleczenia.

— Agata, ale stan jest ciężki. Jasiński jakby umył ręce, bo według niego to już nic się nie da zrobić.

— No ale ten drugi? Też onkolog, prawda?

— Tak, doktor Kalik, mówią, że trochę nawiedzony. Stosuje jakieś kombinacje chemii z naturalnymi metodami, bo też mówi, że wiara w wyleczenie jest podstawą.

— Podtrzymuj w niej tę wiarę. Mówiły mi pacjentki, że znakomici są ci lekarze z Żelaznej, tybetańscy czy jak... Ach, doprawdy, komu dzisiaj wierzyć? A co, Mania, u ciebie?

— Niewiele. Mówiłam ci już o tym trenerze, bardzo mnie to nakręciło, doskonale się poczułam…

— Może będziesz chciała wpaść, pogadać?

— Aga, chętnie, ale z interesem, dobrze? Mam pomysł, ale muszę go najpierw skonsultować z szefową! Pa.

Co czujesz?

Mam pomysł sam w sobie nienowy, ale na czasie.

Regina, moja szefowa, uśmiechnęła się i stwierdziła, że gdyby podejść do tego mądrze, to może nawet cykl artykułów i wywiadów by wyszedł.

— No, co to za pomysł, Marianna? — spytała, kiedy weszłam do niej.

— Wiesz, pomyślałam tak, że dzisiaj tyle się słyszy o rozstaniach, rozwodach, to nabrzmiały problem, zjawisko społeczne, więc może gdyby tak cały numer temu poświęcić? Wiesz, dane ze świata, z Polski, komentarz psychologa, socjologa i wywiady. Z młodymi parami po rozwodzie i starymi — dlaczego to robią?

— Rozumiem, że wywiady załatwisz.

— Tak, chciałabym pogadać z parami osobno, o przyczynach, żeby mi powiedzieli szczerze, co czują. Jakie powodowały nimi uczucia, dlaczego postanowili się rozwieść. I sądzę, że inaczej będzie u młodszych par, a inaczej u starszych.

— Czego się spodziewasz?

— Prawdy. Bo może to jest tak, Regina, że załamujemy ręce, że rozwodów tyle, ale nie zahamujemy tego procesu przecież, natomiast możemy popatrzeć na przyczyny, jak socjolog, który bada zjawisko. Nie jesteśmy mentorami, pokazujemy proces, który jest, istnieje.

— To prawda, przedstaw to dzisiaj, OK?

— Czyli jesteś za?

— Jestem. Cały numer, dobrze.

Wracałam do domu z radością. Cały numer, wielki temat, mnóstwo pracy! Fajnie! W domu, niestety, czekał na mnie grom z jasnego nieba. Nie zdążyłam sięgnąć po klucze, gdy drzwi otworzyła mi Lilka. Czekała już na mnie szara na twarzy, z wielkimi, błyszczącymi jak w gorączce przerażonymi oczami.

— Usiądź, Mania.

— Co się stało?! Tata?! — złapałam ją za rękę.

— Nie, z tatą wszystko dobrze. Dzwoniła pani Elżbieta, ta wiesz od Gienia. Wracali właśnie z gór, z Alp chyba, i już tu, u nas mieli wypadek koło Karpacza.

— Karpacza? A co oni tam robili?!

— Pojechali zobaczyć ten piękny kościół Wang i grób Tomaszewskiego, i… to miała być taka ich podróż nostalgiczna, bo oboje mieli z Karpaczem masę wspomnień, i tam właśnie…

— Samochód? Wypadek? O, Jezu! Jak Gienek?

— Nie, nie był za kierownicą, oni podobno schodzili do samochodu, a jakiś inny pojazd wpadł w poślizg i najechał na nich, tak zrozumiałam, i ta pani Ela mówiła, że odskoczyli oboje, a wujek jakoś tak, że poślizgnął się, wywinął orła i upadł, waląc głową w bruk czy jakiś kamień. Zmarł w karetce. — Patrzy na mnie swoimi wielkimi oczami pełnymi niepokoju i lęku o to, jak zareaguję.

— Zmarł?! Jak to, zmarł? Tam? Beze mnie? — gadałam jak w amoku, nie dopuszczając do siebie informacji. Jak to zmarł, kiedy mnie tam nie ma? Bez nas, w oddaleniu ode mnie, taty? To nie w jego stylu! No nie!

Lila była przerażona, spięta, jakby to ona coś nawywijała pod moją nieobecność. Kiedy usiadłam ciężko w kuchni, ona też usiadła i patrzyła na mnie, patrzyła i nagle zobaczyłam, jak po jej twarzy pociekła strużka, a ona szepnęła:

— Wujek Gienek nie żyje, Mania, co my powiemy ojcu?!

Teraz ja także poczułam kołek w gardle, żołądek mi się ścisnął i też się rozbeczałam. Obie urywałyśmy kawałki papierowego ręcznika i obie płakałyśmy bezgłośnie. W głowie jak na projektorze zobaczyłam Gienka w różnych porach jego życia. Jak w kalejdoskopie! Siwiejącego, i młodego szatyna, jego wesołe oczy i to jego „Marian" kierowane do mnie.

— Lilka, tam trzeba może jakąś pomoc, coś, bo ta pani Ela nie ma trzydziestu lat…

— Co? — Lilka jakby wyrwana z letargu popatrzyła na mnie półprzytomna, cała w zamyśleniu. A ja nią potrząsałam. — No trzeba jakoś tam pojechać, coś robić… Nie mówiła nic?

— Nic… — powiedziała głucho Lila i zamknęła oczy.

Wzięłam telefon i oddzwoniłam pod ostatnio dzwoniący numer komórki. Po drugiej stronie usłyszałam głos kobiety:

— Słucham?

— Pani… Elżbieta? Mówi Marianna.

— Witam panią — głos drży, jest kobiecy, dość wysoki, łagodny. — Takie przykre okoliczności, w których się poznajemy, nazywam się Elżbieta… zresztą Gienek mówił pani o mnie, prawda?

— Pani Elżbieto, jak to się stało?!

Opowiadała urywanymi zdaniami, hamowała płacz, a ja słuchałam i przed oczami widziałam już całe to tragiczne zajście. Poślizgnął się... Jakie to banalne! Milczymy obie.

— Pani Elżbieto, mogę tak mówić? Ja zaraz tam pojadę, tylko — wzięłam głęboki oddech i znów popłynęły mi łzy — tylko się jakoś ogarnę. Jak pani pomóc? Jak jechać do tego...

— Karpacza — powiedziała drżącym głosem, bo chyba i ona płacze.

— Właśnie, ja jakoś muszę...

— Pani Marianno, nie dzisiaj. Pozwoliłam sobie zadzwonić do Patryka, który już tu leci. Jutro rano ląduje w Krakowie i ma dojechać tu.

— Patryk? A co on...

— Jak to! To syn! Ostatnio Gieniu, za moją, przyznam, namową, częściej się z nim kontaktował, pisali do siebie maile, dzwonili. Nie mówił pani?

Zrobiło mi się wstyd. Nie mówił. Ja zanadto byłam zajęta sobą, rozwodem, pracą, romansem. Zaniedbałam Gienka! Uważałam, że skoro pochłania go pani Ela, to należy dać mu święty spokój, i zaprzestałam dzwonienia, zapytań o zdrowie, o to, co u niego... Ojciec też uważał, że należy dać mu od nas odpocząć. Ojciec! No właśnie, ojciec!

— Pani Elżbieto. Mówił, ale jakoś nie przywykłam, żeby Patryka obchodził ojciec — dodałam nieco sarkastycznie i zaraz spytałam: — A czy mój tata wie?

— Nie... — usłyszałam jej ciche zaprzeczenie. — Jakoś mi niezręcznie, wie pani, no przecież ja pana Michała nie znam oficjalnie. Tyle co z opowiadań Gienka. Mieliśmy w planie wspólny obiad z wami po powrocie... — rozpłakała się.

No tak. Miała zadzwonić, nieznana ojcu kobieta, i powiadomić, że jego najserdeczniejszy kumpel, brat właściwie, nie żyje, bo palnął głową w chodnik?

— Czyli — spytałam — nie jestem tam potrzebna?!

Pani Ela chrząknęła i powiedziała przytomnie:

— Pani Marianno, mnie się wydaje, że Patryk chce się tym wszystkim zająć, a i ja, wie pani, jestem mu... byłam Gienkowi bardzo bliska. To teraz mam go zostawić? Wie pani, on mnie tak trzymał kurczowo za rękę w tej karetce, położyłam mu rękę na czole i wtedy zmarł, lekarz przy tym był i powiedział: „Miło mu, że go pani trzyma za rękę". Sądzi pani, że czuł? Czuł, że to ja? Mój Boże! — znów chlipnęła.

— A ja? — zapytałam jak małe dziecko.

Po drugiej stronie zapadła cisza, ale po chwili usłyszałam:

— No przecież, jak pani uważa. Postaramy się jak najszybciej załatwić formalności i przywieźć go do Warszawy. Jak pani chce! Drogi są jednak bardzo teraz niebezpieczne, ślizgawica, pani Marianno, jak pani chce...

Jak to ja, najpierw się ostro szarpnęłam, że jadę, ale Lilka mnie usadziła.

— Mańka, przestań! Po co ty tam? Ty musisz Michałowi jakoś powiedzieć. Broń Boże telefonicznie. Wujkowi już wszystko jedno, kto tam z nim jest, a nawet jeśli nie, to chce być z tą swoją panią Elą i Patrykiem, a z tobą to on się całe życie nabył! Ojcu trzeba powiedzieć, tylko jak?

— Pojedź ze mną — zaproponowałam.

— Teraz?! — spytała głośno, ze złością, jakbym plotła bzdury. — Jest już ciemno, piąta trzydzieści, zaczekajmy do jutra. Na noc chcesz Michałowi fundować takie emocje? Noce są najgorsze! Jeszcze nam fiknie na zawał! Musiałybyśmy tam zostać. Pojedźmy, Mania, jutro rano.

Skąd u niej ten pragmatyzm? Ma rację. Położyłyśmy się spać obie w moim łóżku, ja po sporej dawce koniaku, Lilka milcząca i chlipiąca. W końcu gdy już-już miałam sen pod powieką, zapytała mnie szeptem:

— Mania, czy śmierć się czuje?

— Co ci wpadło do baniaczka? — szepnęłam zdziwiona i zdałam sobie sprawę, że Lilka się... boi.

— Nie wiem, nigdy nie umierałam, ale ciotka Jadwiga mówiła, że to jak zasypianie.

— Myślisz o Gienku? — upewniłam się. — Wiesz... pani Ela trzymała go w tej karetce za rękę i zasnął.

Lila kiwnęła głową i mruknęła cicho:

— Mnie też ktoś potrzyma? Maniu?...

— Albo ty mnie — odpowiedziałam jej. Przytuliła się i chyba zasnęłyśmy w miarę równocześnie.

Rano, kiedy otworzyłam oczy, Lilki już nie było w moim łóżku. Sły-szałam, że się krząta w kuchni. Nagle przypomniałam sobie, że Gienek zmarł, zginął, zasnął na wieki, nie ma go. Przypomniałam sobie wczoraj-sze rozmowy z nieznaną mi panią Elą i doszło znów do mojej świadomo-ści to, że już nigdy nie zobaczę Gienka, że nie obejmie mnie, nie przytuli, mówiąc „Oj, Marian, Marian", nie ochrzani Mirka, nie przywiezie mi swoich nieśmiertelnych zrazów, nie powie lekko jednak zażenowany: „Bo my z Elą zdecydowaliśmy zamieszkać razem, jak jej dzieci...".

Zakochany Gienek, zakochana pani Ela, i takie nagłe bach! Jakaś durna wywrotka, stłuczenie i już?! Wyobraziłam sobie wuja w kostnicy i westchnęłam głęboko przejęta i smutna.

Muszę zadzwonić do Reginy, że dzisiaj mnie nie ma.

Wstałam, Lilka zrobiła nam śniadanie i pojechałyśmy ciężkie, oso-wiałe i milczące.

Kiedy mijałyśmy wiadukt nad torami, zadzwonił telefon.

— Cześć, to ja, Patryk — usłyszałam męski głęboki głos. — Syn taty...

— Cześć, jesteś już na miejscu?

— Nie, jeszcze nie. Właśnie jadę do Karpacza. Marianna, co ja mam robić? Kurczę, ja nic o ojcu nie wiem, jakieś papiery, coś trze-ba...

— Nie martw się, pani Ela mieszkała czasem u ojca, ona wie wszystko. To farmaceutka, znaczy osoba bardzo zorganizowana.

— Wiem, że jest... była bliska ojcu.

— Tak, Patryk, bardzo bliska. To miłość, mimo że oboje są sta-rzy.

— Tak? Ile ona ma lat?

— Jest młodsza od twojego taty o jakieś pięć lat. Podobno urocza. Pomoże ci. Chyba że chcesz, żebym przyjechała, ale ja właśnie jadę powiadomić mojego tatę.

— Ach, no tak! Pozdrów wujka, proszę. Zresztą zobaczymy się w Warszawie, prawda?

— Tak. Wiesz, boję się, muszę oględnie i delikatnie, bo Michał, znaczy tata, miał zawał niedawno. Nie wiem, jak on to przyjmie. Taka dozgonna przyjaźń!

Zjechałyśmy w lewo z szosy w mlaskającą breję. Grama śniegu, rozmarzające błoto i wszystko w koło szare, wczesnowiosenne, brzydkie.

Podwórze zamknięte, ale widać światło w kuchni. Lilka poszła otworzyć bramę. A ja spanikowałam, bo nie mam pojęcia, jak to ojcu powiedzieć! Myślałam całą drogę, pytałam Lilki, ale ona tylko stwierdziła: normalnie. No jasne, że nie wyśpiewam mu tej wieści ani nie powiem wierszem.

Może dać mu najpierw coś na uspokojenie?

W sieni znajomy zapach domu. Wchodzimy z Lilką cicho i z namysłem. Lubię ten zapach, zawsze to mnie uspokajało, dom z lat dziecinnych.

Weszłyśmy do kuchni, drzwi zaskrzypiały jak zwykle. Z pokoju wyszedł tatko, człapiąc kapciami. Ma okulary na czole i gazetę w ręku.

— O! — mówi zaskoczony — moje dziewczynki przyszły! A co to za święto, co? No chodźcie, chodźcie, mam tu pączki, Kobyliński wczoraj przyniósł. Wnuczka mu upiekła ze starą Kobylińską, bo chodzi do szkoły gastronomicznej, o, jakie pyszne, mówię wam! Z różanym nadzieniem! Proszę bardzo, mleko do herbaty dać?

Tata jest rozświetlony i zachwycony naszym najazdem. Uśmiecha się, już sięga do kredensu po talerzyki, wyjmuje nasze ukochane kubki. Mnie coś ściska za gardło, a Lilka najzwyczajniej mu pomaga, dolewa wody do czajnika, rozkłada serwetki i popatruje na mnie kontrolnie. Widzę, jak dyskretnie wyjmuje z kredensu krople walerianowe. Tatko wierzy w nie jak w aspirynę. U tatki aspiryna jest na wszystko oprócz nerwów, a na nerwy waleriana. Od zawsze.

Siadamy.

Tata nie mdleje, gdy mu mówię o Gienku, tylko twarz mu tężeje i patrzy na mnie, jakby nie rozumiejąc moich słów. Oddycha ciężko, znaczy łapie powietrze. Opowiadam spokojnie, co wiem, uważnie cedząc słowa, a on patrzy, patrzy, patrzy coraz bardziej zdumionymi oczami. Siedzi nieruchomy, blady, trzęsą mu się ręce, broda. Powtarza cicho i ochryple:

— Jak to, jak to?

Lila wstaje i bierze krople, podaje ojcu. Chcę ją za to zganić, bo boję się reakcji ojca, ale on bierze z jej rąk łyżkę z kostką cukru nakroploną walerianą i pół szklanki wody z czajnika, od lat tak właśnie tatko to zażywa i wypija. Oddaje jej łyżkę z gestem, że chce jeszcze.

Wypija drugą porcję, oddycha ciężko i odwraca się do okna, ścierając dłonią łzy.

— Gienek…? O Matko Boska! Gienek! — szepcze.

Mój niepokój rósł. Chciałam zmierzyć tacie ciśnienie, ale nie dał. Poszedł do pokoju i nastawił płytę z nokturnami Szopena, potem usiadł na kanapie i przywołał nas. Siedzieliśmy tak sobie razem, tato płakał bezgłośnie i miał zamknięte oczy. Co chwilę kładł głowę to na mojej głowie, to na Lilki. Ja trzymałam mu dłoń na sercu.

Spędziłyśmy z nim cały dzień. Ojciec milczał, mało co mówił. Nie chciał wyjść na spacer, nie chciał jeść, na siłę wmusiłam w niego dwie herbaty.

— Tatusiu — spytała Lilka — może ja zostanę?

Wzruszył ramionami. Nie umiał nic powiedzieć.

— To dobry pomysł, tatku. Ja mam robotę, a Lilce też dobrze zrobi, jak nie będzie sama — szepnęłam do niego, kiedy Lilki nie było blisko. — Kocham cię, tatusiu.

I Lilka została, a ja nawet nie poczułam cienia zazdrości!

Kilka dni minęło, zanim Patryk przywiózł zwłoki wujka Gienka do Warszawy i zdumiał mnie, bo wszystko załatwił sam, pod łagodnym kierownictwem pani Eli. Nam zlecił tylko stypę rodzinną, maleńką, tu u ojca, bo w mieszkaniu Gienka jakoś nie chciał.

— Patryk, a może zrobić coś, wiesz, jakąś oficjałkę?

— Nie, nie sądzę, żeby to był dobry pomysł. Ludziom nie będzie się chciało z Powązek jechać gdzieś na herbatę czy coś. Będzie jego kilku starych kolegów z przeszłych lat i tyle. Dajmy spokój! Dziękuję ci za piękny nekrolog. Naprawdę się wzruszyłem.

Prawda, zamieściłam taki:

Kochany wujku Gienku!

Optymistyczny Ikarze — żegnaj! Dobrego lądowania po tamtej stronie!

Dziękuję Ci, że mnie nauczyłeś grać w zielone!

Jeszcze zagramy…

Wujek tak lubił ten tekst Młynarskiego o połamanych skrzydłach, które Ikar klei sobie na strychu i marzy, żeby jeszcze raz pofrunąć.

Pogrzeb był smutny. Wiało i zacinał deszcz. W domu pogrzebowym na Powązkach zimno.

Nie wiem, jak się to Patrykowi udało w tak krótkim czasie, ale podczas ceremonii zrobił wspaniały pokaz zdjęć rzucanych na niewielki ekran stojący koło katafalku z urną. Zdjęcia Gienka z czasów młodości, z Krysią, i u nas na Zamościu, z ojcem, sam i ze mną nastolatką! Wzruszające.

Nie wtrącaliśmy się w procedury. Pani Elżbieta i Patryk nie chcieli żadnej pomocy. Oddałam mu pole, bo Lilka mi wytłumaczyła, że to konieczne.

— Ma wyrzuty sumienia, mało go wujek miał. To już ty byłaś jego córką bardziej od Patrysia, niech więc teraz nadrabia, daj mu to!

— No właśnie! To ja jestem córka. Przyszywana, najukochańsza! To ja powinnam go pogrzebać, urządzić stypę czy coś.

— Prawda, ale Mania, sama wiesz, ile mu dałaś miłości za życia, to ważniejsze od pogrzebu. Pani Ela i on tak się starają... Patrz, jaka ona ładna mimo lat!

Faktycznie, poznana dopiero co pani Elżbieta, miłość Gienka krótka, ale głęboka, okazała się rzeczywiście uroczą, starszą panią. Szła cała w czerni, w kapeluszu z woalką zasłaniającą zapłakane oczy. Kiedy podała mi kruchą dłoń, zrobiło mi się ich obojga żal. Taka miłość na stare lata! Tak rzadko się to zdarza, przecież są ze sobą dopiero od dwóch czy trzech lat i co? Koniec? A mogli być tacy szczęśliwi! Tatko pochylił się, żeby pocałować ją w dłoń, z wielkim szacunkiem. Objęli się jak najbliższa rodzina. Potem podszedł Patryk, objął i pocałował mnie i Lilkę. Ojcu chciał podać rękę, ale ojciec sam go objął, wzruszony jego obecnością.

Drżałam o tatę, ubrałam go ciepło, założył flauszowy kapelusz, szczęściem niezjedzony przez mole, mimo że ojciec rzadko go zakładał. Cały pogrzeb stał koło trumny wujka. Trzymał harcerską wartę z dwoma innymi kolegami. Potem jeden z nich pięknie mówił o zmarłym, choć może zbyt oficjalnie.

Później nad grobem trzymałam nad tatką parasol i śledziłam każdy grymas jego twarzy, modląc się w duchu, żeby mu serce wytrzymało. Kobyliński krótko załkał podczas zakopywania Gienka do ziemi. Ja też.

Tatko, na lekach co prawda, ale trzymał się dzielnie. Nie staliśmy tam, moknąc jak wrony, szybko zebraliśmy się, bo było przejmująco zimno. Mirek się pojawił, ale nie rozmawialiśmy wiele. Do taty pojechać już nie chciał.

Obiad w domu na Zamościu był normalny, spokojny, choć oczywiście podszyty smutkiem.

Pani Elżbieta wymiksowała się z niego, bo była na Powązkach z wnuczką, obiecując ojcu wizytę w tygodniu. Wnuczka — chuda, milcząca — odwiozła ją do domu, „żeby się babcia nie zaziębiła".

Przy stole Patryk opowiadał nam o sobie i mamie. Tata słuchał, pytał, pokazywał Patrykowi jakieś zdjęcia z wycieczek z Gienkiem, z ich działalności, z rodzinnych imprez. Patryk oglądał, ale też bardzo dużo gadał, głównie o sobie, jakby chciał nadrobić te lata, kiedy zapomniał o ojcu, o wuju, o mnie.

— Wujek wie, że mama najpierw była jakoś cięta na ojca — tłumaczył się — a ja taki glut, wierzyłem jej. Później, jak rodzice zaczęli się jako tako kontaktować, to zacząłem widzieć to inaczej.

— Kiedyś trzeba nabrać rozumu... — tato starał się nie moralizować.

— No, tak, tak, wiem i cholera, trochę za późno się zgadaliśmy. Wujek wie, że po śmierci mamy widziałem się z ojcem?

— Na pogrzebie?

— Tak, to też, ale jak ojciec był na nartach kilka lat temu, to złapaliśmy się, zaraz, gdzie to było?...

— Lepiej późno niż za późno. — Tatko wstał od stołu, poszedł do swojego pokoju i wrócił z dużym zdjęciem Gienka, zrobionym chyba latem tu, przed domem taty. Stał w swoich roboczych spodniach podparty na łopacie, bo widać pomagał ojcu, i uśmiechał się tak młodzieńczo! Właściwie śmiał się z czegoś, jak to Gienek. Duża, ładna ramka z wysuniętą podpórką stanęła przed Patrykiem.

— Patryku, weź to, proszę. Przyda ci się. O, zobacz, może stać i wisieć. To jesienią zrobiła nam Lila. A tu — położył na stole teczkę — zdjęcia Gienka takie tam różne z tego samego popołudnia. Nawet jest taka portretówka duża. Choć lepiej mieć ojca realnego, a nie na zdjęciu...

Oczy mu się zaszkliły. Patryk milcząco oglądał zdjęcia.

Byłam potwornie zmęczona i chciałam już wrócić do domu i zostać nareszcie sama z moimi myślami o Gienku, ale przecież nie mogę zlekceważyć Lilki, a ona nie chciała jechać do siebie, więc siedziałam nierozmowna, milcząca, ciągle nie dowierzając, że już tu nie zobaczę wujka.

Wieczorem zapewnione przez tatę, że nic mu nie będzie, pojechałyśmy. Patryk został na noc u taty. To dobrze!

Tak właśnie Gienek nas zostawił… Nie ma go.

Mam tyle wspomnień z wujem! Powinnam je posegregować, ja wiem, opisać? Ach, nie. To zbyt prywatne.

Pierwszy motor Gienka. Wuefemka! Przyjechał do nas, jeszcze na Niekłańską. Zbiegły się dzieciaki z sąsiednich podwórek, bo to było lato. Miałam z sześć lat? Chyba tak, bo na zdjęciu jestem malutka, z kucykami, w letniej sukieneczce, sandałkach na chuderlawych nóżkach i w wielkiej skórzanej kurtce Gienka, w której jechałam. Rękawy sięgają mi do chodnika, a ja stoję dumna koło tej wuefemki, która mało mnie obchodziła, bardziej sam fakt, że wujek mnie zabrał na przejażdżkę! Jako pierwszą! Zamotał mnie w tę kurtkę, a twarz zasłonił mamy chustką zawiązaną na beduina i posadził przed sobą. Ruszyliśmy uliczkami Saskiej Kępy do mostu Poniatowskiego, potem ślimakiem w dół, i nad Wisłą do Agrykoli! Pędem koło Łazienek i do Mokotowskiej, a tam... Tam zatrzymał motor koło lodziarni! Weszłam w tej przepastnej kurtce oszołomiona jazdą, ze zsuniętą chustką i stanęłam przy ladzie na palcach, żeby zobaczyć, w jakich smakach są gałki! Było z pięć!

— Ile mam wziąć, wujku? — spytałam, bo mama pozwalała najwyżej na dwie.

— Ile chcesz! Każdego smaku po jednej?

Stałam przed lodziarnią, wujek trzymał kurtkę, a ja w obu łapach ściskałam dwa wielkie rożki, jeden w drugim, na nich piramida lodów! Uwijałam się, bo lody kapały, a ja jadłam wolno. Wreszcie Gienek musiał mi pomóc i razem łapaliśmy te topniejące lody.

Pani lodziarka przyniosła mi ściereczkę zmoczoną w wodzie, bo cała się zalodziłam i lepiłam koncertowo. Wuj znów omotał mnie tą kurtką, zawinął głowę chustką i jazda z powrotem! Tym razem Kruczą do Alej i do mostu koło Stadionu Dziesięciolecia, i do nas, dzikim pędem! Było fantastycznie, choć czasem odbierało mi dech i wtedy chowałam głowę w kurtkę. Pamiętam kask Gienka, niewielki, biały ze srebrnym paskiem przez środek. A! I jeszcze miał gogle.

Pamiętam także, jak pojechaliśmy jego samochodem do lasu na grzyby. Gienek powiedział, że zna takie miejsca niedepnięte ludzką nogą!

Mama obudziła nas wcześnie rano. Tata burczał, że Gienek ma wariackie pomysły, bo my tu też przecież mamy lasy, ale mama kręciła nosem, że tu wszystkie są schodzone, grzyby wycięte w pień, a to przecież jest frajda, wielka wyprawa, wycieczka i w ogóle, bo tata nie miał od lat urlopu, i jedziemy, i kropka!

Jechaliśmy długo, bo aż pod Osowiec. Było szaro, wilgotno, ale i tak dałabym się posiekać za chwile spędzone na takiej wyprawie. I jeszcze z wujkiem! Pamiętam, że dopiero kiedy się zatrzymaliśmy na poboczu wąskiej szosiny na moje siusiu — wyjrzało słońce, las błysnął kolorami i mama powiedziała: „Zobacz, Marianko, jaka piękna jesień!". Później wjechaliśmy w las dróżką i zatrzymaliśmy się prawie zaraz, bo ta dróżka nagle się skończyła.

Mama i tatko wzięli kosze, ja swój i Gienek swój. Dostałam też mały nóż, taki ucięty w połowie! Jak ktoś dorosły! Mama zawiązała mi na głowie chusteczkę. Sobie też identyczną!

— To pa! Dobrych zbiorów! — powiedziała wesoło i wzięła tatę za rękę. — Idziesz z nami czy z Gienkiem?

— Oczywiście z wujkiem! Pa!

Chwyciłam go za rękę i ruszyliśmy. My w lewo, a rodzice w prawo. Łaziliśmy, gwarząc z cicha, bo Gienek twierdził, że jak się w lesie głośno gada, to grzyby uciekają. Miałam wlepione oczy w ściółkę i wypatrywałam łebków. A było ich naprawdę mrowie!

— Ty, Marian — chwalił mnie wujek — jesteś niezły chwat! O, jakie koźlaczki zauważyłaś! Tnij! Patrz, ile już tego masz!

Byłam taka dumna! Już miałam cały kosz i wuj też. Pokazywał mi, jak wycinać nóżki ze ściółki i jak układać w koszu, i że to, co wzięłam za grzyba jadalnego, to zwykły psiar... Kiedy wróciliśmy do samochodu, wuj rozłożył w bagażniku gazetę i wysypał nasze zdobycze. Potem poszliśmy raz jeszcze, w lewo, ale tym razem w większy las. Rodziców nie było widać ani słychać — pewnie cięli jak my!

— Zrobimy zawody, kto więcej nazbiera! Na pewno wygrasz, skrzacie!

Za wielką dąbrową (dopiero tam się dowiedziałam, co to jest ta dąbrowa) był spory zagajnik, a obok mały całkiem. Tam już bardzo pewna siebie puściłam z oczu wujka i szłam równolegle w choinkach, a czasem nawet kilka rzędków dalej, ale słyszałam trzask ściółki, więc wiedziałam, że wujek zawsze jest obok. I tak szłam, szłam obok gęstych choinek, a wujek trzeszczał obok, i gdy wyszłam za nie, z sąsiedniej „alejki" wyszedł wielki potwór na czterech wysokich chudawych nogach. Miał małe oczy, dziwny pysk i uszy. Stał równie zdumiony jak ja. Gapiliśmy się na siebie dobrych kilka minut. Ja kompletnie nieruchoma, zamieniona w słup soli. Strach miałam w sobie równo wymieszany z zachwytem, bo wiedziałam, że spotkało mnie coś bardzo niesamowitego. Nie wołałam Gienka, bo spłoszyłabym zwierza, albo by mnie zjadł, albo co?

Zwierz tkwił w miarę nieruchomo wbity w ściółkę jak i ja i gapił się na mnie, ale po jakimś czasie uciekł wzrokiem znudzonym, pochylił się i jakby w zakłopotaniu szczypnął jakieś źdźbło. Podniósł pysk, aby upewnić się, czy nadal stoję. Stałam. Zaczął żuć to źdźbło i przestąpił z nogi na nogę, jakby nie wiedział, iść czy nie? To mnie wystraszyło i drgnęłam. Zwierz też drgnął, ale stał nadal. Strzygł uszami i wreszcie, znudzony brakiem kontaktu czy jak, odwrócił się wielkim zadem i poszedł sobie w pobliskie krzaki. Nie mogłam wydobyć z siebie głosu, gdy nagle obok mnie wyrósł Gienek.

— ...działeś? — szepnęłam.

— ...działem! Ty dzielny krasnalu ty! — też szepnął. Wziął mnie na ręce. — Obserwowałem was. Wiesz, kto to był?

— Kto?

— Łoś! Młodziak, bo dorosłe łosie są większe, a to taki smarkacz musiał być. Nie bałaś się?

— Nie. Nie wiem... Troszkę.

Już nie szło mi zbieranie grzybów. Kompletnie mnie otumaniło to spotkanie i dopiero teraz poczułam wielką radość, eksplozję radości! Widziałam prawdziwego łosia! Koniecznie musimy o tym powiedzieć rodzicom! Wracaliśmy przez ten choinkowy zagajnik prawie biegiem. Koło samochodu nie było nikogo, więc wujek gwizdnął na palcach.

— Jak to robisz?

— Nie umiesz? Chodź, nauczę cię, ale pamiętaj, moja kochana, że kobiecie nie przystoi gwizdać na paluchach!

— A dziecku? — spytałam.

— Oj, Marian! — westchnął wuj. — Wy kobiety jesteście takie przewrotne! No, zobacz, tak złóż paluszki. Tu, ten zagnij w dół, o, a te połącz i połóż na języku i dmuchnij!

Czekaliśmy trochę, bo dopiero na trzeci gwizd wujka tatko odpowiedział, ale słabo, znaczy, że byli gdzieś daleko. Obśliniłam palce i dmuchałam i dmuchałam zaciekle, aż wreszcie udało mi się świsnąć!

Oszalałam z radości. Łoś i gwizdanie! Co za wyprawa!

Rodzice wracali, trzymając się za ręce. W koszach mieli kilka grzybków. Wybałuszyłam oczy. Las był pełen tego! Czy oni nie widzą? Nie umieją zbierać?! Zaciągnęłam ich do bagażnika i otworzyłam, pokazując nasze trofea podparta w boczki.

— Patrzcie, to my z wujkiem tyle uzbieraliśmy, a wy nie umiecie?

Mama nie miała chustki na głowie, za to ogniki w oczach i uśmiech jakiś zadziorny, tajemniczy. Sweter na plecach cały w igliwiu. Tato objął ją w pasie, przytulił mnie do drugiego boku i powiedział:

— Ach, bo my takie fujary jesteśmy, ale jak widzę, ty, Baranku, jesteś mistrzynią zbiorów!

Wtedy wybuchnęłam na całego:

— A czy wy wiecie, co ja widziałam?!

Rodzice poczerwienieli i spojrzeli z niepokojem na Gienka, ale on zaraz mnie poprawił:

— Kogo spotkałaś, no powiedz! Bo pękną z ciekawości!

Wzięłam wdech i wyrzuciłam z siebie moją tajemnicę.

— Ło-sia! Prawdziwego łosia! Naprawdę! Stał i uszami strzygł! I gapił się na mnie, a ja się wcale nie bałam!

Mama zrobiła wielkie oczy i naprawdę była zaskoczona.

— Łosia? Maniu, łosia?! Jejku, ja bym się posiusiała ze strachu!

Wtedy to ja się mało nie posiusiałam, bo mama pierwszy raz powiedziała coś tak innego, niemamowego, niepedagogicznego! Śmiałam się i śmiałam, a o gwizdaniu już nie powiedziałam, bo wujek zarządził biwak i zbieranie szyszek na ognisko.

Naprawdę poczułam się głodna.

Na niewielkiej polance rozpaliliśmy ognisko, okopane zgrabnie przez tatę i wujka, żeby nie zapalić niczego wkoło. Mama poukładała nam pod pupy derki i kocyki. Na zaostrzonych kijach opiekaliśmy kiełbasę, mama obierała jajka na twardo i podawała nam do rąk pomidory. Na serwetce była sól i wszyscy z niej korzystaliśmy, tłocząc się i przełażąc jeden przez drugiego. Herbata z termosu była pyszna, a oranżada, którą zabrał wujek, jeszcze pyszniejsza. Najadłam się i opiłam jak bąk i chyba zasnęłam nawet przy tym ognisku.

Wracaliśmy późnym popołudniem.

W lasach widać było pomarańczowe światło słońca, które było już nisko, i to mama mi pokazywała, jakie kolory ma las!

— Mówiłem wam, że tu człowieka nie uświadczysz — pysznił się Gienek.

— Myśmy widzieli samolot na niebie! — powiedział tatko.

— A ja łosia! — popisywałam się i przypominałam.

— No i mamy masę grzybów!

O gwizdaniu przypomniałam sobie dopiero po jakimś czasie i trenowałam nad Świdrem, aż do mistrzostwa. Później Gienek pokazał mi jeszcze inne sposoby gwizdania. On umiał gwizdać na czterech palcach, na dwóch, na jednym... na każdym!

I jeszcze jedna kartka, właściwie nie żółta. To wiele kartek, jak wiele wieczorów, które spędziłam z moimi dwoma dziadami — ojcem i Gienkiem. Kuchnia, my wkoło stołu. Jakaś rozmowa. Zawsze ktoś wiedzie prym, gada na jakiś ważny temat albo coś relacjonuje, albo komentuje. Czasem siadywał na ławce koło pieca milczący Kobyliński. Na pytanie o jakiś komentarz czy wypowiedź mówił tylko „no... ja tam nie wiem", albo „no, to, to, to i ja tak myślę". Albo „ano, ano".

Często tematem były moje zawodowe sprawy. Wałkowałam je z nimi — moimi starymi dziadami jako jurorami, recenzentami. Czasem czytałam im wydrukowane moje wywiady, artykuły, teksty.

— I co? — pytałam.

— Wiesz, Baranku — zaczynał tatko.

— Wiesz, Marian — zaczynał wujek.

Kobyliński robił tylko mądrą minę.

A kiedy wstawałam, że muszę jechać, prosili mnie, żebym jeszcze została, że się miło rozmawia i że może bym została na noc, ale ja zawsze rwałam się do domu.

Dzisiaj co ja bym dała za to, żeby Gienek i tatko znów mnie zatrzymali, żebyśmy razem siedzieli, dopijając zimną herbatę albo kompot!

To se ne wrati. Koniec żółtych kartek...

Przyszło lato, a właściwie późna wiosna jeszcze.

Nie byłam w stanie iść powtórnie na cmentarz, a podobno powinno się. Nie mogę! Kompletnie nie czuję tam Gienia. Ojciec też nie chce. Mówi, że Gieniu jest stale z nim tam, na Zamościu, w każdej wbitej desce, na swoim krześle w kuchni, w kubku, w którym pijał herbatę.

Oboje przeżywamy jego odejście po swojemu.

Pani Ela była u taty, rozmawiali o Gienku i chyba każde z nich na swój sposób przedłużyło w ten sposób jego obecność, wspomnienia się pozaplatały, snuły...

— Wiesz, Baranku, faktycznie miła z niej osoba. Nie dziwię się Gienkowi, że się zakochał, i tak mi żal, że nie dane im było!

Też mi żal. I żal, że ojciec sam, bez kobiety. Nie spotkał po mamie żadnej miłości?

Mało miałam czasu na te deliberacje, bo mnie zaprzątnęło życie, Lilka, dom i tatko. Cały czas boję się o niego!

Lilka po całej petardzie tej chemii przeżyła jakoś, wymiotując co prawda, walcząc z objawami ubocznymi, jakimiś zapaleniami, stanami osłabienia, ale i zrywami, i była taka dzielna, że aż mnie zadziwiała. Nawet ciut przytyła! Po tej diecie, głodówce cebulowo-ziołowej, była jak anorektyczka, jak pająk kosarz, ale teraz już jest tylko bardzo szczupła i blada. Zjada, co trzeba. Nawet chleb z rybnym pasztetem raz w tygodniu, i pije różne zioła. Wszystko sprawdzone w necie na forach osób chorych na raka. Teraz wróciła do naparów z vilcacory. Wciskam w nią kopytka z gorgonzolą, czasem risotto z kawałeczkami indyka.

Kiedyś złapałam doktora Kalika na korytarzu samego, więc spytałam:

— Panie doktorze, Lila bierze już przedostatnią chemię, ale włosy jej nie wypadły, czemu?

— Ależ to nie jest reguła! — uśmiechnął się wymuszonym uśmiechem.

— A jak pan sądzi, czy ona tę chemię przyjęła?

— Co to znaczy?

— No, czy pomoże?

— Nie wiem, ważne jest nastawienie pacjenta, a pani Lilka jest, no… raz w dobrym nastawieniu, a raz nie. Sama pani wie. Zobaczymy, nie jestem jasnowidzem.

Chciałam jakiegoś optymizmu, wiary, potrzebowałam tego, żeby sączyć tę wiarę w Lilkę. Stan jej był nieciekawy według doktora Kalika, który tą myślą dzielił się z kolegą Jasińskim, oczywiście prywatnie, w tajemnicy, a ten z Mirkiem, a Mirek prywatnie i w tajemnicy zadzwonił do mnie.

— Nieciekawie? Co mówili jeszcze? — dopytywałam Mirka przez telefon.

— Nic. Jak są przerzuty, to nie jest dobrze, ale Mania, bądźcie dobrej myśli. Jak sobie radzisz? Potrzebujesz pomocy?

— Nie. Dajemy radę. Lilka mieszka u mnie. Czasem jedziemy do niej, bo czasem ona tam, na Starówce chce zostać sama, ale zazwyczaj to jeden dzień i znów jest u mnie.

— Ma bóle?

— Miewa. Mówi, że kości ją bolą.

— Macie tramal?

— Tak, ale Lila nie chce go nadużywać. Pomaga jej moje głaskanie.

— Głaskanie?! Żartujesz.

— Nie. Jak ma bóle, to robimy pozycję „na małpę". Widziałam kiedyś w Indiach, jak małpy siadały, opierając o drzewo nogi, między kolanami siadały im dzieciaki małpiatki i zasypiały w matczynych objęciach. Teraz ja robię za małpią matkę, siadam na moim łóżku, mam wałek pod lędźwiami i opieram się o poduchy, a Lila siada do mnie tyłem, oparta o mój brzuch plecami. Obejmuję ją kolanami i ramionami jak dzieciaka i kładę dłonie na jej brzuchu i mówię, że sączę jej energię przeciwbólową. Takie bajdy, wiesz, ale pomagają. Leży sobie i przestaje jęczeć, wić się. Jest powściągliwa, jakby opanowana, a przecież wiem, że ją boli, widzę to. Kiedy już tak siądziemy w tej naszej pozycji, uspokaja się, czasem przysypia. Spędzamy tak całe popołudnia. Wieczory. Oglądamy *Przystanek Alaska*, *Angelikę wśród piratów* i inne tam takie.

— Stworzyłaś jej… — zaczął i zamilkł. — Jesteś dobra, Mańka. Jesteś dobrą kobietą.

— No to super — mówię głośno, sarkastycznie po odłożeniu słuchawki.

Prawda, że tak właśnie Lilka twierdzi — to moje głaskanie likwiduje jej ból. Cieszę się. Jeśli chemia pójdzie źle, tramal się jeszcze przyda.

Poza tym mam dobry czas, bo tematy jakoś same mi spadają do głowy, Regina je łapie chętnie i bez wielkich fochów. Nie jest dobrze, bo czytelnictwo spadło, znaczy sprzedaż pisma. Wysilamy się, ale głównie dział kreacji, młodzież, która wymyśla i wymyśla, a to nowe sesje, a to nowe atrakcje sprzedażowe. Ja i Zuzia jesteśmy od poważniejszych spraw. Także nasza para psychologów, którzy pisują dla nas, wspierają i podrzucają różne tematy. Jakoś to idzie i na razie jest dobrze, ale czuję podskórne problemy.

— Jak twoje love story? — pyta mnie Lilka.

— Mówisz o Ofelii? To tylko, wiesz...

— Tak, tak, ale widzę, że ci tęskno i mówisz o nim z jakąś głupią czułością.

— A tam! Nie tęskno. Teraz akurat nie. A naprawdę mówię o nim z czułością?! O Jarku?

Zastanowiło mnie to. Od pogrzebu Gienka jakoś nie miałam ochoty na seks. Zadzwoniłam i powiedziałam, że treningi zawieszam na czas nieokreślony. A teraz, kiedy Lilka wspomniała o nim, ścisnęło mnie w dołku tak przyjemnie, bo chyba jednak ciało, hormony nie wiedzą, co to żałoba. Znów zapragnęłam zapomnieć się w silnych Jarkowych ramionach.

Jakie on mimo lat ma ciało! No pewnie, że nie jak trzydziestolatek, ale jest opalony, wiem, wiem, że to solarium, doskonale nawilżony, bo ta jego skóra jest taka jakby stale kremowana, elastyczna, pije sporo wody, a uścisk ma zdecydowany i męski. Uśmiecha się fajnie, z takim chłopięcym zadowoleniem. I nienamolny!

Może w piątek wieczorem pójdę?

W piątek rano jechałam do Łomianek, do dwojga znajomych weterynarzy na wywiad o chorobach odkleszczowych u psów. Głównie o babesziozie. Sezon leśny się zbliża, psy potrafią bardzo ciężko zachorować. Temat zleciła mi koleżanka z pisma o zdrowiu, bo nagle wylądowała w szpitalu, a materiał musiał być na poniedziałek u jej naczelnej.

Pojechałam. Nawet nie za wielki ruch na ulicach, mimo że to piątek, i to południe!

Kiedy mijałam Cytadelę i zbliżałam się do wiaduktu, nagle zahamowałam z piskiem opon. Zobaczyłam, jak pies z lewej strony jezdni wpada pod koła samochodu, jak ten podskakuje na psie, ale jedzie dalej, zostawiając leżącego zwierzaka. Rzut oka we wsteczne lusterko. Daleko za mną tir, na sąsiednim, też daleko, jakieś samochody. OK. Włączyłam światła alarmowe i wyskoczyłam do psa. Leżał biedak, wyraźnie mocno poturbowany, przerażony. Spory kundel w kolorze cielęcej skóry, gładkowłosy, z ciemnym pyskiem. Uklękłam przy nim. Wielkie oczy wodziły za mną, jakby błagając o litość. Krwi nie widać. Nie skuczał, nie wydawał z siebie żadnego głosu!

Nagle usłyszałam za sobą:

— Co pani, do cholery, wyprawia?! — Nade mną stał, dysząc, mężczyzna wkurzony chyba potężnie. — Życie pani niemiłe?! Co pani wyprawia do... licha!

— A pan co? Nie widzi, że tu jest ofiara wypadku?! Trzeba coś zrobić, a nie wrzeszczeć!

— A czy pani słyszała, jak ten tir musiał hamować?! Mało nie rozjechał pani samochodu, pani i tego psa! Kompletny brak wyobraźni!

Nadbiegł kierowca tira, wcale nie wściekły, raczej ciekawy.

— O kurde, piesek! — zawołał. — Kto go tak urządził?

— Nie wiem, uciekł, skurwysyn! — rzuciłam gniewnie, a tirowiec się pochwalił:

— Ale miałem przez panią hamowanko! O, kurde! I jak on?

— Kiepsko...

— To może go odciągnąć na pobocze? — poradził ten pierwszy facet. — Zrobiła pani zator!

— To ja zaraz pana odciągnę, to jest żywe, cierpiące stworzenie! Mam w dupie zator!

Wstałam i przestraszyłam się, bo faktycznie, za tirem zobaczyłam, jak się tworzy korek....— Niech mi pan pomoże, zawiozę go do weterynarza! — rzuciłam do mężczyzny, który mnie ochrzaniał, niczego nie rozumiał, nie lubił zwierząt i w ogóle mnie wkurzył, debil.

— Zaraz — powiedział — ma pani miejsce z tyłu? Może trzeba zabezpieczyć, może on krwawi? Zabrudzi pani tapicerkę!

— To ją wypiorę, cholera jasna! No... dokąd pan idzie?!

On tymczasem podbiegł do mojego samochodu, coś tam robił i wrócił.

— A jak mnie ugryzie? — przykląkł.

— Nie ugryzie, da pan radę?

Nachylił się i delikatnie wziął psa na ręce. Pies jęknął, zaskowyczał boleśnie, ale nie zamierzał gryźć. Facet położył mi go z tyłu, a ja pośpiesznie zamknęłam drzwi. Gapie się rozchodzili, tirowiec machał rękoma i wołał, że to koniec akcji, a ja włączyłam silnik.

— No, malutki, trzymaj się, zaraz będziemy u lekarzy. Będzie dobrze!

Ruszyłam. Zjechałam z pasa szybkiego ruchu. Jechałam wolno, żeby psem nie telepać. Tir minął mnie z głośną, długą syreną. Machał mi przyjaźnie. Wściekłego chłopa zgubiłam z oczu, niech spada! Co za brak wrażliwości! Inni wyprzedzali mnie bez widocznej wściekłości. Dla nich ważne, że jadą.

Pani weterynarz i jej mąż od razu zajęli się psem. Zresztą on głównie, bo ona poprosiła mnie do pokoju, zrobiła herbaty i udzieliła mi zgrabnego wywiadu do dyktafonu. Kiedy wychodziłam od nich, poszłam zobaczyć, co z psiną. Leżał na kocu, w gabinecie. Spał chyba. Ma tu fachową pomoc! Dostał zastrzyk przeciwbólowy, ale niestety, rokowania kiepskie — ma przetrącony kręgosłup. Niby doktor daje mu jakieś szanse, tylko co potem? Przytułek?

W drodze powrotnej już nawet myślałam o tym, że zawiozę psa do taty. Jest przecież stara psia buda. Jednak zmieniłam zdanie. Tatko sam w nie najlepszej formie, jeszcze go obarczać chorym psem?

Wysiadając pod domem z samochodu, zobaczyłam na sąsiednim siedzeniu dziwny piterek. Nie mój... Otworzyłam go. No, ładnie! Niemiły facet rzucił go tu, kiedy zajmował się psem, a ja ruszyłam dość szybko, nie oglądając się. Jest prawo jazdy, ubezpieczenie. Antoni Bzowski. Jakieś inne dokumenty, ale nie mam zwyczaju grzebać. O, jest jakaś wizytówka stomatologa. Hm. Co robić?

W domu zadzwoniłam do tego stomatologa i po nitce do kłębka dostałam numer telefonu właściciela portfela.

— Halo? Pan Bzowski?

— Słucham? — głos spokojny, bez oznak poprzedniej wściekłości.

— Pan zostawił w moim samochodzie dokumenty... jak mi pomagał dzisiaj przy psie.

— Ach! To pani? No miło, że pani oddzwania. Jak mógłbym je odzyskać?

— Nie pyta pan, co z psem?

— 347 —

— No, mówiła pani, że go wiezie do weterynarza, więc zakładam, że OK. No, albo nie przeżył, to przykro mi…

— Przykro? Pan go chciał odciągnąć na pobocze! No przepraszam. Dokumenty mam… mieszkam na Saskiej Kępie.

— Ja… wie pani, wolałbym nie poruszać się bez dokumentów, zaraz, może jakoś kurierem?

— Jest wieczór. Skąd ja panu kuriera? OK. Gdzie pan teraz jest?

Byłam zmęczona, przede mną zrobienie wywiadu za koleżankę o kleszczach i innych ciekawych rzeczach, które dzisiaj mnie absolutnie nie obchodziły. W dodatku facet był tylko do jutra w hotelu Gromada koło lotniska. Szlag! Pojechałam, no bo faktycznie, sama nie lubię jeździć bez dokumentów.

W hotelowej kawiarence czekał na mnie jakiś już inny. W niebieskiej koszuli, granatowym swetrze w serek i granatowych jeansach, siwy, pachnący dyskretnie i grzeczny.

Rozmowa jakaś byle jaka, bo ja najeżona i mało chętna do konwersacji, ale skoro czekał na mnie z pretensjonalnym storczykiem i przeprosinami za fatygę, usiadłam na te grzecznościowe ple-ple.

— Przepraszam, nie przedstawiłem się, Antoni Bzowski, ale to już pani wie.

— Marianna Roszkowska.

— Co z tym psem? — spytał.

— Jadąc tu, dzwoniłam do weterynarzy. Śpi po środkach znieczulających, ale ma chyba niedowład tylnich łap. To źle.

— Przykre — powiedział, a ja pomyślałam złośliwie: „czyżby?".

— I tak nie pana kłopot!

— Pani mnie bierze za potwora, ale pani nie widziała tego co ja!

— A co takiego pan zobaczył?

— Proszę pani, jechała pani przede mną, nagłe hamowanie. OK, włączyła pani światła awaryjne, ale tuż za panią jechał jak szalony ten rozpędzony tir! Tak hamował, że aż mnie zęby rozbolały! Przecież tam, u podnóża tego wiaduktu za cholerę nie można się zatrzymywać!

— Wiem to chyba lepiej od pana, ale ten pies byłby rozjechany na naleśnik przez tego tirowca, gdybym ja uciekła na prawy pas, po prostu!

Popatrzył na mnie spokojnie.

— Racja. No ale ja widziałem straszne zagrożenie. Pani jest desperatką! Mnie aż serce stanęło kołkiem.

— I dlatego pan na mnie tak nakrzyczał?

— Tak.

Tym „tak" mnie rozbawił. Nakrzyczał na mnie, bo się przestraszył?

Nie wiedziałam, co powiedzieć. Chciałam już skończyć tę wizytę, dopiłam moją wodę z cytryną.

— Zbieram się, mam masę pracy — powiedziałam.

— A ja jutro świtem lot do Monachium i hen dalej, dalej…

— Aż tak daleko? — spytałam wyłącznie grzecznościowo, bo nie bardzo mnie obchodziło, dokąd szanowny leci.

— Daleko. Razem szesnaście godzin lotu. Da mi pani znać, co z psem? Wbrew pozorom, ogromnie mnie wzruszył tym, że mnie nie ugryzł, i że taki biedak, a ten, co to zrobił, to podły zbir.

„Podły zbir"! Co za eufemizm, na Boga! Kto dziś tak mówi?

— Skurwysyn — powiedziałam lekko prowokacyjnie.

— No, tak — elegant uśmiechnął się, podając mi wizytówkę i mojego storczyka — doniesie mi pani?

— Doniosę. Do widzenia panu i… dziękuję — podniosłam się.

— To ja pozostaję z wdzięcznością! — szarmancko wstał i ucałował moją dłoń, nachylając się do niej po dawnemu. O, zna maniery, i jeszcze to imię! Gdzie on się uchował? Odprowadził mnie aż do samochodu i zamknął za mną moje drzwiczki. Na do widzenia podniósł dłoń i uśmiechnął się lekko. Śmieszny! Już nie wydawał mi się takim chamem.

No, a teraz do domu! Lilka czeka i pomoże mi z wywiadem.

Psa odwiedziłam następnego dnia, tym bardziej że musiałam dopytać moich rozmówców o kilka szczegółów i zmusić ich do błyskawicznej autoryzacji. Biedny kundel leżał w gabinecie, na mój widok tylko podniósł oczy i popatrzył na mnie przejmująco.

Pani Małgosia, weterynarz z wielką wiedzą i sercem, powiedziała mi, gdy wychodziłam już od nich, że stan psa jest bardzo ciężki. Cały tył jest opuchnięty, nie wygląda to dobrze.

— Ale mówiła pani...

— Przy psie nie należy dramatyzować, bo on to czuje. Optymizm jest tu tak samo niezbędny jak przy człowieku! Ale teraz mogę to pani powiedzieć, bo on nie słyszy — jest bardzo źle.

Kiedy wracałam do domu, przypomniały mi się psy z przetrącanym tyłem, którym pomysłowy człowiek skonstruował wózek, dzięki któremu mogły żyć jako psy niepełnosprawne, wlokąc swoje łapy z niedowładem na wózeczku. Jakby co, zafunduję temu kundlowi taki wózek!

Niestety, psina zmarła. Tak, zmarła, bo nie cierpię słowa „zdechła", zaraz po moim wyjściu podobno. Pani Małgosia zadzwoniła do mnie z tą smutną wieścią. Całe zdarzenie postanowiłam wpleść w ów wywiad. Włodek mnie uczył, żeby nie pisać wywiadów sztampowo, żeby wplatać w nie jakieś dzieje, miniakcję, coś, co zwymiaruje na bieżąco rozmówcę. Taka akcja ubarwia, uwspółcześnia postać. Kiedyś posłałabym ten wywiad Włodkowi niejako do zatwierdzenia, ale dzisiaj już sobie ufam w pełni, a Włodka traktuję jak...

Mój Boże, jak on się postarzał! Był stary, gdy go poznałam, ale dzisiaj sypie się ewidentnie. Ten jego kaszel... Zmuszę go do prześwietlenia, badań!

Kiedy skończyłam już ostatecznie późnym wieczorem w niedzielę, pomyślałam sobie, że ten Antoni zaraz rzuciłby sarkastyczną uwagę, że wobec tego cały ten dym na ulicy nie był potrzebny. Pies i tak zdechł...

Lilka utrzymywała mnie w przekonaniu, że był potrzebny, i to bardzo, ale rozmawiać o psie nie miała ochoty. Czekała, aż skończę, bo chciała koniecznie obejrzeć ze mną *Volver* Almodóvara. Nie miałam nastroju, ale skoro czekała...

Dziwny ten film. Jest kompletnie nie nasz, inna kultura, dlatego tak trudno zrozumieć, że w filmie tak zwyczajnie traktuje się objawionego i namacalnego ducha matki, a śmierć nie jest niczym głęboko dramatycznym, raczej czymś normalnym, obrzędem, i to bardzo kobiecym. Zresztą tak właśnie zaczyna się film, kobiety sprzątają nagrobki na cmentarzu, jakby sprzątały przedpokój, salonik. Rozmawiają, krzątają się bez obolałych min i łez, żałoby. Najnormalniej strzepują, zamiatają, myją, zapamiętale, z werwą, w domowych fartuchach. Traktują to jak codzienne zmywanie, odkurzanie. Także one obsługują śmierć, organizują całe misterium pogrzebowe, mają do tego predyspozycje i dar. Na równi z tym zadają śmierć i wartościują — która jest godna świętego misterium z płaczem, a która nie. Drażni mnie ten almodovarowski nastrój zabawy ze śmiercią, ale i bawi podkpiwanie z tego, że nie musimy mieć facetów, że oni są nam zbędni.

— A do czego są potrzebni? — dziwi się Lilka na poważnie. — Wyłącznie jako dawcy nasienia!

Kiedyś, w czasach kiedy fascynowały mnie feministyczne poglądy, przytaknęłabym jej, ale dzisiaj mi się nie chce.

Wiem, dlaczego ona lubi ten film. Dlaczego pochwala to, co robi bohaterka z durnym mężem, który po pijaku dobiera się do ich córki, nie gani jej za to, że rąbnęła tatusia na śmierć, tuszuje to. Ciało męża traktuje jak worek ze śmieciami. Doskonały przekaz!

Lilce to właśnie jest potrzebne, bo ona w sobie nie ma przebaczenia dla sprawców jej nieszczęścia. Nigdy nie chciała ze mną rozmawiać o tym incydencie, a próbowałam.

— Nie pytaj mnie o to. To zatrzaśnięty rozdział. Ja to już przeżyłam, przerobiłam i zakopałam na metr pod ziemię, po co ci to? Było, minęło.

Chciałam wiedzieć, jak ona się rozprawiła z tym, co było potem, Sprawców nie odnaleziono, więc i kary nie było, a ona w sobie to brzemię gwałtu nosi już cały czas. Być może opowiedzenie o tym przyniosłaby jej ulgę?

— Ale ja nie potrzebuję żadnej ulgi. Ja o tym zapomniałam w cholerę! Po co ci to, Marianna?! Może to ty chcesz zaspokoić swoją niezdrową ciekawość? Tak? To twoja sprawa, nie moja, więc mnie w to nie mieszaj.

Pokłóciłyśmy się niemal. Poczułam się urażona, ale przyznałam jej w duchu rację. To ja chciałam wiedzieć, jak to było, co czuła, jak długo z tym się borykała.

Agata sugerowała, że osoby z poczuciem krzywdy noszą to nieraz całe życie i to czasem bywa takim stanem zapalnym ich rozmaitych chorób. Ciekawe, czy ten rak nie miał swojego źródła w tym przeżyciu?!

Może napisać o tym? O ciężarze win i krzywd? O przebaczaniu?

Ach, Regina mnie zjedzie za to, że pesymizuję, a materiał odrzuci. Coraz mniej lubi tematy poważne, dające do myślenia, a coraz bardziej, widzę to wyraźnie, przechyla szalę w stronę dmuchanego ryżu, lakieru, sztucznego miodu. Jestem rozczarowana. Coraz więcej tematów błahych, szalonych, wariackich sesji odbiegających od życia, a coraz mniej, no właśnie, normalnego życia. Widzę, że i Regina ugięła się i traktuje czytelniczki jak jakieś niedokształcone baby do oszołomienia. A miało być inaczej.

— A może ty się starzejesz? — odgryzła mi się, kiedy próbowałam coś na ten temat zagaić podczas prywatnej rozmowy.

— Fakt, jeśli starzenie to tęsknota za manierami, kulturą, poziomem...

— Sądzisz, że nie mamy kultury? Nie trzymamy poziomu?

Wycofałam się. Właściwie cóż ona winna, że sprzedaż siada, a koszty rosną? Stanowczo nie chciałabym być naczelną.

W korytarzu rzuciła mi:

— Jak chcesz, zrób kilka wypowiedzi o manierach i odchodzącym świecie z takim pytaniem, czy to ma szanse powrotu. I dlaczego tęsknimy?

— Ty też? — spytałam.

— Marianna, jesteśmy w podobnym wieku i wiem, o czym mówisz. Można to zrobić w wywiadzie, rozmowie, ale nie wywrócimy do góry nogami gustów czytelniczych, sama to wiesz.

— Regina, a te wydumane, drogie sesje?!

— Myślałam o tym. Szukam nowych fotografów, nowych świeżych pomysłów na to, żeby było pięknie, a niekoniecznie w Kostaryce.

— I żeby modelki nie miały takich min, jakby się struły nieświeżą ostrygą.

Regina roześmiała się i poszła dalej szukać rezerw, możliwości, nowych pomysłów.

Ja chcę mieć nowy pomysł na moją Lilkę, a reszta to ch... jak śpiewa Kuba Sienkiewicz.

W obliczu tej choroby wszystko staje się miałkie i durne, wszystko mnie drażni i wkurza swoją powierzchownością. Blichtr, pozłotka, bzdura! Ważne jest zdrowie, życie!

Niech żyje... życie.

Pułapka

Na fali nowego powiewu filozofii życia dbam o Lilę, o tatę i o siebie!

Do ojca jeździmy regularnie w weekendy, bo wszelkie nasze wizyty w tygodniu tatko odbiera z podejrzliwością i pyta natychmiast:

— Co, przyjechałyście sprawdzić, czy żyję?

Ja odburkuję:

— To zawsze możemy sprawdzić telefonicznie!

Nie dalej jak tydzień temu zmarł przyjaciel Włodka, młodszy znacznie od niego dziennikarz, na sepsę w szpitalu. Sepsa! Jak w średniowieczu! Nasz wspólny znajomy aktor drugoplanowy, lat sześćdziesiąt osiem, na wylew, a właśnie dowiedziałam się poniewczasie, że zmarły moje dwie koleżanki ze studiów. Jedna na raka mózgu, a druga w niewyjaśnionych okolicznościach, ze wskazaniem na samobójstwo. Podobnie znane piosenkarki, jedna za drugą... Straszne.

Po śmierci wujka Gienka mój lęk o tatę podwoił się, chociaż bardzo dbam o to, żeby to nie była histeria, zadręczanie siebie i jego. Jest dziarskim starszym panem! Ma nadwerężone serce, i dobrze, no! Jest stary, ale nie jest starcem trzęsącym się nad grobem! To uroczy, przystojny pan!

Ale ci, których ostatnio zabrała śmierć, też nie stali nad grobem! Każdy z nich mógłby jeszcze... ho, ho! Kiedy ja ostatnio słyszałam, że ktoś umarł „na śmierć"? O, sąsiadka Kobylińskich! Stara pani Nićko. Była tak stara, że mówiła, że Pan Bóg to chyba o niej zapomniał, bo już wszystkich jej zabrał, i męża, i nawet syn nie żyje, a ona łazi po tym świecie samotna!

Mimo dziewięćdziesięciu lat mieszkała sama i sama się obsługiwała, a jeszcze hodowała kilka kur. I któregoś dnia pod wieczór poszła do kurnika po jajka, pościeliła kurkom świeżego siana w kosze i wróciła do domu napić się herbaty. Przysiadła w fotelu koło pieca i umarła z kubeczkiem w ręku. Kobylińscy zobaczyli światło w nocy i już wiedzieli, że się coś stało, bo stara pani Nićko nocą światła nie paliła. „Piękna śmierć, w biegu!" — pochwalił Kobyliński.

Piękna... Chociaż jest taka dziwna modlitwa „...od nagłej i niespodziewanej śmierci zachowaj nas, Panie". Zawsze mnie zadziwiała, bo jeśli już, to umrzeć nagle i niespodziewanie!

Włodek ostatnio poruszył ten temat, kiedy wpadłam do niego z kolejnymi zakupami. Siedział w fotelu, dziwnie osłabiony, jak nie on, z tym swoim kaszlem i zapalonym papierosem oczywiście.

— Włodek, do licha! A co lekarze na to?

— Na co?

— Na to twoje kasłanie. To za długo trwa. Prześwietlałeś się?

— A, daj spokój! To bronchit! To musi trwać, o widzisz, oszczędzam się i nie łażę, ciebie fatyguję, daj spokój!

— Bronchit mają dzieci, a u dorosłych to się leczy antybiotykiem, w mig, a ty... nie badałeś się, tak? Wiesz, co?... to idiotyzm! Na własne życzenie pójdziesz do piachu!

I zeszło nam na ten temat umierania. Jakoś poszło poważnie, Włodek tym razem nie żartował, jak to on.

— Wiesz, że najgorsze co może być, to być zależnym od innych. Nigdy w życiu! Nigdy, zapewniam cię, Marianna, nie dopuszczę do czegoś takiego. Jestem absolutnie za eutanazją!

— Włodek, mój kolega jest szefem warszawskiego hospicjum i zapewniał mnie, wyjaśniał, że prawidłowa opieka paliatywna, a też wsparcie i opieka rodziny, i w ogóle nie musielibyśmy mówić o eutanazji!

— Sratytaty! — zripostował. — Są ludzie, którzy nie mają rodziny. I są schorzenia pieruńsko bolesne, przy których stopniowo następuje przyzwyczajenie do środków przeciwbólowych i jak taki klient żyje za długo, pasiony kroplówkami i lekami, cierpi coraz bardziej i już nawet wiadro morfiny nie pomaga, i co mamy w efekcie? Wyjące z bólu i cierpienia truchło, coś, co już nie jest człowiekiem, a gnijącą kupą tkanek, które są szarpane nieludzkim bólem, a czasem też towarzyszą temu przebłyski świadomości! Marianna! To są najwymyślniejsze tortury, jakie można sprawić choremu!

Nie wiedziałam, jak mu odpowiedzieć, bo zwyczajnie... zgadzam się z nim. Włodek perorował dalej:

— A ktoś, kto nie daje rady sam się umyć? Stary, sra pod siebie, ślini się śluzem starczym, kłapie sztuczną paszczęką jak zbyt wielkimi drewniakami, leje gęstymi, cuchnącymi sikami, bo zwieracze nie trzymają, to jest dla opiekunów ohydne! Ja tak nie chcę! Ja nie chcę być dla nikogo ciężarem! Wtedy cyk, i do nieba! Nie mam nic przeciw temu!

— Ty do nieba? — musiałam jakoś zażartować, bo rozmowa była już zbyt ciężka. Widziałam w jego oczach lęk. Od lat jest sam i chyba czuje, że coś jest z nim nie tak.

— Dokądkolwiek, panno Maniu, byle nie zawracać dupy swoją osobą.

Nic nie powiedział o piekle, w którym wolałby wylądować, jak zazwyczaj żartował, bo tam ciepło, wódka się leje strumieniami i towarzystwo zacne.

— Ty stary satyrze, jesteś pełen miłości własnej i dlatego tak mówisz.

— Nie, Marianno moja śliczna, ale jak pomyślę, że miałbym jak mój sąsiad... Odwiedziłem go w domu opieki. Rodzina go umieściła w całkiem niezłym, no, przytułku. Siedział w fotelu, osowiały, klapnięty, ledwo kumał, co do niego mówiłem, i nagle nachylił się i szepnął: „Wiesz co, panie Włodziu, umarłbym już!". Myśmy tak do siebie mówili: panie Włodziu, panie Heniu. Więc ja na to, że po co, że ma tu ciepło i gulasz w powietrzu czuję, i pielęgniarka młoda, ładna, z udami jak łania. A on na to: „Daj pan spokój... Nudno mi już żyć, a ładna pielęgniarka dupę mi myje, jak się obsram. To szczyt upokorzenia, pora umierać".

— No, ale ty się jeszcze nie obsrywasz! — powiedziałam, bo mnie znużył tym pesymizmem.

— Chwała Bogu, dziecko kochane. Ale nie dopuszczę do tego, żeby tak skończyć! Jaśka, moja siostrzenica, ma mój testament. Nie zostawiam niczego, wiesz, wartościowego materialnie, bo pieniądze rozdałem, przehulałem, a zresztą nie trzymały się mnie specjalnie, ale najważniejsze, że mam być skremowany.

— Znaczy — starałam się go rozweselić — przerobiony na krem?

— A choćby i na krem — powiedział bez cienia uśmiechu — na cokolwiek, bo wiesz, czego się potwornie boję? Że się w tej trumnie ocknę i będzie mi zimno.

— A daj spokój! Mogę ci obiecać. Włodeczku, że jak umrzesz, to przyjdę i osobiście cię uszczypnę w tyłek albo wsadzę szpilkę!

— Dzięki! — nareszcie się uśmiechnął. — Wiedziałem, że na ciebie mogę liczyć! Ale mnie trza spopielić i do pudełka, chociaż wolałbym, ale wiesz... Jaśka jest za poważna na taką prośbę, ty mogłabyś dopilnować. O! Prochy, moja droga, to przez lejek poproszę do butelki po Chivas Regal! Co?

— Masz to! — przybiłam mu piątkę i poszłam.

Błagałam go, żeby dał się zalogować na tydzień w szpitalu, załatwię mu to! Zbył mnie, że Jaśka mu zapewnia dobre leczenie, że być może faktycznie położy się, żeby się podleczyć, ale nie na długo, „bo wiesz…".

Wiem. Nienawidzi szpitala. Ma zakodowane, że stamtąd w jego wieku wychodzi się butami do przodu.

Wracałam od niego w nastroju podłym i niemal żałobnym. W domu wzięłam prysznic i spakowałam torbę na fitness. Trzeba żyć!

Kiedy podjeżdżałam, zobaczyłam w oknie Jarka. Stał koło jakiegoś gościa i roześmiał się. Fajny ma śmiech, ale fajniejszy taki intymny uśmiech, tylko dla mnie, tylko na te nasze chwile po zajęciach. Ćwiczyłam zapamiętale i obserwowałam go spod rzęs. Podoba mi się. Jest nieskomplikowany, zadbany, silny, wielki i zdrowy. Po przejściach, ale kto po pięćdziesiątce nie jest? A gdyby tak coś zaiskrzyło między nami? Przecież to nie dziewiętnasty wiek i klasowość nas nie dotyczy! Chciałabym czegoś więcej! Może wspólnego wyjścia gdzieś do kina? Spaceru? Jakiegoś… „razem"? Zwariowałam. Z Ofelią?!

Oddychałam miarowo i głęboko, ćwicząc na ławeczce z obciążnikami do rzeźbienia klatki piersiowej. Podszedł i położył mi dłoń na karku, drugą na brzuchu, sprawdzając, jak się napina. Liczył głośno:

— Dziewięć, dziesięć! Stop, wystarczy.

Wstałam, przerywając ćwiczenie, i stanęłam przed lustrem.

— Ufff, dobrze mi się ćwiczy dzisiaj! — powiedziałam, żeby cokolwiek powiedzieć. Sala opustoszała. Jeszcze tylko ćwiczy starsza pani na siedząco, z zerowym obciążeniem nóg.

Jarek mówi do mnie:

— Zobacz, jak już podrzeźbiłaś figurę! No? — mówiąc to, znów położył mi dłoń na brzuchu, który oczywiście wciągnęłam, a drugą na lędźwiach. I wtedy poczułam pod nią elektryczność, mrowienie, takie pożądanie, że aż mną zachwiało. Jak on na mnie działa!

Zapytam go… Przecież, no co, tak tylko tu? Tylko seks?

Starsza pani wreszcie wyszła, a ja grzebałam się wyjątkowo, żeby uzasadnić swój pobyt w szatni, w klubie. Wszedł Jarek i wziął mnie w ramiona. Przytulił.

— Tęskniłem, wiesz? Gdzieś ty się podziewała?

— Miałam kiepski czas, Jarku… ale jest już dobrze — westchnęłam i nie chciałam już o niczym mówić.

— Po kłopotach? — Jarek uśmiechnął się tym swoim wzruszającym i dobrym uśmiechem. Jest dobrym człowiekiem! Przecież moglibyśmy być jakoś ciaśniej ze sobą! Nie tylko tu, chociaż te nasze „lekcje dodatkowe" bardzo lubię.

— Tak. Po pogrzebie, już po... nie chcę o tym mówić, myśleć.

Jarek wie, że nie po to tu jestem, więc delikatnie całuje mnie po oczach, włosach, obserwując, jaki mam nastrój. Jak szybko reaguję, jak szybko go pragnę?

— Dzisiaj chcę powoli — mruczę mu w szyję, a on odmrukuje:

— Czego tylko chcesz.

I faktycznie, wolno i delikatnie, ale bardzo namiętnie rozpala mnie i siebie. Dalej już jest szybciej, chyba faktycznie tęsknił, szepcze do mnie mile i daje tyle radości, ile zdołam wziąć, zanim we mnie wchodzi i teraz znów zwalnia. Pokój ćwiczeń faluje, Jarek faluje, a ja jestem na ostatnich oddechach wytrzymałości, on podprowadza mnie i zwalnia, i tak w kółko, wreszcie już nie mogę, nie chcę! Przytrzymuję go i wyrywa mi się krótkie „Aaa!". Jemu nie. Jarek reaguje bardziej po męsku, ciszej. Wie, że dzisiaj jestem bardziej melancholijna i trzyma mnie w ramionach, zanim nie wstanę. Kołysze mnie, uśmiecha się i całuje. Zastanawiam się, czy mogłabym go... pokochać?

— Jarek? — pytam, jeszcze leżąc w jego objęciach. — Jak to jest z kobietami, z którymi... hm, miewasz romans?

— A co? — pyta zdumiony.

— No, czy to są romanse, coś więcej, czy tylko seks?

— Oj, czuję, śliczna moja, że chcesz mnie spytać o jakieś sprawy poważne, co? Marianna, mówiłem ci, ja jestem po dwóch związkach i wiem, że nie jestem w stanie być partnerem. Unieszczęśliwiam kobiety.

Poczułam się głupio. Wyczuł mnie i jest inteligentny!

Kontynuował, patrząc mi w oczy:

— Ja jestem prosty chłop. Chciałabyś czegoś więcej? To zły pomysł, ja ci do pięt nie dorastam, intelektualnie zgniatasz mnie paluszkiem. Od lat nie czytam, nie chodzę do kin, teatrów. Po dwóch spotkaniach, no po tygodniu spędzonym na biwaku uciekłabyś z krzykiem. Przecież nie jest źle.

— Jarek, ty nie czujesz potrzeby, żeby pójść dalej?

— Z tobą?

— No, jeśli nie ze mną...

— Nie. Mnie jest dobrze, jak jest. Musiałbym znów dostosować swój świat do kogoś, w tym wypadku do ciebie, a nie mamy wspólnych... trajektorii. Tylko czasem, kiedy tu wpadasz. To za mało, panno Marianno.

Nie chciałam mówić nic więcej, bo wyszłoby na to, że go molestuję, więc poszłam pod prysznic.

Kiedy wychodziliśmy, sprzątaczka patrzyła za nami tak, że byłam pewna na sto procent — trzymała ucho naklejone na drzwi fitnessu i słyszała moje „Aaa".

Trudno!

Rozmowa z Jarkiem tylko rozogniła moją wyobraźnię. Chciałam o tym z kimś porozmawiać. Lilka była u siebie na Starówce i malowała portret jakiejś leciwej damy, która zażyczyła sobie wizerunek w kapeluszu i koronkach. Opowiadała mi o niej przez telefon ze śmiechem, każdy szczegół opisywała i komentowała, a ja słuchałam jej z radością, że tyle w niej życia, śmiechu, i że żartuje, że podkpiwa, ale i pracuje! Czy to znaczy, że ta chemia działa? Po zabiegu jest u mnie, zdycha, wymiotuje, jest dzielna. Po kilku dniach zbiera się w sobie i... wraca na Starówkę, i dzielnie żyje tam sama. Do następnego wlewu.

Wiem! Jest Agata, z nią pogadam.

Agata nie zmienia się. Jest taka sama, zawsze spokojna, opanowana, właśnie wrócili z mężem... „z mężem", tak o nim mówi, z Katmandu. Opalona, wyciszona, uśmiechnięta. Zapala pachnący kominek olejkowy i podsuwa mi poduchę.

— No, mów, co u ciebie?! Nie rozmawiałyśmy długo.

— Nie wiem, od czego zacząć.

— Mnie się wydaje, że dla ciebie najważniejsze, wtedy, kiedy cię poznałam, było rozstanie z Mirkiem. Jak jest dzisiaj?

— No, że jesteśmy już po rozwodzie, to wiesz.

— Wiem.

— I to, że zaakceptowałam myśl o jego partnerce Juli, też?

— Nie. Mów!

— Nie ma o czym! Jula jest podobno w moim wieku. Była z nimi, znaczy z Mirkiem, Grześkiem, Igą i Tadziem w Barcelonie. Najpierw mnie ścisnęło z zazdrości, ale poradziłam sobie jakoś. Wiesz, sporo mi tłumaczy Włodek, ten stary gruźlik, mój przyjaciel, redaktor. Przedstawia mi świat od męskiej strony, a właściwie jest takim adwokatem diabła. Nie hoduję w sobie żalu, złości i chyba bardzo mi w tym pomógł też mój romans. To też wiesz?

— No, wiem i uważam, że znakomicie wyglądasz! — Agata dotyka mojej twarzy, a jej uśmiech jest szczery. — Czyli samo dobre?

— No, nie bardzo. Pochowałam wujka, a Lilka walczy z nawrotem raka.

— No tak… — wzdycha Agata i widzę, że nastawia się na słuchanie.

Opowiadam jej o śmierci Gienka i beczę. Stale jeszcze ta rana jest świeża, nie umiem tego w sobie ugłaskać, zacerować.

— Agata, ja nie mam w sobie zgody na to, że go nie ma. Myślisz, że nie daję mu odejść, tak go ciągnąc do siebie, myśląc o nim?

— Być może. Z czasem powinnaś to zaakceptować, to czas odchodzenia.

— Ale nie on! On taki młodzieńczy, świeżo zakochany! Wiesz, tyle czasu żył pamięcią o ciotce, chyba nawet się zbytnio nie łajdaczył, i nagle ta pani Ela. Takie cudne rokowania i taka głupia śmierć! To niesprawiedliwe!

— Wiem, Mania, wiem. Potrzymaj go jeszcze w sercu, a potem wypuść w zaświaty. A co u Grzesia? Tak? Grzesia? Tak ma na imię twój syn?

— Grześ wyjechał do Goeteborga na stałe, tego ci chyba nie mówiłam. Takie jest życie — usprawiedliwiam go przed Agatą, przed sobą?

— Ano, tak… — mówi i patrzy w okno — moja córka też daleko, świat się skurczył, granic nie ma, jedyny problem to kilometry do pokonania. Dobrze im tam? Tęsknisz za wnukiem?

— Tęsknię. Sama tu jestem, z ojcem i Lilką. Niby mam masę znajomych, ale to są znajomości, a nie rodzina. Nie umiem być blisko ze znajomymi. Owszem pogadam, zadzwonię… ale tylko do ojca mogę się przytulić, przytulam Lilę. Teraz też dbam trochę o Włodka. Ty wiesz, że ten stary satyr choruje, miał trzy żony, sto kochanek, jakieś dzieci, milion znajomych, a jest sam?

— Z tego co słyszę, ciebie dopuścił do bliskości.

— Nie wiem czemu… Niepokoi mnie. Chory jest, to pewne, ale nie chce się kompleksowo leczyć, gada o eutanazji…

— A ty nie możesz nic z tym zrobić. To jego sprawy! — Agata łagodna jak Matka Gaja. I wcale mnie to nie drażni, bo ma rację. Ja chcę to od niej usłyszeć, że nie mam na to wpływu, że nie mogę nic na siłę.

— Agata… wiesz co? — zaczynam, ale trochę mi głupio. — Co ty myślisz o tym, żebym ja się związała z Jarkiem?

— Z kim?

— Z tym moim, wiesz… z Ofelią.

— Z tym, z którym masz taki udany seks? No… nie wiem, a on?

Zaczynam opowiadać Agacie o Jarku, jakbym opowiadała samej sobie. Robię mu PR.

Tłumaczę jej, że choć Jarek nie jest jakiś no, wyjątkowo inteligentny, oczytany czy „bywały" w świecie, to dobry z niego chłop i…

— No właśnie, Mania, co was łączy oprócz dobrego seksu?! — zadaje mi pytanie, zdumiona trochę moim słowotokiem.

— Nic, a musi?

Agata milczy i pyta wprost:

— Czy ty się najzwyczajniej nie zakochałaś?

— No, ale co to znaczy?

— Mańka, to znaczy, że myślisz o nim przez pryzmat czułości, jaką dostajesz w seksie, myślisz o tym, bo nie miałaś tego w swoim związku, idealizujesz i naginasz rzeczywistość, wbrew wszelkiej logice, do swoich mrzonek… No, przepraszam cię, ale mi się to wszystko kupy nie trzyma.

— Mi też nie, ale ja stale o nim myślę, i to tak intensywnie, pragnę go, i wydaje mi się, że chciałabym z nim, wiesz… codzienności. Agata. To głupie? Przecież niekoniecznie musimy być na tym samym poziomie!

— Dobrze powiedziane, „wydaje ci się", Marianna! Ty jesteś zauroczona, no może nawet dopuściłaś do zakochania, ale nie pozwól na to! To droga na zatracenie. Czy ty z nim o tym rozmawiałaś?

— Wiesz, on jest taki skromny, ma jakieś kompleksy…

— Mańka, na miłość boską, zakochałaś się i w dodatku bez wzajemności! Dziewczyno! To taka klasyka w naszym wieku! Posłuchaj… przejrzyj na oczy. Porozmawiaj z nim szczerze. On zdaje się jest mądrzejszy i wie, że z tej mąki chleba nie będzie. — Agata westchnęła i objęła mnie. — Maryniu! Ty masz wielki deficyt miłości, ale to nie jest miłość, to zaledwie dobry seks, ty mylisz pojęcia. Ja ci to wyjaśnię…

Ale nie dowiedziałam się więcej, bo zadzwonił mój telefon. Lilka prosiła, żebym pilnie przyjechała.

Zielono mi...

Kiedy przyjechałam do niej na Starówkę, weszłam akurat w plamę wiosennego, ciepłego, wesołego słońca, które wyłoniło się zza chmury, a naprzeciw mnie szła para ludzi w moim wieku, trzymając się za ręce. Zrobiło mi się melancholijnie na duszy. Naprawdę jestem ślepo zakochana? Bo stale myślę o Jarku? Bo samej sobie staram się wmówić, że byłoby nam dobrze razem? Kto ma rację? Ja czy Agata? Jakbym tu wyglądała, na Starym Mieście, z tym moim łysym Jarkiem? Fakt, myślę o nim jak o oswajanym dzikim koniu. Przecież go nie znam, a ci z naprzeciwka są zakochani, ciepło patrzą na siebie, zagadani, uśmiechnięci... Późna miłość, czy utrzymali starą przez tyle lat?

Lila czekała na mnie pod swoim domem i poszłyśmy na spacer na dół, do tych fontann nad Wisłą. W kolorowym szalu, w zielonym płaszczu, ma dla mnie nowinę. Siadamy. Dostaję do ręki gazetę.

— Czytaj! — moja siostra ma świetlisty wzrok. Znam to spojrzenie. Lubię je, bo to oznacza u niej nadzieję.

Czytam. Jakaś panna w Stanach miała dwadzieścia cztery guzy nowotworowe na wątrobie i płucach i... wyleczyła się z nich sama, pijąc sok z zielonych warzyw, a teraz ma swój portal, głosi pochwałę soków, zieloności i optymizmu. Uważa, że śpiew, taniec na stole, radość i zielone soki są antidotum na raka.

Pojechałam z Lilką do sklepu eko i kupiłyśmy nasion pszenicy. Zaczęłyśmy hodowlę trawki pszennej i Lila piła te swoje zielone koktajle z różnych tam liści i traw, po które jeździłyśmy do taty.

Dostawszy zastrzyk optymizmu, postanowiłam rozwikłać moją sprawę z Jarkiem. Poszłam na wieczorne zajęcia głównie po to, żeby z nim pogadać.

Był ładny wiosenny wieczór, więc namówiłam go na kolację do pobliskiej knajpki. Przy jedzeniu byłam sondująco uwodzicielska, sprawdzałam, jak dalece Jarek jest zainteresowany mną jako kobietą, a raczej jako człowiekiem. Niestety rozmowa nam się nie kleiła. Stale napuszczał mnie na to, żebym mówiła o pracy, o Włodku, o Lilce...

Sam plątał się, odpowiadał zdawkowo albo wcale.

W końcu przy kawie nie wytrzymałam:

— Jarek, spotykamy się już jakiś czas, nie chciałabyś, żeby to było jakieś... bliższe?

— Czemu? Źle jest?

— Mówiłam ci, że jestem wygodnicka, i wiesz... chciałabym przy tobie zasnąć.

— Marianna, to... taki romantyzm! Ani ty, ani ja nie mamy na to, no, warunków, ty mieszkasz z Lilką, a ja, ech... Poza tym, ja ci powiem, dziewczyno, że to by cię rozczarowało. Ja to wiem! Ja jestem prosty chłop, daj spokój!

— Tak sądzisz? Jarek, ale dlaczego? Mnie męczy taki sportowy seks...

Jarek zamilkł i uśmiechnął się smutno.

— Wiedziałem. Ty nie jesteś taka. Ale wiesz, tak to działa, niektórym to odpowiada.

— Co tak działa?

— No, seks bez zobowiązań. Cześć, cześć, spojrzenie, wiadomo, o co chodzi. I wtedy nie ma znaczenia, kto jest kim, nie trzeba się wysilać, żeby pogadać, zbliżać się do siebie, współczuć albo podziwiać. Ważne, żeby dać sobie tych parę chwil wytchnienia, zabawy, radości, wiesz... Z początku to mnie trochę dziwiło, czułem się jak żigolak, ale kiedy to ja zacząłem wybierać laski i jakby, wiesz, wszedłem w taki styl, to powiem ci, że mi to odpowiada. Ja już się do związku nie nadaję. Mówiłem ci...

Nie miałam pojęcia, co mu na to odpowiedzieć. Mnie zaczęło już bardzo męczyć to, że to nie ma tej otoczki, do jakiej ja dążę. Trzymanie się za ręce, ciepłe spojrzenia, wspólny sen... Romantyzm. Stary, wytarty romantyzm!

Milczałam, zbita z pantałyku. Było mi głupio.

— No bo ty, Marianna, potrzebowałaś się odnaleźć, potwierdzić swoją kobiecość, bo jesteś kobieca, wiesz? A teraz już zaczynasz ciągnąć więcej, chcesz randki, związku, a to nie ja, uprzedzałem cię.

— Ale dlaczego, Jarek? Boisz się?

— Nie, ja nie. Ale ja wiem, że to nie wyjdzie. Ty się rozczarujesz, pomijając fakt, że ja się kompletnie do czegoś takiego nie nadaję.

Szarpnęło mną. Kurczę, ja mu się tu prawie oświadczam, a on się wyślizguje, wykręca, chociaż wiem, że gdy tylko go dotykam, już jest cały mój! Bywa taki czuły!

Jarek bierze mnie za rękę i łagodnie tłumaczy:

— Dziewczyno, my jesteśmy z różnych pięter. Mówiłem ci, nie czytam, nie bywam, szczytem jest, jak pójdę do kina na strzelankę. Za chwilę by cię to wkurzyło. To teraz, na razie ci się zdaje, że byłoby fajnie, ale zapewniam cię, że nie. Kurczę, jak wy się łatwo zakochujecie!

To mnie wkurzyło ostatecznie. To protekcjonalne — wy. Czyli miał spore pole badawcze! Ile nas musiał przerobić? Zrobiło mi się wstyd.

— Przepraszam cię. Pójdę już — wstałam.

— Mania — Jarek też wstał — nie zapominaj, kim jesteś. Jesteś fantastyczną kobietą! Mierz wysoko! — Pocałował mnie na do widzenia i popchnął w kierunku szatni jak uczennicę. Chciał zostać sam. I został, zamawiając sobie piwo. To było nasze ostatnie spotkanie. Nie mogłam pójść do fitnessu tak upokorzona, bo przecież tak czy inaczej dał mi kosza. W samochodzie popłakałam się, ale na krótko. Byłam pewna, że to zauroczenie zaraz mi przejdzie. Myliłam się.

Teraz częściej, prawie codziennie myślałam o Jarku, o jego ramionach i ustach, fantazjowałam, jak mogłoby być. Pomagałby mi przy Lilce, jest po fizykoterapii. Żylibyśmy sobie we trójkę. Nie wymagałabym od niego intelektualnych wywodów! Tylko żeby mnie kochał. O Boże, jaka ja jestem spragniona miłości! Po dwóch tygodniach tego udręczania się postanowiłam za wszelką cenę to uciąć. Zapomnę! Zapomnę!

Znów skupiłam się na Lilce i jej zdrowiu. Musimy wygrać! Pomaga nam nie byle kto! Kalik jest magiem! Sok z pszenicy i zielonych warzyw z antyoksydantami i z napędem turbo. Optymizm jest z nami!

Prawie cały wolny czas upływał mi teraz na szaleństwie skiełkowywania nasion, jeżdżenia po zielsko i mielenia tego w postać pienistych, zielonych koktajli. Były... obrzydliwe, szczególnie te z samej pszenicy, ale popijałam je dla towarzystwa. Dodawałam tam ekologiczny szpinak, szczaw, kłącza tataraku i młody mlecz z łąk, i wszystko zielone, co tylko znalazłam. Uśmiech Lilki był bezcenny. Ona piła to z namaszczeniem i wielką wiarą.

Nocami znów tęskniłam za Jarkiem, i to jak! Widocznie moje hormony dostały kopa i domagają się swego, zaczęłam go idealizować i wmawiać sobie, że właśnie z nim byłoby mi fajnie. Menopauzo, jeszcze nie teraz! Lilka przyłapała mnie raz, jak stałam koło okna, piłam koniak i płakałam z żalu, że już nie będę ćwiczyć z Jarkiem-Ofelią.

— Ty zwariowałaś! Masz nerwicę macicy! — skwitowała to Lilka.
I na szczęście nie komentowała tego więcej, bo ja cierpiałam. Żal mi
było tego, co bezpowrotnie odeszło, doskonały seks, jakiego chyba nie
miałam nigdy w życiu! Tak mi się zdawało albo tak było naprawdę.

Temu mojemu sercowemu rozkołysaniu sprzyjała pora roku. Rozkoszny początek lata. Wszystko kwitnie! W prasie miłość, miłość,
miłość! Pary się tworzą, ludziska się kochają, a ja sama. Zamiast za-
pominać, nakręcałam się i zadręczałam tym, co mogłoby być.

Dorzynam się Piaf, cokolwiek by śpiewała, tnie mi serce w plastry.
Jak wyznaje, że niczego nie żałuje, powtarzam za nią. I żałuję tylko,
że to nie wróci. Zachowuję się jak zakochana, nieszczęśliwa małolata.
Jestem żałosna — wiem, dlatego nikomu, nikomusieńku ani słówka,
co się ze mną dzieje!

Lilka widzi, że cierpię, ale już nie komentuje, tylko kręci głową.
Do Agaty nie pójdę po lekcję pt. „Po co ci to, opanuj się. Powiedz
mi: Co czujesz?". Co czuję? Jestem wściekła, że Jarek nie jest mną
zainteresowany, mimo że ja bym go wzięła takiego, jaki jest. W *Lepiej
późno niż później* Nicholson też doprowadzał Keaton do wściekłości,
nie byli dopasowani, a jednak? Tak, tak — to naciągana fabułka, ale
przecież możliwa. Znaczy, cholera jasna, możliwa jest miłość po pięćdziesiątce? Czy nie?

Zaczęłam z tego wszystkiego robić znakomite materiały dla Reginy
z kobietami o miłości cielesnej, o miłości dojrzałej. Niby zawodowo,
a jednak osobiście interesują mnie odpowiedzi. Wkręcam się jak śrub-
ka w życie dojrzałych kobiet porzuconych przez mężów. To panie,
które są znów w związku i odnalazły szczęście. Reginie podoba się
zamysł cyklu — Szczęście po szczęściu.

Nie tylko ja potrzebuję pocieszenia i optymizmu, ale jakoś nie widzę koło siebie żadnego mężczyzny, na którym zawiesiłabym oko.

Lilka uświadamia mi nagą prawdę:

— Ty, Mańka, pomyśl! Gdybyś się z nim nie bzykała, to dzisiaj,
na ulicy minęłabyś go jak furę z gnojem! Gdyby zalecał się do ciebie
w kawiarni czy gdzieś indziej, odrzuciłabyś go za jego błędy grama-
tyczne i niedbały styl wypowiedzi. Przecież wiesz, że to dopiero seks
was bardzo zbliżył i złamał wszelkie bariery.

— No... Moje tak, jego nie.

Lilka podkpiwa ze mnie, podając na stół sałatkę, i parafrazuje mi
kawałek Tetmajera:

Nie z „mojej sfery", Bogu dzięki,
była Ofelia ma.
Nie miała wypieszczonej ręki,
kocham pisała przez h-a.

— Ugryźć cię? — pytam zła.

— Ugryź się sama — odpowiada mi Li — wróć do rozumu, Mańka!

— Przejdzie mi, to tylko takie głupie zauroczenie.

— Ale to już trwa za długo! Drugi miesiąc chodzisz kołowata. Albo i trzeci. Mówiłaś, że to prostaczek, no proszę cię! — milknie i dodaje ni z gruszki: — Mania... włosy mi wyłażą.

— Jak to włosy? Przecież nie wyłaziły i doktor mówił, że nie muszą, że nie zawsze.

— Ale wyłażą.

— Bo osłabłaś! To nic takiego!

— Jak to nic? Będę łysa?!

— Oj, mecyje! Li, ale może to znaczy, że działa, że włosy idą precz, ale i raczysko won? Coś za coś? Pokaż! — wyciągnęłam rękę i Lilka pochyliła nade mną głowę.

— Nic nie widzę — zawyrokowałam.

Na to Lilka wzięła włosy przy skórze w garść i przejechała nią do koniuszków. W palcach została jej spora kępka rudych loczków. No szlag! Wyłażą...

Po obiedzie przekonałam ją do obcięcia ich. Na krótko.

— Liluś, po co mają się męczyć długie? Zetniemy je na krótko i już!

— A jak wyłysieję?

— To na krótko. Kalik mówił, że potem zazwyczaj odrastają, bywa że inne, mocne, ciemne! Będziesz miała włosy jak Oprah Winfrey!

— Przestań! — warknęła gniewnie.

Później jednak pokornie siadła w łazience i pozwoliła mi się obciąć na krótko. Według mnie wyglądała ślicznie, ale według niej — okropnie. Lila nigdy nie miała krótkich włosów.

Jak dla mnie odmłodziło ją to, ma teraz taką wiotką sylwetkę i za diabła nie wygląda na swoje lata, ale ona jest zgaszona i smutna.

— Zachowujesz się jak Samson — przemawiałam jej do rozsądku.

— To tylko włosy!!!

— Ach… zawsze to ubytek, jakiś rodzaj poddania się. Nie wiem, no. Nie fukaj na mnie, Mania! — Łzy jej się posypały z oczu, jak to mówią, grochem. — Dlaczego ja choruję?!

— Li! — nie dałam się. — Przestań. Jutro jedziemy do taty, sama zobaczysz, co powie! A poza tym nie chorujesz, bo ta chemia zabiła raka, a teraz te zielone koktajle cię wzmocnią i… już!

Mazała mi się jeszcze trochę, ale tak tylko, chyba z żalu za włosami, no i ma prawo do spadków nastroju. Przecież jest chora. No bo jest.

Lato, lato…

Lato było pełne niespodzianek, miłych i trochę mniej.

Lilka piła zielone koktajle, do robienia których kupiłam jej nawet w telezakupach taki wyciskacz turbo-hiper-super-stereo, z podwójnym piruetem i w kolorze. Cud techniki. Miele wsio razem ze skórami, jak mówią: „psa z budą". Lilka nawet skóry z arbuza tam miele. A ogórki z ogrodu taty mielone ze skórą i z dodatkiem łyżki miodu — pycha!

Na weekendy Lilka życzy sobie być sama w swoim domu, a czasem nawet spędza u siebie piątki, czwartki. Według mnie jest chuda i słaba, według niej jest silna i „będzie dobrze".

To mi daje wytchnienie, zajmuję się pracą. Bo wesoło nie jest. Włodek mi poułatwiał kontakty z tymi, których jeszcze zna i którzy się z nim liczą, i dzięki temu mogę czasem sprzedać jakiś tekst albo wywiad. Nade wszystko ułatwia mi kontakt ze swoim pokoleniem. Mam od niego glejt, więc wpuszczają mnie byli politycy, artyści i rozmawiają. „Jak się pani udało skłonić pana X do takiej szczerości?". Uśmiecham się. Wiadomo, że nie zdradzę Włodka.

Z nim nie najlepiej. Słaby jest. Ma osteoporozę, połamał sobie kręgi, bo się wywalił na schodach, i chodzi w gorsecie. Kaszle i oszukuje, że bywa u lekarza.

Ojciec drży o Lilkę, stale oferując mi jakieś pieniądze na cud.

A Jarek?… W końcu wywietrzał mi szczęśliwie z głowy. Prawie. Już jestem na dobrej drodze.

Sporym zaskoczeniem był dla mnie mail od tego… Antoniego.

Witam!

Zaskoczona? Ja też. Raczej się nie narzucam, szczególnie osobom, które mają mnie za dziwaka, choć przecież punkt widzenia zależy od punktu siedzenia.

Ten Pani wybryk wydał mi się początkowo czystym idiotyzmem, czynem kompletnie nieprzemyślanym, ryzykownym, wręcz głupim, bo narażała Pani nie tylko siebie, ale i innych użytkowników ruchu, i też tego psa.

Po wylocie z Polski przypomniała mi się Pani i zastanawiałem się, czemu tak osądziłem kogoś, kto odważył się pomóc biednemu zwierzakowi, wiedząc, że BYĆ MOŻE ów tir np. uszkodzi Pani auto, a już z pewnością ludziska będą kląć i wściekać się (była godzina szczytu, a Pani sprowokowała korek nie lada). Nie wspomnę już o tapicerce zachlapanej krwią.

I wie Pani co? Zrobiło mi się wstyd, bo ja bym się na to wszystko nie zdobył z tchórzostwa i czystego wygodnictwa. Nazywam to po imieniu.

Pani okazała się osobą odważną i o wielkim sercu, więc pomyślałem, że winien jestem pani przeprosiny za to, co o Pani pomyślałem.

Przyjmie Pani?

Proszę mi wybaczyć śmiałość.

Być może Pani już zapomniała gbura, który na panią nawrzeszczał? To ja!

Pozdrawiam Panią serdecznie i jeśli to mają być przeprosiny po mojemu — to przesyłam na zdjęciu kwiat — dla Pani. Fotografię zrobiłem sam, więc może żaden to cud, ale to szczere.

Romantyczniej byłoby Florexem, ale stąd to trudne, a ze mnie taki romantyk jak z perszerona rumak.

Antek

Czytałam to z lekkim zdumieniem, ale nie miałam okazji się w to zagłębić, bo Lilka miała atak histerii. Pierwszy jak dotąd.

Weszła do mojego pokoju, kiedy tak siedziałam nad mailem od Antoniego, i usiadła na łóżku cicho.

Odwróciłam się do niej i powiedziałam wesoło:

— Antoine do mnie napisał, ten, wiesz, gbur, co wtedy... Li! Co się dzieje?!

Lilka siedziała wyprostowana i nagle oczy jej wypełniły się łzami, które spłynęły jej potoczkami, zahaczając o kąciki ust.

— A jak umrę? — miała twarz pełną przerażenia, jakby dopiero odkryła ten fakt.

— Lilku, Lilutku, ale przecież walczymy dzielnie! — usiadłam obok niej.

— Ja walczę! Ja! Co ty wiesz?! To moje ciało i w nim się zalęgło to... coś! Ty jesteś zdrowa, to ja walczę! Ja!

— Li!

— Nie Li! Słuchaj mnie! Bo ty nie wiesz, jak to jest mieć w sobie to COŚ. To jak mieć OBCEGO. Masz tę świadomość, że to gówno cię dopadło i uczepiło się, i w końcu zabije!

— No ale przecież po to walczymy, Liluś! Ty i ja, bo ja też!

— Ty mi tylko towarzyszysz! Ty nie wiesz, nie wiesz!...

Zaniosła się płaczem, zgięła wpół. Przerażona jak małe dziecko, które boi się dentysty. Targuje się, czy na pewno ma siąść na fotel. Tylko że to nie o dentystę chodzi i fotel, tu faktycznie chodzi o jej życie.

— Dlaczego ja?! Dlaczego?! Czy ty wiesz, Mańka, jak to boli? Wkurza? Ta świadomość, że mnie to spotkało za darmo! Za nic. Przecież nie jadłam jakichś śmieci, nie piłam ponad miarę na imprezach, nie byłam jakaś puszczalska, badałam się, no tylko ostatnio jakoś zapomniałam, to czemu ja?! — płacz ją dławił, wycierała nos i monologowała dalej: — Bo ja wiem, że to są jakieś skutki czegoś, chemii w żarciu, złego prowadzenia się, złego myślenia, tak? Powiedz?

Co ja mam jej powiedzieć? Gada bzdury i wie o tym, celowo to wykrzykuje, żebym zaprzeczyła, utwierdziła ją w przekonaniu, że nie robiła niczego źle!

— Głupstwa pleciesz, nie robiłaś niczego złego, jadłaś normalnie, no po prostu się rozwinął, ale przecież i ty, i doktor Kalik staracie się go utłuc, zabić, zniszczyć, ale potrzeba na to czasu, kochanie! A ty tracisz cierpliwość? No, Liluś!

Moja siostra płacze i pomstuje, ma rozpacz wypisaną na twarzy, teraz milknie, jakby zapada się w tym płaczu. Łka już tylko.

Klękam przed nią i obejmuję jak mogę najczulej, ciasno. Lilka szarpie się buńczucznie, ale słabnie i z nowym spazmem żalu beczy mi na ramieniu tak, że i mnie się serce rozrywa na kawałki. Jak jej pomóc? Jak zdjąć ten strach?

— Lilku, a pamiętasz ten reportaż, który mi pokazywałaś, z tą nawiedzoną zieloną Amerykanką? Tą od soków? Ona mówiła, że takie zwątpienia to normalne, ale trzeba dbać, żeby zdarzały się rzadko, bo osłabiają twój system immunologiczny. Zwątpienie to przecież ludzka rzecz, dziecko moje, ale masz nasze wsparcie i doktora, który jest uważany za szamana i taki nam właśnie jest potrzebny! Skąd ci się wzięło to zwątpienie, słoneczko ty moje? No?

Lilka prostuje się i tłumaczy przez łzy:

— Bo zmarła taka nasza przewodniczka duchowa, prowadziła bloga o raku, miała najlepsze leczenie i zmarła! — Znów fala lęku i płacz. Chowa twarz w dłoniach, jest tak skulona!

— Ja tak niechcęniechcęniechcę! — kiwa się i płacze.

Znów ją łapię w uścisk i nie puszczam. Nie wiem już, co mówić, więc tylko ją tulę, szepcząc coś czułego, jak do dziecka. Po chwili ona zrywa się i woła:

— Marianna! To jest rak, raczysko! Kalik próbuje i przecież ja też, biorę tę chemię i rzygam, i biorę! I przed tym ta głodówka i vilcacora, i teraz zielone koktajle, a on jak zechce, to i tak mnie zje! Do kurwy nędzy! Tyle pieniędzy na świecie przewalają na samochody i inne... gówna, a na raka nikt nie znalazł leku! Nikt, nie doczekam się, kurwa!

Jest dobrze, bo Lilka krzyczy, wścieka się, a to jest dobra energia. Gorzej, jakby się załamała w sobie, najgorsza jest depresja. Niech się wykrzyczy. Tak bardzo mi jej żal, bo wygląda żałośnie taka zaryczana. Jest... przerażona! Jeszcze jej takiej nie widziałam. Ma słowotok o tych badaczach, naukowcach, o bogaczach skąpiradłach, o pieniądzach, i wraca do badań. Niech się wywrzeszczy. To jak brud zalegało jej duszę. W końcu widzę, że już koniec, łapię ją znów w ramiona i stajemy przed oknem. Gapimy się w zieloność liści mojej katalpy, Lilka uspokaja się, ale teraz jej lęk przelewa się na mnie.

Uświadamiam sobie, że tak właśnie jest — walczymy, Lilka walczy, a i tak ten rak zrobi, co chce. Kalik nie jest zachwycony leczeniem, więcej w nim dystansu i oczekiwania na cud niż wiary w to, że tym razem urwał łeb hydrze.

Namawiam Lilkę na kieliszek waleriany. Jest taka jakaś rozregulowana, że zjada na kolację chleb, całe dwie wielkie kromki grubo posmarowane masłem i obłożone wielkimi plastrami pomidora. Soli pomidory, czego już nie robiła od dawna.

Niech je. Ważne, że ma ssanie na tego pomidora, na chleb. Jestem z nią cały czas. Marzę o chwili, kiedy Lilka się położy. Jestem zmęczona tym jej wybuchem.

Na szczęście ona chodzi spać jak dziecko. Kładzie się koło dziewiątej, w łóżku ogląda coś sobie i zasypia w trakcie filmu, programu. Nieraz wchodzę do niej i gaszę telewizor, bo Lilcia śpi. Kiedy jest u mnie, śpi w dawnym pokoju Mirka. Teraz to już jej pokój, z jej zapachem, obrazkami i nastrojem. Tylko czasem, jak jest wyjątkowo słaba po chemii, zasypia w moim łóżku. Mam ją często u siebie i z tym mi dobrze, bo jak ona jedzie do siebie na Starówkę — ja się zamartwiam. Jak matka...

Lilka śpi głębokim snem. Nareszcie. Ja siadam naprzeciw okna i wdycham ciepłe powietrze.

Dzwonię do taty, odbieram maile od Grześka, bo wieczorem do mnie pisuje, jak ma czas.

To ostatni:

Mamo.

U nas taka rutyna, że aż nudno. Tadzio znakomicie się odnalazł w takim jakby przedszkolu. Małe, prywatne, prowadzone przez Polkę i Szwedkę — sąsiadki. Same są matkami, mają sześcioro własnych dzieci i opiekują się czterema pozostałymi z naszych domków. Dzięki temu Iga ma czas na siebie i swoje sprawy. Od 15.00 jak trzeba (a niestety trzeba często) przychodzi opiekunka. Jak on się rozwinął! Jak gada! Po polsku, po szwedzku, to zdumiewające!

Jest zabawny i mądry. Chyba będzie farmerem, bo kocha zwierzęta i wszystkie już naśladuje udatnie. Załączam zdjęcia aktualne, bo ze spaceru z przedwczoraj.

Oboje pracujemy dość intensywnie. Ale trzeba, zwolnimy, jak już się zakorzenimy wystarczająco.

Zima za nami. Wiesz, pisałem Ci, że nie jest tak źle. Straszono mnie, że fatalny klimat, że... Jakoś mnie to nie bierze. W Krakowie też bywała tygodniami chlapa, chlapa, chlapa — jak nie wiosenna, to jesienna.

Wiesz, że nie znoszę pisania, Ty pisz. Co u dziadka? Jak Lilka?

Przesyłamy uściski — Pan Grzegorek, Iga i Tadzinek

Odpisałam mu z mety, bo jeszcze zapomnę. Opowiedziałam, jak Lilka miała atak, a przy okazji zapytałam o jakieś nowe może metody leczenia. Zahaczyłam o tatę i zdałam sobie sprawę, że tatko ostatnio zamilkł. Najpierw wydawało mi się, że zamilkł na chwilę. Potem, że go zagadujemy, ja i Lilka. Teraz, pisząc do Grzesia, uświadomiłam sobie, że to się już ciągnie. Tatko bardzo przeżył śmierć Gienia i nie otrząsnął się z niej.

Wypiłam szklankę wody z tonikiem i cytryną i nalałam sobie koniak. Letnia noc. Nie chce mi się spać. Jestem przestraszona Lilką, bo zdałam sobie sprawę, że hurraoptymizm jej nie wyleczy, że muszę być przygotowana na najgorsze, a wszystko, co okaże się lepsze od najgorszego, będzie zaskoczeniem. Każdy jej uśmiech, każdy dzień jest

ważny — dzisiaj to widzę. Dzisiaj „wpuściła mi do systemu wirusa"
— lęk o nią. Wiedziałam, że jest niefajnie, ale wierzyłam w cuda, bo
tak głoszą wszelkie teorie, że wiara góry przenosi, że trzeba afirmować
zdrowienie, wierzyć w nie itp.

Mam świadomość, że cuda to cuda, afirmacje afirmacjami, zielone
koktajle zielonymi koktajlami, a rak zrobi swoje, jak będzie chciał.

Zgasiłam komputer i położyłam się. Czytanie mi nie szło, w telewizji nic ciekawego, muzyka nie wchodzi mi do ucha wcale. Firanka
ledwo porusza się ciężkim tchnieniem ciepłej nocy, Saska Kępa śpi,
a ja nie mogę. Myśli mi się kotłują, nie zasnę! To pewne.

Biorę laptopa do łóżka, siadam oparta o poduchy i klikam na Gadu-
-Gadu. Ciekawe, kto siedzi w nocy na GG? Zobaczyłam nick Włodka,
więc kliknęłam:

— Cześć. Nie śpisz, czy tylko zapomniałeś zgasić kompa?

— Nie śpię, a Ty co? Też nocny marek? Wróciłaś z imprezki czy
z randki z tym swoim Amoroso?

— Nie, po amorach już ślad zaginął. Imprezki, jak wiesz, mnie
nudzą, nie mogę spać.

— Czemu? Młoda jesteś, powinnaś spać jak szeregowiec. <smiles>

— Czarne myśli mnie oblazły jak wszy... <smutny>

— Dziecko, co Ty?! Jakie czarne myśli może mieć taki Anioł jak
Ty?

— Oj, Wołodia. Jak wiesz, Gienek zginął idiotycznie. Ojciec stał
się taki zamknięty w sobie, z Lilką źle. Chyba to mnie dzisiaj tak
zdołowało. <płaczek>

— Jak bardzo źle?

— Źle. Znaczy chemia coś tam chyba utłukła, ale nie wszystko.
Może się mylę? Staram się być dobrej myśli.

— Zaczekaj na efekty.

— Ona miała dzisiaj atak histerii, płakała, boi się, że umrze. Jest
tak młoda!

— Wystraszyła Cię?

— Bardzo. Zdałam sobie sprawę, że przestrzeń koło mnie pusto-
szeje. Boję się też za nią.

— <cmok> Co mam Ci napisać, śliczna Marianno? Rodzice zawsze
odchodzą, to normalne, dzieci wyfruwają, bywa, że mężowie umierają,
odchodzą, przyjaciele giną albo co... Taki to etap życia. Dlatego ja
cieszę się każdym dniem.

O, właśnie, Włodek! Przecież też nie jest wieczny, a ostatnia zima sprawiła, że jest go połowa. Zauważyłam, jak odstaje mu od szyi kołnierzyk koszuli… Strasznie schudł.

Klikam:

— Tylko Ty mnie nie zostawiaj, proszę! <prosi>

— Sama wiesz, że to *wishfull thinking*… Ale ładnie to napisałaś. Dziękuję! <cmok>

— Spróbuję zasnąć <pije wino>

— Otóż to, Marianno, napijmy się, co masz? Ja Chivasa. Twoje zdrowie! <pije wino>

— A ja mam koniaczek! <pije wino> Twoje zdrowie, Wołodia! Dobrych snów!

— Pa. Przyśniłabyś mi się, skoro nie dajesz się tknąć! <błaga>

— OK! Pa!

Odłożyłam laptopa. Biedny Włodek. Jakby miał jaką kobietę, żonę, nie wisiałby nocą na laptopie. Z nim też źle. Mam nadzieję, że to przejściowe, bo co to? Jakieś morowe powietrze na wszystkich?

Zasypiałam smętna i podłamana.

Lilka plątała się rano, próbując wyjść jakoś z tej wczorajszej histerii. Bagatelizowała i starała się mnie rozweselić, podając mi to, co lubię.

— Siedź, Mańka, spadło ze mnie coś, co widocznie ciążyło, i dzisiaj wstałam w innym nastroju! Siedź! Ja ci podam! W ramach przeprosin obsługuje dzisiaj Lila!

— Jakich, głupolu, przeprosin? Masz, mamy, każdy z nas ma prawo do dołka, spadku nastroju…

— Do wkurwu! — dodała wesoło. — No mnie wczoraj dopadł wkurw i na ciebie się wylało.

— Daj spokój! Tak, może być! — kiwam głową, bo Lilka mi pokazuje puszkę z kakao.

Na stole już są kanapeczki na cienkim razowcu ze śliwką, posmarowane twarożkiem, obsypane gęsto usiekaną zieleniną, szczypiorem i pietruszką hodowaną na naszym kuchennym oknie w donicach. Do tego ogórek i kakao. Rolety zasłaniają nadmiar światła. Słońce jest ostre i wszędobylskie. Patrzę na Lilę, ma wesołe oczy, dobrze nawilżoną skórę, nawet rumieńce, apetyt, bo zjada swoje kanapki bez marudzenia i ociągania i nie wygląda na chorą! Może obie wpadłyśmy wczoraj w przesadę?

Pojechałam do pracy, w drodze powrotnej zahaczyłam o cmentarz. Tak mnie coś wzięło.

Ludzi niewiele, piękna pogoda, więc komu się chce przyjść akurat tu? Tylko tym, co mają czas i są wdowami, wdowcami…

Postawiłam na grobie wujka świeżą świeczkę, świeżą wiązankę. Sprzątać nie było czego. Widać, że pani Ela bywa tu często. Wiewiórki ośmielone, są tu jakimś wesołym elementem! To jest cudowny, cichy park, zawsze tak go traktowałam. Spaceruję sobie, próbując uładzić myśli, ciepło rozleniwia. Siadam na ławeczce, żeby zadzwonić do taty.

— Halo, tatku?

— Baranku! Witaj, kochanie. Myślałem o tobie, bo Lila dzwoniła.

— Chciała coś?

— Pytała o moje zdrowie i czy biorę leki. Jak ona?

— Ach, różnie, tato, wczoraj miała depresję, płakała, ale dzisiaj od rana ćwierkające ptaszę. Zrobiła mi śniadanie z kakao!

— Baranku, a… jak ta chemia? — tata pyta z lękiem w głosie.

— Nie wiem… Kalik każe być dobrej myśli, mówi, że to zazwyczaj działa w takim stadium… — gryzę się w język. O, kurczę, po co ja o tym gadam?

— Stadium? To znaczy źle jest?

— No, ma nacieki na kościach… Ale on jest dobrej myśli, a Lila pije dodatkowo zielone soki, te wiesz, z warzyw od ciebie i ogólnie… Tato, trzeba obserwować i mieć nadzieję. Lila dzisiaj w dobrej formie!

Gadam dużo, żeby tatko zadawał jak najmniej pytań. Ja nie znam na nie odpowiedzi. Nie wiem, co siedzi w jej ciele! Mam tylko tę wiarę, którą podtrzymuje doktor Kalik i moja miłość do Lilki. Żegnamy się, ojciec pyta, czy wpadniemy na niedzielny obiad. No jasne! Zamawiam ogórkową.

Wracam do auta. Mam wrażenie, że coś jest nie tak z samochodem, więc kucam i oglądam koła, ale nie, to wrażenie, bo stoi nierówno. Może lewe koło wymaga podpompowania. OK, załatwię to jutro, teraz do domu, Lilka czeka, może pójdziemy sobie w regały? Jadę.

Po paru minutach na światłach przeszukuję torebkę, nie mam telefonu! Cholera jasna!

To okropne uczucie, bo komórka zwolniła mnie z zapamiętywania numerów telefonów. Nie umiem na pamięć żadnego! Przejechałam kawał miasta, pewnie wypadła mi z kieszeni na parkingu koło cmentarza, jak oglądałam koła. No to — adieu! Klnę wściekła. Jak ja odtworzę numery?! A Grzesiek mówił mi, żebym zrobiła na komputerze zapis zawartości mojej karty telefonicznej. Teraz to już po ptokach… Spociłam się z nerwów. Nie zapisywałam ważnych telefonów jak dawniej — w notatniku, na który mówiłam „twardy dysk", bo jednak papier jest najbezpieczniejszy! No i mam…

Wpadam do domu. Lilka w kuchni robi obiad, a ja dopadam domowego telefonu i… ryzykuję. Może ktoś znalazł? Odda do tej najbliżej budki z kwiatami? Wstukuję własny numer. Sygnał jest! To już dobrze. I słyszę męski głos:

— Halo?

— Halo! Dzień dobry panu, o, jak to dobrze… Proszę pana, to jest mój telefon, ja go zgubiłam tam, koło cmentarza, tak? Bo parkowałam vis-à-vis tego niebieskiego toi-toi, i tam musiał mi wypaść z kieszeni… Halo! Jest pan…?

— Oczywiście! Gdzie pani jest?

— Ja...? Niestety już daleko, na Saskiej Kępie (po cholerę ja to zdradzam?). I wie pan... Może pan go oddać temu panu w budzie z kwiatami?

— No, nie bardzo, bo już zamknięta, ale ja tu poczekam na panią.

— Ale... to potrwa, bo są teraz godziny szczytu! Byłabym za godzinę...

— Proszę być za godzinę, a ja wpadnę do Arkadii po wodorosty i wrócę tu.

— Taaak? Ale... Na pewno pan będzie?

— Na pewno. Jestem właścicielem czarnego jeepa. Będę tu stał koło tego toi-toi...

Opowiadam Lilce, która jest sceptyczna.

— Odda ci? Czeka na ciebie?! Uważaj, Marianna. Uważaj, bo to może być, wiesz...

— No oczywiście. Wezmę ze sobą obstawę. Albo nie, pistolet! Li! Daj spokój! Ja też nie wierzę do końca, być może facio jest już w domu i ciągnie ze mnie flaka, ale jak nie pojadę, to może się okazać, że to ja jestem frajerka, a nie on.

— Jadę z tobą!

— Zwariowałaś!

— Jadę! Jest już dziewiętnasta, a tam pusto, to cmentarz, a nie jakieś centrum!

— OK. Bierz spluwę albo rękawice bokserskie i jedziemy!

Obśmiałyśmy się, ale mnie cieszy taki zryw Lilki. Zazwyczaj nie bardzo ma chęć łażenia po mieście, a teraz proszę, jaki to duch w nią wstąpił! Obroni mnie, jakby co!

Na parkingu koło toi-toi jedyny samochód, czarny jeep. Parkuję koło kwiaciarni, Lilka zostaje, a ja idę w jego stronę. Pewnie jakiś młody dorobkiewicz i zapewne muszę mu odpalić odstępne! Ile? Ciekawe...

Z jeepa wysiada... mężczyzna w moim wieku. O, mamo, jaki przystojny! Trochę wyższy ode mnie, szczupły, szpakowaty, półdługie włosy zaczesane za ucho, strój sportowy. Znaczy — jeansy i niebieska koszula w kratę. Uśmiecha się.

Wyciągam rękę, nie wypada inaczej.

— Witam pana, to ja jestem ta sierota, co gubi telefony!

Facet nachyla się i całuje mnie w rękę lekkim tylko muśnięciem. Kultura przedwojenna!

— Witkowski. Oto zguba. Wolałem nikomu nie oddawać, bo wie pani, telefon to jak wnętrze torebki, jak korespondencja. Ktoś mógłby przeczytać pani esemesy czy coś, a ja, pełna dyskrecja, proszę bardzo.

— Och, dziękuję! — Nie wiem, jak się zachować, bo gość wygląda na zamożnego. I co mam mu proponować, stówę znaleźnego?! — Długo pan czeka?

— Nie, zdążyłem sobie w Arkadii kupić sałatkę z glonów, zawiera masę antyoksydantów, jest no... zagłębiem zdrowia! Lubię ją, a tam zawsze są.

— Trochę to trwało, bo ja z Saskiej Kępy, ale skoro pan taki miły...

— Ja wiem, że telefon to ważny szczegół życia. Taka „pamięć zewnętrzna". Miło mi, że mogę oddać i zobaczyć radość!

— No, jasne, że radość! Jak mogłabym się panu odwdzięczyć? Należałoby się znaleźne...

— Bez przesady! Doprawdy drobiazg!

— Wie pan co? Mam ze sobą moje czasopismo, znaczy ja w nim czasem publikuję, to panu dam, to ostatni numer, ciekawy. Tu jest moja rozmowa z autorką znakomitej książki, która zamiast u nas, zrobiła furorę w Stanach. O dobrych związkach. Żona się ucieszy! Proszę.

— O, dziękuję! Chętnie poczytam! Muszę jechać! Zapomniałem kupić nową słuchawkę do prysznica. Do zobaczenia!

Wracałam do samochodu, widząc, jak Lilka wyślepia się na nas, gotowa w każdej chwili dzwonić na policję albo wołać o pomoc.

— No co? — pytam. — Ale się gapiłaś! Przyssałaś się do szyby i wyglądasz jak glonojad...

— No wiesz, nie miałam pojęcia, czego się spodziewać!... Ale przystojny! I co mówił?

— Że chce mi oddać komórkę i... i oddał, i koniec!

— I co, dałaś mu coś?

— Nico, nie chciał nagrody, jedziemy! Do Arkadii, w regały! Kupimy sobie po szmatce!

W samochodzie gadałyśmy o tym, że jednak są uczciwi ludzie i że to zaskakujące i fajne, bo kto by się spodziewał, no, no, no!

Dziwne. Najnormalniejszy ludzki odruch, oddanie komuś zguby, traktujemy dzisiaj jak coś nieprawdopodobnego. Szkoda. Warte jakiegoś wywiadu, artykułu... Pomyślę.

W Arkadii tłumy. Łaziłyśmy sobie po sklepach i oglądałyśmy spódnice, bluzeczki, biżuterię. Lilka mierzyła i mierzyła, w końcu decydując się na ładny, kolorowy szal w kwietną łąkę, a ja kupiłam sobie jeansy w boskim rozmiarze trzydzieści osiem! Później szłyśmy obok zaułku z knajpami na piętrze i Lilka nagle zapragnęła pikantnych skrzydełek, tłumacząc sobie i mnie, że skoro organizm zapragnął, to znaczy, że potrzeba jest.

Nic nie mówiłam, fast food to trucizna i sama nie wiem, czy to jej organizm zażądał tych skrzydełek, czy jej rak? Kogo karmi — siebie czy jego? Rak karmi się, uwielbia wprost oksydanty, a w tych panierkach, konserwantach pełno tego, co ona wyprawia? Ciągnie mnie do lady, a mnie się wcale nie chce tych skrzydełek!

Oczy jej lśnią, kiedy je gryzie, je zachłannie, palce ma całe upaprane, jak mały dzieciak. W środku aż mnie ściska. Co ona robi!? Ja grzecznościowo jem sałatkę z kawałkami kurczaka, która rośnie mi w ustach. Coś mnie teraz odrzuca od niej, a kiedyś też przecież lubiłam. To te ostatnie akcje Lilki ze zdrowym jedzeniem —zaczarowało mnie, staram się, nawet kabanosów nie jem ani wędzonych szynek, nic! A ona robi sobie odpust. Pięć skrzydełek wcięła jak smok!

Beznadziejnie się czuję, patrząc na nią i wiedząc, że wcale nie jest z nią dobrze, czuję się, jakbym ją okłamywała, spiskowała...

— Li, chodźmy dalej! Kupimy sobie na dole w azjatyckim sklepie sałatkę z wodorostów wakame na kolację, w tych algach jest wiadro antyoksydantów!

— Tę zieloną? Dobrze, chociaż ja chyba do rana już nic nie zjem! Ale się opchałam, zobacz!

Lilka wypina mi swój płaski jak naleśnik brzuszek, właściwie wklęsły między kośćmi biodrowymi. Ciut wyżej, tam gdzie ma żołądek, faktycznie wypuklej. Ja kiwam głową i klepię ją po nim.

Być może inni, widząc to, myślą, że Lilka chwali mi się wczesną ciążą, ale to nie jest ciąża... To OBCY. Płakać mi się chce.

W azjatyckim sklepie z towarami ze świata kupuję też dużą butlę wody gruzińskiej Borjomi, która zawiera całą pozytywną tablicę Mendelejewa. Związków ma mnóstwo i co jeden to zdrowszy. Oczyszcza, detoksykuje, reklamowała mi to znajoma Gruzinka, a ja żałowałam, że jest taka droga, bo już myślałam o kupieniu skrzynki.

— O, jaka... słona! — Lilka się krzywi, a ja jej tłumaczę, że to dobrze i że doskonale się jej wypłuczą... nerki — mówię to zamiast powiedzieć: „te oksydanty, które zjadłaś przed chwilą".

Zwariowałam... Kto jest przeczulony? Ona czy ja?

— Aaauć! Zobacz! — Lilka zatrzymuje się nagle koło sklepu z butami i pokazuje mi piękne szpilki we wściekle fioletowym kolorze. — Kupmy je, co? Mańka, ja bym tak bardzo chciała paradować na takich obcasach! Są cudne! Dawno sobie nie kupiłam niczego aż tak wariackiego, boskiego! Zestarzałam się, uwierzyłam w tego raka, a ja przecież wyzdrowieję! Będę chodzić w kolorowych szpilkach! Tylko w kolorowych!

Nagle stanęła naprzeciwko mnie jak żołnierz, podniosła dwa palce do góry i uroczyście wyskandowała:

— Obiecuję, że jak zdechnie moje raczysko na śmierć, nigdy nie założę już czarnych butów ani nic czarnego w ogóle, nawet majtek! Zaczynam od dzisiaj!

Powiedziała to na tyle głośno, że kilka osób obejrzało się ciekawie.

Kupiłyśmy je.

A kiedy wracałyśmy na parking koło marketu budowlanego, w kolejce do kas zobaczyłam tego faceta od komórki. Nie widział nas, stał skupiony, zamyślony i w dłoni trzymał przygotowaną kartę, gotów do płacenia. „Przystojny, no!" — przemknęło mi przez myśl i ucieszyłam się. Od dawna żaden mężczyzna nie spodobał mi się po prostu tak od pierwszego rzutu oka! Ciekawe, jak ma na imię? Nawet nie zapytałam. On mnie też. Widocznie mu nie zależało.

— Li, tacy przystojni faceci to są straceni dla ludzkości, prawda?

— Ale że co? — Lilka nie zrozumiała, o co mi chodzi.

— No, że przystojny to wie, że jest przystojny, i wie, że robi wrażenie na kobietach i nie musi się zanadto wysilać... Taki to wybiera sobie jakieś najfajniejsze modele, nie?

— Zazwyczaj, albo to gej! — Lilka kiwa głową, ale myślami jest gdzie indziej. Widzę to po jej twarzy.

Po chwili staje koło schodów i mówi:

— Założę je! Już teraz! — szybko wyjmuje szpilki z torby i zakłada je tu, w wielkim megastorze, cała jaśniejąca z radości. Faktycznie na jej szczupłych nóżkach aksamit w kolorze wiosennych irysów wygląda znakomicie. Lilka chowa swoje czarne pantofelki za schody i puszcza do mnie oko, uśmiecha się i wznosi oczy do sufitu.

— Jaka jestem szczęśliwa!… Rakowi mówimy: NIE!
— Ale czarnych majtów teraz się nie będziesz pozbywać?
— Co mówiłaś?
— Nic, chodź już! Mam dość tych zakupów, a ty?

Lato w pełni, a ja tego nie zauważam!

Dopiero mail od Grzesia i Igi zwrócił moją uwagę na to, że to wakacje, ludzie odpoczywają! Ja nie. U nas w wydawnictwie praca jest longiem.

Przy śniadaniu zapytałam Lilkę:

— Li, ty wiesz, że ja stale i wciąż nie potrafię uwierzyć w to, że Gieniu zmarł?

— Przecież byłaś na pogrzebie — odpowiada i wcina z zapałem rzodkiewki, smarując je śmietankowym masłem i lekko soląc. Chrupie apetycznie. Jak to wspaniale, że ma apetyt! Bo czasem nie je nic i nawet nie po chemii, ot tak gubi gdzieś chęć do jedzenia i nie daję rady jej zmusić.

— Byłam, ale ja stale czuję, jakby on gdzieś tylko wyjechał! Tak mi go brak... Zjedz kawałek chleba, a nie tylko same rzodkiewki!

— Tęsknisz, bo go kochałaś. Jak się kocha, to się tęskni, tak mi to tłumaczyłaś, pamiętasz? Bo ja... Ja chyba za nikim nie tęsknię... — dodała z nostalgią.

— Nawet za mamą? Lilka, zjedz kawałek razowca, no!

— Odczep się, na chleb się ciężko pracuje, a te rzodkiewy są zdrowe, z gruntu! Nie te zdychające nowalije nawalone chemią na wiosnę! Patrz, jaka rzepa! — pokazuje mi wielką kulę w kolorze fuksji, z białą piuską wokół czubka z korzonkiem.

Ile można zjeść takich rzodkiewek? Cały pęczek już znikł! A! Niech sobie je...

— A teraz? Lilka, za nikim nie tęsknisz?! W ogóle?

Lilka zamyśla się i mówi, gapiąc się w okno:

— W szpitalu to cały czas myślałam, kiedy przyjdziesz. Ale czy to tęsknota? I to za tobą, zołzo jedna?

Całuję ją w czubek głowy i ubieram się do pracy, lekko maluję, wzburzam włosy. Mam ich trochę, może nie całą burzę, ale mam, a Lilki rude włosy tak zmarniały. Cieniutkie ma te włosinki, i jeszcze przerzedziły się. Ładnie jej w tej krótkiej fryzurce.

Moja szefowa nie pozwala mi już pisać o raku i chorobach. Co poradzę, że mam stale te sprawy w głowie? Rozmowa z młodziutką gwiazdką serialu, który zdobył największą popularność przed wakacjami, szła mi jak po grudzie. Egzaltowana, bujająca w obłokach, co ona wie o życiu?

W rezultacie przerabiałam ten wywiad kilka razy, bo zupełnie mnie nie zainteresowała ta gwiazdeczka i Regina to wyczuła.

— Marianna! Trzeba było oddać to komuś, co to za bleblanie?

— Przecież chciałam, Kinga nie mogła i mi wciśnięto tę małą.

— No, ale zrobiłaś z niej takie... głupiątko.

— No, nie poradzę nic. Ona jest jak ta gołębica, pamiętasz?

Regina roześmiała się, bo jako jedna z niewielu pamięta *Nemocnice na kraji města* i sławną scenę, gdy stary doktor Štrosmajer powiedział do siostry Marty: „Kdyby hloupost byla lekce vzduha tako byste letali jako holubica!". Słynny tekst! Powtarzamy to sobie z Reginą czasem jako zdanie porozumiewawcze. Nauczyłyśmy się go w oryginale.

No nic nie poradzę! Młoda aktoreczka starała się być mądra, roztropna, ale to tylko starania, a ja jestem dziwnie zmęczona tym udawaniem. Kazała mi przyjechać do siebie na plan, pod niemiecką granicę! Pojechałam, czekałam na koniec ujęć ze dwie godziny, a potem ona musiała coś zjeść, „bo pada z nóg!". Dobrze! Czekam... Wreszcie przyszła i kompletnie nie mogłam złapać z nią wspólnej fali. Ona sobie, ja sobie. Rozmowa miała być głęboka, o rodzicach, aktorach prowincjonalnych, o trudnych wyborach — teatr w Zielonej Górze czy serial w Warszawie, który — szczerze mówiąc — chyba zamknie ją w ramkach głupiutkiej nastolatki. O ciężkiej, doskonale przygotowanej roli w teatrze, który rzuciła dla pieniędzy, więc dylemat — być czy mieć? Bo dzisiaj inaczej się nie da. A ona rozproszona, zachwycona sobą, paple bez sensu, poucza mnie i co drugie zdanie kończy pytaniem: „no prawda?". Nadużywa słowa „casus" i cztery razy zaczęła odpowiedź na moje pytanie od: „szczerze?". Miałam ochotę warknąć: „Nie, dla jaj. Niechaj paniusia ściemnia". Miałam ochotę nią potrząsnąć, zetrzeć jej szminkę i przytrzeć nosa, ale... Życie to za mnie zrobi.

To doskonale, że młoda, że ma wzięcie, że gra w tym serialu pierwszoplanową rolę i zarabia duże pieniądze, ale przyjdzie czas, gdy się znudzi widowni, zapamiętają ją jako ładne NIC i nie daj Boże, podzieli los rodziców. Mamy, która żeby przeżyć, grywała jakieś ogony, schowała się w macierzyństwo, a potem prowadziła bufet w teatrze. I ojca, któremu aktorstwo długo nie dało wielkiej szansy, trzymał drewniane halabardy i mówił „podano do stołu". Odszedł z bólem i dzisiaj ma warsztacik samochodowy.

Młoda czuje jakąś wyższość nad rodzicami. Pieni się, perli... żadnej skromności. Namęczyłam się, żeby nie wyszła na idiotkę, ale więcej... nie dałam rady.

Co innego jej starsze koleżanki, też grające w telewizyjnych tasiemcach. Doskonale wiedzą, że to jest prezent od losu, pięć minut i po prostu dobra kasa, żadnych wartości. Etos? Jaki etos, pani redaktor? Ja mam rachunki do zapłacenia! Dobre role gra się dla własnej frajdy.

Z tą gwiazdką zdychałam ze znużenia, ale i złości. Cały dzień stracony na rozmowę idiotyczną, płytką i jeszcze musiałam potem czekać pięć godzin, bo zażyczyła sobie osobnej sesji przy zachodzącym słońcu, a pojechałam jednym samochodem z fotografem. Regina kazała jej zrobić ładną sesję. Ach młode to, nadęte...

Kiedyś już umierałam z nudów i zażenowania, gdy rozmawiałam z młodym reżyserem, który mi tłumaczył, że kino ambitne to jest to, które on właśnie robi, cała reszta to chłam. Na pytanie, o czym teraz robi, wybełkotał coś takiego, czochrając się po kudłach:

— To będzie taka jakby etiuda filmowa, czy też raczej paradokument, ale zagrany przez aktorów, o jakby takiej alternatywnej pararzeczywistości. I rzecz dzieje się jakby na jawie, ale równocześnie to jaźń moich bohaterów kieruje ich emocje na niebezpieczne wody jakby domysłów, na meandry ich kompleksów, zahamowań i skrywanej agresji.

Po prostu cudne...

Lubię wywiady ze starymi mistrzami, są skromni i mądrzy. Pamiętam moją rozmowę z Leonem, znanym aktorem, podczas której tłumaczył się, że on nie jest jakimś totalnym intelektualistą! On idzie do kina, żeby się wzruszyć, a nie umęczyć.

— Wie pani, w moich czasach, Węgrzy głównie, robili kino „zaangażowane", dzisiaj się mówi „moralnego niepokoju", i mówiło się tak: „Czym się różni szczerbaty nocnik od węgierskiego kina? Ani na jednym, ani na drugim wysiedzieć się nie da". Puszczą to pani? Puszczą! Nie ma już Mysiej!

A później koniecznie chciał się ze mną umówić, tłumacząc mi, że on chce tylko porozmawiać, bo widzi, jaka jestem mądra. Uroczy podrywacz!

Chciałam bardzo namówić panią Zofię na zwierzenia prywatne, ale nie dała się. „To nie w moim stylu, a zresztą wszystko, co miałam do powiedzenia, napisałam w książce". Ale porozmawiałyśmy o graniu, teatrze, który w PRL-u bardzo dobrze się miał, i to był dobry wywiad, głębokie myśli, skromność. „Pamięta pani — powiedziała — że wtedy w teatrach było wszystko: pracownie kostiumowe, szwalnie, stolarnia robiąca piękne dekoracje, perukarnia, charakteryzatornia, a spektakle miały całą oprawę. Dzisiaj jest taka bieda, że na scenie stawia się krzesło, aktora ubiera w jeansy i to ma być niby taki inteligentny przekaz, że sztuka ma charakter uniwersalny. To mnie, szczerze mówiąc, nie zachwyca, bo gdzie nie pójdę, tam zadęcie na tę bidę. Pamiętam przepiękne dekoracje, kostiumy, muzykę pisaną specjalnie dla przedstawienia… Szkoda mi tych czasów. Dzisiaj tak się na nie pluje, a grało się wtedy pysznie! Każde przedstawienie było inne, młodzież tłumnie szła na klasycznie granych klasyków, na normalnie podany tekst. Hanuszkiewicz szokował swoim nowatorstwem. Wpuścił na scenę motocykle w *Balladynie*… Wizjoner! Kto to dzisiaj pamięta?”.

Regina wie, że potrafię rozmawiać z aktorami, piosenkarzami ze starszego pokolenia, bo… ja ich pamiętam i przez to nie popełniam gaf, młodsze koleżanki bywają leniwe i po źle zrobionym researchu, po byle jakiej dokumentacji zrażają do siebie rozmówcę. Regina stale jeszcze chce zahaczać o to pokolenie, którego młodsze nie pamięta, ale coraz bardziej ulega naciskom trendu i sięga po tematy gładsze, młodsze postacie, za to bardziej błyszczące. Jestem nimi śmiertelnie znużona. Co mają do powiedzenia, czego nie wiem? Nie wiemy? Czego nie doniosły tabloidy?

O tym wszystkim dzisiaj rozmawiałam z Reginą na naszym tarasie.

Było gorąco, kupiłam lody i zaprosiłam ją na nasz na taras. Mamy taki w naszym budynku — koło kawiarki i windy.

Jesteśmy najstarsze w firmie. To cud, że ona się utrzymuje na stołku! We wszystkich kolorowych już dziesięć razy zmieniono naczelne. Na młodsze oczywiście.

— Marianna, ja to wszystko wiem, ty wiesz, ale to nie ty dbasz, żeby pismo się sprzedawało! Taki jest wskaźnik, chcą celebrytów, chcą plotek o nich…

— Porozmawiam na wyłączność z Elizą. Pamiętasz, jak ją opuścił ten aktor, no, co grał w filmie tego przystojnego szkopa, no… to się pocięła w domu i ledwo ją odratowali. Taka historia! Wtedy nic nikomu nie powiedziała, a mi teraz powie!

— Może i powie, Marianna, ale kto to będzie chciał czytać? To zaprzeszłe dzieje! Oni by woleli identyczną historię, ale tych młodych z seriali…

— Patrz, Regina, a my doskonale pamiętamy, jak Olbrychski, Pe-
repeczko i Łapicki to były ciacha… Łamali babskie serca! Dasz wiarę,
jakie jesteśmy…

— Dojrzałe — szybko powiedziała Regina, zlizując lody z widelca,
bo łyżeczek w kuchence nie znalazłam.

— Co dalej z pismem? Niewesoło jest? — zmieniłam temat.

— Niewesoło. Nie są dobrze punktowane materiały ambitne, więc
trzeba je mądrze przemycać, nadać im ciekawą formę, wiesz, opakowanie… Mańka. Jestem już tym zmęczona… Naciski są okropne,
coraz bardziej mnie wkurzają. Schodzimy na poziom bruku…

— Olej to — mruknęłam. — Rzucimy im to, czego chcą. Postaram się, obiecuję. Regina, a ty nie miałaś urlopu od trzech lat, wyjedź
gdzieś! Na dwa tygodnie. Pismo bez ciebie nie padnie! Wyznacz Zosię
na swoje miejsce i jedź!

— Zosię? Wolałabym ciebie.

— Nie ma mowy!

— Dlaczego?

— Mam na głowie Lilę, nie.

— Marianna, to szansa, bo jak mnie trafi szlag…

— Nie trafi, a jeśli nawet, to mnie, takiej starej nikt na stołek naczelnej nie zaprosi, zresztą już teraz nie chciałabym!

— Ale wiesz… to byłoby polecenie służbowe! — uśmiechnęła się
zawadiacko i dodała: — To ostatni gwizdek, żebym się faktycznie
urwała. Numer wrześniowy mamy zapięty, październikowy ładnie się
wypełnia, mogłabym zabrać Stefana i pojechać do Kaśki.

— Tęsknisz za nią, co? Jak jej tam? Jak ten twój zięć… Indianin?

— Pół-Aborygen, a nie Indianin. Mieszkają w Perth. Cudowni
są! Pokazywałam ci, jak mała Jo urosła? Pokażę ci, mam zdjęcia
w laptopie. Może byśmy polecieli? — zadumała się. — Ty masz
rację. Jestem potwornie zmęczona i stęskniona za córką, wnuczką.
A Stefan oszaleje z radości! Mańka, obejmiesz stołek pod moją nieobecność!

Poczułam się dumna. Jednak! Będę p.o. naczelnej. Będę Reginą
Drugą. Nie chciałabym na stałe, nie chcę tej całej odpowiedzialności,
ale na chwilę mogę!

Zrobiło mi się wesoło. Pakowałam się, jeszcze sprawdziłam maile. Grześ pisze, że pracuje dużo, ale jest dziko szczęśliwy, bo mają
ciekawe przypadki i dopuszczają go do zabiegów, chwalą! Wakacji

nie mają zbyt dużo, Tadzio złapał jakąś anginę, Iga też, ale ogólnie jest dobrze. Drugi mail był od... Antoniego.

Miła Pani Marianno!

Zamilkła Pani, a ja tu na wygnaniu jestem spragniony ludzkiego języka!

Może i byłem zbyt obcesowy? Jeśli tak, przepraszam, ale proszę Panią o możliwość pogadania. Jestem poza Krajem już wiele lat, przyjeżdżam do Polski raz do roku na wakacje i, szczerze mówiąc, to mało. Jeśli mógłbym liczyć na jakąś od czasu do czasu wymianę myśli, byłbym szczęśliwy.

Znalazłaby Pani czas?

Tak zwyczajnie — pogadać, jak człowiek z człowiekiem.

Serdecznie pozdrawiam — Antek

PS. Marianna, naprawdę tak ma Pani na imię? Ładnie, nietypowo.

Uśmiechnęłam się.

Chce pogadać jak człowiek z człowiekiem! Jak ja go rozumiem! Też czasem pogadałabym. Z tatą to nie to samo, zawsze jestem córką i teraz szczególnie cenzuruję nasze rozmowy — jak najmniej nerwów. Z Lilką nie gadam o wszystkim. Gienek zmarł, a Włodek... O właśnie, zaniedbałam go. Wyjechał wiosną do przyjaciół w Kotlinie Kłodzkiej i nie odzywa się. Zapomniał o mnie! — pomyślałam gniewnie, z przyganą.

Wychodząc już, w portierni dostałam list, zaadresowany do mnie ładnym charakterem ręcznego pisma „Marianna Roszkowska". Nie jest to pismo Czarka, chyba dał mi spokój? Ofelia? E, nie, on bazgrze, widziałam, jak wpisywał ludzi na listę zajęć. Och, zapewne jakiś czytelnik albo czytelniczka emerytka — do torebki, na potem!

Najpierw jednak Włodzio. Zadzwoniłam. Odebrał w miarę szybko.

— No, cześć! — sarknęłam krótko.

— Mania?! Marianna, mój kwiecie kochany! No nareszcie!

— Co „nareszcie"? Ty stary dziadu, zapomniałeś o mnie?! Jak mogłeś?! Dzwoniłam jakiś miesiąc temu, ale nie odebrałeś, dobrze się bawisz?

Cisza, chyba się uśmiecha...

— Doskonale! A ty?

— Włodek, gdzie ty się podziewasz? Jesteś jeszcze u przyjaciół czy już w domu? Odwiedzę cię!

— Poczekaj, za tydzień, dobrze? Za tydzień, Marianno, bo... Za tydzień, czekam! — głos mu drży czy co?

Zapisałam w kalendarzyku i pojechałam do domu.

Nienawidzę Warszawy w piątki! Nawet teraz, latem, kiedy jest mniej nas w stolicy, korki piątkowe są klasyką o siedemnastej. W Śródmieściu rozkopy, ruch na Saską Kępę skupia się na Trasie Łazienkowskiej i Poniatowszczaku, inne mosty też poklopsowane. Buspasy sprawiły, że wesoło nie jest.

Klimatyzacjo! Dzięki ci. Zatrzymuję się koło garażu, chwilę myślę, czy będzie mi potrzebny dzisiaj samochód czy nie, i wprowadzam go jednak do środka. Wysokie topole szeleszczą liśćmi, powietrze się rusza, całe szczęście. Jest piękny, gorący dzień późnego lata. Może wyciągnę Lilkę na spacer?

Idę do domu, śpiewając sobie cicho: „A mnie jest szkoda lata", bo szkoda!

W domu cisza. Lilka chyba śpi, bo drzwi do jej pokoju zamknięte.

Siadam cicho w kuchni i nalewam sobie zimną zieloną herbatę z dzbanka. Co to za list? Przypominam sobie i wyjmuję go z torebki, rozrywam kopertę i czytam:

Witam Panią!

Nazywam się Marcin Witowski, to ja znalazłem Pani komórkę. Pamięta mnie Pani?

Pani tak się zdziwiła, że znalazłem, że oddałem i że to niby takie normalne, ale rzadkie. Prawda. Ja też cierpię, gdy świat wkoło mnie rozczarowuje i nie widzę w nim przyjaźni, ludzkich odruchów, zwykłej serdeczności.

Pani jest młodsza, ale ogólnie, nasze pokolenie pamięta, że bywaliśmy weseli, mili dla siebie, że chyba było jakoś cieplej? Inaczej? Czy to ja się starzeję i idealizuję?

Przeczytałem Pani tekst nie tylko ten ostatni, ale i poprzednie, kilka wywiadów... Pani jest mądrą i wrażliwą osobą, warto było znaleźć Pani telefon!

Czy nie będę zbyt natarczywy, jeśli zapytałbym Panią o możliwość wypicia wspólnie kawy, zielonej herbaty, chłodnego soku i pogadania sobie?

Marcin

No... też coś?! I tak teraz parami będą panowie się mną interesować?

Powinien się odnaleźć znów Czarek i Jarek. O, proszę, nawet ich imiona się rymują.

Czarek niech spada i nie pokazuje mi się na oczy, ale pozostali...? I to teraz, kiedy jestem podstarzałą i średnio zainteresowaną randkowaniem kobietą, pojawia się trzech facetów! Zupełnie jak w piosence Rodowicz. Nucę sobie:

W moim przedziale wszyscy trzej
ten z Syracuse, ten z Cheetaway

Jarek jakby już wrócił do swojej bajki, nawet wywietrzał mi z głowy, ale Antek i Marcin pojawili się nagle i obaj proszą o spotkanie. Marcin w realu, Antek w wirtualu. Świetnie! A myślałam ostatnio, że ja to już tylko — dom, Lilka, tatko i że już chyba się przeistoczyłam w emerytowaną pielęgniarkę...

Uśmiechnęłam się do siebie. Faceci? No... Przyjemne!

Niechaj tylko Czarek się już nie pojawia! Temu panu już dziękujemy!

Zupa zimna, szczawiówka z wczoraj. Zjadłam ją jako chłodnik, znalazłszy w lodówce dwa jajka na twardo. Dopchnęłam pajdą świeżego chleba z pomidorem. Zachowuję się cicho, skoro Lila śpi. Widocznie potrzebuje snu albo źle spała w nocy.

Niestety, budzi ją chyba dzwonek mojej komórki i moja rozmowa z ojcem o codzienności. Wchodzi do kuchni zaspana, w dresie, albo... Zapłakana? Z pewnością roztrzęsiona.

— Lilutku, co jest?

Siada naprzeciwko mnie, twarz podpiera piąstką i bierze moją dłoń swoją szczupłą i zimną łapką. Nic nie mówi, tylko ściska i oczy się jej robią wielkie i szkliste. Patrzy na mnie bezradnie, dramatycznie, chce coś powiedzieć, ale nie może. Poczekam.

Ale jest lodowata! Chociaż jest gorąco na zewnątrz, ona jest zmarznięta!

— Co się stało?! Boli?

Kręci głową, łapie oddech. Wreszcie mówi do mnie:

— Mańka, jest źle. Myślałam, że mi wróciła miesiączka...

— No Li, doktor mówił, że różnie może być, nie miesiączkujesz, bo chorujesz, ale...

— Mania — przerywa mi cicho, trzęsącym się głosem — to nie miesiączka jednak...

— Ach, to może jakaś infekcja? Pójdę po lactovaginal, a może lacibios? Masz jakąś mało fajną wydzielinę, tak? Wypłuczesz to tą pompką Tantum Rosa i po sprawie! A jak nie, lekarz ci zapisze coś silniejszego, jakieś czopki, gałeczki!

Patrzy na mnie bezradnie, milczy, a z jej oczu kapią wielkie łzy.

— To jest... kupa, coś mi się złego porobiło!

— Niemożliwe... Sprawdzałaś?!

— Sprawdziłam! — krzyknęła, płacząc: — Mańka, co... co to jest?!

— Poczekaj, zadzwonię do Kalika. Dzwoniłaś?

— Nie — kręci głową — czekałam na ciebie.

Jasne, wystraszyła się. A ja, chociaż boję się jak ona, dzwonię, bo muszę wiedzieć!

Czekam kilka minut, bo telefon doktora jest zajęty. Lilka siedzi spięta, wzrok ma wbity we mnie jak skazaniec.

— Halo? Doktor Kalik? Witam, tu Marianna Roszkowska, siostra Lilki. Panie doktorze, mamy takie pytanie, Lila dzisiaj znalazła na wkładce rodzaj plamienia, ale to nie krew, raczej, jak ona twierdzi, to... kał? To możliwe?!

W słuchawce słyszę oddech doktora, chrząknięcie i po pauzie odpowiedź suchą i spokojną:

— Tak, to możliwe. Pewnie utworzyła się przetoka między kiszką stolcową a pochwą. Tak bywa, niestety. Obawiałem się tego.

— Co robimy? — pytam twardo, żeby pokazać Lilce, że COŚ RO-BIMY! Gienek zaraz by ironizował: „Przyczepiło się gówno do okrętu i powiada MY płyniemy!". Ano tak, może się przyczepiło, ale ja tego tak nie zostawię!

Kalik chrząka i mówi:

— Proszę przyjechać jutro z rana, na Wawelską, albo po południu, na Andersa.

— Pan coś wymyśli? — pytam jak pięciolatka.

— Postaram się, a pani... Niech pani pocieszy i pozdrowi panią Lilkę. Wymyślimy coś!

Uścisk dłoni Lili słabnie, ale wzrok ma pytający.

— No słyszałaś, jutro do doktora. Spytam Reginę, czy mi da wolne przedpołudnie, i pojedziemy na Wawelską, tak?

Milczy.

— No, tak? Liluś, doktor powiedział, że coś wymyśli, i wcale nie był zaskoczony, to się zdarza, a oni od tego są, żeby znaleźć rozwiązanie! Ty nic nie jadłaś!

Kiwa głową ta moja biedna mała, więc pytam:

— Co zjesz? Lilka, musisz coś jeść!

Myśli, myśli i widzę, że nie ma zanadto chęci na jedzenie, ale boi się ze mną zadzierać, więc wymyśla na poczekaniu:

— Zjadłabym... twoją pomidorówkę z lanymi kluseczkami...

— Ale wymyśliłaś! Daj mi pół godziny! A na razie wypij sok, masz tu — wystawiam jej z lodówki sok buraczany, wyciskany wczoraj.

Nie chce mi się, ale zbiegam do naszych delikatesów, na drugą stronę ulicy.

Drzewa rzucają na chodnik jaki taki cień, powietrze jest ciepłe, gęste, pyliste. To Saska Kępa, mogę sobie być w lekkim dezabilu, to znaczy w dzisiejszym języku nieogarnięta. Idę szybko, ubrana w krótkie dresowe spodnie, podkoszulek i zielone crocsy. Kompletnie nie dbam o to, jak teraz wyglądam, jestem po pracy! Traktuję nasze wytworne delikatesy jak zwykłe podwórko. Nie mam w domu włoszczyzny, nic! Nawet pomidorów. Te kupuję, wracając, na straganie koło przystanku, a włoszczyznę mam już w siatce, mrożoną. Jajka i gorzką czekoladę też.

Pod klatką schodową stoi... Czarek. No mówiłam! Zlot jakiś czy co?

Jestem zła, a on widząc to, podnosi do góry ręce, jakby się poddawał.

— Marianna, nie złość się, proszę! Rozmawiałem z moim terapeutą, ochrzanił mnie za to, co robiłem, przepraszam, ale chciałem cię zobaczyć, to silniejsze ode mnie. Przepraszam! Myślę, że możemy być jakoś, no żebyś nie myślała, że ja chcę cię molestować czy mobbingować...

— To się nazywa stalking i jest karalne. Twój terapeuta ci tego nie objaśnił? Nie, Czarek, nie możemy i chyba dość dobitnie ci powiedziałam, że nie jestem zainteresowana kontaktami z tobą, i to nie dlatego, że siedziałeś, a dlatego, że nic, kompletnie nic nas nie łączy!

— Ale łączyło...

— I to nie jest żaden powód! Ani przyczyna, nic! Przestań mnie nachodzić!

— Ale przecież ja bez agresji, ja chciałbym tak czasem, pogadać... Ja się zmieniłem!

— Czarek, słyszałeś? Nie! Mam ciężko chorą siostrę, nie mam czasu spowiadać ci się z tego, odejdź, zamknij ten rozdział i już do niego nie wracaj.

— Jesteś okropną egoistką, moglibyśmy się spotykać jak przyjaciele. Może mógłbym wam pomóc? Chcę utrzymywać kontakty z fajnymi ludźmi, żebym sam mógł stać się lepszy! Nadal się spotykasz z tym... osiłkiem? To twój facet? Bo chyba nie mąż?

— Nie twoja sprawa. Czarek, ty szukasz tyczki, po której będziesz się wspinać, ale to nie ja. Ja mam Lilkę, wychrzaniaj stąd i nigdy już nie wracaj!

Wściekła weszłam do klatki krokiem dragona. Ma facet tupet! Poprzedni Czarek, ten sprzed więzienia i terapii, wściekłby się, a ten tu, świętoszkowato uśmiechnięty, faktycznie opanował wybuchy agresji, ale... nie podoba mi się to, co mówi, co robi. To namolne i złe! Wkurzył mnie i z lekka przestraszył. Oddycham szybciej, idąc po schodach.

Wyluzowałam, robiąc Lilce tę zupinę na włoszczyźnie, postną pomidorówkę.

Na oliwie lekko podgrzałam czosnek i cebulę, wsypałam włoszczyznę Julienne i zalałam wodą. Jak zmiękła, dodałam pomidory, które z miłości do Lili cierpliwie pozbawiałam skórki, żeby jej nic nie utkwiło, nie zaszkodziło. Zmiksowane wlałam do zupy i ukręciłam lane ciasto.

Lubię patrzeć, jak ona nabiera sobie tej zupy do małego kubeczka i niesie do pokoju.

Siada po turecku na moim tapczanie i każde mi opowiadać.

— Mów, Mania, opowiadaj mi byle co, proszę...

Niech je. Ja klepię jej o mojej rozmowie z Reginą i mailach od Antoniego i tego całego Marcina, Lilka komentuje to nawet wesoło i zjada. Nie muszę jej zmuszać. Taka jest chuda...

— Bo ty w siebie nie wierzysz, a nie jesteś, Mańka, jakimś paszczakiem! — Lila najedzona tą odrobiną zupy poleguje na boku i patrzy na mnie, jak siedzę koło komputera i czytam jeszcze raz mail od Antoniego. Co mu odpisać? Ach, później pomyślę!

Podchodzę do mojej siostry.

— Wystraszyłaś się? — obejmuję ją.

— Jak jasna cholera... — szepcze i czuję jej uścisk, mocny niczym tonącego. Jakby chciała uczepić się mnie, zdrowej, i żebym ją wyciągnęła z tej choroby, z tego strachu.

Nie potrafię nic zrobić, tylko ją kołyszę w ramionach, mrucząc jakieś czułości.

Wieczorem zasnęła w moim łóżku. Cały czas byłam blisko niej. Nie chciałam, żeby choć przez chwilę była sama w pokoju, więc kazałam jej po umyciu się wejść do mojego łóżka.

W nocy, gdy spała, wstałam cicho i poszłam z laptopem do kuchni.

Wklikałam hasło „przetoka".

„Przetoka (łac. *fistula*) — w medycynie połączenie dwóch lub (rzadziej) więcej narządów powstające na skutek procesów patologicznych".

Ojej... a teraz leczenie.

„...wykonuje się stomię".

Ach! Stomia, prawda. Poszerzam wiedzę o tym, co to jest stomia. Czytam wszystko, co mi daje Internet. Oglądam zdjęcia.

Długo nie mogę zasnąć, obok mnie śpi Lilka, której dałam na sen waleriany. Sama też machnęłam łyżkę. Biorę jej dłoń, która zaciska mi się chyba automatycznie, i zasypiam wreszcie.

Lilka zdecydowała, że pojedziemy na Andersa. Wawelska ją dołuje. Sama zadzwoniła do Kalika i wypytała o prywatny gabinet, w którym diagnozuje. Zapłacimy za to, że nie siedzimy w wielkiej kolejce całe w nerwach i trwodze. Co innego, jak czekamy na chemię, a co innego teraz, kiedy chyba się jej zrobiła ta przetoka.

Mamy wizytę o szesnastej, więc pojechałam do redakcji na kilka godzin i wróciłam na pierwszą. Lilka czeka w napięciu, krząta się po domu, porządkuje sobie rzeczy, czyta czasopismo, choć wiem, że w głowie ma zupełnie co innego. Kąpie się, przebiera, denerwuje. Wcale się jej nie dziwię.

Mamy jeszcze sporo czasu do wyjścia, Lilka sobie robi pedicure, więc siadam do komputera odpisać na te męskie maile...

Antku!
Skoro mamy korespondować, bądźmy po imieniu — OK? Pisać tak: Panie Antoni — to jakoś tak strasznie oficjalnie!

Tak, Marianna to moje najprawdziwsze imię. Kiedyś utrapienie, bo jako dziecko wolałam mieć na imię Karina, Beata albo Jolanta. Ale później mi przeszło i polubiłam, bo rzadkie.

Ładnie piszesz o Polsce — Kraj przez duże K. Stara szkoła szacunku dla Ojczyzny?

I co to znaczy „na wygnaniu"?

U nas piękna końcówka lata. Gorąco, babie lato widziałam dzisiaj na podwórku. Widać je tylko w słońcu. Płyną sobie w powietrzu takie niteczki niewidzialnych latawców.

A u Ciebie? Jaka pogoda? Gdzie jest to Twoje „wygnanie"?
Wracam do pracy, to znaczy klikania.
Pozdrawiam. Marianna

Przeczytałam kilka razy mój mail. No, jeśli go wyślę, to znaczy: podjęłam propozycję. Zacznę korespondować z nieznanym mi człowiekiem, a do tej pory klikałam tylko z bliskimi i klientami. Wysyłam teksty do autoryzacji, zamieniam z ludźmi kilka słów, i już.

Z Grzesiem to taka grzecznościówka, bo on nie jest wylewny, a już kompletnie nieuzdolniony literacko i te jego maile są de facto raportami. Nudnymi, co tu gadać...

OK. Wysyłam. Jestem dorosła, jak mnie ten Antek wkurzy, to za-przestanę i już!

A Marcin?

Hm. Przystojny — to miałam w głowie. Nazbyt, jak dla mnie. W moim wieku? Starszy? Z pewnością fajnie ubrany, bo facet, który latem nosi niedbały, ale dobrany kolorystycznie bawełniany szalik do szarej lekkiej marynarki, to ktoś o wysmakowanym guście.

Albo... żona go ładnie ubiera! No, cóż. Jeśli jest żonaty, to nie, nie, nie.

Panie Marcinie, miło mi bardzo, że czytał Pan moje teksty. Propo-zycja spotkania także miła, ale czy stosowna?

Nawet Pan nie wie, czy przypadkiem nie jestem mężatką z zazdro-snym jak Otello mężem, ani ja nie mam pojęcia, czy Pan nie jest żonaty. Pół biedy, jeśli to normalna kobieta, ale jak to Złośnica, jak u Szekspi-ra? Lubię jasne sytuacje.

M.

Kliknęłam w enter.

Minuty do wizyty ciągną się długo, Lilka kładzie warstwę podkładu na paznokcie. Pewnie jeszcze sobie zrobi pazurki na dłoniach. Mam czas!

Napisałam też do Włodka.

Kochany, Stary Pierniku!

Czy zamierzasz mnie w końcu wpuścić do swojej twierdzy?

U nas różnie. W redakcji nastrój napięty, bo konkurencja spora, walka o czytelnika zajadła odbywa się kosztem jakości. Wiesz, co mam na myśli. Coraz więcej chłamu opakowanego pięknie i reklamy, teksty sponsorowane.

W domu smutno, bo Lila ma przetokę nowotworową. Zaraz jedzie-my do lekarza. Jestem cała w nerwach. Czy to znaczy, że rak się nie zatruł tą chemią?!

Chyba tak... Dlaczego?!

Nie mówiłam Ci, bo nie było okazji, ale narobiło mi się zalotników! Jakie to śmieszne, przylecieli stadkiem. Antoni w wirtualu, Marcin też w wirtualu, ale namawia na real, i odezwał się Czarek, mój dręczyciel z młodości całkiem w realu, i Jarek, mój... no szczerze to napiszę — ko-

chanek (z którym zerwałam już miłosne więzy) stanął w mojej obronie
i przepędził namolnego Czarka.

Wyobrażasz sobie? Embarras de richesse!

Co u Ciebie? Pisz, bo Cię stłukę na kwaśne!

Mania

Wreszcie Lilka stanęła w drzwiach gotowa do wyjazdu. Czyściutka
i pachnąca, blada i poważna.

— Chodź. Mogą być korki…

Jedziemy po pomoc do doktora. Pełne nadziei.

— Liluś, zobaczysz, że doktor coś wymyśli, nie zamartwiaj się tak.
Czytałam, że to się zdarza! Potem to jakoś rekonstruują.

— Tak?

— A tak! Jeśli zwieracze odbytu są w porządku, to po zaleczeniu
bywa, że z powrotem wszczepiają, wiesz… U ciebie tak właśnie może
być, bo przetokę masz zapewne wyżej niż zwieracze.

Kłamię jak z nut. Nie znam się, znaczy tak bywa, czytałam, ale czy u Lilki tak będzie? Mój nos powinien się zrobić jak u Pinokia — dłuuugaśny.

Lilka milczy. Racja. Po co gadać?

Doktor Kalik potwierdził — jest przetoka. No jest i już!

— Moje panie. Zrobimy tak… Pani Lilko, tu wypisuję pani skierowanie do szpitala, do Centrum. Może pani przyjechać jak najszybciej.

— Jutro! — wtrąca Li.

— Tak, tak, nawet jutro, ja tam zaraz zadzwonię do Jasińskiego.

— Ale co, doktorze — zaczepiam go jeszcze. — Stomia?

— Tak. Najprawdopodobniej zrobimy pani Lilce kolostomię… No
nie bardzo mogę teraz mówić na sto procent, bo nie wiem, co zastanę
w polu operacyjnym. Prawda?

Lilka jęknęła i schowała twarz w dłoniach. Doktor dotknął jej dłoni
i powiedział łagodnie:

— Pani Lilu, to konieczne. Po leczeniu chirurgicznym, po tym, co
ja tam w środku zastanę, może się okazać, że za jakiś czas wrócimy do
stanu normalnego. Jeśli to są drobne sprawy, łagodne… Niech się pani
tak nie denerwuje! Przecież… staniemy na głowie, ale razem, dobrze?
No? Pani Lilu, pani też musi chcieć, tak?

Lila kiwa głową, jest bliska płaczu, widzę to. Stara się zachować
spokój, jest dzielna!

Doktor tłumaczy nam działanie stomii, uspokaja. Umie to zrobić. Lila już nie ma mokrych oczu, wstaje i żegna się. Niewesoła, ale i, jak widzę, niezałamana. Wychodzimy.

W samochodzie Lilka milczy. Zatopiła się w myślach, więc jej nie zagaduję. Odpalam samochód, ale nie ruszam. Przytulam ją i całuję w krótkie, kręcone, rudawe włoski, jak... mama. Jestem starszą siostrą. Jak to dobrze, że z nią jestem! No, co ona by sama zrobiła?!

Dopiero w domu Lila daje głos. Przebrana w swój welurowy, fioletowy dres kładzie się na moim tapczanie z pytaniem:

— Mogę tu? Poprzeszkadzam ci, ale nie chcę być sama w moim pokoju.

— Poprzeszkadzaj. Wszystko dobrze? Jak ci?

— Pobolewa troszkę po badaniu... poleżę tu, będę cicho.

— Bądź...

Siadam do wywiadu z uczestniczkami konkursu modelek w telewizji. Nic z tego nie wyjdzie. Rozmowa była o tym, po co im to, czy wierzą, że dzięki temu konkursowi coś faktycznie zmieni się w ich życiu. Mówią sporo, chętnie, ale wszystko to takie oczywiste, wyuczone. Za nic nie wchodzą na grząski grunt kulis. Prywatności.

To, szczerze mówiąc, kiepski program, bo dziewczyny są tam poddane ostrej krytyce, z poniżaniem włącznie, co widać i słychać, ale... żadna się nie skarży. Bagatelizują każde moje pytanie o to, a przecież byłam za kulisami. Widziałam łzy, szloch... to było prawdziwe! Dopiero kiedy jedną z nich wiozę do domu, bo ma po drodze, panna zwierza się w głębokiej tajemnicy, że podpisały papiery lojalnościowe. Pod groźbą kary finansowej nie wolno im w żaden sposób publicznie krytykować tego, co się dzieje. Nic z tym nie zrobię. Jestem zaszachowana. No i nie pracuję w tabloidzie, nie jestem sensatką, nie gonię za tajemnicami tylko po to, żeby je tanio sprzedać. Nie mogę wywlec tego, co wiem, bo panna za to słono zapłaci.

Smutne. Spisywanie rozmowy z niedoszłymi modelkami idzie mi jak po grudzie.

Lilka jest zła. Nie rozumie, jak tak można. Ma podły humor i wcale się jej nie dziwię.

— Marianna, ty to słyszysz? One są po prostu głupie!

— Lila, nie tak ostro, głupie może nie, ale naiwne i z małych miast, zdesperowane. Nastawione na bezpardonową walkę, ale chyba się przeliczyły.

— Ten cały modeling to jakaś paranoja! — Lila prycha wściekle.
— To masowa produkcja nieszczęśliwych chuderlawych kobiet znie-
wolonych i torturowanych dietami tylko dlatego, żeby potem człapały
po wybiegach z minami nieszczęśnic!

— Masz rację. Nie, z tego wywiadu nic… nic!

— Mańka, tyle paplania o wyzwoleniu kobiet, a te idiotki same
się pchają w niewolę! W dyktaturę gejów i krawcowych, które same
przy tuszy każą tym modelkom nie jeść, nie pić i wmawiają nam, że
na takim kiju „sukienki lepiej się układają”! Co za absurd!

— Masz rację. Kiecki bez zaszewek, modelki bez biustów i pup.
Kości im wystają te obojczykowe, na dekolcie żebrowanie widać spod
skóry, biodra kościste i chód okropny! Jak czaple… — dołączam moje
dwa grosze.

— I to jeszcze inna kobieta, kobieta! — Lilka jest oburzona —
wywija im nad głową knutem, chlaszcze niewybrednymi tekstami, bo
sama się uważa za kogoś z lepszej gliny, małpa jedna!

— Też mnie to dziwi — mówię i zatrzymuję dyktafon.

Nic z tego! Gówniany materiał. Zdążę jeszcze powiedzieć Reginie,
że nici z tego, to był materiał zapasowy, taki „w zastępstwie”, gdyby coś
wypadło. Robimy czasem takie, jak mamy czas albo jak mamy okazję. To
pomysł Reginy. W ten sposób ma zawsze święty spokój, kiedy z nagła coś
nie wypala. Rzadko się to zdarza, ale bywa. Raz jest to wywiad, raz jakieś
wspomnienie o kimś, ale najczęściej jakaś psychologiczna opowiastka
albo coś o życiu, co można zamieścić niezależnie od pory roku.

Myślałam, że z tymi modelkami zrobię fajny materiał, Krzyś do-
robi dobre, dynamiczne zdjęcia. Takie cudne, wystrojone, umalowane
i śliczne oraz te takie kompletnie na surowo, z garderoby, w dresach
i śpiące albo malujące się. No, ale sama za nie mówić nie mam zamiaru, a z tego, co i jak mówiły, to ja cudu nie zrobię!

— No i kiszka! — mówię do Lilki i już, już chcę zamknąć komputer, gdy widzę kopertę.

To ten Marcin:

Pani Marianno!
Spieszę donieść, że na przeszkodzie stałby jedynie jakiś Otello!
Zrobiłem drobny wywiad i wiem, że nie jest Pani mężatką. Stąd moja
odwaga. Ja jestem wolnym strzelcem, choć może to źle zabrzmi. Nie
jestem wszak na polowaniu!

Jeśli moja propozycja nie jest zbyt bezczelna — ponawiam.
W miejscu publicznym, na herbatę albo kawę — pogadać.
Zna Pani Tea Room na Francuskiej? Urokliwe miejsce.
Jutro o 18.00?
Marcin

Przeczytałam to Lilce.

— Jak mnie jutro zostawisz w Centrum, to potem sobie odreaguj na randce!

— Li, to nie tak...

— Mania, ja nie żartuję. Co byś robiła? Siedziałbyś ze mną i trzymała za rękę? Ja sobie poradzę! Znam już to uczucie, byłam w Centrum, daj spokój. Tacie nic nie mów! Idź na tę randkę!

— Lilka, tak nie możemy! Powiem ojcu, ale oględnie. OK?

— Oględnie, błagam! A teraz chodź i pobądź ze mną.

Włażę na tapczan, siadam za Lilą i pozwalam jej ułożyć się plecami do mnie. Włączamy coś i oglądamy. Gładzę ją po krótkich i rzadkich włosach, a jak ją boli, kołyszę i to ją podobno uspokaja. Jest jak dziecko. Oglądamy *Alicję w Krainie Czarów* z Johnnym Deppem. Lilka chyba śledzi film, bo czasem rzuca jakąś uwagę:

— Patrz, jaki znakomity kostium Kapelusznika! Colleen Atwood! Znakomita jest!

— Kto?

— Atwood, kostiumolożka! Patrzę i wiesz, żałuję, że w to nie poszłam zawodowo.

— Wszystko jeszcze przed tobą, pamiętam, jak mi uszyłaś moje pierwsze dzwony. Kupię ci maszynę do szycia i już!

— Ach, coś ty! Mówisz, jakbyś nie wiedziała, że u nas to... niemożliwe! Nie kręci się takich filmów, a kostiumolog w serialach zajmuje się kupowaniem w ciucholandach albo w normalnych tam... szmat na plan. Nuda! Ja bym chciała jak ona, poszaleć! U nas jedyna taka mistrzyni to Barbara Ptak — ty wiesz, że ona robiła *Radziwiłłównę* z niczego, w tej szaroburej Polsce z kartkami na mięso? Czemu ja nie poszłam w kostiumy? Głupia...

— Racja... — odpowiadam, ale myślę o tym, czy mam się spotkać z tym Marcinem. Randkować, kiedy Lilka choruje? Czy to nie głupie? Czy powinnam?

Pod pretekstem wypadu po zimne piwo do delikatesów wychodzę

do sklepu z telefonem. Dzwonię do Agaty. Opowiadam jej o Lilce, o stomii i operacji. Agata jest poruszona i chwali mnie za moje zaangażowanie, wiedzę i za to, jak się Lilką opiekuję. Że to w moim wykonaniu zawodowstwo! Miło mi, potrzebuję wsparcia!

— Marianna, ale to nie jest dobrze, że ona ma przetokę… — Agata zamyśla się. Chce mi powiedzieć to, co ja wiem, co czuję.

— Też tak myślę. To oznacza przerzuty, chociaż Kalik mówił Lilce, że czasem po chemii tak się robi, że bliznowacenie, że… ale ja czuję, że to — niestety — przerzuty. O matko, jak ja się tego bałam! — wzdycham ciężko.

— Chcesz przyjść?

— Nie. Jest dobrze, trzymamy się. Jutro zawożę Lilkę do Centrum na zabieg. Wiesz co? W związku z tym też dzwonię. Agata, pewien miły pan proponuje mi jutro elegancką randkę w Tea Roomie.

— I…? W tym naszym? Na Francuskiej? — Agata nie rozumie, o co mi chodzi.

— No, bo wiesz, Lilka w szpitalu…

— No, ale jutro jeszcze jej nie skroją, jak ją zawieziesz, to najpierw badania, i może pojutrze…

— Ach, prawda… No, ale czy to nie głupio tak randkować, jak ona w potrzebie?

— Marianna! Co ty bredzisz? Co to ma do rzeczy? Twoja opieka, serdeczność i troska dla Lilki to jedno, a twoje prywatne życie to drugie. Twoja wola, czy chcesz, czy nie. Wiesz, że takie spotkania odbarczają, pozwalają odreagować stres, dlatego cię zapytałam, czy chcesz wpaść do mnie, ale randka lepsza! Skąd go wzięłaś, bo to chyba nie jest ten od siłowni?

— Nie, już nie! Ten znalazł moją komórkę i mi ją oddał.

— I za to chce spotkania?

— Nie, oddał i już. Potem dopiero, jak już minął tydzień, a on wypytał w redakcji, czy jestem wolna, napisał maila z propozycją.

— A… no to powiedz, czy przystojny? Chcesz iść? Fajny jest?

— No właśnie w tym sęk, że jest bardzo przystojny. Szalenie wręcz. W moim wieku, szpakowaty, więc czemu uderza do mnie, a nie do jakiejś ładnej, młodej laski?

— Może dla niego ty jesteś ładna laska? A może młodych ma już po kokardę? Zorientujesz się, czy to miły pan, czy amator kwaśnych jabłek. Mądra jesteś, idź. A Lila co na to?

— Też mnie pcha.

— No widzisz? Idź! A po tej randce możesz wpaść! Opowiesz!

— OK.

Randka. Na szczęście nie w ciemno, ale randka, normalnie się uma-
wiam! Nie jakiś dziki, wariacki seks w przebieralni z Jarkiem, ale
randka… Ojeja!

Zawiozłam Lilę do Centrum Onkologii.

Zwyczajowa procedura już nie robi na nas wrażenia. Kolejka w sto zagibów, ale posuwa się dość szybko i już daję Lilusi buziaka, odbieram torbę z ciuchami i żegnam ją odzianą w szpitalną piżamkę i szlafrok, kapcie... Szpitalne. Kupione tylko na tę okazję.

Teraz stoi przede mną taka niby dorosła moja siostra, ale z oczami wystraszonego dziecka. Czekamy na starszą panią, która się przebiera. Lilka nic nie mówi, tylko się przytuliła do mnie z głębokim westchnięciem.

— No co, mój kurczaku? — próbuję jakoś lekko utwierdzić ją w przekonaniu, że to zwykła szpitalna wizyta, mamy takie za sobą!

— Mania... — szepcze Lilka — co to będzie?!

— A co ma być, Liluś? No potrzeba jest tam pogmerać, usunąć jakieś durne przetoki i na ten czas... przecież rozmawiałyśmy...

— Wiem, wiem... ale nie podoba mi się to.

Mogę ją tylko tulić w ramionach, bo sama byłabym wystraszona, przerażona, smutna. Ściskam ją, bo pielęgniarka nas ponagla.

— No idź — popycham ją w stronę pielęgniarki, a moja Lila mówi do mnie:

— Dobrze, mamusiu! — i macha mi łapką i próbuje się uśmiechnąć.

Wychodzę i beczę. Serce mi ściska żal i złość. Kurczę, no! Dlaczego ona?!

W Centrum nikogo nie dziwią łzy. Tyle ich tutaj! Tyle ludzkiego nieszczęścia, smutku, dramatu, że wyleczenia i powroty do zdrowia chyba jednak nie są w stanie tego zrównoważyć. Radość z powodu remisji, pełnego wyleczenia jest tu okazywana subtelnie, żeby nie epatować innych chorych, a łzy, lęk to taka tu codzienność. „Trzymaj się, kurczaku" — szepczę, wycierając oczy, i wychodzę na zewnątrz.

Pojechałam do redakcji popracować.

Regina wyjeżdża za tydzień. Przejmę stery. Ona mi idzie na rękę, jak potrzebuję, to i ja pobędę Reginą na czas jej odpoczynku w Perth u córki.

Ona i jej pyzaty mąż to jedna z niewielu doprawdy zgranych par. Lubią się, to widać. Tyle lat wspólnie przeżytych, a zawsze kiedy są razem w publicznych miejscach, uśmiechnięci, trzymają się za ręce, gadają ze sobą. Pozazdrościć. To taka rzadkość!

Lilka wysłała mi esemesa o badaniach, że pobrali jej krew, że zaraz idzie na USG. Mimo wszystko zastanawiam się — iść czy nie iść na to popołudniowe spotkanie z Panem Przystojnym? Czy to wypada? I moja Lileczka, jakby to wyczuwając, pisze mi następnego: „Idz, Manka, na te randke, bo ci leb urwe! Opowiesz, jaki jest pan Ladny".

Uśmiecham się. Otwieram maila od tego Marcina i odklikuję:

Witam, to ja, Marianna!
OK, dzisiaj o 18.00 w Tea Roomie.

W domu typowo przedrandkowo, jak każda chyba z nas — kąpiel, włosy, krem pod oczy, płatki kolagenowe, na podbródek krem na hemoroidy — znakomicie liftinguje!

Wiem, bo mi kosmetyczka szepnęła, że to tak na szybkie, nagłe przypadki. Kiedy się zdziwiłam, powiedziała z przekonaniem:

— No skoro ma za zadanie ściągnąć śluzówkę i naczynia... no, niech pani pomyśli!

Faktycznie! Kupiłam i mam w szufladzie na wszelkie i nagłe przypadki. Niech teraz pokaże, co umie! Mam ładnie wyglądać! Proszę mi ładnie podciągnąć skórę, bo już nie jest napięta jak na świeżej nektarynie, a reszta... no, ujdzie!

Suszarka, spokojnie! Kręcimy na dobrej piance, fryzura naturalna, jakby mi wiatr wiał we włosy. OK. Paznokcie... Oj, mogłam zajść do manikiurzystki! Trudno, tylko szczoteczka i świeży lakier transparentny. A może czerwony? Nie, na czerwony za wcześnie. Skromność. Na pierwszym spotkaniu nie epatujemy pana! To on będzie dokładnie obserwowany, a ja skromnie, nawet szaro, bez szaleństwa, że niby mi nie zależy. A... zależy? Tego jeszcze nie wiem.

Makijaż taki, jakby go nie było. Podkład matujący, rzęsy i cielisty błyszczyk. No, róż na policzki, ciut. OK! Lilka byłaby ze mnie dumna!

Sukienka... Nie! Jeansy i koszulowa bluzka z jedwabnym szalem. Bez szala! Za elegancko. Wystarczy biała koszulowa. W uszach dyskretne złote pchełki.

Telefon. No, akurat nie w porę, ale trudno, najwyżej się spóźnię.

— Włodek? Cześć, byku kochany!

— Nie odpisałem ci na maila, jestem już w domu, jak umierasz z nudów, to wpadnij!

— Włodeczku, wpadnę może jutro, co? Dzisiaj odstawiłam Lilkę do szpitala.

— Coś poważnego? — zgaduje.

— Tak, jutro ci opowiem. Teraz wybacz, muszę kończyć!

— Kim jest ten szczęśliwiec?

— Wszystko ci opowiem. Pa!

O, jaki ciekawski, a jaki domyślny! Perfumy. Wdech i lustro. Może być!

Zaśmiałam się, nucąc wczesną piosenkę Violetty Villas:

We włosach kliwii kwiat, dla ciebie, miły,
kolczyków ciepły blask, dla ciebie, miły.

Kliwia? Co to jest ta kliwia? Mam jeszcze czas, więc dopadam laptopa — Kliwia Clivia, roślina z amarylisowatych. O, jest zdjęcie. To jest „kliwii kwiat" we włosy? E! Nie zanadto się nadaje, ale do piosenki pasował!

Nucę Villas, bo się przyczepiło, i wychodzę. Idę pieszo, to w końcu na Francuskiej, blisko.

Odbiło mi... Ale to takie ekscytujące i miłe. Randka!

Założyłam wysokie obcasy. Czuję się znakomicie. I tylko ten niepokój z powodu Lilki. No i do taty nie dzwonię. Jak go znam, wytrzyma jeszcze dzień, dwa i zadzwoni sam.

Ciepłe popołudnie. Mijam stację krwiodawstwa, przychodnię i mimowolnie myślę o Lili. Lila kazała randkować, Agata też. OK, dziewczęta, idę!

Spacer ulicą Zwycięzców. Spacer, nie bieg! „Spokojnie, Mańka" — mówię sobie po cichu. Szłam w życiu na tyle spotkań! Ale jednak spotkania te niezawodowe, z interesującymi mężczyznami, są w jakiś sposób ekscytujące i niech mi nikt nie mówi, że nie! Nawet jak sobie wmawiam, że „Co to? A! Nic to!" — niewiele pomaga. Jednak randka to randka, a nie sądzę, żeby ów Marcin okazał się redaktorem z konkurencji (raczej się wszyscy znamy) i chciał zrobić wywiad. Ciekawe, swoją droga, kto to jest?

Mijam ludzi, mają całkiem zamazane twarze, choć zazwyczaj lubię obserwować.

Saska Kępa jest właściwie stara, oczywiście, że są młode małżeństwa, małe dzieci, ale dużo tu ludzi starych. Saskokępianie, mieszkańcy starych kamienic.

Ależ jednak klimatyczne są te uliczki, które pozostały po wojnie, domki, wille piękne i ciche, ogródki. Francuska się ucywilizowała po remoncie, dzisiaj jest ładniejsza! I ten Tea Room, urządzony w kilku pokojach parteru przy samej Francuskiej. Stare meble, stare koronki, lampy typowo domowe i mały ogródek z tyłu. Domowe ciasteczka, pyszne ciasta też domowego wypieku i ocean herbat!

Doskonałe, bardzo eleganckie i jednak przytulne miejsce na spotkanie.

Przed drzwiami herbaciarni czuję lekkie podenerwowanie. Jak za młodu! Nic się nie zmienia, człowiek stale ma podobne emocje! Czy jest już tam pan Marcin Przystojniak? I kto to jest tak naprawdę?

No! Jestem pięć minut po czasie. Udało mi się nie być przed czasem, jak to zwykle mi wychodzi. Rozglądam się — w rogu, przy stoliczku z lampą i kanapą siedzi on, a jakże. Wstaje, żeby się przywitać — rączka, cmoknonsens, ładnie, ładnie!

Siadam na tapicerowanym, miękkim krześle, bo kanapa jest dla mnie za niska, pan podsuwa mi to krzesło. To jeszcze nie ten etap, żeby się gnieździć na kanapie razem. Obowiązuje nas dystans. Punkt!

Jaka herbata? No nie wiem... Pan Ładny wybiera za moim pozwoleniem, pyta, czy lubię specyficzne, owocowe smaki, czy raczej klasyka. Proszę o klasykę.

Pyta, czy coś zjem. Tak, naturalnie, proszę o kruche rożki z różą!

O! Jaki miły. Wersal! Punkt!

No, miał rację Jarek-Ofelia, ja jednak lubię te formy i normy tak dzisiaj zjechane przez feministyczne fochy. Trochę o tym rozmawiamy, bo dzielę się tą uwagą z panem Przystojniakiem. Jest opalony, niewysoki, szpakowaty, włosy podciął lekko, w lnianej białej koszuli, lnianych szarawych spodniach i skórzanych sandałach na... bosą stopę! Punkt! No, jaka ekstrawagancja! No powinno to być normą, ale panowie mają jakieś dziwne lęki przed własnymi stopami i szczelnie otulają je w upały skarpetami. Pisałam o tym żartobliwy felieton swego czasu.

— Tak? — pan Lniany wyraźnie rozbawiony moją uwagą i zaciekawiony tym, że można o tym felieton!

— Oczywiście, że można. Czy to nie dziwne, że wielu panów uważa, że golutka pani w szpilkach tylko jest szalenie podniecająca do erotycznych figli, tymczasem mężczyźni nadzy w samych skarpetach... Kiedy mruczący z podniecenia kochanek startuje do nas napięty i chętny erotycznie, a na stopach ma ino skarpety, to nam, mówiąc obrazowo, wszystko opada i „prysły zmysły".

Boże, co ja plotę za wstępy?! Ale... Jest dobrze. Marcin Bez Skarpet zaśmiewa się, pokazując garnitur śnieżnobiałych, drogich zębów. Ładnie się śmieje, nie chichocze jak krasnolud, śmieje się tak, że mógłby ozdobić okładkę męskiego pisma. Albo kobiecego. Każdego. No przystojny jest jak diabli! Co ja tu z nim robię?!

— Wie pan co? Przejdźmy na „ty", tak będzie milej!

— Z przyjemnością! — Marcin uśmiecha się i wymawia swoje imię, ja swoje i na szczęście nie słyszę żadnego „przepijemy do siebie, jak będzie okazja". Bitewne obyczaje Polaków. Punkt!

— Czym ty się zajmujesz? — pytam go ciekawa odpowiedzi.

— O, sporo by opowiadać. Najpierw zawodowo trochę latałem po świecie, bo byłem handlowcem. Miałem z kolegą taką firmę handlującą obrabiarkami. Później robiliśmy jachty, on to robi do dzisiaj, a ja się wyrolowałem, po rodzicach mi się dostał miły zastrzyk pieniędzy, zginęli obydwoje niestety zbyt wcześnie. — Milknie i ma smutek w oczach, ale zaraz pokrywa to dalszą informacją. — Więc nareszcie robię to, co kocham — fotografuję, pływam i takie tam...

— Dla siebie czy publikujesz?

— A, czasem też publikuję. W „National Geographic" wydałem kilka albumów. O Wyspach Owczych, o Mongolii i o Norwegii.

— Portretujesz ludzi?

— Wiesz, mam dobre oko do pejzażu, sytuacji, a nie najlepiej wychodzą mi ludzie.

— Portrety... Pamiętasz taką piosenkę Czerwonych Gitar o malarzu nieszczęśliwym, który cokolwiek malował, wychodził mu spod pędzla słoń?

Zna, oczywiście! O, jak miło. Mamy wspólne wspomnienia! Punkt!

Czerwonych słuchałam kiedyś jak Beatlesów i znam chyba wszystko na pamięć. Zaczynam nucić:

Lecz nawet geniusz kiedyś minie:
— Skończone wszystko, podaj broń!
Maluję konia gdzieś w Londynie,
Patrzę — a tutaj... koń jak koń!

— To zupełnie jak z Salvadorem Dalim i nosorożcem! No jakoś nie jestem portrecistą, ale... noszę ze sobą...

— ...Canona EOS 500D — dokończyłam.

— O! Znasz się na aparatach?

— Nie. Mam kolegów fotografów, to mi się obiło o uszy to i owo.

— Nie ma jak stare dobre lustrzanki do robienia zdjęć statycznych!

Ach! — myślę sobie — jaka cudowna zbieżność pamięci, wspólne wspomnienia, jak to łączy! I zaraz potem łapię się na tym, że dołączam do rzeszy kobiet ślepo lgnących do światła, bo samotność, bo pragnienia i marzenia. Idealizuję Marcina, bo jestem klasyczną spragnioną singielką, a czy on taki jest — rzadko spotykany egzemplarz fajnego faceta?! Hm. Rosjanie mówią: „Pożiwiom, uwidim"!

Herbata już wypita — w filiżaneczce lekkiej jak piórko, aromatyczna, zwyczajna darjeeling. Pogryzałam subtelnie kruche rożki z różą, patrząc, a Marcin tymczasem zamówił sobie sernik. O nic mnie nie pyta. Nie jest ciekaw mnie? — minus! Chyba czyta w moich myślach, bo...

— Marianno, opowiadam, a nie dopytuję, nie żeby cię nie dopuścić do głosu, ale chciałbym, żebyś jakoś mnie poznała i rozmawiała bez obaw, że jestem jakimś tanim podrywaczem. No i nie chciałbym ujść za wścibskiego.

— O! jak szczerze! — wyrwało mi się — to ja przepraszam, że może jestem mało komunikatywna, ale... taki mam dzień.

Postanowiłam się nie tłumaczyć. Za wcześnie na wywnętrzanie się!

— I ja to doskonale rozumiem. Mam jakieś małe szanse na ponowną herbatę? Może kawę? Opowiesz mi o swojej pracy?

— Panie... Marcin — poprawiłam się — a skąd... ja? Dlaczego? Chyba go tym pytaniem zaskoczyłam.

— Nie rozumiem — unosi brwi i dość naturalnie jest zdziwiony.

— Ach, tak się zastanawiam, dlaczego akurat ja znalazłam się na twoim celowniku. Jestem statyczna?

Roześmiał się i popatrzył na mnie ciepło.

— Jesteś miła, i ta historia z komórką. Nic się nie dzieje bez sensu! A ja mimo to, że nie jestem portrecistą, czytam z twarzy. Jesteś… Ach, wyjaśnię ci to z czasem, pozwolisz?

Tak, należy już zakończyć tę randkę. Kwiatka nie ma, znaczy nie-namolne spotkanie. Punkt! Na randkę pewnie przytargałby jakąś nie-śmiertelną różę.

Po zwyczajowym „wybacz, ale obowiązki mnie wzywają" wstałam i pożegnaliśmy miły Tea Room.

— Podwieźć cię? — zapytał, podchodząc do ładniej czarnej tere-nówki zaparkowanej koło krawężnika. Na szczęście niewymuskanej, zbryzganej trochę błotem w nadkolach i na drzwiach. Czyli normal-ny, nie żaden picuś dbający o samochód bardziej niż o siebie! OK. Punkt!

— Nie, ja tu, blisko, pójdę sobie spacerem. Spalę te rożki z różą! Do zobaczenia!

— A mogę cię witać i żegnać po francusku? — to mówiąc, po-chylił się i dwukrotnie ucałował mnie w policzki, jakby był moim wujkiem.

— Aaa… tttak — zdołałam tylko powiedzieć.

Odwróciłam się i poszłam, żeby nie przedłużać. Nie pokazać, że mi zależy.

Zależy? Hm? Czy mi zależy? Pomyślałam i usłyszałam, jak Marcin zapuszcza silnik swojego czarnego chyba… wranglera. Tak! Ładnego wranglera! Punkt!

Nie chciałam iść do Agaty.

Poszłam sobie połazić na drugą stronę Francuskiej. W te małe uliczki willowej części. Tak tu spokojnie, ładnie, zielono. Stare wille i nowe, zazwyczaj gustownie odnowione albo zbudowane tak, żeby nie szpecić. Ogrody stare i nowsze kipią zielenią i późnoletnimi kwiatami — najbardziej mnie fascynują ogromne hortensje. Kwiatostany jak ogromne spadochrony, ledwo różowe, jakby ten róż nie był w stanie pokryć każdego kwiatka, a obok biało-zielone. Już podsychają. Dawno nie padało.

Marcin jak Kincaid z *Co się wydarzyło w Madison County*. Przystojniejszy, ale dokładnie tak samo zwyczajny i niezwyczajny w tej zwyczajności. Agata ma rację, nie powinnam się zamykać wyłącznie w naszym dramacie z Lilką.

O, właśnie! Lila! Dzwonię do niej, ale ona chce tylko słuchać o Panu Ładnym — jak już go nazywa.

Nie, poza USG i krwią nic dzisiaj więcej. Tak, jest już po wieczornym obchodzie, był Kalik i chyba jutro ją wezmą pod nóż.

— Li, może przyjadę? Wpuszczą mnie!

— Nie, już późno, zresztą po co, Mania?

— Żeby cię przytulić, Lilutku — mówię i coś mnie ściska w gardle.

Wraca ta okropna świadomość, że Lilka ma tę cholerną przetokę. I bardzo się boi… a ja randkuję. Mijam narożną kawiarenkę, przy której stoi stolik z siedzącą Agnieszką Osiecką. Obok niej bukiecik dalii. Uśmiecham się do Agnieszki, nie ma jej, a jednak stale jest z nami!

Nagle zagrzmiało i lunęło! Deszcz nawet nie zaczekał, aż niebo pokryją jakieś dostojne chmury deszczowe! Ot tak, nagle chlup! Chmury owszem są, ale za mną, gdzieś nad Śródmieściem, właśnie chyba nasuwają się nad Saską Kępę, ale nad działkami nadal świeci słońce! I leje! Ciepły letni deszcz, ulewa! Staję pod parasolem koło Agnieszki, ze mną jakieś jeszcze dwie, trzy osoby. Wszyscy się nieporadnie uśmiechamy. Zaraz minie!

W taki dzień niech sobie pada! Przedwieczorna pompa!

Jednak kiedy tak padało i padało, zdecydowałam się na wyjście spod parasola.

A co tam! Ciepło jest, najwyżej zmoknę, nie jestem z cukru!

W domu caluteńka mokra wpadłam do łazienki. Natychmiast kąpiel, tak zawsze kazała mama, żeby się nie zaziębić. Każdy mój powrót ze szkoły w deszczu — gorąca kąpiel! Tak mi zostało. Może i dobrze? Lubię kąpiel w wannie. Nie po to, żeby się umyć, do tego wystarczy prysznic, ale ciepła woda mnie koi, uspokaja. Jak wody płodowe. Dzisiaj jednak krótko — jakoś kąpiel w wannie mi nie leży, za ciepło może? Ach, jestem naładowana. Lilka, Pan Ładny i świadomość, że te oba odczucia są takie krańcowe. Wielka troska, lęk o Lilę i podekscytowanie, endorfiny związane z tym, że uroczy facet patrzy na mnie tak… po męsku! Schlebia mi to i jednocześnie mam poczucie winy — no jak ja mogę chłeptać te endorfiny, skoro Lila moja walczy na życie i śmierć?!

A może to antidotum na tę traumę? Ratunek przed pogrążeniem się w smutku, tragedii mojej Li?

Szukam w necie forów dyskusyjnych osób po stomii, ale to bardzo dołujące. Jakoś nie umiem się z tym oswoić, a co dopiero Lila?

Pytałam Grzesia, co o tym sądzi, więc w skrzynce mam maila:

Mamo, no smutna sprawa z tą stomią cioci Lilki. „Cioci" — właściwie nigdy do niej nie mówiłem „ciociu" na poważnie. Zawsze wydawała się tak młoda! Zaskoczyłaś mnie tą stomią, bo tu to rzadkość, aż taki atak nowotworu.

Pytałem kolegów onkologów, bywa, że po stomii robi się ponowne zespolenie, kiedy nic nie naruszyło samych okolic odbytu. Bywa... ale ja nic ponad to nie wiem, a oni mi powiedzieli, że musieliby zajrzeć do środka, żeby się wypowiedzieć, czy to jest w ogóle możliwe. Może nie pompować jej zbędnym optymizmem?

Z tym się żyje...

Ale z tego co piszesz, to przerzuty, czyli chemia nie dała rady.

Sorry.

U nas zwyczajność. Igusia zachwycona pracą, wreszcie ma zlecenia, ktoś ją docenia, są i słowa budującej (!) krytyki, ale dla niej to wielka frajda. Zrobiła wspaniałe zdjęcia do folderu reklamującego sztućce.

Tadzio jeździ sam na rowerku. Trójkołowiec, ale już nie taki niemowlęcy, no i bez kija!

Mówi po szwedzku i po polsku — zależy z kim rozmawia. U nas w domu tylko po polsku, w przedszkolu z panią i kolegami po szwedzku. Przeskakuje bardzo swobodnie. Pani mówiła, że to u takich szkrabów normalne i warto go obserwować, jeśli ma łatwość, zostanie poliglotą, bo... w przedszkolu już są wprowadzane zajęcia z angielskim! Trzy języki! Podziwiam tego mojego malucha.

Iga łapie szwedzki świetnie i szybko, ja opornie. Zdecydowanie wolę angielski. W szpitalu wszyscy mówią po angielsku.

Mamo, przepraszam, że tak rzadko piszę, nie jestem literatem, jak wiesz. Może czasem pogadamy na Skypie?

Całujemy Cię i załączam zdjęcia Tadzia z ostatniego dziecięcego pikniku.

Pa. Grześ

Mają własne życie, młodzi są, nie mogę wymagać, żeby się mną zajmowali, bo się czuję samotna. Wiem, wiem… ale tęsknię.

I tak miło, że Grześ coś tam pisze raz na parę tygodni. Czasem prawie bez słów dosyła mi zdjęcia ze spaceru, z wyjazdu na ryby z wujem Igi, z kąpieli. Tadzio z wędką, w rybackim kapeluszu wygląda tak zabawnie! Babcia na odległość… życie na odległość. Ech…

Wieczorem dzwonią ojciec i Włodek. Ojciec nic nie wie o szpitalu i przetoce, pojadę do niego i spokojnie mu to jakoś przekażę, a Włodzio pyta, kiedy wpadnę. Zakupy robi sam, dobrze się czuje, ma mi tyle do opowiedzenia.

…czyli, w muzyce, wyciszać emocje.

Po szpitalu u Lili wróciłam do domu. Leży biedna po zabiegu, obolała i smutna. Umyłam ją, napachniłam dezodorantem pudrowym i zmieniłam koszulę. Napoiłam herbatą, głaskałam i całowałam po łapce. Co mogłam więcej? Środki uśmierzające jeszcze działały, Lila była senna i cicha. Wyszłam po dwóch godzinach ze ściśniętym sercem. Bez informacji, bo doktora Kalika już nie było.

W samochodzie włączyłam płytę Piaf. Jak ona kochała życie! Zniszczona, schorowana, brzydka i stara kochała je zachłannie i czerpała, ile się dało. Rozpłakałam się i wyłączyłam ją, bo mi się serce roztrzepotało.

Muszę wyciszać nastrój, spowolnić emocje, bo mnie zjedzą.

Życie i choroba, narodziny i śmierć — plecie się to, zaplata, współistnieje. Radość i smutek. Ech, muszę pomyśleć o czymś innym. Nie mogę się tak dołować! Dla Lili muszę być silna! OK. Zmiana nastroju!

Czuję frajdę, że Marcin okazuje mi zainteresowanie. Wczoraj po spotkaniu w Tea Roomie napisał krótko:

Witaj, Marianno,
siedzę w domu, sączę dobry koniak i myślę — jak to dobrze, że zgubiłaś ten telefon!
Jesteś uroczą, sympatyczną osobą i jeśli ktoś sądzi inaczej — wyzwę go na ubitą ziemię!
Pozdrawiam i ślę Ci zachód słońca złapany na naszych polskich Mazurach. Patrz, jaki piękny!

Pod mailem faktycznie piękny zachód słońca nad lasem, a na pierwszym planie jakieś sosnowe igły z pajęczyną, na której lśnią krople rosy. No… ładne!

„Na ubitą ziemię"? He, he… „uroczą i sympatyczną". No, miłe! Ale to było wczoraj, a teraz mam dołek, bo nie wiem, jak sobie poradzimy z tymi woreczkami stomijnymi, z tym całym problemem, którego nie spodziewałyśmy się ani ona, ani ja.

Kogo się poradzić? — myślałam, wysiadając z samochodu koło domu. Po wczorajszej burzy ani śladu, wieczór chłodniejszy, już końcówka lata. Jesień idzie. Otuliłam się swetrem. Pamiętam, że miałam coś jeszcze do załatwienia. Co?

Ach! Włodek! Miałam go odwiedzić!

Tylko zadzwoniłam, nie jestem teraz w stanie przyjechać do niego z wizytą. Może w przyszłym tygodniu? Ale stary satyr jest przytomny na umyśle i z mety mnie przyszpilił:

— Dziecko, ty to się lubisz udręczać! Stomia, no owszem, nic miłego, ale tylu ludzi z tym żyje!

— No ilu?! Ilu takich znasz?

— Marianna, a czy ty sądzisz, że każdy stomik ma wypisane na czole, że ma stomię?!

Racja... aż mnie zatkało. No racja, ale... Nie umiałam zareagować, więc Włodek perorował dalej:

— To nie jest koniec świata, ale warto pytać o radę, jest sporo różnego sprzętu, a najlepiej mieć zaprzyjaźnioną pielęgniarkę, która wpadnie raz na jakiś czas, a nie ty z chorą Lilą po poradniach itp.

— Ale skąd taką wziąć, Włodek?! Ty to tylko tak gadasz, a znasz taką?

Zezłościł mnie. Dobre rady niech sobie wsadzi w...

— Marianna, a ty zdejmij kapelusz i zadzwoń do Mirka, wiesz? Mówiłaś mi chyba, że jego obecna była czy jest pielęgniarką.

No... prawda. Ten staruszek jednak myśli. Że ja na to nie wpadłam, aby zadzwonić do Mirka.

— Ona... — mówię, jednocześnie analizując — no, jest pielęgniarką. Pielęgniarką to już się jest do końca życia, jak nauczycielką, księdzem, lekarzem... to powołanie. Ona, zdaje się, teraz jest po jakimś zabiegu czy coś...

— Ale zadzwonić nie zawadzi? — zapytał zgryźliwie Włodzio. — Czy wolisz dumnie się obnosić ze swoją urazą i skazać siebie i Lilkę na jakieś obce baby?

— Urazą? Ja nie mam do niej urazy! Ale było nie było ona jest jednak obcą babą!

— Dziad swoje, baba swoje... — jęknął.

— OK, Włodek, jaką ja mam gwarancję, że to... że ona...

— Marianna — przerwał mi — potrzebujecie pomocy? To, kurczę, sięgnij po nią najnormalniej. Najwyżej Mirek albo ona odeślą cię w diabły albo do poradni na Cegłowską. Ma rację. No ma! I tak najpierw zgłosimy się tam na pierwszą wizytę, ale może faktycznie warto byłoby mieć kogoś przychodzącego do pomocy, a nie wozić tam słabą Lilkę? Wszelkie poradnie i przychodnie działają na nią bardzo przygnębiająco.

Poczekałam do wieczora, wzięłam głęboki wdech i zadzwoniłam do Mirka.

— Marianna? Cześć! Nie może to być! — usłyszałam wesoły głos Mirka.

Przykre, nie pamiętam go takim ostatnimi czasy, kiedy byliśmy razem. Zawsze zasępiony, poważny.

— Cześć, przepraszam, że cię niepokoję…

— Ależ miałem dzwonić, dostałaś ostatnie zdjęcia Tadzinka? Te na rowerze? Pisał do ciebie Grzesiek o pomyśle, że za rok, dwa otworzy przewód doktorski?

— Tak, tak, piszą do mnie, zdjęcia ślą… Mirek… Problem mam. Lila jest znów w Centrum. Chyba chemia się nie udała i ma przetokę, i będzie miała kolostomię. Znaczy już miała.

Mirek milczy, całkiem chyba zaskoczony.

— O mój Boże — westchnął.

— Mirek, ja już wiem, że na Cegłowskiej jest poradnia, że woreczki, że klej, że pasta etc. Ja, wiesz, chciałabym zapewnić jej maksimum komfortu, więc myślałam o kimś, może… Julia zna jakąś pielęgniarkę, która wpadłaby czasem do nas, do domu?

— OK, Marianna, poczekaj, daj mi chwilkę. My tu z Julą siedzimy sobie i gramy w scrabble, i jak pozwolisz, pomyślimy, jak wam pomóc. Piętnaście minut, OK?

Oddzwonił po siedmiu minutach.

— Marianna, jest ósma trzydzieści. Bylibyśmy za pół godziny, co? Dasz nam herbaty i pogadamy!

Przyznam, że mnie to zaskoczyło, ale przecież nie mogę wyjść na jakąś drażliwą małpę. Powiedziałam, że czekam. Wyskoczyłam tylko do naszych delikatesów po coś do herbaty. Na dziale cukierniczym na tacy leżały kruche rożki z różą, takie jak w Tea Roomie. Wzięłam jeszcze pudełko doskonałej herbaty Darjeelig i byłam gotowa na tę dziwną, niespodziewaną wizytę mojego byłego męża z jego obecną fla… O, nie, nie flamą, to obraźliwe, a ja przecież nic do niej nie mam! Zganiłam siebie za tę „flamę". Czas się pogodzić z życiem, które nie znosi próżni. Ja zaliczyłam Jarka, flirtuję z Marcinem, a Mirek ma Julię, i przestań, Mańka, świrować! — pomyślałam rozsądnie.

Przygładziłam włosy, założyłam świeżą koszulkę do spodni dresowych. Czyste, wczoraj prane! Albo nie. To pierwsza wizyta Julii u mnie, nie wypada! Jeansy! O, i już jest OK.

Julia, znaczy Jula jest okrąglejsza ode mnie, to widziałam na zdjęciach, ale nie miałam pojęcia, że chodzi o kuli. Jest po operacji stawu biodrowego i coś się nie do końca dobrze poukładało, więc mocno utyka. Jest miła i spokojna.

Przyniosłam herbatę, rożki z różą i siadam, troszkę drżą mi ręce. Mirek odbiera mi dzbanek, sam zajmuje się nalewaniem herbaty, mówiąc:

— Czas, drogie panie, poznać się i pogadać o wspólnych sprawach. Jestem pewien, że wojny to między wami nie będzie!

Zatkało mnie. Wojny?

Odezwała się ona z wesołym uśmiechem:

— Mirek? Jakiej wojny? O ciebie? Marianna nie wygląda na taką, która by chciała mi oczy wydrapać. A co, uważasz się za taki cud?

Potaknęłam ze zrozumieniem. Atmosfera się rozluźniła, a ja przeszłam do meritum.

— Słuchajcie, nie rozmawiałam z doktorem Kalikiem, więc nie wiem, co tam zobaczył u Lilki, ale obie będziemy potrzebowały pomocy, wsparcia, nauki, jak się obchodzić z woreczkami, skórą wokół ujścia… Wiem, że ta poradnia na Cegłowskiej jest może i fajnie prowadzona, ale Lilka jest osłabiona, bardzo chora. Wolałabym jej zapewnić komfort domowy!

Mirek wtrącił:

— Mańka, to jest absolutnie jasne!

— No tak, ale znacie taką osobę? Która się na tym zna, jest delikatna i wiesz…

Jula uśmiechnęła się i powiedziała:

— Ja pracowałam na urologii, potem na ginekologii, i nie sądzę, żeby to była wielka filozofia. Pojadę na Cegłowską i podszkolę się w mig.

— Ale… — zaczęłam — jak to… pani?

— No ja, przecież jestem wykwalifikowaną pielęgniarką! I nie pani, a Jula. Dobrze?

— Jula? OK, ja jestem Marianna, Mania, jak mawiał Mirek. Ale jak to, ty?

— Pomyśl — Mirek mówił spokojnie — tak jest optymalnie, Jula nie pracuje od operacji, do pracy nie chcą jej przyjąć, bo jest o kuli, ale to w opiece takiej domowej nie przeszkadza. Jula już się opiekuje taką starszą panią.

— Też ze stomią?

— Nie — wtrąca Jula — starsza, w miarę sprawna osoba, ale samotna. Ja nie mogę dźwigać, więc opieka nad obłożnie chorymi odpada. Pani Zuzia jest uroczą starszą panią, ale niedowidzi, więc moja pomoc jest jej niezbędna. Zmienię pościel, a drobną osobę to nawet wykąpię i pomogę w codziennych czynnościach.

Myślę. Mam mieszane uczucia. W końcu sama chciałam, to mam!

— Marianno — kontynuuje — z tego, co wiem, pracujesz, a dla mnie to prawdziwa radość móc pracować i nie być obibokiem.

— A... finanse? — pytam, bo wiem, że to będzie trudny temat — dowiadywałam się, ale kwoty za godzinę mnie lekko...

— Nie chcę was — mówi Mirek — stawiać w sytuacji takiej, że Jula wpadałaby za darmo, choć mogłaby, bo, jak wiesz, daję radę zarabiać, ale...

— Julka, to powiedz, za wizytę czy jakieś tygodniówki? Jak? Stać mnie, nas — zapewniam ją.

Julka uśmiecha się niepewnie, ten temat też ją krępuje. Milczy.

— No ile zajmuje ci pani Zuzia? Ile ona ci płaci? To jakoś to wypośrodkujemy!

— Najpierw zobaczymy, ile razy będę potrzebna. Może rzadziej niż myślisz? Miło mi będzie, jak mi znajdziesz jeszcze kogoś do opieki. O! Mam moce przerobowe i na razie tylko panią Zuzię, nie znasz nikogo, kto potrzebowałby opieki na kilka godzin tygodniowo?

— Pomyślę...

Stanęło na tym, że jak odbiorę Lilkę ze szpitala, Julka wpadnie i zaczniemy razem oswajać te woreczki stomijne i stomię jako taką.

Pojechali.

Zostałam z szumem w uszach. Pierwsze koty za płoty! Włodek miał rację, to chyba dobry pomysł. I ona taka zwyczajna, ta Julka. Żaden młody wystrzał, żadna laska. Zwyczajna, ale, nawet powiem, urocza kobieta. Gdyby nie to, że jest przyjaciółką... no, kobietą Mirka, może byśmy się polubiły?

Jakie to głupie! „Może byśmy?". A może właśnie damy radę się polubić? No bo co, mamy sobie wyszarpać aortę? Wydziobać oczy,

wyrwać kłaki?! W imię czego? Chłopa? „Tego kwiatu to pół świa-
tu", gdyby nie odejście Mirka, nie nasyciłabym się tak porządnym
bzykaniem z Jarkiem. Nasyciła? No... jeszcze nie złożyłam broni!
Gdyby się zdarzyło, że Marcin Przystojniaczek chciałby pofiglo-
wać, to ja się zapierać nie zamierzam! Włączyłam Amy Winehouse,
żeby poprawić sobie nastrój. Tak młoda, tak śpiewała i poszła do
piachu właściwie na własne życzenie... Gdyby się tak nie szarpała,
nie byłaby dzisiaj członkinią Klubu 27, czyli zmarłych młodo, jak
Hendrix, Joplin i inni młodzi zagniewani, niepogodzeni z życiem,
leczący swoje skołatane dusze narkotykami i alkoholem. Biedna
Amy, miała swój wielki problem, czyli była borderką. Borderline
Personality Disorder — osobowość graniczna, taka przypadłość
emocjonalna.

Amy śpiewała, a ja zmywałam.

Cały czas miałam przed oczami moją nową znajomą — Julę.

Przed zaśnięciem Lilka wysłała mi miłego esesmesa, że nie czuje
bólu, pielęgniarki są kochane i chce jej się spać.

Odpisałam jej coś miłego i usiadłam w pościeli z laptopem. Nie
czułam się senna.

Znalazłam w poczcie mail od Antoniego:

Witaj, Marianno!

Czy w Polsce też tak piękna pogoda? Widzę na stronach interneto-
wych, że tak, ale miejscami pada — jak jest w Warszawie?

U mnie, tu, w Korei, szaleją tajfuny — taka pora. Jest gorąco, cy-
kady przestały świstać z dnia na dzień, tydzień temu! Dziwne. Może to
nagły spadek temperatury? W niedzielę było gorąco, a w poniedziałek
zaledwie dziewiętnaście stopni. Ucichły i już ich jakby nie ma. Czasem
tylko słyszę nocami świerszcze.

Polska żyje wyborami. Jak Ty? Nie pytam Cię o Twoje wybory czy
sympatie polityczne, chyba nie powinienem, ale tak ogólnie — prze-
żywasz to jakoś?

Ja już tyle lat poza Krajem i jednak jeżdżę do ambasady. Uważam,
że trzeba, tylko z wyborem mam problem. Jakoś mi brak elit...

No ale przepraszam, po co wtręt o polityce? Mam nadzieję, że
u Ciebie spokojnie i ciepło. Czasem burzowo. Co ja bym dał za spacer
w deszczu, w Polsce! Kiedy wszystko tak fantastycznie pachnie! Pa-
miętam moje wyjazdy do babci na wieś, jak biegaliśmy z chłopakami

na bosaka po wiejskiej drodze podczas deszczu. Była piaszczysta, zaraz
wszystko wsiąkało, a my skakaliśmy i łapaliśmy deszcz do ust.

Pamiętam jak przez mgłę zapach z pól, nawet, wybacz, zapach
końskich „pączków" na tej drodze. Beztroski czas. Co ja bym dał za
pajdę babcinego chleba z cukrem, ze szklanką mleka. Wtedy szklanka
wydawała mi się taka wielka jak wazon na kwiaty!

Ależ mnie wzięło nostalgicznie!

Pozdrawiam serdecznie — Antek Emigrant

Uśmiechnęłam się.

Ładnie pisze. Tak zwyczajnie. Widać, że tęskni. I jaki inny od tego
prawie niegrzecznego faceta z ulicznego wypadku z psem!

Odpisałam mu:

Witaj, Emigrancie!

Jakbyś zgadł, wczoraj znów była burza i przedwczoraj też. Wraca-
łam ze spotkania, gdy właśnie chlusnęło z nieba ciepłą wodą. Ciemne
chmury były nad Warszawą, znaczy nad Śródmieściem, a nad naszą
ulicą Francuską (to highway Saskiej Kępy) było słonecznie, choć była
już ósma wieczór. I nagle zobaczyłam tęczę! Piękna była! Rzadko teraz
widuję tęcze...

Wybory?! Prawda, panuje teraz gorączka przedwyborcza, ale ja
jestem jakoś obok. Polityka mnie odstrasza. Chyba jestem zbyt prosto-
linijna, nie umiałam wikłać się w te różne polityczne gierki, rozgrywki.
Nie boję się lewicy, skrajna prawica mnie nie ciągnie. I wiesz... chy-
ba nie ma takiego polityka, takiej opcji, która by mnie uwiodła, więc
z wielką przykrością będę głosować w sprawie „mniejszego zła". Czy
to uczciwe?

Jak czytam — tęsknisz „do tych pagórków leśnych, do tych łąk
zielonych...", do Babci.

Ach, też mnie to czasem chwyci i trzyma!

Zwłaszcza teraz, kiedy mam poważny problem z siostrą. Lilka
(czterdzieści siedem zaledwie, ale wygląda na trzydzieści) ma raka.
Dlatego, wiesz, mam spadek nastroju i bywa, że uciekłabym w czas
beztroskiego dzieciństwa, kiedy Lilka, niby młodsza ode mnie, ale pod
wieloma względami dojrzalsza, uczyła mnie malowania się, szyła mod-
ne ciuchy i pokazała, kto to jest Poświatowska. Ty wiesz, że ja jej kiedyś
nie znosiłam?! Długo!

U mnie już wieczór, idę spać, a u Ciebie?
Dobranoc!
Marianna

Próbowałam zasnąć, ale miałam straszną gonitwę myśli. Worki stomijne, Jula jako pomoc. Nie zadzwoniłam do taty, ale jutro sobota, Lilki jeszcze nie wypuszczą, więc pojadę do niego. Na sam koniec myśli nocnych zostawiłam sobie Pana Ładnego.

Marcin... No, no... może by wyszedł z tego jakiś bliższy związek? Związeczek? Wyobraziłam sobie, jak idziemy na spacer do parku Paderewskiego, jak on bierze mnie za rękę... Ten gest jest taki wciąż oczekiwany, takie przełamanie bariery. Wejście w intymność. Z Lilką czasem po mieście chodzimy, trzymając się za ręce. U kobiet to normalne, choć i na nas czasem patrzono ze znakami zapytania w oczach. Koleżanki? Przyjaciółki? Lesbijki?

Z mężczyzną chodzi się za rękę, kiedy już się coś między nim a kobietą dzieje. Czasami to jest mowa ciała — on ją bierze za rękę albo ona jego bez słów. Dreszcze i niemy komunikat „chcę być z tobą". Hm. No to może warto z Marcinem umówić się na spacer? Kiedyś, no nie za szybko, oczywiście! Bo pomyśli, że ja tu w cielesnej desperacji i że tylko marzę o tym, żeby mnie bzyknął.

Lilka mówi czasem — „puknął". Śmieszne określenie łóżkowych karesów. I chyba bardziej odnosi się do niezobowiązującego seksu niż tego, co robią w łóżku zakochani. Zakochani się nie bzykają, nie pukają... Oni się kochają, po prostu, z zaklęciami, z miłością...

Mnie się to już raczej nie przydarzy...

Zadzwonił Marcin. Chciał mnie porwać do Trójmiasta na weekend, zobaczyć wodowanie pięknego jachtu kolegi, ale odmówiłam. Zrozumiał i zapewnił, że się odezwie, jak wróci.

Muszę pojechać do ojca i powiedzieć mu o stomii Lili. Boję się jego reakcji, ale nie mogę utrzymywać go w tej niewiedzy. On kocha nas obie i ma tylko nas!

— Tatku! — dzwonię z samochodu — jadę do ciebie!

— A Lila?

— Lila... jest zajęta, jadę!

— No to jedź ostrożnie, Baranku!

„Baranku" — najczulsze słowa od dzieciństwa. Nie Maniu, Kochanie, Dziobku, Niuniu, Perełko, Królewno, ale Baranku.

W każdym związku są takie ciepłe dobre słowa, skróty, zdrobnienia. Nawet jak tatko mnie przytula i mówi „zołzo ty moja" albo „ty mój mały zakapiorku", wiem, ile w tym miłości!

Skręcam w Trakt Lubelski, ojej, jak to się zmieniło! Ile reklam, hurtowni, szaleństwo! Tak tu było kiedyś pusto, normalnie, wiejska droga, no szosa, ale taka normalna. Teraz hurtownia na hurtowni, knajpy, zajazdy, billboardy... Może to dobrze? Ludzie mają pracę, reklamują się. A, co mnie to! Jadę do taty, a on się zaraz zdenerwuje. Jak mu to powiedzieć?

Skręcam do nas, jak w wierszyku Brzechwy: „Gaik, steczka, mostek, rzeczka...".

Co to jest ta „steczka"? Nie wiem, sprawdzę.

Tu widzę, że jest totalny koniec lata, bo brzozy całkiem już zżółkły. Po lewej zagajnik sosnowy nad Świdrem znów wyższy, zaraz to lasek będzie. Sklepik, sąsiedzi i jest domostwo taty. Brama zamknięta, więc wysiadam i otwieram ją, bo furtkę otwarłam z zewnątrz, muszę ją mocno pchnąć biodrem, bo się zacina, stara cholera!

Podjechałam pod sam dom i... taty nie ma?

Weszłam do domu i zobaczyłam tatkę w fotelu, jak ogląda coś w telewizji wielce zainteresowany. Tak rano, o dziesiątej?!

— Tatku!

Odwraca, się, ścisza telewizor, wstaje radosny, zaskoczony obejmuje mnie, mój kochany! Pachnie wodą kolońską, którą dostał na urodziny i nie wygląda wcale na jakiegoś starego grzyba.

— Mój ty przystojniaku! — mówię to z serca, bo jest nadal przystojny. — Co ty tam tak oglądasz?

— Ach, Baranku! Wspaniały jest ten kanał o świecie, ten no, Discovery! Teraz jest film o Kilimandżaro. Jaki świat jest ciekawy! Szkoda, że za moich młodych lat nie mogliśmy z Wandeczką jeździć, oglądać…

— Prawda, tatku!

Opowiada mi o tym, co widział, że niedawno odkrył ten kanał na satelicie, bo co prawda Grześ mu kiedyś pokazywał, ale jakoś umknęło. A już ten historyczny kanał, ho, ho, jak wspaniale pokazano ostatnio jakieś słynne bitwy chińskich wojsk sprzed lat. Ach, ta technika teraz! Cieszy mnie jego stan umysłu, to, że stale jest ciekaw świata, życia. Okroił sobie swój sad, ale nadal jest sadownikiem pełną gębą! Teraz hoduje z zapałem te swoje stare, odzyskane na nowo odmiany. Obaj z Kobylińskim pochłonięci tą pasją. Kobyliński też już stary, po wylewie miał niedowład lewej części ciała, ale szybko doszedł do jakiej takiej sprawności, i tylko kącik ust i oka — opadające z lekka wskazują na to, co przeszedł. Niewiele się zmienił, bo ja nie pamiętam go jako młodziaka. Dzisiaj ma więcej zmarszczek i stale jest taki cichy, mruk, a może wiecznie nieśmiały?

— Tato, a co u Kobylińskiego?

— A nic, wnuka ma od miesiąca, nie mówiłem ci? Trzy wnuczki i nareszcie chłopaka się doczekał!

— A chłopakom jak idą te grzybiarnie?

— A idą, idą! I zioła teraz pędzą w hydroponice, grzyby jakieś tam takie, azjatyckie. Ważne, że kupców mają. No siadaj! Nic nie mam na słodko, ale renety są, mąka jest, to zaraz sobie ukręcimy ciasta piaskowego i szarloteczka będzie!

O, tak, tak będzie jakoś łatwiej!

Zakładam fartuch, tatko też i zabieramy się do roboty. Ojciec kręci ciasto, ja obieram jabłka. Część kroję w kosteczkę i przesmażam z cukrem i cynamonem, a część zetrę, i taką szarlotkę lubimy najbardziej. Mama tak robiła, bo tak robiła nasza Pela.

Tatko wbija jajka do masła utartego z cukrem, zgrabnie oddziela żółtka. Zaraz ubije pianę. Robi to piorunem zwykłą ubijaczką, nigdy mikserem.

Ja nie mam pojęcia, jak się zebrać z przykrymi wiadomościami, ale ojciec mnie wyręcza:

— Jak Lila, lepiej?

Zadaje to pytanie tak, jakby wiedział, że nie przyjechała ze mną nie dlatego, że się lansuje na Francuskiej Riwierze, a dlatego że jest... źle, ale woli powiedzieć „lepiej".

Nabieram powietrze w płuca, no muszę mówić prawdę!

— Tato, Lilka jest w szpitalu...

— Taaak? Jezus Maria, co się stało?! — ojciec przestaje mieszać ciasto i patrzy wyczekująco.

— Wiesz... Zrobiła jej się przetoka między pochwą a jelitem grubym, i trzeba było jej zrobić stomię, bo lekarz mówił, że być może... Tato, nie jest dobrze. Jakby nie było tego rozsiewu... znaczy chyba ta chemia nie dała porządnego rezultatu — motam się, jakbym była winna. Też mi to ciężko mówić. Tatko odwraca się i kręci dalej masę, stojąc do mnie bokiem. Widzę, jak ukradkiem wyciera łzę. Mówi cicho:

— Powiedz mi, co to jest ta stoma i czy pytałaś doktora...

— Stomia, tatku... to jest przeszczepienie, a raczej wynicowanie kawałka jelita, bo tam niżej to się coś pochrzaniło bardzo i trzeba było to rozdzielić, oczyścić i żeby zaleczyć, to jej właśnie... wynicował.

— Ale... i jak to? — ojciec patrzy na mnie okrągłymi oczami — to którędy...?

— No właśnie jak się wynicowuje ten kawałek zdrowego jelita, to zakłada się dookoła niego taki plasterek, ze specjalnym otworem, do którego się mocuje woreczek stomijny i do tego woreczka uchodzi treść jelita.

— O mój Boże, mój Boże!... — wyobraźnia taty pracuje, jest zdruzgotany tą wiadomością. — Biedna Lila. Kto z nią teraz jest?! Zostawiłaś ją samą?

— Tato, Lila jest dzielna, i już minęło troszkę czasu od operacji, radzi sobie psychicznie lepiej, niż sądziłam. Zaraz do niej pojadę, po południu.

— A te... woreczki? No jak to tak?

— Będę musiała inwestować w najlepszy sprzęt. Na razie lecimy na tym szpitalnym, a potem pielęgniarka nauczy ją obsługi nowszego. Z takich materiałów, no najlepszych, wiesz, i łatwych w użyciu. Sporo ludzi to jednak ma...

— Tak? Ja się z tym nigdy nie spotkałem!

— Tato, a kto ci mówi, że właśnie ma stomię? — wymądrzam się, jakbym pożerała rozumy. Staram się ułatwić mu akceptację tego, co mi samej przychodzi z trudnością — z tym ludzie żyją latami, a Lila będzie musiała minimum kilka miesięcy z tymi woreczkami.

— Mój Boże… Baranku, to kosztowne, tak? Ja co miesiąc będę ci wpłacał na te woreczki… ile? Ile to kosztuje?

— Tatku, radzimy sobie!

— Marianna, bardzo cię proszę! — tatko unosi się, chce partycypować w leczeniu Lilki, więc się poddaję:

— OK, powiem ci. Jak tylko się ogarniemy z tym wszystkim. Ale ty, zdaje się, i tak ją wspomagasz, prawda?

— Daj spokój. Pamiętaj, wszystko, co najlepsze! Biedny dzieciak!

— No tatku, oczywiście! A teraz wkładaj ciasto, a ja podsmażę jabłka, bo Lilka lubi tę szarlotkę. Poprosiła mnie niedawno o faszerowanego kurczaka, tak jak mama robiła.

— O, widzisz! To ja zaraz!

— …tylko potem niewiele zjada — kończę smętnie.

— Znaczy apetytu nie ma? Ale! Te kurczaki z wielkich hodowli to są jak styropian! Tfu!

Tatko wyciera ręce w szmatkę, zostawia prodiż niepodłączony i idzie dzwonić. Słyszę, że dzwoni do Kobylińskiej, prosi o kurczaka, bo Lila, bo… No tak, musi być kurczaczek ze wsi, od Kobylińskich z podwórka, żywiony ziarnem i robakami, sałatą i pokrzywą. Fakt, czasem dostajemy takiego kuraka i jest pyszny!

Później pieczemy szarlotkę. Na podpieczone ciasto kładziemy podsmażone jabłka wymieszane, tarte i te w kawałeczkach, na wierzch lejemy pozostałe ciasto. Ojciec przemyślnie nastawia prodiż na timerze i wtedy wie, że mu się wyłączy samo, bez spalenia się, gdyby się zapatrzył w dziennik czy mecz. Nauczyłam go tego timeru, bo sama tak tylko sobie nastawiam gotowanie, pieczenie. Zmyślne!

Podczas pieczenia wychodzimy przed dom, na ławeczkę. Ojciec nic nie mówi, gładzi mnie po ręce i myśli, przeżywa.

Ja patrzę na niego z lękiem, tak się o niego boję! Zamieniamy kilka słów o Kobylińskim, o sadzie i tegorocznych zbiorach. Odciągam go od naszych z Lilą problemów. On to rozumie i daje się, gadamy o wszystkim, tylko nie o chorobie. Na to jeszcze będzie czas.

Wracamy do kuchni. Wyjmuję jeszcze ciepłe ciasto z prodiża łopatką, rozwala mi się, bo zbyt świeże, ale przecież zjemy je i takie!

Teraz już rozmawiam z ojcem o Lilce, o telefonie do Mirka i o propozycji, żeby Jula przyjeżdżała z opieką do nas. Nie jest zachwycony, ale kiwa głową.

— Ta kobieta? — pyta zdziwiony.

— Tatku… tak, ta kobieta, Julka, bardzo miła pielęgniarka zawodowa. Co w tym dziwnego?

— Nic… A jak ty, Baranku, to znosisz?

— Ach, daj spokój! Myślisz, że czuję się zazdrosna?! Nie, nie jestem, i kiedy wpadli do mnie oboje, czułam jakieś mrowienie, ale rozeszło się! Widocznie nie kochałam Mirka aż tak bardzo, więc i zazdrości nie ma. Nawet mi lżej, że on przędzie sobie jakieś swoje życie osobiste, a ja swoje…

— Ty swoje? Masz kogoś?!

— Nie, no… nie mam. — Kłamię, albo nie! Nie kłamię, bo przecież romans to „ktoś na stałe", a ja na stałe to mam Lilkę tylko. — Ona jest miła i fachowa, z pewnością zajmie się Lilą najlepiej jak można, tatku! Pojadę już, co?

Kiedy pakowałam do samochodu kosz z jabłkami i śliwkami, marchwią, burakami, jak to u taty, zajechał rowerem Kobyliński z kurakiem od żony. Do tego dostałam jeszcze torbę jaj. Wycałowana i uściskana — pojechałam wprost do Lilki.

Wcale nie byłam daleka od prawdy, Lilka w dobrej formie. Jeśli stara się dla mnie, to też dobrze! Obok niej leży pani z woreczkiem stomijnym i gadają sobie, bo pani ma tę stomię od czterech lat, teraz jej się coś porobiło i będzie miała przeszczepioną na drugą stronę brzucha. Rozmawiają, pani przekonała Lilkę, że z tym się żyje.

Lila wita mnie uśmiechem. Ma smutek w oczach, ale widzę, ile starań wkłada w to, żeby odpędzić od siebie złe myśli. I dobrze.

Wreszcie odebrałam Lilkę.

Pielęgniarki ją lubią, ona wzbudza instynkt opiekuńczy. Jest miła i docenia ich pracę. Umie poprosić, uśmiechnie się. Pokazała mi ten swój woreczek i jest pouczona, co i jak. Mamy też skierowanie do poradni stomijnej, tam wszystkiego nas nauczą.

W samochodzie Lilka pyta mnie, kiedy tam pojedziemy, bo dzisiaj to ona pada z nóg i chce do domu.

— Liluś, mamy jeszcze jeden woreczek, a do poradni pojedziemy, kiedy będziesz w dobrej formie. I mam dla ciebie małą niespodziankę!

Patrzy na mnie bez uśmiechu. Wzdycha. Wiem, że jest jej ciężko z tą świadomością, że ma odbyt z przodu, że to jakiś woreczek, w którym zbiera się jej kał, że to nienormalne. I że jednak rak zżera ją od środka.

Biedna moja! Biedna! Wszystko we mnie wyje. Chce mi się płakać.

— No, ale jaką?

— Co jaką? — wyrywa mnie z zadumy.

— Niespodziankę, jaką? Zrobiłaś faszerowanego kurczaczka jak twoja mama? Och, powiedz, że tak! Ja tak lubiłam kurczaka cioci Wandzi... Tobie też wychodzi taki pyszny!

— Ach, żaden kurczak, ale jak chcesz, to zrobię. Lilku, poradnia stomijna przyjdzie do nas!

— Jak ktoś jest w ciężkim stanie, to przyjeżdżają, wiem.

— No ale ty nie jesteś, a mimo wszystko... Mała, jest tak, że Julka, narzeczona Mirka, jest pielęgniarką i ona potrzebuje pracy, bo przez zabieg na biodrze teraz kuleje i nie chcą jej w normalnej robocie, a przecież tylko kuleje!

Lilka patrzy z niedowierzaniem.

— A ty co na to?

— No co? No staram się o jakieś pozbawione durnych emocji reakcje i wiesz, że nie mam w sobie do niej niechęci. Miła jest.

— Aha... Naprawdę? Mańka, czy ściemniasz, udajesz przed sobą? To w końcu baba, która ci odebrała męża!

— On sam odszedł. Sam z własnej woli, i ja jakoś specjalnie nie cierpię z tego powodu, bo widocznie nic nas oprócz przyzwyczajenia nie trzymało. A ona „zabrała"? Zabrać to można komuś torebkę, pierścionek, a faceta? No są razem i on jest szczęśliwy. To chyba dobrze?

— Anielica… — wzdycha Lilka. — Chociaż to logiczne, co mówisz. Ludzie reagują zazwyczaj stereotypowo, nienawiścią, chociaż to jest taka, wiesz, zazdrość psa ogrodnika.

— No widzisz!

Na Sobieskiego korek… zwariuję! Nie cierpię poniedziałku!

Gadamy sobie spokojnie w samochodzie, chociaż wiem, że jest jej niewygodnie. Rozłożyłam siedzenie prawie na leżąco. Lilka stara się o tym nie myśleć, pyta o Marcina, więc opowiadam jej, nie szczędząc szczegółów, o nim, o ubraniu, o włosach i zadbanych, męskich dłoniach, bosych stopach w sandałach, i o tym, że mnie zapraszał na weekend, a ja odmówiłam.

— I bardzo dobrze zrobiłaś! — Lilka wydaje sąd. — Niech wie, że nie polecisz zaraz z językiem na wierzchu jak psica wyścigowa, bo cię zaprosił. Niech czeka! Bardzo dobrze, panno Maniu! Auuu! A!… — Lilka dyszy chwilę dziwnie.

— Co ci?! — pytam wystraszona.

— Nic, nic. Zabolało ciutkę, jedź!

Dzięki ci, Panie Boże, za jej dobry nastrój!

W domu kładę ją do łóżka, w jej obecnym, nowym pokoju. Urządziłam ją w środkowym, tym z balkonem. Jest większy niż były gabinet Mirka, w którym sypiała dotąd, gdy mieszkała u mnie. Teraz to mój salon, jedyny gościnny pokój, jaki mam, ale salony nam teraz niepotrzebne! Lilka się opierała, ale nie ma nic do gadania — od teraz ma komfort! Całą niedzielę kombinowałam, przetaszczałam meble, ustawiałam telewizor i podłączałam go do anteny.

Miałam jechać do Włodka, ale Lilka ważniejsza! Teraz ma sporo przestrzeni.

Podróż ze szpitala ją zmęczyła. Muszę jej coś upichcić. Nawet nie mamy specjalnych zaleceń dietetycznych. No, tak normalnie, jak po zabiegu, żadnych surowizn i kapustnych, fasol etc. Na razie delikatnie — rosołek z kurczaka od Kobylińskiej, z kaszą manną. Lileczka zjada mało i „już nie może". Prosi o podniesienie poduszek na maksa, bo nie chce spać. Pogląda sobie coś na swoim telewizorze.

— Zajmij się sobą — mówi mi spokojnie — ze mną jest OK. Mania, nie róbmy cyrku! Zabieg jak zabieg. Muszę się tego wszystkiego nauczyć. Kalik powiedział, że myśli nad jeszcze jedną chemią... Może mnie wyciągnie? Daj buziaka, idź, popracuj, jak będę czegoś chciała, zawołam, OK?

Jaka dzielna! — myślę, wychodząc od niej z pokoju.

Coś mnie ściska za gardło, bo czuję, że doktor Kalik tak naprawdę nie ma asa w rękawie, nie wyjmie nagle zielonego lemura z kapelusza z okrzykiem „Aha!". Nowa chemia? Uwierzyć? Ale... nadzieja umiera ostatnia!

Nazajutrz zadzwoniła Julka, że się do nas wybiera.

Czekałam na nią bez dreszczu emocji, jak na kogoś znajomego.

No i przyjechała.

— Cześć — powiedziała zwyczajnie — ale się spociłam. Tak jakoś duszno w powietrzu, albo to… menopauza! Poproszę wodę z cytryną, masz?

— Jasne, że mam! Chodź, zaraz cię spoję!

W kuchni nalałam wody po brzegi w wielką szklanicę, dodałam kostkę lodu, cytrynę i urwałam gałązkę mięty. Uśmiechnęła się i powąchała. Ma ładne ręce, zadbane, nie jak ja, bo moje ostatnio wyglądają, jakbym orała ziemię. Nie mam czasu na nie.

— No to teraz zaprowadź mnie do Lili, poznamy się! — powiedziała.

Przedstawiłam je sobie.

— Julia? — dopytała ją Lilka, a ona na to:

— Tak, ale mówią do mnie Jula, a zresztą jak chcesz.

Dalej potoczyło się tak, jak sobie to można wyobrazić. Nasza nowa opiekunka siedziała na brzegu łóżka Lilki i oglądała pole pooperacyjne, płytkę do zakładania woreczka i sam worek.

— No, kobiety — powiedziała — ja jestem teraz siłą fachową! Szkolę się od piątku, niby trzy dni, ale wystarczy, żebym ogarnęła podstawy. Miałam już do czynienia ze stomią, a dziewczyny z Cegłowskiej opowiedziały mi o nowościach i problemach. A my — popatrzyła z uśmiechem na Lilę — nie przewidujemy problemów, prawda? Jak wszystko się unormuje, to proponuję pomyśleć o porządnym i wygodnym systemie. Jaki wolisz? — zwróciła się do Lilki — jedno- czy dwuczęściowe?

— Ja nic jeszcze nie wiem — Lilka stwierdza szczerze. — Mówiono mi o tym, ale wszystko mi wyleciało z głowy, wiesz, to nerwy i byłam po zabiegu mało przytomna.

— Od tego jestem, nie martw się. Jednoczęściowe to są takie woreczki, które za każdym razem przyklejasz do ciała, a dwu — masz na brzuchu płytkę z takim otworem twist off i nakładasz kolejny worek, a płytka zostaje przez kilka dni.

— No to nie wiem…

— A ja ci podpowiem, masz ładny, płaski brzuszek, więc jest taki system dwuczęściowy z kapitalną płytką elastyczną i dobrze przylegającą Combihesive 2S, i chyba to będzie najlepsze. Wzięłam taką i kilka woreczków. Ten masz, pokaż no, podobny! Nie wiem, jaka to firma, bo jeszcze słabo rozróżniam, ale tę płytkę i tak usuniemy za kilka dni.

— Jula, a czy to nie... śmierdzi? — pyta Lilka. — Taka kobieta tam była i mówi, że ona sobie wrzucała do worka jakieś tabletki specjalne, żeby łapały zapach...

— Można, można, ale ten system ma już ten luksus, że worek pochłania zapachy sam z siebie. Można wrzucać też tabletki węgla. Wszystko opanujemy! Patrz, na razie masz woreczek pusty. Troszkę wydzieliny, nie jadłaś przed zabiegiem?

— No nie...

— Pewnie ci też jelito wypłukano, możemy i my tu sobie płukać raz na jakiś czas! Kochanie moje, będzie dobrze, zobaczysz, tylko musisz się zagoić, wtedy wstaniesz, pójdziesz do parku albo na zakupy i poczujesz się normalnym człowiekiem!

Ile w niej ciepła, pomyślałam, patrząc na Julę. Jaka jest w tym wszystkim opiekuńcza, fajna! Jak mamcia. Kompletnie nie umiałam być wobec niej obojętna. Cieszę się, że tu przyszła. Z nią poczułam, że sobie damy radę z tą stomią! Szczerze mówiąc, bałam się własnej reakcji na te... woreczki. Myślałam, czy ja dam sobie radę? I to wożenie Lilki do poradni, i w ogóle. A ten pomysł z Julką zdjął mi połowę lęków z głowy! Znaczy Julka taka jest, że wierzę w to, że z tym można żyć, i zdaje się Lilka też jakaś spokojniejsza.

— Przyjechałaś samochodem? — zapytałam ją już w moim pokoju, kiedy piła herbatę.

— Nie, taksówką. Mam obawę przed prowadzeniem samochodu po operacji. Staw mam inaczej zrośnięty, jak widzisz utykam. Mirek mnie namawia, bym się odważyła, ale jeszcze trochę. Miewam takie sytuacje, że jakiś inny nacisk i nagle boli. Mogłabym być niebezpiecznym kierowcą, więc nie, nie prowadzę.

Odwiozłam ją do domu.

Pod blokiem na Mokotowie pożegnałam ją i zawróciłam do siebie.

Aha! To teraz tu mieszkają, pomyślałam i... Nic. Nic mnie nie szarpnęło, nie zabolało. Agata byłaby ze mnie dumna, to i sama się cieszę, że nie powoduję u siebie złych myśli. Nie nakręcam się tym, że mój były mąż mieszka tu, na Mokotowie z Julką — miłą, okrąglutką i utykającą, ale kurczę... sympatyczną kobietą!

— Jak nasza nowa koleżanka? — spytałam Lilki po powrocie.

— To ja cię chciałam spytać — odpowiada mi — jak znosisz jej obecność? Bo, szczerze mówiąc, byłabym wdzięczna, gdyby wpadała. Jak dla mnie fajna taka! Działa jakoś tak uspokajająco. A czemu ona utyka?

Przyznaję się sama przed sobą — jestem zmęczona. To napięcie, nerwy. Lilka po operacji, telefon taty z pytaniami i telefon od Włodka z pretensjami, że jestem okropną babą, bo on tu do Warszawy przyjechał specjalnie dla mnie, a ja nic, i on umrze w tym swoim fotelu z tęsknoty za mną, zgnije, robaki go zjedzą, zamieni się w fotogeniczny szkielet z petem w zębach, a ja i tak nie przyjdę, bo mam lód w sercu!

— Wpadnę, Włodku, daj mi kilka dni jeszcze. Lilka dopiero co wyszła ze szpitala!

Naciągam trochę, bo Julka wpada do nas i obie mnie ślą do diabła, żebym sobie odpoczęła gdzieś.

Zadzwonił Marcin, więc się wprosiłam do kina.

W ciemnej sali pachnącej popcornem siedzieliśmy blisko. Randka w kinie, jak nastolatki. Wiem, że mnie obserwował spod oka i wtedy robiło mi się dziwnie. Co on... czemu ja? Taki facet! Oglądam miły film z miłym facetem... nic się nie dzieje romansowego, nie bierze mnie ukradkiem za dłoń, nic! To nawet dobrze, bo chyba bym wyszła. Nie wiem, czy jestem nastawiona romansowo. Nie wiem...

Lilka mnie o to pytała, kiedy wróciłam.

— Nie musisz, Mania, nic na siłę. To jego sprawa jakoś cię zainteresować, jeśli oczywiście o to mu chodzi.

— O co?

— No o jakąś... akcję! Jarek to był taki fajny pan od ćwiczeń, a ten mi na takiego nie wygląda, on chyba hebluje finezyjniej!

— Co robi?! Lilka!

— Oj, no... Jeśli będzie chciał cię puknąć, ubierze to w ładną formę, da ci oprawę, coś tak mi się zdaje! Nie weźmie cię na sali pełnej rowerków, orbitreków i bieżni. A ty zwlekaj, też mu twórz aurę!

— Co ty pitolisz, wariatko?! Marcin mnie nie ciągnie do łóżka, po prostu... chciał się spotkać, a panny do łóżka to kijem odgania, więc czemu miałaby sobie ostrzyć zęby na taką przechodzoną jak ja?

— Ale ty jesteś zakompleksiona i nie znasz facetów... jak się z tobą umawia w Tea Roomie, chciał cię wyciągnąć do Gdyni i teraz do kina na romantyczną komedię, zamiast oglądać mecz w domu, to pomyśl tylko...

Przyszła łagodna jesień.

Lilka wydobrzała na tyle, że chodzi po mieszkaniu i nie popłakuje już ukradkiem. Jula działa na nią zbawiennie. Teraz po intensywnym okresie opieki nad Lilą wpada do nas raz na tydzień. Doszła jej następna podopieczna, rehabilituje też swój staw. Pokazuje nam, na ile już może podnosić nogę.

— Słyszycie? — pyta nas, gdy przenosi nogę nad małym stołeczkiem.

— Nie — odpowiadamy zbite z tropu, bo co mamy słyszeć?

— Nie trzeszczy!

Lubię jej wesoły stosunek do życia. Lilka przy niej odżyła. Mnie jej wizyty ulżyły, bo mogłam normalnie pracować. No i ojcu się też spodobała, bo była raz, kiedy przyjechał. Mnie nie było, tatko wpadł do Lilki, a Jula akurat robiła obiad. Kiedy weszłam do domu, zastałam przy stole wesołe grono. Tatko coś opowiadał, Jula się śmiała, Lilka wtrącała... Jakby nie było u nas choroby!

Czarek przysłał mi smętnego maila z linkiem do piosenki sprzed lat — *To ostatnia niedziela* — zaśpiewanej przez Piotra Fronczewskiego. W pierwszym odruchu chciałam mu walnąć jakiegoś złośliwego maila, ale stwierdziłam, że tu może skutek odnieść tylko milczenie. Inaczej zawsze będzie się czepiał, odbijał, prowokował. Musi wiedzieć, że dla mnie nie istnieje.

Odezwał się też Antek.

U mnie gorąco, na ostatniej inspekcji przewiało mnie po tym, jak się spociłem, i łażę z bolącym krzyżem. Głupio, co?

W nocy cykady strzygą tak głośno, że cholery można dostać. Właściwie się do nich przyzwyczaiłem, ale obudziłem się z powodu tych cholernych zawianych pleców i nie mogłem z powrotem zasnąć. Cykady właziły mi w uszy jak stado kogutów. Musiałem zamknąć okno i włączyć klimatyzację na minimum, żeby jakoś dospać do rana.

Wiem, wiem — żel na plecy i voltaren?

Już wiesz, na kogo będziesz głosować?

Pozdrawiam, nasmarowany maścią jak jakiś emeryt, obejrzę mecz i idę spać.

A.

Jak fajnie, że to są takie najnormalniejsze maile, bez żadnych prób podrywu. Nie zniosłabym tego! Odpiszę później. Wybory?! Mam je w dupie! Mam śmiertelnie chorą siostrę, życie w rozsypce, co mi tam wybory!

Kalik nie dzwoni...

Może to za wcześnie? A może za późno? O, mój Boże...

Nie jest dobrze

Wyjątkowa ta jesień, taka podręcznikowa, ładna! Ciepła Saska Kępa, a szczególnie sama ulica Saska staje się ulicą żółtozłotą. Spadają liście, dozorcy z nimi walczą, a one jak na przekór co rano poniewierają się po chodniku.

Park też już wygląda jak paleta impresjonisty. Wczoraj nad tą barwną plamą niebieskie niebo jak farbowane, aż zbyt niebieskie!

Musiałam odetchnąć, jestem zmęczona tym, co się dzieje wokół mnie.

Nie drżę już tak co prawda o serce tatki, ale próbuję wprowadzić go w lepszy nastrój, zahaczam o jego pasję, proszę, żeby pochwalił się swoimi starymi-nowymi jabłoniami. Odpowiada zdawkowo, jakby go w rzeczywistości nie cieszyły.

— Tatku? Nie cieszy cię, że lancberska takie ładne owoce wydała? Że na twoje kosztele rzucili się ludziska z tego ekosklepu?

Ojciec patrzy na mnie jak ranne zwierzę.

— Cieszy, Baranku, cieszy… — odpowiada, a ja wiem, że żadna to radość.

I wiem też, co go tak bardzo dołuje — lęk i poczucie osamotnienia. Tylko ja mu zostałam i Lilka wybierająca się w zaświaty… No i Kobyliński po wylewie o wiele rzadziej już bywający u taty.

Jest sam. Nie zafundowałam mu sporej rodziny w stylu włoskim. Nawet ta, którą miałam, rozpełzła się — Mirek do Julki, Grzesio, Tadzio, Iga aż do Goeteborga.

Siedzę w parku. Wyszłam niby po zakupy, kiedy Lilka czuła się nieźle i zaprosiła do siebie z dawna niewidzianą znajomą. Nie chciałam tam być, przeszkadzać być może, więc pod pretekstem pójścia do apteki zafundowałam sobie spacer. I kiedy tak szłam po tych żółtych liściach, pomyślałam sobie, że i ja jak tatko robię się strasznie sama, samotna na tej mojej półce życiowej!

To ode mnie odszedł Mirek, to mój syn i wnuk wyjechali, to mój najukochańszy wuj pofrunął do lepszego świata, to moja siostra walczy ze śmiertelną chorobą, a Włodzio też nie jest supermenem i źle wygląda.

O właśnie, Włodzio.

Byłam u niego wczoraj i nie była to łatwa wizyta. Otworzył mi drzwi, ledwo człapiąc, i dopiero kiedy wszedł za mną do swojego pokoju z ciemnego korytarza, zobaczyłam, jak bardzo się zmienił. Jak schudł! Kołnierzyk koszuli wisi jak chomąto, ona sama jak namiot wokół chudego ciała, spodnie zaciśnięte paskiem jak spódnica, i dłonie bardzo suche, teraz wydają się jakieś takie... ptasie. Jeszcze bardziej zasmuciła mnie jego twarz, niedbale ogolona, pożółkła cera i zapadnięte policzki. I dziwnie wpadnięte oczy. W duchu jęknęłam: „Na rany... co mu jest?!".

— Włodek, co ci jest? — spytałam zwyczajnie, jak to między nami.

— Siadaj, mała, chcesz kawy? Herbaty? Bo na to, co ci mam do powiedzenia, to powinienem postawić tu kieliszek wódki...

— No nie, przyjechałam samochodem, wiedząc, że zechcesz mnie upić i wykorzystać — próbowałam naszych starszych grepsów.

Uśmiechnął się melancholijnie i wzniósł oczy do nieba.

— Pastwisz się nade mną, dzisiaj mój sprzęt nadaje się tylko do wyrzucenia dzikim kotom na śmietnik. Jak i ja...

— No, no, no! Co to za próby wywołania u mnie gorących objawów współczucia! „Niech cię ktoś przytuli"? Tak? — nie chciałam zbyt prędko wejść w ton użalania się nad nim, choć w duchu było mi smutno. Zdałam sobie sprawę, że Włodek nie jest wieczny.

— Ach... — westchnął — na każdego w końcu przychodzi, wiesz... Nie żebym ci tu skomlał, ale wyjechałem do matki Jaśki, do mojej przyrodniej siostry, do Dusznik. Jej mąż jest tam jednym z lekarzy, to mnie tam puścił w obroty, bo jak kazałaś, wziąłem się za jakiś generalny remont! Tak nudziłaś, że przez ciebie no... zabrałem się za to.

— I co wyszło? Że jesteś zdrowy jak byk, tylko za dużo palisz? — staram się zachowywać nadal lekki ton naszej rozmowy, chociaż mam ściśnięte serce.

— No, jakbyś przy tym była! Nic mi nie jest poza tym, że mam raka płuc i wracam tam, do Cypriana... umrzeć, panno Maniu — powiedział to z takim uśmiechem, że zrobiło mi się słabo. O, Boże mój! Dlaczego?!

— E, tam, zaraz raka... — sarkam ostatkiem sił, ale moje aktorstwo jest marne. Beczę.

Włodek sam ma mokre oczy, ale trzyma fason, nie może nic powiedzieć, więc tylko wyciąga do mnie kościste łapy, a ja zrywam się ze swojego fotela i siadam koło niego, mocno tuląc się do jego koszuli pachnącej dobrą wodą kolońską i fajkami.

Nigdy bym sobie na taki gest nie pozwoliła, inna nas łączyła konwencja, ale teraz cholera z nią! Wiem, co to dla Włodka znaczy — przyznać się do umierania.

— …jest źle? — pytam cicho, sądząc naiwnie, że może jeszcze jakaś chemia, czy coś? Że to chwilowe i że go tam ten cały Cyprian uleczy.

— Źle. Mam bardzo mało czasu, przyjechałem zrobić trochę porządków. Codziennie wpada do mnie takich dwóch młodych magików z fajnej firmy zajmującej się no… porządkami, i jak widzisz, porządkuję!

— Daj spokój, Włodek, ale czy ty tam masz dobrą opiekę?

— Dziecko… — głaszcze mnie uspokajająco po włosach — najlepszą! Zawsze to rodzina, choć taka, wiesz, dziesiąta woda, ale żona Cypriana, Luśka, to cudowna kobieta. Wiesz, taka jak z obrazów Malczewskiego, spora, cycata, dupiata, „dużą blondyną mi bądź!", młodsza od niego, bo to jego druga. Doskonale gotuje i taka jest, no! Fajnie będzie widzieć ją jako ostatnią kobietę w moim życiu i jej obraz mieć pod powiekami, jak już przestanę palić…

Nie dałam rady, znów szarpnął mną płacz, bo te jego gadki mnie wzruszyły i uświadomiły, że naprawdę go tracę! Poczułam się zazdrosna o Luśkę — która zamiast mnie zamknie mu powieki. Jak na obrazie Malczewskiego…

Pożegnałam starego satyra serdeczniej niż zwykle, wtuliłam się w jego zapadnięty tors w przedpokoju i tak staliśmy z minutę albo dłużej. Nie wiem, kiedy się zobaczymy. I czy w ogóle…

Wracałam. Wiatr szargał ludziom płaszcze, wyginał drzewa. Liście na mojej Saskiej Kępie wirują. Co za wichura! Czuję na kierownicy, jak kolebie samochodem. A musiałam wejść jeszcze do naszego sklepu. Tu spokojnie, ciepło i dostatnio. Błądzę między regałami w poszukiwaniu jakichś łakoci, czegoś do pogryzania, co by mnie dzisiaj ukoiło. Tak, chcę czegoś pysznego i koniak! Najpierw wybieram suszone figi, orzeszki, morele, a potem na dziale z alkoholami kupuję metaxę, trzygwiazdkową, bo po co mi pięć gwiazdek?

W taki wieczór, kiedy ciężko mi na duszy, muszę się dosłodzić. O, jakie to symboliczne! Figę mam… zamiast rodzinnego ulepu, za który oddałabym królestwo i pół konia, ale żeby to była rodzina jak z powieści tej pisarki, z którą robiłam wywiad! Żeby było normalnie!

Przypomniała mi się Frances Mayes, która nie mając własnej rodziny, bo ta się jej rozpadła, sczezła, stworzyła sobie w swoim toskańskim domu rodzinę z innych kawałków. Jak kołdrę z łatek nazywaną w Stanach patchworkiem, i też było OK.

A ja przecież mam kawałki swoje, własne — tatę, Lilę i Grześków gdzieś daleko, w Szwecji, ale jednak!

W domu zastałam Julę. Siedziała koło mojego łóżka, na którym Lila poleguje w dresie w ciągu dnia, gdy mnie nie ma. Gadały sobie. Jula zerwała się na mój widok, ale zaraz ją osadziłam i powiedziałam, żeby zaczekała, bo sama to ja pić nie mam zamiaru, tylko się umyję i przebiorę.

Moja siostra ziewnęła i zostawiła nas, idąc do swojego pokoju pooglądać serial i poleżeć, bo się zrobiła senna. Julka w tym czasie posprzątała po ich herbacie i nakryła w kuchni do stołu, pytając mnie, czy coś jadłam.

Jest miła, a ja już się do niej przekonałam i nie traktuję wrogo. Pokazała, jak wspaniale zajmuje się Lilą, jaka jest naturalna i że można ją poprosić nawet o podgrzanie zupy. Jestem głodna!

W kuchni na stole już paruje zupa w miseczce i drożdżowe paszteciki, które Julka przyniosła.

— Przepraszam, Marianna, ale tyle mi się ich zrobiło, a Mirek jedzie dzisiaj znów do Hamburga, więc przywiozłam. Zmęczona jesteś? — mówi to, patrząc na mnie z widoczną troską.

— Jak cholera... Przepraszam cię, znaczy bardzo, ale nawet nie pracą, tylko tym, co mnie otacza! O, jaka gorąca!

— To podmuchaj — mówi Jula. — A co cię otacza?

— Mnie otacza — zamyślam się — ...odchodzenie — mówię to cicho, patrząc jej w oczy, jakby to miało spowodować, że lepiej zrozumie.

— Odchodzenie... — powtarza i też na mnie patrzy.

Rozmawiamy sobie w tej kuchni, bo słyszymy, że Lilka włączyła telewizor, więc nas nie słyszy. Jem te paszteciki, pyszne zresztą, i tłumaczę jej, co czułam, gdy Grześ wyjechał na studia. Sądziłam, że to tymczasowe, bo przecież wróci, i jak nie wrócił, bo mu się spodobał Kraków i krakowianka Igusia. Jak mi było przykro, że mój wnuczek

jest w Krakowie, a nie gdzieś tu blisko, i jak wreszcie wyjechali z Tadzinkiem do Szwecji. Dodałam, że do dzisiaj nie mogę się pogodzić
ze śmiercią Gienka i jak się boję o Lilkę, o tatę.

— No i Mirek cię zostawił — Julka mówi to poważnie, z jakimś
takim ciepłym współczującym uśmiechem.

— No, tak, to też. Ale wiesz, daj spokój, nie okazało się to takim
tąpnięciem, jak sądziłabym kiedyś. No tak... Mirek też. Ale... napijmy
się metaxy!

— Lubię! Napijmy się!

Jula siedzi naprzeciw mnie, pijemy i rozmawiamy jak koleżanki.
Można? Można!

— A twoja mama? — pyta mnie troskliwie. — Pamiętasz jej odejście?

— Mojej mamy? — zamyślam się. — Mama odchodziła w swoją
chorobę tak jakoś powoli, na raty, aż po wylewie pojechała do ciotki,
a czas jakiś później zmarła. Ja byłam studentką, wtedy się sporo działo
w moim życiu i nie miałam mamy tak na co dzień, pod ręką, ale byłam
u niej, jak umierała.

— To dobrze. Należy się pożegnać. Na co chorowała?

— To było coś w głowie, klasterowe bóle głowy sprawiały jej wiele
cierpienia, ale miała też problemy z ciśnieniem. Miała dobrych lekarzy,
ale wtedy nie było Instytutu Bólu, uważano, że musi boleć. Dostawała
jakieś środki, nawet silne, ojciec jej czasem robił zastrzyki, a bywało,
że i z papaweryny, strasznie cierpiała.

— To podobno nieznośny ból.

— Wiesz, co było najgorsze dla mnie jako córki? Bezradność. Ja
kompletnie nie umiałam sobie poradzić z tą cholerną bezradnością! Jak
to, myślałam jako dzieciak, to proszki z krzyżykiem pomagają naszej
sąsiadce, ciotce, każdemu, ale nie mamie? Pyralgina, antyneuralgina,
wszystkie aptekarskie wynalazki na nic się zdały, kiedy ją dopadało.
Robiła się szara na twarzy, uciekała, żeby mnie nie wystraszyć, do
swojego pokoju, tam jęczała, ściskając głowę, płacząc. Leżała najpierw skulona, czasem drżała, czasem nieruchomiała, potem odkryła,
że pomaga jej troszkę oddychanie, natlenianie się, ktoś poradził, żeby
się nie kuliła, tylko „puściła wszelkie zaciśnięte mięśnie". Oczywiście
— nic. Przekłuła uszy i nosiła dyndające kolczyki, że to jak akupresura,
czy jak dziś mówią refleksologia. Nic. Jeździła gdzieś na akupunkturę,
początkowo trochę ulgi, ale też nic.

— Jako córka musiałaś bardzo cierpieć, mówisz o tym i oczy ci się szklą.

— Bo tak było. Jak mama miała atak, to czasem siedziałam koło łóżka i wpatrywałam się w nią, błagając w duszy — nie wiem, Boga? jakieś nadprzyrodzone moce — żeby odebrały mamie to cierpienie! Tatko mnie prosił, żebym tak nie siedziała, bo to mamę bardzo deprymowało, chciałaby szybko dla mnie wstać, uśmiechnąć się i być zdrowa. A jak oceniasz stan Lilki? — zmieniłam temat.

— Nie mnie oceniać, ja jestem pielęgniarką, ale ona szybko się przyzwyczaiła i zaakceptowała stomię. Szybko! Jest tak pozytywnie nastawiona, może teraz to już coś przełamała? Jakąś wewnętrzną barierę?

— A jak nie? — dopytuję.

Jula pije herbatę i smutnieje.

— Czujesz się bardzo samotna, prawda?

— Tylko ona mi została, no i tatko. I jeszcze mój serdeczny przyjaciel odchodzi. Rak płuc. Jedzie umrzeć do rodziny, a mnie przy nim nie będzie. Tak, to jest właśnie ten mój gwóźdź w bucie, odchodzą nasi najukochańsi i... Jak z tym dalej żyć? Przepraszam, Jula, że cię tym obarczam. Ty tu jesteś najmniej winna. Mimo że Mirek odszedł do ciebie, ale wiesz co? — westchnęłam i nie dokończyłam.

Nie chciało mi się więcej mówić, a ona chyba zrozumiała przynajmniej moje intencje. Żadnego topora między nami, nawet scyzoryka. Gadam z nią swobodnie, mile... I dobrze jest, jak jest!

Odprowadziłam ją do drzwi i poprosiłam, żeby wpadała częściej.

Niesłychane! Kumpluję się z obecną mojego eks!

Minęło kilka tygodni, nawet nie wiem kiedy! Praca, zakupy, dom, Lila. W redakcji sprężenie, bo robimy już grudniowy numer, Regina naciska. Wróciła z urlopu taka wesoła, wyluzowana, ale znów ją ścisnęło. Czasopism na rynku mnóstwo i tylko się ścigamy z pomysłami, a co można wymyślić na grudzień?! Święta, święta jak co roku. Czuję pustkę. Nie mam żadnych pomysłów.

W domu się spalam, walczę ze sobą, z zamiłowaniem do lenistwa, poświęcam czas Lilce, sobie, nam, ojcu. Wszyscy teraz potrzebujemy siebie. Między pracą a domem nie mam czasu na nic. Jakie to szczęście, że mam vis-à-vis te nasze delikatesy! Na bazarek na plac Szembeka nie jeżdżę, od dawna już nie mam czasu, a tak lubiłam wskoczyć tam po garmażerkę!

Lilka całkiem dobrze sobie radzi ze swoją stomią. A tak się obie bałyśmy, jak to będzie.

— Najbardziej bałam się, że będę śmierdziała na odległość — mówi mi któregoś dnia i dodaje: — A ja już mogę całkiem normalnie żyć, może dam ci trochę spokoju?

— Co masz na myśli, kurczaku?

— Jaki znów kurczaku? — podnosi wysoko brwi. Rudy loczek zawadiacko dynda nad jej lewym okiem, ona go zdmuchuje. Szybko jej włosy rosną, jej twarz ma teraz taką aureolę tych rudości dookoła głowy. Może rzeczywiście dochodzi do siebie, skoro nawet te jej kiepskie ostatnio włosiny takie są zdrowe, błyszczą?

— No, bo jesteś taki kurczak, schudłaś, i jak cię obejmuję, to taki jesteś... kurczak!

— Bardzo śmieszne, mamciu kwoko. Za to ty przytyłaś, bo nie chodzisz na żadne zajęcia. À propos, a jak tam Marcin? Bo jakoś cisza zapadła.

— A, Marcin? Jest na jakimś rejsie starym żaglowcem po morzach i oceanach. Odezwie się niebawem.

No i proszę, wczoraj dostałam krótkiego maila, że pojutrze zawijają już do portu w Marsylii i niedługo będzie w Warszawie. Dołączył zdjęcie swoje i przyjaciół na tle żaglowca. Piękny! Jeden i drugi, bo Marcin jest doprawdy... ładnym mężczyzną!

Pokazałam Lilce.

— Atrakcyjny Kazimierz — powiedziała z uznaniem, zjadając bułkę z miodem, i natychmiast zmieniała temat. — Ja faktycznie wychudłam z kilku szmat, a ty się już nie mieścisz, siostro. Rzygam już na myśl o szpitalach, więc proszę cię, chodźmy w regały, tak normalnie jak dwie pańcie!

— Tak? W szmaty? Ależ bardzo proszę, jaśniepanienko! Dokąd?

— W najbardziej handlowe centrum, jakie tylko jest! Do świątyni pieniądza i świata glamour! Mańka, dostałam propozycję zaprojektowania oprawy artystycznej ślubu jakiegoś niebożątka, córeczki pana produkującego wędliny. Lalunia chce mieć ślub jak z bajki i wszystko, od zaproszeń po kieckę, baldachim w ogrodzie etc. ma być, wiesz…

— Zaprojektujesz jej kieckę?

— No, kieckę to ona już ma wybraną, na zdjęciu wygląda fajnie, a ja się mam do tego odnieść. Dostałam materiały i zaliczkę.

— Wyrobisz się? Masz siłę?

— No jasne! To proste, fajne zajęcie, bo kiedyś już to robiłam, mam trochę materiałów, a główna organizatorka tej imprezy to moja koleżanka, wpadnie do mnie w poniedziałek, wie, że jestem mało mobilna. Kurczę, ale teraz można zarabiać na ślubach!

Cudownie! Dzięki ci, Panie Produkujący Wędliny, że masz córkę w potrzebie! To było Lilce potrzebne, oderwać się od myśli o szpitalu, workach stomijnych, od raka i umierania. Poczuć się potrzebną, zawodowo czynną, o tak! Może przełamiemy impas? Nastąpi cud? Kalik sam mówił, że mnóstwo zależy od nastawienia pacjenta. Zdecydowanie potrzebujemy cudu.

Ubieramy się i jedziemy do centrum handlowego.

Moloch z dwoma poziomami parkingów, w których można się zgubić i szukać pół dnia. Na górze dwa poziomy sklepów. Miasto w mieście.

Cała Warszawa jest szara i jakby skurczona z zimna. Już po złotej jesieni, teraz chlapa, ziąb. A w centrum ciepło, kolorowo. Przechodzimy koło czekoladziarni. Ależ pachnie!

— Runda parterowa i czekolada, co? — prosi Lilka.

Parter zatłoczony, mimo że to środek tygodnia. Łazimy wolno, obserwuję Lilkę, ale nie widzę oznak zmęczenia. Przymierza ciepłe buty na zimę, ale nie decyduje się na żadne. Ogląda kurtki skórzane, płaszcze, futrzane czapy. Odkłada na półki. Oglądamy też piękne rzeczy dla domu w sklepach dizajnerskich.

— Mogłabym to projektować! — wzdycha Lilka. — Tylko dajcie mi odbiorcę, płatnika! To najtrudniejsze w tej robocie!

— Prawda — mruczę, bo wiem, jaki ona ma talent i że mogłaby wymiatać konkurencję, ale nie ma siły przebicia, nie umiała wejść na parnas dizajnerów i klepie biedę, moja nad wyraz zdolna siostra!

— Czekaj no — wspieram ją — jeszcze zawalczymy! A teraz chodź na tę czekoladę!

Lilka na to:

— Jeszcze Matras! Nie mam co czytać! Może kupię jakieś romansidło. Też mi się coś od życia należy!

— Masz siłę?!

Wchodzimy do Matrasa i rozdzielamy się. Lila łazi sobie, ja sobie. Spędzamy w regałach z literaturą sporo czasu i wychodzimy każda obładowana siatką z książkami i kalendarzem na przyszły rok. To prezent, jaki sobie zrobimy, każda każdej pod choinkę. Kalendarz. Ja potrzebuję sporego, książkowego, z dużą ilością miejsca na notatki. Lilka lubi mniejsze, ale piękne, znalazłam jej taki z arabskimi zdobieniami. Dla taty kupiłam naścienny, z dużymi literami i cyframi, i pięknymi obrazami Malczewskiego. Ciekawe, czy jest tam ten, o którym myślałam ostatnio w odniesieniu do Włodka i tej... Luśki, czy jak jej tam, która ma mu zamknąć oczy? Zaglądam na tył kalendarza, gdzie są wyeksponowane wszystkie karty. Jest! A jakże! Malczewski kochał śmierć, skoro tak ją malował. Taka śmierć faktycznie zdejmuje odium naszej niechęci do kostuchy, która na jego obrazach pojawia się jako duża, młoda, dorodna i piękna kobieta.

W czekoladziarni siadamy z naszymi siatkami i zamawiamy pyszności w filiżankach. Czekolada! Gęstawa, aromatyczna, słodka i boska! Napój bogów, szczególnie w naszym klimacie, gdy na dworze ziąb, a my wlewamy w siebie kropla po kropli taką małmazję!

Pokazuję Lilce kalendarz i rozmawiamy. Trochę się boję mówić z nią o śmierci, bo akurat moja siostra niebezpiecznie blisko ociera się o nią, ale obie chcemy normalności, widzę to. Opowiadam jej o mojej rozmowie z Włodkiem i tym, że on jedzie umrzeć daleko, do rodziny po to, żeby mu oczy zamknęła owa kuzynka, Luśka, która jest apoteozą życia!

— Zobacz, tu też ona, ta śmierć oparta o framugę okna — Lilka pokazuje mi inny obraz.

Faktycznie! Rosła kobieta w ciemnej sukni, piękna i niekoścista bynajmniej, stoi sobie, opierając się o trzonek kosy.

— Pamiętasz — mówi Lilka, dmuchając w filiżankę — film Wajdy *Brzezina*? Toż to cały film jest z Malczewskiego!

Zamyśliłam się. Może? Nie pamiętam, żebym miała takie skojarzenia.

— Żartujesz?! — Moja siostra nie może się nadziwić. — To jak tyś go oglądała? Krakowska to właśnie ta cudna śmierć, jako hoża dziewoja, pamiętasz, jak kosiła kaczeńce?!

— Nie…

— A ten obraz Malczewskiego, na którym jest piękny młody chłopak i dziewczynka z ptaszkiem? Wypisz wymaluj Olbrychski i ta dziewczynka, Ola. Ja piałam z zachwytu, bo Wajda Malczewskim zrobił całą *Brzezinę*!

Lilka mówi, opowiada, oczy jej się palą. Jak to dobrze! Odeszłyśmy od śmierci. Ufff, niełatwe to, rozmawiać o końcu z kimś, kto ma ten koniec dość realnie, niebezpiecznie blisko zarysowany. Mam nadzieję, że cud nastąpił! Rak się cofnie — przecież łazi tyłem! Panie Boże, zostaw mi Lilkę!

Ona zlizuje wąsy z pianki, dopija czekoladę wielkim łakomym łykiem, zakrywa usta i… beka jak piwosz po kufelku.

— Ups! — mówi zalotnie, wesoło, jakby nabroiła.

Później kupujemy jej nowe spodnie, jeansowe ogrodniczki z przeceny, obszerniejsze, żeby zmieścił się worek stomijny i żeby nie było widać, jaka jest chuda, i wrzosowy sweter. Ja znów jakoś nie jestem w sosie do kupowania szmatek.

— Najpierw zrzucę troszkę! — obiecuję sobie i wracamy do domu.

Popołudnie spędzamy leniwie, najedzone kupionymi w sklepie pysznymi ruskimi pierogami z bałkańskim jogurtem zamiast śmietany.

— Jeden grzech mniej! — mówi Lila.

Potem leżymy, każda w swoim pokoju, i czytamy. Jest cicho, sennie, leniwie.

Nagle Lilka staje w drzwiach mojego pokoju i pyta poważnie, bardzo poważnie:

— Przeczytać ci coś?!

— Czytaj! — siadam na łóżku po turecku, robię jej miejsce. Lila siada vis-à-vis mnie, też po turecku i czyta: „Medycyna jest bardzo dumna z rygorystycznych metod badawczych stanowiących podstawę leczenia nowotworu. Jeśli u kogoś zdiagnozowano raka, osoba ta z miejsca staje przed ogromnym naciskiem ze strony systemu ochrony zdrowia, który wymusza na niej natychmiastowe rozpoczęcie terapii, w której skład wchodzi interwencja chirurgiczna, chemioterapia i napromieniowywanie w różnych kombinacjach".

— I...? Bo nie rozumiem. O co ci chodzi?

— No to jest artykuł ze stronki www.faceci.com.pl, słuchaj! — I czyta dalej: — „W badaniach nad rakiem sukces — za który uważa się pięcioletni okres przeżycia — jest określany poprzez porównanie innych metod i form leczenia z interwencją chirurgiczną, natomiast przeżywalność będąca skutkiem interwencji chirurgicznej rzadko jest porównywana z przeżywalnością pacjentów niepoddawanych żadnej terapii, a już na pewno nie jest porównywana z przeżywalnością pacjentów leczonych metodami naturalnymi".

— Lilka... — już chcę wejść z nią w polemikę, ale ona mi przerywa, na policzkach ma rumieńce i rzuca następne oskarżenia, mówiąc dramatycznie: — A teraz słuchaj tego! „Ten wniosek jest zgodny z ustaleniami Ernesta Krakowskiego, niemieckiego profesora, radiologa. Wykazał on, że przerzuty są zazwyczaj wywoływane przez medyczną interwencję i tylko niekiedy przez biopsję lub zabieg chirurgiczny niezwiązany z nowotworem. Zakłócenie guza powoduje wzrost liczby komórek nowotworowych, które dostają się do krwiobiegu, zaś większość farmaceutycznych terapii, zwłaszcza chemioterapia, powoduje uwstecznienie układu immunologicznego. Ta kombinacja to recepta na katastrofę"...

Milknie, patrzy w tekst, jakby czekała, aż on sam przemówi jeszcze głębszymi dowodami.

— Li, ale wiesz, że dróg jest tyle, ile... — chcę jej powiedzieć coś mądrego, ale gubię się — przecież ty sama też szukałaś metod alternatywnych, zanim poszłyśmy po pomoc ostateczną! Brałaś vilcacorę, piłaś mieloną trawę pszeniczną i poddałaś się głodówce z cebulowym wywarem, i potem ta zielona dieta Optymistycznej Amerykanki... Próbowałaś!

— No ale może za mało... zdecydowanie?! Jednak poleciałam jak ta głupia pod nóż, wlewałam w siebie chemię, wypaliłam sobie wnętrze tą brachyterapią i co?! I gówno! Zżarło mnie to raczysko tak, że aż mi się zrobiła ta przetoka! — krzyknęła i rozpłakała się.

Jezusie, co ja mam zrobić? A tak było już czekoladowo i pięknie!

— Lilunia... — wyciągam ręce i ciągnę ją do siebie na podołek:
— Lilunia, daj spokój, teraz gdzie nie spojrzysz, są teorie i teoryjki!
Wybieraj te, które cię stawiają na nogi, a nie te dołujące!

— Łatwo ci mówić, bo to nie twoja choroba. A ja się staram, staram, staram! Wiem, co to jest afirmacja, pozytywne myślenie, ale zobacz, poddałam się, pokroili mnie, naświetlali, truli truciznami, i psu
w dupę to wszystko!

— Nieprawda. Czasem jest bardzo kiepsko, a potem organizm się
ogarnia!

— Co ty gadasz? Tu piszą, że ogarnąłby się, gdybym mu konse-
kwentnie nie upieprzała życia, a ja owszem, brałam te trawę, piłam
wywar z cebuli etc., ale wiary we mnie nie było, bo jednak medycyna
klasyczna uważa to wszystko za zabobon i ja byłam taka rozerwana!

— No, bo z drugiej strony...

— Marianna, ja wiem, że są różne strony, ale medycy są tacy zadu-
fani w sobie! Kurwa, tylko to szkiełko i oko, statystyki, badania prze-
siewowe, próby zerowe, efekt placebo... ale kompletnie nie chcą się
choćby pochylić i sprawdzić, ile medycyna alternatywna ma wyleczeń.
Dlaczego tak mało wyleczeń ma ta klasyczna, licząca sobie zaledwie
dwieście lat, a na dobrą sprawę sto?

— A mało ma?

— Statystycznie mało. Za Nixona rzucono wyzwanie rakowi i nic
z tego nie wyszło! Miliardy dolarów i stoimy w miejscu — nóż, chemia,
radioterapia i umieralność taka samusieńka, a zachorowań więcej!

— Może wykrywalność większa?

— Nie wiem, może, ale to świadczy o tym, że klasyczna medycyna
daje dupy po całości! Nie umieją mnie uleczyć! A ja durna dałam się...

Nie chcę z nią dalej o tym rozmawiać. Gładzę ją po włosach. Wiem,
że to jej wewnętrzny dramat, upadek wiary w leczenie. A przecież już
się oswoiła z woreczkami, stomią. Jula ją nauczyła, przekonała, że to
nie koniec świata.

Ostatnio po szpitalu Lila ma mniejsze bóle. Sądziłam, że to dobry
znak.

— Nie zawracam ci głowy, tylko biorę podwójny ketonal, czasem
pomaga, czasem tramal, ale wolę nie nadużywać, bo co będę brała,
jak będzie bolało bardziej? — mówi Lilka, patrząc na mnie mokrymi
oczami. Kiedy tak leży odwrócona do mnie, jej twarz robi się taka
dziwna, inna.

— Lilka — zaczynam — a pamiętasz, jak się na ciebie obraziłam? Na wiele lat?

— No... wiem, wiem... pamiętam, a co?

— Nic, głupio mi teraz.

— Oj, przestań! Też mnie wkurzałaś, zazdrościłam ci stabilizacji, bogatego mężusia, Grześka, rodziny, normalności. Ojciec też jest twój, nie mój.

— Bo ci dam w łeb! Twój też, po równo, mały kurczaku!

— Tak, tak, bij słabszego! Będę cię za to po nocach straszyć, jak już umrę!

Wariatka. Od łez do żartów. Zahacza o swoją śmierć i pewnie czeka na jakąś moją reakcję. Nie reaguję, więc Lilka mówi cicho, zwinięta w rogalik, z głową na moich kolanach.

— Mania, ja umrę?!

— Teraz nie! Nie mam czasu na jakiś znów pogrzeb czy coś podobnego, daj spokój! — odpowiadam niby nic, ale czuję ścisk w dołku.

— Ale, Mania, ja poważnie. Mam przerzuty na kości, nie? Piszą w Internecie, że to już nieuleczalne.

— Przestań czytać Internet, a poczytaj jakąś fajną powieść. Li, sama wiesz, że to jest w tobie. Musisz się dobrze odżywiać, a organizm ma pracować! Nie takie cuda się zdarzały!

Chciałam, żeby to zabrzmiało optymistycznie, a ja chlapnęłam jak kretynka o tym, że cud by ją zbawił.

— Cuda... — powtórzyła Lilka głucho i zmieniała temat: — Jedziemy jutro do taty? Niedziela jest. Zjadłabym kapuśniaku na żeberkach.

Potem się pozbierałyśmy, ja zrobiłam autoryzację wywiadu ze znaną pisarką, która wycofała się z życia publicznego, ale dała się namówić na rozmowę o życiu na wsi, które się jej jednak nie spodobało; była jakaś kolacja, wesoły program w telewizji, a w trakcie oglądania Lilka znów dostała boleści i nie chciała tramalu. Masowałam ją i potem trzymałam dłonie na jej chudym brzuchu, bo ona uważa, że wtedy ją mniej boli. Oby to była prawda.

— Masz chyba w rękach jakieś moce — szepnęła podczas filmu z Meryl Streep, i dodała: — Jaka ona piękna! Nie?

Moce? Mam wielką chęć odebrania jej bólu, coraz bardziej jednak czuję się bezradna.

Kiedy zasnęła, wzięłam jeszcze na kolana laptopa, sprawdzić pocztę, i zastałam maila od Marcina:

Witam!
W środę jestem w Warszawie, bardzo chciałbym mały spacer, spotkanie z Tobą.
Mam czas koło 14.00 — proszę, proszę, proszę, dasz się namówić na obiad i spacer?

Odpisałam:

Tak.
We włoskiej knajpce na Spokojnej? 14.00?
M.

Uśmiechnęłam się mimowolnie. Tak, bardzo chcę! A jakby co, poproszę Julę o pomoc przy Lilce, a może zostawię ją u taty?

Kiedy zasypiałam, pierwszy raz od dawna pomyślałam o seksie. Och, jak bardzo chciałam zatopić się w silnych ramionach, w przyśpieszonym oddechu, być wrażliwą na dotyk, czuć męską dłoń na piersi, brzuchu, na udach. Całować się obłędnie, wilgotno, mocno i czekać, aż we mnie wejdzie, rozpanoszy się, sprawiając, że wpadnę w bezdech, w łagodne kołysanie, chciałam takiej ekstazy, oderwania się od codzienności. Jeśli on da znak, że jest skłonny, że chce, nie będę zbyt długo się zastanawiać. Tak, chcę seksu, jak ożywczego prysznica, jak czekolady. Yes!

W niedzielę nie pojechałyśmy do ojca, bo miał jakąś wizytę młodych hodowców starych odmian drzew owocowych. Powiedziałam, że to wspaniale, że ktoś młody interesuje się tymi tatkowymi jabłkami! Lila zajęta projektem ślubnym czytała coś w necie, rysowała, ogarnięta na dobre wizją, gdy nagle zadzwoniła menadżerka panny młodej, że rezygnują. Zaliczka zostaje, ale panie zmieniły projektanta. Pani miała wybitną klasę, dzwoniąc z tą informacją w niedzielę.

Lilka popłakała się ze złości. Miotała przekleństwa, to ją załamało. Pomyślałam, że owa pani menadżer doszła do wniosku, że chora na raka projektantka to zły omen dla panny młodej. Trudno. Dałam się Lili wypłakać, wywściekać i zapewniłam, że to żaden problem. Kasę na życie mamy! Odpuściła. Sama czuje, że jest słaba, i to pół roku do owego ślubu, spotkania, różne fochy i zmiany mogłyby być nie na jej możliwości. Smutno jej, ale rozsądek przeważył, a właściwie przeważyło zdanie pani menadżerki.

Cierpliwie czekałam do środy na spotkanie z Marcinem i kilka razy pytałam Lilkę, czy mam iść. Śmiała się, że jestem głupia i że się zachowuję jak wstydliwa pannica, a mam przecież swoje lata. — Ciesz się — mówiła — że taki przystojniak na ciebie leci, inteligentny i oczytany, a nie mięśniak z kompleksami i zapędami starego singla.

Cieszy mnie każdy jej żart.

Pojechałam na tę randkę. Jula przyjechała pod pretekstem pomocy w wymianie woreczka stomijnego i że ma próbkę nowej gojącej maści.

— Jedź, jedź, my tu sobie poradzimy — Lila wypychała mnie z domu, a stojąca za nią Jula pokazywała mi na migi, że mam się wynosić bez marudzenia.

Mają rację. Choroba to jedno, a drugie — nie zadręczać nią osoby chorej. Nadmierna troska też bywa uciążliwa, a ja nie wiem, ile jeszcze Lilce zostało — więc dobrze, że mam pomoc Julki i sama też przecież mam zarówno życie zawodowe, jak i prawo do odpoczynku.

Uliczka cudownie zgubiona właściwie w Śródmieściu. Troszkę tylko na uboczu, bo za murem Powązek, ale vis-à-vis sporego centrum handlowego.

W starym budynku mała restauracyjka. Bardzo surowa, ale klimatyczna, pachnąca oregano i kawą. Półka i książki, kanapa z poduchami, kącik dla dzieci. Dzisiaj mało tutaj ludzi. Z kuchni wysnuwają się tu jakieś zapachy. Jest pora obiadowa. Czekam na Marcina, który się spóźnia, ale wiem, że korki w Warszawie powodują u niejednego z nas totalną wścieklicę. Czekam!

Czekam i nie mogę się skupić nad wyjętą z regału książką.

Piję zieloną herbatę i myślę, myślę, po co Marcinowi spotkanie ze mną? Taki przystojniak, mógłby mieć jakieś cudne, młode łabędzice, a umawia się ze mną. Czemu?

Jest. Wchodzi, uśmiechając się przepraszająco, i podaje mi bukiet frezji. Klasyka! Miło. Tłumaczy się korkami oczywiście, luzuje miękki szalik w wielu odcieniach szarości. Lubię mężczyzn z tak zawiązanymi szalami. A Marcinowi bardzo to pasuje do jego urody. Miękko układające się szpakowate włosy, szare świecące oczy i śniada cera spalona słońcem. Robi wrażenie! Zwłaszcza w zimie. Kładzie jeszcze przede mną wielką, piękną, brązowo nakrapianą muszlę z porcelanowym, różowobiałym wnętrzem.

— Patrz, wyłowiłem to dla ciebie. I narażałem się, przemycając przez granice!

— O, doceniam, ale… dla mnie? Czy po prostu wyłowiłeś albo…

— Kupiłem? Nie, wyłowiłem w trakcie naszego żeglowania. Lubię nurkowanie, wspaniała przygoda. Nurkowałaś już kiedyś?

— Nie. Mam straszny lęk przed głębiną. Kiedy nie widzę brzegu, moje poczucie bezpieczeństwa wariuje. Jestem lądowym zwierzęciem, zdecydowanie!

— Ale to nie ma znaczenia, można znaleźć mnóstwo takich raf, które są blisko brzegu. Muszą być blisko, bo wtedy są dobrze doświetlone. Koralowce lubią światło. Jak kwiaty! Ach, pięknie się nurkuje, chciałbym cię kiedyś zabrać i pokazać ten podwodny świat.

— Mnie? — spytałam trochę głupio, bo mówił do mnie. Wypadam przez to jak ćwierćinteligentka i chcę coś jeszcze powiedzieć, ale znów wychodzi mi coś płaskiego: — Na razie nie myślę o tym zbyt ciepło, bo na zewnątrz jest zimno, patrz, niby słońce, a jaki ziąb!

Marcin uśmiecha się, może rozbawiony, a może już widzi we mnie matołka, kurczę, po co ja się zgodziłam na to spotkanie?

Nieoczekiwanie pyta:

— Co robisz w sobotę?

— W sobotę? — udałam zamyślenie, powtarzam pytanie, kurczę, no… wiem, że nic, opiekuję się Lilką.

— Chcę cię zaprosić na bal. Miła impreza, sporo znanych i mniej znanych osób, w hotelu Holiday Inn. Dałabyś się namówić?

— B… bal?!

— Wyobraź sobie, bal. Ja też dawno nie balowałem. Owszem, jakieś imprezy, sylwestry, ale… bal? Mój kolega woduje wielki i piękny jacht, a jego firma obchodzi dziesięciolecie i wyprawiają bal za namową żon, bo te stwierdziły, że ich balowe suknie w szafach się starzeją. Niepisana zasada — ubieramy się w coś, co już mamy! Nie mam pojęcia, czy to obowiązuje facetów, więc? Kiedy ostatnio byłaś na balu?

— Ja? — staram się być zabawna — zaraz, zaraz… w tysiąc osiemset czterdziestym chyba ósmym, nie pamiętam dokładnie, ale była na nim Ewelina Hańska z tym okropnym i tłustym Balzakiem, miał nieświeży kołnierzyk, a ona pachniała zbyt mocno perfumami.

Marcin zaśmiał się i patrzył na mnie świetlistym wzrokiem. Zwariował? Po co mu taka kluska jak ja na ten bal? Czemu nie zaprosi młodej laski?

Zapytałam go:

— Nie masz z kim iść?

— No właśnie chciałbym z tobą, a co masz na myśli, mówiąc, że nie mam z kim?

— Że może z jakąś młodą top model?

— Mógłbym z córką, ale ona teraz jest w Zurychu. Marianna... — zniżył głos i spytał zwyczajnie: — jakieś kompleksy?! Ty?! Pani redaktor! No, proszę mnie nie rozczarowywać i nie krygować się absolutnie bez sensu! Top model mnie nie interesują.

— Nie kryguję się, a właściwie to... — szukałam w głowie czegoś wymyślnego, wesołego, czegoś, co go sprowokuje do powiedzenia mi, o co chodzi. Jaki... bal? Zapomniałam o balach! — ...nie mam kiecki. No żadnej balowej! — mówię z uśmiechem.

— To żaden problem, pójdziemy na zakupy, zaraz tu, do Arkadii, i trzaśniemy coś fajnego, będziesz udawać, że to sprzed roku, przecież cię nie sprawdzą.

— Nie, daj spokój. Odpowiem ci jutro.

— Idziemy i bez gadania! Szykuje się miła impreza i wiesz, kto będzie śpiewał do kotleta?! Jiří Korn z kumplami, pamiętasz go?

— No jasne! On jeszcze śpiewa?!

— Żebyś ty wiedziała jak! Miał takich miłych kumpli i nazywali się 4tet. Kapitalnie śpiewali, ale tu będzie sam z jakimś chórkiem i balecikiem. No? Jedziemy po kieckę i w sobotę idziesz ze mną.

Powiedział to ciepło i zwyczajnie. Prosząco. Ech! Faktycznie, może pobalować? Bo skoro to bal jest nad bale, trzeba by iść, bo za rok nie zaproszą nas wcale...

Wykręciłam się z zakupu i pojechałam do domu myśleć.

Jula otworzyła mi drzwi z palcem na ustach.

— Lilka śpi. Zjesz coś? Zrobiłyśmy sobie naleśników.

— Z czym?

— Z niczym. Lilce smakowały same, prosto z patelni. Wyjadała mi dosłownie każdego, ma apetyt, to dobrze.

— A, to zjem. Piłam herbatę, mile sobie pogadałam, ale wiesz, naleśniki chętnie!

Kiedy jadłam ciepłe jeszcze, z dżemem, Jula zapytała mnie, jak oceniam Lilę.

— Nie wiem, nie jestem lekarzem, mam ją tu na co dzień, ale chyba... w dobrym jest stanie. Śpi po prochach, ale nie zawsze musi je brać, czasem jej wystarcza, że ją trzymam za brzuch.

— Wiem, mówiła mi, że masz moc — Julka uśmiecha się i chyba nie kpi. Ma łagodny uśmiech i zmarszczki koło oczu. Nie maluje się. Jest naturalna, łagodna, nie sposób jej nie lubić.

— Jula, a ty jak sądzisz? — teraz ja pytam.

— Mnie się też wydaje, że jest całkiem dobrze. Zdarzają się takie drobne stany remisyjne, ale ogólnie ona to znosi bardzo dzielnie! Ile ja się naoglądałam depresji, załamań, całkowitej rezygnacji. Wtedy nie sposób kogoś takiego pielęgnować, a o leczeniu już nie ma mowy.

— Dlaczego?

— Takie osoby mające totalne załamanie odmawiają współpracy, wypluwają tabletki, nie pozwalają sobie pomóc, jakby wiesz, czekając na szybszą śmierć. Czują się bardzo osamotnione, chociaż są otaczane opieką. Ale są w takiej depresji, że nie dopuszczają do siebie nikogo. Lilka jest dobrze nastawiona do swojego ciała, do ciebie, do mnie. Tylko chce oszczędzić ojca.

Kiwam głową. Ja też chciałabym go oszczędzić.

— Jula, ale ty wiesz, że to nie jest jej biologiczny ojciec?

— A jakie to ma znaczenie? Ważne, że go kocha, ciebie kocha. I że wierzy w twój dotyk.

— Nie śmieszy cię to?

— Nie. To bardzo pierwotne i biologiczne. Ważne, że jej pomagasz, ale też dbaj o siebie. Jej bardzo zależy, żebyś się nie zamieniła w Matkę Troskę. Rozumiesz?

— Rozumiem, mam sobie nie wypruwać żył.

— Tak, ona nie lubi widoku wyprutych żył, jak sama powiedziała, i nie chce, żebyś się dla niej poświęcała.

— Dlatego tak ją bawi moje randkowanie?

— Marianna, daj sobie normalność, to Lilce też ułatwisz... wiesz, no. Ja chętnie pomogę, a ty miej siły dla siebie, Lilki i taty. Nielekko wam, dlatego dbaj o was obie.

Piknął esemes.

— O, jest Mirek, czeka na mnie w samochodzie. Idę już! — Jula wstała i widać było, że ją to biodro boli. Utykając, poszła do przedpokoju.

Kurczę, lubię ją i współczuję, że kuleje. I wcale mnie już nie złości, że jest kobietą mojego byłego męża!

— Nie wejdzie tu? — spytałam Julkę.

— Jest po długim zabiegu, pada ze zmęczenia. Kazał was pozdrowić. Pa!

Kiedy zostałam sama, westchnęłam sobie głęboko przy otwartym oknie. Rześkie powietrze ochłodziło mi płuca, jakby oczyściło. Kiedy siedziałam w kawiarni z Marcinem, miałam poczucie winy, że ja się tu uśmiecham do uroczego faceta, a w domu nieszczęście, ale Jula ma chyba rację. Tak nie wolno. Tak się piorunem zdołuję i zamienię w tę Matkę Troskę z wyprutymi żyłami, a to nie w tym rzecz. Muszę być dla Lilki normalna, silna, muszę zachować równowagę i nie biczować się tylko z tego powodu, że jestem zdrowa i mam apetyt na życie.

Tak czy inaczej, dobrze, że z Lilą lepiej, a na jak długo? Nie wiem.

Zebrałam się w sobie i zadzwoniłam do taty. Za rzadko to robię, ale to dlatego, że ciężko mi odpowiadać na pytania o zdrowie Lili. Nie jest naiwniakiem. Ja wiem, że on wie.

Poszperałam w szafie i z pomocą mojej siostry ubrałam się na ten bal.

Lila weszła w swoją rolę dekoratorki, dizajnerki, wizażystki. Przebierała mnie i przebierała, nie szczędząc słów krytyki albo pochwał. Jak ona to lubi! Może powinnam jej była pomóc i otworzyłybyśmy jakieś studio obsługujące imprezy typu śluby, pogrzeby „i… rozwody" — dodała Li.

— Teraz się robi bibki rozwodowe, jak wieczorki panieńskie, nie słyszałaś? — spytała zdumiona.

— Obiło mi się o uszy, ale mi nikt czegoś takiego nie urządził.

— Bo sobie nie dałaś — burknęła chyba niezadowolona, że nie urządziła mi imprezy z facetami i piszczącymi koleżankami skandującymi, że nareszcie jestem wolna.

— Wiesz, ja wcale nie jestem pewna, czy to wielki cymes taka impreza. Nie każdy to przeżywa jako chwilę triumfu!

— Nie smęć, ale jak tak uważasz, to też powinnaś wiedzieć, że klęskę należy przynajmniej przekuć w triumf. Żegnaj stare, witaj nowe! *The show must go on*, trzeba dalej żyć, najfajniej jak się da — zamilkła i dodała: — Jak umrę, to przecież życie będzie nadal trwało… Nie?

Chciałam coś powiedzieć, bo jeszcze nie umiem tak skakać po emocjach jak ona, ale zamknęła mi usta i zrobiła wesołą minę.

— A teraz buty! Pokaż mi wszystkie, jakie masz!

Z butami zero problemu. Mam świetne mało noszone szpile, ale z sukienką tośmy się namęczyły, bo ta, która wydawała mi się doskonała, nie podobała się Lilce, a jej propozycja była mi całkiem nie w smak.

Chciałam założyć gorset, takie body modelujące, ale ona oczywiście zaraz przywołała sceny z *Dziennika Bridget Jones*:

— I co, chcesz się podczas seksu wysupływać z tego jak ona?!

— Jakiego seksu?! Ja idę na bal!

— Ale on zaproponuje ci drinka u siebie, i wiesz…

— Nie. Za wcześnie — nadymam się i udaję oczywiście, bo, prawdę mówiąc, chciałabym, ale mam jakiś hamulec w sobie.

— Za wcześnie?! A z mięśniakiem to harcowałaś bez takich tam! I jeszcze miałaś sporą nadwagę!

— Teraz też mam.

— E, lekko tylko nabrałaś ciała, a jak on się napali, to znaczy, że mu to nie przeszkadza. Poza tym nie musicie zdzierać z siebie ciuchów jak kiepscy aktorzy w polskim filmie, dysząc i piszcząc, tylko miaukniesz, że idziesz do łazienki i tam się wysupłasz, jak już musisz iść w tej zbroi.

Nareszcie stiuningowana jak stary, ale wyklepany model samochodu, umalowana, uczesana i wypachniona, oczywiście bez modelującego body, zeszłam na dół do Marcina.

Bal jak bal, na sali poczułam się lekko zażenowana, że tu jestem, celebryci i rzemieślnicy z dużym kapitałem, faceci z żonami, kochankami... a ja w jakiej roli? Na szczęście spotkałam kilka znajomych twarzy, czyli dziennikarzy sportowych i fotoreporterów, więc nie wyszłam na sierotkę, bo Marcin znał chyba wszystkich. Prawie. Musi być w świecie żeglarskim znaną postacią. Zachowywał się wobec mnie nienagannie, szarmancko i serdecznie, podsuwał krzesło i dbał o mój komfort. Konwersacja z ludźmi miła, ale oczywiście zdawkowa. Nareszcie zgasło światło i grupa Jiřiego Korna rozpoczęła naprawdę świetny show. Spięłam się, gdy zagrała takty taneczne i Marcin mnie poprosił na parkiet. Niby wiedziałam, że to bal, ale byłam przerażona. Nie tańczyłam lata całe. Boże, ośmieszę się! Jednak głupio mi zapierać się jak jakaś wiejska Dziunia, więc poszłam z nim.

Marcin tańczy doskonale, jest dyskretny i nienachalny. Rozkołysał mnie. Po trzecim walcu poszło mi już jak z płatka. Świetna orkiestra grała znane standardy w takcie walca, tanga, fokstrota. Nawet nie wiedziałam, że mi samba tak dobrze pójdzie, ale fakt, byłam już po kilku drinkach. Było wspaniale, jednak po drugim wejściu Jiřiego Korna niestety muzyka diametralnie się zmieniła. Na stół wjechały desery, na które nie miałam absolutnie ochoty, a towarzystwo już bez marynarek i rozochocone drinkami zaczęło zabawę „na huczno". Kogoś, kto się przeliczył z siłami, dyskretnie wyniesiono, i Marcin sam spytał, czy nie mam dość. Miałam.

Wyszliśmy na zewnątrz i owiało mnie zimne powietrze.

— Mały spacer? — zapytał mnie.

— Nie, raczej nie, jestem rozgrzana, zaziębię się, a na to teraz nie mogę sobie pozwolić.

— Na chorowanie to ja się nie zgadzam, to jasne! Dasz się zaprosić do mnie na drinka?

Bałam się tego pytania jak ognia. No, tak, tak... wyobrażałam sobie tę chwilę i chciałam jej, ale nagle teraz mi odeszło. Julka miała być do jedenastej, potem Lilka bierze zastrzyk albo procha i śpi nawet czasem bez wstawania do rana, ale nie, nie mogę, zwariowałabym.

— Marcin, bardzo chętnie, ale nie dzisiaj. Za dużo drinków, za dużo wrażeń i mam obowiązki.

— Małe dzieci? — uśmiechnął się, chyba lekko zawiedziony.

— Nie. Mam w domu bardzo chorą siostrę. Była do północy pod opieką pielęgniarki, więc nie chcę jej zostawiać samej tylko dlatego, żeby sobie umilić wieczór.

— Nic mi nie mówiłaś. Bardzo chorą?

— Tak. Śmiertelnie chorą. Przepraszam, jeśli zawiodłam.

— Nie, skąd! Wezmę taksówkę i odwiozę cię. Nie zawiodłaś, nie miałem pojęcia, że masz taki problem, jesteś jednak niezwyczajna — powiedział to i pochylił się nade mną. — Mogę cię chociaż pocałować?

— Możesz — powiedziałam z ulgą.

Całowałam się z nim przed hotelem. Objął mnie i gestem przywołał samochód. Usiedliśmy z tyłu, Marcin podał mój adres i pojechaliśmy, właściwie milcząc. Trzymał mnie za rękę, komentowaliśmy wieczór, a on miał taki łagodny uśmiech, piękne oczy i w ogóle już czułam, że zdecydowanie ten pan mnie kręci — jakby powiedziała Lila.

Odprowadził mnie do klatki, po staroświecku, i tym razem ja go pocałowałam, przyciągając go do siebie za jego szary szalik.

— Fajny jesteś! — powiedziałam szelmowsko i pomachałam mu na do widzenia.

Roześmiał się i poszedł.

W domu cisza. W pokoju Lili ciemno, słyszę, że śpi. Poruszałam się cichuteńko, żeby jej nie obudzić. W kuchni pozmywane, powycierane i pochowane! Kochana ta Julka!

Zamykam drzwi do Lili i idę na palcach do łazienki, jednak muszę się choć lekko obmyć! Nie cierpię iść spać w makijażu! Rozmazuję sobie tusz, wyglądam jak jedna z pań, która się lekko zagalopowała i tusz jej spływał pod oczy nieładnie. Wyglądała jak smutny pierrot.

Dobrze, że ja się nie upijam publicznie! Dbam o to, bo byłby to straszny obciach! Zawsze ktoś znajomy zobaczyłby, że pani redaktor pijana... Fuj!

Prysznic! Przyjemne ciepło i spłukanie z siebie zapachów, potu, zmęczenia. Woda jest fantastyczna! Nic tak nie zmywa jak woda — żadne mleczko, tonik, nic! Woda, woda, woda!

Do łazienki bez pukania wchodzi zaspana Lila.

— Co ty tu robisz? — pyta jak mały dzieciak, krzywiąc się od światła i mrużąc oczy.

— Kotlety smażę — odpowiadam.

— No co, głupia? Miałaś się wić w jego boskich ramionach pozbawiona odzieży, a ty tu się prysznicujesz? Nie kciał cię?

— Kciał, kciał, ale ja nie byłam w... sosie. Za dużo drineczków. Pyszna margarita była, a po alkoholu to, jak wiesz, kiszka, a nie romantyczny seks.

— Racja. Było nie pić. Mogę się położyć z tobą?

Wyszorowałam zęby i poszłam w koszuli do łóżka. Lilka przylgnęła mi do brzucha swoimi chudymi plecami i westchnęła:

— Głupia jesteś. Ja bym poszła się bzykać z takim facetem!

— Dam ci do niego telefon — objęłam ją i cmoknęłam w ucho. — Jak dzisiaj? Nie boli? Brałaś procha czy zastrzyk?

— Julka mnie przekonała do plastra, faktycznie fajny, nic mnie nie boli! Ale nie będę nadużywała. Tylko na jakieś okazje i... wiesz. Opowiedz, fajnie było, czy jesteś śpiąca?

Musiałam jej opowiadać, jak było na balu, troszkę koloryzowałam i bagatelizowałam, żeby jej nie było przykro, że ona nie baluje.

— Potrzymaj mnie za nerkę, o tu, tu właśnie, bliżej kręgosłupa — mruknęła, jak jej mówiłam o sałatce z krewetek i czeskim piosenkarzu, który nas oczarował.

— Boli cię tu?

— Trochę, teraz mniej, jak mi tak dotykasz ciepłą łapą. Co tata mówił, jak dzwonił? Mania, a co z moim mieszkaniem? Bo ja tam nie mieszkam przecież, tylko stale u ciebie...

— Co cię napadło teraz na tę konferencję, tato, mieszkanie?! Śpimy, a do życia wrócimy jutro!

Obudziłam się bardzo wcześnie, chociaż to niedziela i mogłabym spać i spać. Lila śpi wyjątkowo spokojnie, bo czasem właśnie nad ranem miewa bóle, wtedy cierpi, płacze po cichu i wtedy też często ja do niej przychodzę i tulę jak dzieciaka. Nie poruszam się zanadto, chociaż muszę rozruszać nogę, bo mi zdrętwiała. Nie zasnę, wiem to. To taka godzina, jaką lubię — przedświt, wczesny ranek, kiedy wszystko dookoła mnie śpi, a świat jest jakby w stop-klatce. Lubię wtedy wstać albo przynajmniej usiąść w łóżku i wziąć laptopa na kolana. Myśli mam wówczas takie przejrzyste, mogłabym powieści pisać!

Teraz leżę i myślę, co będzie? Chciałabym, żeby było dobrze, żeby tatko był zdrów i Lilka nie chorowała, i żebym się zakochała szczęśliwie. Myśli w rodzaju *wishfull thinking*, ale kto powiedział, że to złe myślenie?

Na razie tatko jest zdrowy, Lilka spała dobrze dzisiejszej nocy, a Marcin... jest gdzieś w zasięgu telefonu. Czemu mi smutno? Nie wiem. Może to hormony, a może pogoda, znaczy aura. Niepiękna, chłodna, szara od kilkunastu dni.

Sięgam po laptopa najdelikatniej jak mogę.

W poczcie reklamy i mail sprzed kilku dni, z dziwnego adresu, ale chyba to nie spam. Otwieram i czytam:

Szanowna Pani,

Włodzimierz pozostawił nam do Pani ten adres, żeby Panią zawiadomić, gdyby mu się pogorszyło. Od tygodnia leżał u męża na oddziale pod respiratorem, ale przytomny i nawet żartujący. Pogorszenie nastąpiło bardzo szybko, więc piszę teraz, że wczoraj poczuł się nagle bardzo źle, stracił świadomość i dzisiaj nad ranem zmarł.

Właśnie teraz mąż zadzwonił z dyżuru, zaraz jadę do szpitala z rzeczami Włodka. Lubił Panią bardzo. Było mu wszystko jedno, gdzie spocznie, więc pochowamy go tu, u nas, w rodzinnym grobowcu. Nie chciał pogrzebu w Warszawie ani rozgłosu. Będzie rodzinnie, ale jeszcze nie wiem kiedy.

Prosił, aby przekazać Pani swoje pamiętniki. Są tu i czekają na Panią, bo nie wiem, czy wysłać je pocztą.

Pozdrawiam — Lucyna

Rozpłakałam się bezgłośnie. Na krótko szarpnął mną płacz, ale ustąpił pod smutnymi myślami. Wspominałam Włodka i jego zrzędliwy charakter, zbroję z kwaśnych uwag, sarkazmu, żartów, pod którą żył sobie czuły, wrażliwy i bardzo samotny facet. Jego prochy miały być wsypane do flaszki po Chivas Regal! Za życia Włodka wydawało mi się to takie ważne, teraz już... nie.

Pani Lucyno!

Bardzo mi smutno. Nie mogłam być z Nim w chwili odejścia, ale wiem, jak się cieszył, że ostatnia kobieta, która Mu zamknie oczy, to będzie Pani.

Nie rozpisuję się, bo o czym? Będzie mi Go naprawdę bardzo brakowało. Bardzo Pani dziękuję, że Państwo zaopiekowaliście się Nim.

Po pamiętniki przyjadę, jak tylko mi czas, to znaczy obowiązki pozwolą. Nie mogę zostawić teraz samej chorej siostry i ojca.

Marianna Roszkowska

PS. Czy mówił Pani, że chciał, aby Jego prochy były wsypane do butelki Chivas Regal?

Odpowiedź dostałam natychmiast:

Witam!

Oczywiście! Ledwo oddychał, ale ciągle mi to powtarzał i żartował.

Muszę najpierw Pani coś opowiedzieć. Mnie to nie zdziwiło, a tym bardziej pana Bartka z zakładu pogrzebowego. Mieliśmy tu taką historię z panem Mieczysławem, wieloletnim portierem w Ratuszu. Kiedy był już stary, wymusił na żonie, że ma go pochować w ukochanej piżamie, ciepłych skarpetkach i kapciach. Całe życie przepracował w garniturze i trzewikach, a „lubił bardzo leżeć sobie w tej piżamce i kapciach na wersalce, koło pieca" — tłumaczyła żona w zakładzie, gdy przyniosła ubrania nieboszczykowi. I tak go pochowano, więc skoro Włodek chciał do flaszki po alkoholu, po tym Chivas Regal, to nawet mi powieka nie drgnęła. Odebrałam urnę w Rudzie i przyjechałam z nią do domu. W kuchni przelałam ten alkohol do karafki, obsuszyłam butelkę i wsypałam prochy! Urnę zamówiliśmy taką wysoką, jak tuleja.

Niech ma swój aromat. On bardzo tęsknił za łyski (nie wiem, jak się pisze), i czasem mu dawałam, bo wie pani, to już było tak, że on bardzo cierpiał, a lekarz machnął ręką.

Mówił, że by mu się trawka przydała i syn mu kilka razy coś skołował. Włodek się bardzo cieszył i mówił, że za to pójdziemy do nieba bez żadnych sądów, po protekcji. On zaświadczy, mówił, żeśmy mu bardzo pomogli.

Więc niech się Pani nie martwi! Włodziowi chyba dobrze tam, w tej jego ukochanej flaszce! Mówił, żeby Pani nie ściągać, żeby go

Pani nie widziała takiego chudziaka, że Pani była jak córka. Dobra i mądra — mówił.

Jak zrobimy nagrobek, wyślę Pani zdjęcie, Włodek zostawił nam pieniądze, żeby cały nasz grobowiec jakoś poprawić. No i może wtedy Pani przyjedzie.

Pozdrawiam Panią — Lucyna

Wzruszył mnie ten mail. Oczyma duszy zobaczyłam normalną, prostą i mądrą kobietę — dokładnie taką, jak mi ją opisał mój kochany stary satyr!

Będzie mi brak naszych rozmów, jego rad i uwag, sarkazmu i serdeczności skrywanej pod pozorem kpiny, żartu. No ale zostawił mi pamiętniki...

Nie powiem Lilce, że zmarł. Po co? Nie znała go, a temat umierania jest aż nadto natarczywy ostatnio.

Lila kręci się i zaraz zapewne obudzi. Moja biedna siostra!

— Cześć, Rozkudłaczu — mruknęłam, całując ją w rude, przerzedzone loczki — poleż sobie, a ja wstanę i zrobię śniadanie. Pojedziemy do taty?

— Nie wiem jeszcze, czy w ogóle żyję — odmrukuje i widzę, jak próbuje wciągnąć się jeszcze w sen. — A może gadasz już do trupka?

— Głupi trupek! — połaskotałam ją lekko, Lilka zachichotała i zmieniając pozycję, jęknęła, że ją bolą plecy.

— No to żyjesz! — powiedziałam i wstałam, żeby się zanadto nie roztkliwiać.

Siedziałyśmy sobie w kuchni w szlafrokach i skarpetach, niespiesznie jedząc grzanki z jajecznicą i pijąc kakao — pomysł Lilki. Ostatnio się do niej przyczepiła czekolada i kakao. Myślałam o tym, że Włodek zmarł, i znów mnie ścisnęło z żalu. Szkoda, że sam, że się tak schował u kuzynów, że nie było dużego pogrzebu na Powązkach. Czy przyszłoby wiele osób? Pamiętają go? Ilu? Napiszę notatkę pośmiertną do „Wyborczej"! A co!

Zanim Lila się wygrzebała do taty, ja machnęłam notatkę-klepsydrę i wysłałam maila do wielu znajomych dziennikarzy z prośbą o to samo. O nim należy pamiętać, to był doskonały dziennikarz! Świetny facet, mądry człowiek. Ciekawe, jak często pomyślę, „co by na to powiedział Włodek"?

— Dziewczynki! Jak się cieszę! Już sądziłem, że o mnie nie pamiętacie! — tatko zaprasza nas gestem do domu, zamyka bramę i uśmiecha się wesoło. Jest w dobrej formie, wyprostowany jak dawniej. Znów się pręży i stara się być dziarski.

Patrzy na Lilę z troską, przenosi wzrok na mnie i widzę, że się martwi.

W kuchni siadamy koło pieca, bo rozpalił na nasz przyjazd.

Lubię ciepłą ścianę kaflowego pieca i cieszę się, że ojciec go nie rozebrał, mimo że ma centralne. Szeroka ława koło niego jest ulubionym miejscem każdego po wejściu z zimnego dworu.

Lilka siada w narożniku po turecku i opiera o ścianę, zamykając oczy. Mruczy jak kot.

— Tato, mówiłeś coś, że miałeś gości?

— A miałem, miałem! Młodzi ludzie, wiecie? Jaka wiedza, zainteresowanie starymi jabłoniami! Oni już mają zgodę jakiegoś gminnego kacyka na Mazurach, żeby obsadzać nimi wiejskie drogi.

Rozmowa toczyła się wartko, Lilka nadzwyczaj zainteresowana, ojciec też, i tylko ja jakoś odstawałam. Patrzyłam na nich jakby z zewnątrz, z dziwnym rozdzierającym bólem, że przeżyję, a to jest bardzo prawdopodobne, ich odejście! Ależ tato posiwiał, dopiero teraz widzę to wyraźnie — już żadnego ciemnego włosa, samo mleko na głowie! I ciągle taki piękny mężczyzna. Taki kochany mój papcio!

Wszedł, pukając uprzednio, Kobyliński. Jak zwykle, gdy widzi nas, lekko się peszy, uśmiecha i stawia kosz na ławce. Zdejmując na chwilę czapkę, całuje mnie i Lilkę w rękę i mówi powściągliwie:

— Moja tu kurę dla was... i kilka jajeczek.

Witam go serdecznie, buziakiem w czerstwą twarz. Lila też i widzę, jak Kobyliński czerwienieje aż po białe brwi. On jakby bardziej się postarzał od taty, ale od zawsze biały, teraz na emeryturze przytył, bo mniej pracuje od czasu wycięcia woreczka i po operacji prostaty. Widziałam jego grymas, kiedy spojrzał na Lilę. Jest aż tak źle?

No, ale jak ma być, skoro tak schudła? Łapki ma jak kurczak takie... same gnatki!

Kobyliński nie chce zasiadać do stołu, jak zawsze mówi, że się spieszy.

Lilka idzie do pokoju taty pooglądać fotografie. Ojciec jej przynosi wielkie pudełko po gramofonie, stare już i poklejone taśmami ze skarbami.

— Ja z tym muszę zrobić porządek — mówi Lilka nie pierwszy raz. — Są takie piękne albumy! Kupimy i powklejam!

Zostawiamy ją na tapczanie z jej porządkami i siadamy oboje w kuchni.

Ojciec się wysypuje:

— Baranku! — szepcze — jest aż tak źle? — Bierze mnie za rękę, a oczy ma szkliste.

— Z nią? ...źle, tatku. Ano źle.

— To co teraz? Już żadna, żadna chemia? Naświetlania? Dowiadywałaś się? Ja mam pieniądze!

— Tatuś, teraz to już tylko opieka paliatywna.

— Czyli co...?

— Trzeba jej troski, opieki, plastrów z morfiną i porządnych woreczków.

— Ciągle? Ja myślałem, że to tymczasowo, aż się zagoi.

— Tatku, nic się nie zagoi, nie zarośnie, to przerzuty.

— Biedny dzieciak! Zapewne bardzo ją to dołuje. Jak sobie radzi?

— Nad podziw dobrze, przyjęła to ze spokojem jako stan konieczny, a jeszcze Julka ją jakoś tak dobrze ustawiła.

— Julka? A prawda, to chyba dobra kobieta... A jak z Mirkiem?

— A z nim to bardziej oficjalnie, jakoś bez wybuchów serdeczności. Poprawnie jest. A ją, kurczę, no lubię! Jest taka, wiesz, zwyczajna, ciepła, jak mówisz „dobry człowiek", ale nie tylko to, ona jest taka troskliwa mamuśka.

— Aha... — tatko kiwa głową i chyba już nie słucha, pogrążony w swojej rozpaczy nad stanem Lilki.

Dopiero teraz dotarło do niego, że jest świadkiem jej odchodzenia. Bezgłośnie dwie wielkie łzy dosłownie wypadły mu spod powiek. Wytarł je i westchnął, a ja podeszłam tylko, przytuliłam się do niego, bo co mam mówić?

— Baranku, co ona zrobiła z tym swoim mieszkaniem, ty wiesz?

— Stoi puste, chcę ją namówić, żeby wynajęła.

— Kochanie, to nie takie proste. Ja tam byłem. Ona musiałaby prosić o zgodę właściciela.

— To jej mieszkanie!

— No, już nie. Rozmawiałem z nim, okazało się, że Lilka sprzedała mu je jakieś dziesięć lat temu, z klauzulą użytkowania wieczystego. Ale z zakazem wynajmu.

— O kurczę. Dlaczego?!

— Chyba wtedy miała nóż na gardle i zastój w pracy, nie malowała, nie szyła, nie sprzedawała nic. Chciała mieć na życie i na samochód.

— Myślałam, że ty jej pożyczyłeś...

— Na mieszkanie, dwadzieścia lat temu, bezzwrotnie.

— Nic nie wiedziałam. Nie chciałam wiedzieć! I co teraz?

— Nic. Teraz już nic nie mówmy, nie rozmawiajmy o tym, jej te nerwy niepotrzebne. Ile tylko chcesz na leki, opiekę, to ci dam.

— A ty, tato? Jesteś zabezpieczony? Nie pytałam cię o to...

— Tak, kochanie. Mam pieniądze na doskonałej lokacie, mało potrzebuję, a emerytura mi właściwie wystarcza. Dlatego mogę cię wspomóc, bo Lili czasem coś przelałem, wiesz. I jakieś obrazy zamawiałem ostatnio, przez tę jej znajomą z butiku...

— Ty?!... — aż usiadłam z wrażenia. Mój spryciarz!

No tak! Dziwiłam się, że Lilka dostała jakieś zamówienia rok temu, na serię obrazków *Cztery pory roku*, niby od jakiegoś małżeństwa. Mój tatko, konspirator!

Zostawiliśmy Lilę z fotografiami, które układała w jakieś kupki, wkładała do kopert, opisywała zajęta tym ogromnie. Poszliśmy się przejść.

Okropna jest beśnieżna zima. Taka smutna, wszystko jest martwe, bezlistne drzewa, poszarzałe łąki, pola bez jednej roślinki, przeorane i śpiące. Słońce za chmurzyskami ciężkimi jak szare pierzyny sunące nisko nad nami. Szliśmy z tatą w naszych ocieplanych kaloszach, z lubością zgniatałam chrupiące cienkie tafle lodu na kałużach, w koleinach na brunatnej drodze, która już koło samej rzeki przeszła w piaszczystą, suchą ścieżkę. Ojciec w grubym swetrze, w szalu, opasce na uszach udzierganej z włóczki, ode mnie, ma rozpiętą kurtkę, bo mu ciepło. Staje i odwraca się do mnie.

— Baranku, bardzo ci ciężko? Może pomogę jakoś?

Wtedy wtuliłam się w ten jego sweter, pod kurtkę jak pod skrzydła, i rozpłakałam bezgłośnie. Obejmował mnie wciąż mocnym uściskiem i nic nie mówił.

— Opieka, tatku, to małe miki — chlipałam — najgorsze, że to wszystko jakoś mi się zwala na głowę. Ta cała kołomyja rozwodowa z odejściem Mirka, wyjazd Grzesia tak daleko, śmierć Gienka. Ty wiesz, jak mi go brak?

— Wiem, słoneczko moje, wiem! — czuję tatową rękę na głowie.

— ...choroba Lili — pociągam nosem — a teraz, wiesz, nie mówiłam ci, Włodek zmarł w Kotlinie Kłodzkiej.

— Ten twój zgryźliwy, jak to mówiłaś, gnom? Ten kolega dziennikarz?

— Tak, ten. Mój mentor i kumpel, pojechał umrzeć tam, bo tam miał jakąś daleką rodzinę, a tu był sam i nie chciał nawet tu spocząć na cmentarzu, nie chciał rozgłosu, bał się, że przez jego peerelowską przeszłość nikt by nie przyszedł.

— A co ma przeszłość? To zdaje się był znakomity dziennikarz, ja pamiętam jego teksty, wywiady, jeszcze jak był korespondentem. Miał, jak mówią, „iskrę bożą".

— Miał, miał wielki talent, wiedzę, ale mu się czegoś dogrzebali w tym IPN-ie i szlus! Chlusnęli czarną farbą na człowieka, bo dla nich nieważne, że go tajniacy molestowali nieefektywnie, że pisali jakieś swoje kłamliwe notki, nieważne, że on się sam zlustrował. Młody siurek, gówniarzyna taka zaczynająca w dziennikarstwie złapał, rozumiesz, temat i pojechał na nim, żeby sobie dać splendoru, a Włodka utarzał w szambie. Włodek dawał przecież jakieś sprostowania, ale kto czyta sprostowania? Ja też nie wiem, co o mnie jest w tym IPN-ie.

— Możesz sprawdzić.

— W dupie to mam, dziecko. To poniżej mojej godności iść tam i czytać te jakieś wypluwki, wysrywki, pożal się Boże, tajniaków. Zresztą, kto ja jestem? Emeryt, który zaraz zejdzie z tego nie najlepszego ze światów. Mam to gdzieś.

Wczepiłam się w ojca mocno, bo jego słowa zabolały mnie mocno.

— Tato, tatku, błagam cię, nie zostawiaj mnie! Nie teraz, zwariowałabym, nie dam rady! Za dużo tych odejść! — płakałam mu w sweter. — Obiecaj mi!

— Kochanie moje — szepnął — no co ty, babeczko moja mała, no nie, nie! Ja się teraz jeszcze donikąd nie wybieram, Maniu! Co ci to?

— Tato, będziesz dbał o siebie, dobrze? Jesteś za młody jeszcze na tamten świat, nigdzie mi się nie wybieraj! Ja nie mogę tu zostać sama! Mama zmarła, jak byłam za młoda, żeby zrozumieć, byłam wtedy taka... głupia! Nie rozumiałam jej choroby, bałam się jej bólu, czułam się taka bezradna, odsunęłam się od niej, zamiast być przy niej jak ty, i wiesz, dzisiaj to rozumiem, że ona to widziała i dlatego uciekała do ciotki Jadwigi, żebym ja się tak nie bała jej ataków i tego, jak się zmieniła po wylewie.

— Nie, kochanie, to nie twoja wina... — tatko próbował mnie pocieszać.

— Byłam za mała, za głupia. Powinnam wtedy mieć z kim porozmawiać, jakiegoś psychologa, kto wyjaśniłby mi, co ja czuję, zdjął lęk o te mamy ataki i ból.

— Czułaś się winna?

— Winna może nie, ale bezradna. Uciekłam w dorosłość, samodzielność, do Warszawy, w ten durny układ z Czarkiem, żeby nie patrzeć, jak cierpi.

— Nie przesadzaj, to nie była ucieczka, tylko naturalne dorastanie i twoja droga, kochanie, przecież szkołę miałaś w Warszawie, mieszkanie, studia. To naturalne, że dziecko wyfruwa. Mama to rozumiała.

— Wiesz, że ja nie o tym. Gdzieś w podświadomości uciekałam od mamy problemu, bo nie umiałam jej pomóc, a jej ból sprawiał ból i mnie. I jak ona była umierająca, mnie przy niej nie było. Jaka ja byłam głupia!

Ojciec kołysał mnie w ramionach i milczał. Musiałam to z siebie wyrzucić.

— Dobrze, że choć w szpitalu z nią byłam. Tato, mama wiedziała, że ja tam jestem? Czuła to?

— Tak, kochanie, i doskonale o tym wiesz, bo powtarzałem ci, jak szeptała „ucałuj Marynię, ucałuj ją".

Westchnęłam. Co się stało, to się nie odstanie. Mogę tylko nosić ją w sobie, w sercu, w myślach.

— Teraz, kiedy Lila jest na pasie startowym, jak mnie zostawił Mirek, Grześ, nie wolno ci się zaniedbać, tato. Nie mogę zostać całkiem sama!

— A możesz już nie płakać, Baranku? — ojciec dotknął mojej twarzy swoją ciepłą dłonią. — Ja nigdzie się nie wybieram, to ci już powiedziałem. Jestem i będę. Obiecuję! Dożyję dziewięćdziesiątki albo lepiej i będziesz miała ojca staruszeczka, sucharka takiego. Ale będę! Obiecuję!

To irracjonalne, ale mu uwierzyłam. No bo czy to można obiecać?

Ale uwierzyłam, bo chciałam uwierzyć i takie najprostsze, bajkowe zapewnienia były mi potrzebne, bo się rozkleiłam.

Szliśmy ścieżką koło Świdra, paskudnie wiało. Obok, na czyimś pastwisku kopce krecie, dalej zagajnik sosnowy i znów zakręt Świdra. Już nie rozmawialiśmy o śmierci. Kiedy zrobiliśmy nawrót, spytałam ojca odważnie:

— Tato, i ty po śmierci mamy nigdy nic na poważnie?

— Na poważnie? Pytasz o kobiety?

— No tak, wybacz, ale mnie to ciekawi. Nie śmiałam ci włazić z butami, ale powiedz.

— Ach wiesz, że tam był taki jeden czy drugi romansik…

— No ale tak poważniej, nic?

— Ano nie udało się.

— To znaczy, że coś próbowałeś?!

Ojciec przystanął i zapatrzył się w Świder, nie chcąc chyba na mnie patrzeć, gdy to mówił:

— Nawet nie tak dawno, z dziesięć lat temu, Kobyliński zaaranżował mi tu spotkanie z kuzynką jego żony. Bardzo miła nauczycielka, spod Torunia. Bywała tu w weekendy i nawet, nawet chyba coś by z tego wynikło, ale jej dzieci urządziły jej straszną aferę i urwało się.

— Dzieci?! Dorosłe?

— Tak. Nagle w sobie obudziły taką troskę o mamusię, że ruszyły nawałą na nią z awanturą, że nie ma prawa ich tak osierocić, że musi być z nimi, bo kto się zajmie wnukami? A tak po prawdzie to była im potrzebna jako opiekunka. Chciała sprzedać swoje mieszkanie i przenieść się tu, do mnie, ale one nie pozwoliły, a właściwie córka. Nie chcę o tym mówić, to przykre. Hala się ugięła i poświęciła dzieciom.

— Nie dość cię kochała, jeśli w ogóle.

— Chyba tak. Ona taka rozsądna, wiesz, nie dała się rozhuśtać uczuciu…

— Ale dała się zaszczuć dzieciom?

— No właśnie. Wtedy powiedziałem sobie, że mam dość. Czasem mi się coś tam zdarzyło, jak byłem w Ciechocinku, w Krynicy, wiesz, ale to takie tam…

— Wiem, tatku, ale nie wiedziałam, że taki z ciebie amant! I co, nie macie kontaktu? — wróciłam do Hali.

— Nie. Zmarła dwa lata temu na wylew.

— Biedny mój! — powiedziałam współczująco, a tatko mi odpowiedział:

— Baranku, ale mam ciebie, Lilusię…

— Tatku, nie byłam na pogrzebie Włodka. Męczy mnie. Nawet świeczki nie zapaliłam.

— To zapal w domu, Baranku. Jaka to różnica? Dla niego żadna. Niepotrzebne twierdzenie, że zmarli po śmierci widzą i oceniają. Stąd te obecne demonstracje na cmentarzach.

— Jakie demonstracje?

— No byłem ostatnio u Wandeczki w Zaduszki. Ta masa sztucznego kwiecia, plastiku! Ludziska wstydu nie mają, na grobach poustawiają tych lampionów z tanią stearyną i dymi to, kipi wieńcami z plastiku, tylko po co? Zmarłego przepraszają, że nie dbali o niego za życia? Obiecaj mi, że nie będziesz naszego grobu tak obrzucać…

— Obiecuję. Wiem, że mama też tego nie lubiła. No, chodźmy, nie chcę się zaziębić.

Zdecydowanie nie chcę teraz o tym rozmawiać, chociaż temat śmierci pcha się do mnie ostatnio nachalnie, powodując rodzaj depresji, smutku.

Kiedy byliśmy blisko domu, ojciec zapytał:

— Jak ona sobie radzi, tak… jak jest sama? Może byś ją przywiozła do mnie?

— Na razie radzi.

Lilka czekała na nas z obiadem. Żurek z ziemniakami mój chorasek pochłaniał, sławiąc tatki kuchnię. Szarlotkę zjadła, podciągnęła bluzę, zasłaniając dłonią woreczek, i pokazała nam swój chudy brzuszek. Starała się wydąć go jak najbardziej, mówiąc:

— Patrzcie, jak się najadłam, jak mi brzuch wywaliło!

Mój chudziak! W swoim fioletowym, ciut za dużym dresie wygląda nawet, nawet, ale ja wiem, jak schudła. Jakie ma kruche kości, cała jest taka teraz jak świąteczny faworek, delikatna.

Wracałyśmy, rozmawiając o ojcu, jak się doskonale trzyma, jakie ma pudełeczko na leki, i że sam sobie kupił i takie tam ple-ple, żeby zabić czas. Cieszę się, że Lilce chce się gadać, bo najbardziej nie lubię, gdy milczy. Boję się wędrówek jej myśli, jej smutnej buzi, kiedy ucieka w głąb siebie. Niech mówi jak najwięcej, niech spuszcza emocje. Zagaduje mnie o moje sprawy.

— Jak tam ci twoi dobiegacze?

— Jacy dobiegacze, Li? Mam tylko Marcina, a i to, wiesz, niepewna sprawa.

— No, ale fajny! Przystojny jak nie wiem co! A korespondent?

— Antek? No… korespondent i tyle. Milczał ostatnio.

— Ale masz siwe skronie! — odwija mi włosy nad uchem i dodaje: — zaraz kładziemy farbę!

Godzę się, czemu nie? Niechaj moja siostra kładzie mi farbę, niechaj robi, co chce, byle była aktywna! Ona stała się teraz moją kosmetyczką. Za to, że ze mną mieszka, stara się mi odpłacić. Sprzątać nie musi, Gala wpada raz w tygodniu, cicho i bezszelestnie ogarnia mieszkanie. Jest bardzo małomówna. Sądziłam kiedyś, że za tym jej milczeniem kryje się jakiś dramat czy co, ale okazało się że nie. Taka jest, jak…

— …jak ta Marilyn z *Przystanku Alaska* — powiedziała kiedyś Lilka próbująca koniecznie wyciągnąć Galę na zwierzenia — ale wiem już, gdzie mieszka i że ma męża, który jest mocno starszy od niej, Polak. Pracuje jeszcze jako zegarmistrz, na Grochowskiej, ale to kiepska kasa, więc Gala zarabia sprzątaniem.

— Z tego, co wiem — odpowiadam — nieźle sobie radzi, bo jest szybka i niezwykle sprawna i ma sporo domów do obrobienia.

— Praca jak każda inna, tylko żeby się jej fiskus do tyłka nie dobrał, bo wiesz, jak to u nas jest. Każą jej jeszcze założyć kasę fiskalną…

— No wiesz, każdy powinien płacić podatki, ale skoro ona nie jest zatrudniona w żadnej agencji sprzątającej…

— Sama mogłaby taką założyć! — Lilka zamyśla się na moment. — Gdybym przypadkowo wyzdrowiała, pogadam z nią i może razem założymy? To może być fajny interes, ta Gala jest po szkole ekonomicznej, więc kuma cyferki. Tylko ta jej milcząca mina sfinksa!

„Gdybym przypadkowo…". Cieszę się, że Lilka snuje plany, osadzając je w przyszłości, w której widzi siebie ozdrowiałą.

W domu spokój. Każda z nas ma swoje rytuały, zajęcia. Ja otwieram laptopa i znajduję maila od Antoniego:

Witaj, Marianno!

Miałem mnóstwo zajęć, więc mało czasu na przyjemności, a muszę przyznać, że miło mi pisać do Ciebie. Może dlatego, że nie muszę się puszyć i napinać w zalotach, a mogę zwyczajnie, jak z kolegą z wojska.

Niby u nas nie ma zajęć ponadplanowych w stoczni, ale jednak mała awaria niewynikająca z naszej winy opóźniła proces budowy i teraz musieliśmy się troszkę posprężać, nadto pochorował się kolega (złamał rękę) i dostały mi się jego odbiory.

W weekend w sobotę zrobiłem dzień dobroci dla ciała. Pranie, a potem przebierka i sauna, po niej kanapa i telewizja.

W niedzielę wyjechałem z kolegą w górki połazić troszkę, żeby inaczej pracowały moje mięśnie, żeby się dotlenić świeżym górskim powietrzem i zupełnie inaczej zmęczyć.

Pojechaliśmy na Jirisan. To jakieś 200 km od Ulsan, miasta, w którym mieszkam.

Pogoda wyjątkowa, bo zazwyczaj to tu w Korei jest tak, że w tygodniu jest pięknie, a w weekendy pada! Ale tym razem było niemal odwrotnie.

Weszliśmy sobie spokojnie na szczyt, mijając innych, schodzących z niego. To zazwyczaj około 40-50-letni Koreańczycy płci obojga, ale i starsi się zdarzają. Doskonale ubrani, z plecakami i miłym pozdrowieniem: A na se yo!

Widok ze szczytu zawsze zachwyca. Tym razem dobra widoczność, więc zrobiłem kilka fotek, jak obrobię, to wyślę.

Wąską granią przeszliśmy sobie na następny szczyt, a tam, już ciut pod nim, w dużej drewnianej altanie zbudowanej specjalnie po to, zjedliśmy jakieś małe co nieco, popiliśmy piwem i zastanawialiśmy się, czy wracać tą samą drogą, bo samochód stoi na parkingu pod Jirisan, czy wrócić na parking autobusem? Wybraliśmy tę drugą opcję.

W domu byłem wieczorem, zmęczony, ale zadowolony!

Ach, Marianno! Jaka to frajda!

Zanudzam Cię? Przepraszam, ale lubię te moje wędrówki.
A Ty? Masz jakieś hobby? Co u Ciebie? Jak Twoja siostra?
Antoni

Najpierw chciałam go zbyć. Zmroził mnie ten jego entuzjazm, on sobie skacze po górkach, a ja tu mam prozę życia. Zaczęłam klikać:

Antku!
Pozazdrościć! Masz czas i luz, więc uprawiasz swoje hobby, to zdrowe i dobre.
Pytasz, czy ja mam jakieś? No nie. Nie takie jak Twoje, bo ja tu, na Mazowszu płaskim jak naleśnik nie mam jak skakać po górkach, mogłabym może jeździć rowerem, jak mój znajomy, ale też jestem zbyt leniwa, a ponadto, wiesz...
Pisałam Ci o mojej siostrze Lilce?
Choruje, jak wiesz...

Opisałam w kilku zdaniach tę naszą huśtawkę nadziei na cud.

A poza tym...
Wiesz, jestem uwodzona!
Pojawił się taki facet, który znalazł moją komórkę i spotykamy się. Mam poczucie winy czasami, czy wobec choroby mojej siostry mogę się tak cieszyć z flirtu, ale ona uważa, że to wręcz mój obowiązek, żeby nie zgnuśnieć. Myślisz, że nie chce się czuć moim ciężarem i dlatego tak mnie pcha w ramiona owego romansowicza?
To na razie nic takiego i wybacz, że o tym piszę, ale po latach bycia przykładną małżonką i w moim wieku, przy braku żurnalowej urody, jestem zaskoczona tym, że się podobam. Ach! Co ja Ci tu?
Zawodowo obijam się troszkę, znaczy odwalam zadane mi wywiady, opracowuję i już. Żadnej własnej inicjatywy, sporo mi naczelna odrzuciła, więc się zwinęłam z pomysłami.
Antek, trochę głupio, prawie się nie znamy, a ja Ci się tu wylewam. Jakbyś się poczuł znudzony — pisz szczerze.
Marianna

Na odpowiedź zaczekam zapewne, bo to drugi koniec świata i facet, więc nie będzie strzelał mailami jak z karabinu.

Poszłam do kuchni po herbatę i usłyszałam z pokoju Lilki cichy odgłos, jakby tłumione miauczenie. Weszłam do niej. Klęczała na swoim łóżku z twarzą w poduszce i kołysała się miarowo.

— Li?! — zapytałam — co ci?

— Mania, jejka, jak boli, boli, boooli!

— Ale co, kochanie?!

— Kości w kręgosłupie, ojej!

— Brałaś coś, co ci dać? Ketonal? Masz plaster?

— Nie, plastra nie mam, oooch! Od dwóch dni! Auuu!

Poszłam do kuchni przeszperać to, co mamy.

— Może daj mi tramadol? — krzyknęła i usłyszałam, jak się rozpłakała.

Pobiegłam do niej.

— Lilku? Co byś wolała? Tramadol, valerin, czopek, zastrzyk?

— Jaki czopek, zwariowałaś!? Przecież ja dupy nie mam! Ojessssu! Zastrzyk mi zrób! Albo daj plaster! Zadzwoń po Julkę! Potrzymaj mnie za biodra, zawsze pomagało, albo nie, termofor mi… Aaauuu! — Teraz już widziałam, jak cierpi, jak płacze z bólu.

Zadzwoniłam po Julę, a sama przegrzebałam pudełko i znalazłam plastry, zastrzyki i tabletki.

— Li, co chcesz?

— Nie wiem, plaster, termofor! Rozetrzyj mi plecy! Co mówiła Julka?

— Zaraz tu będzie, za godzinkę, proponowała plasterek.

— Muszę z nią pogadać… Masuj! Naklej!

Drżały mi ręce, gdy jej naklejałam plaster. Nigdy jeszcze nie wyła z bólu aż tak! Skręcało ją, drżała. Masowałam jej plecy, tuż nad jej pupiną, chudą i małą. Że to jej pomaga. Złuda? Wmówiła sobie, czy to potrzeba pieszczoty, kontaktu z kimś, do kogo czuje zaufanie?

Dzwonek do drzwi. To Julka. Opowiadam jej, co się stało, i mówię, że już jest lepiej, bo plaster zaczął działać.

— Przepraszam, że cię fatyguję, ale Lila się uparła.

— To, nic, nic! Ważne, że jest lepiej. To pierwszy taki atak?

— No, miewała bóle, ale żeby tak… — patrzę na nią wyczekująco. — To się będzie nasilać?

— Chyba tak… — mówi głucho i zaraz wkracza do Lilki z troskliwym: — I co, kochanie? Co?

Moja mała siostra tuli się do Julki jak… do mnie. Jestem zazdrosna, głupio mi, więc zostawiam je. Zazdrosna? Odbiło mi? Sama siebie ganię za te myśli. Im więcej dobroci ją otacza, tym lepiej! Ale dotąd tylko do mnie się tak tuliła!

Siadłam do komputera, ale praca mi nie szła, przeglądałam wiadomości, gdy zadzwonił telefon. To Marcin, ma ciepły głos, pyta, co u mnie, ale rozmowa nam się nie klei. Głupio mi flirtować, wiedząc, że Lilka cierpi, jakoś to mi nie współgra, więc kończę, wykręcając się byle czym. Trudno, poczekaj, mój piękny panie!

Wchodzi Jula z delikatnym „można"? Sadzam ją i podaję koniak.

— I co z nią?

— Dałam jej środek uspokajający, bo bardzo się nakręciła tym atakiem. Marianna, tak teraz będzie co jakiś czas i musicie o tym wiedzieć. Umiesz robić zastrzyki domięśniowe?

— No skąd! Przecież ja nie będę robiła.

— Będziesz, jak zajdzie potrzeba, bo Lilka kategorycznie chce jak najmniej plastrów, mimo że jej tłumaczyłam, że nie grozi jej uzależnienie, ale chorzy sądzą, że się uzależnią, że działanie już nie będzie takie jak powinno i osłabi to walkę z bólem, więc wolą cierpieć niż brać przeciwbólowe.

— To źle? A jak przestaną działać?

— Będę brutalna, dobrze? Ona bierze tych leków co kot napłakał, stara się być dzielna, mówi, że czuje ulgę w ciepłej kąpieli, że jak ty ją masujesz, a prawda jest taka, że ona na razie naprawdę nie bierze za wiele i może sobie pozwolić na plaster non stop, bo jest kilka jeszcze odmian w zapasie, są zastrzyki mocne i mocniejsze, a do morfiny to jeszcze ho, ho, ho!

— I właśnie tego kresu lekowego ona się boi — wtrącam.

— Bzdura! Ona jest blisko niestety tego kresu, więc ważny jest jej komfort życia.

— Czy umierania? — zapytałam odważnie.

— Może jeszcze za wcześnie mówić o umieraniu, ale jej stan bardzo się pogarsza — Jula westchnęła i łyknęła koniak do końca.

— Ile jeszcze, jak sądzisz?

— O, tego nikt nie wie, i żaden lekarz ci nie powie, ale z doświadczenia wiem, że gdyby nastąpiła remisja, to byłby wielki cud!

— No ale ile? Pół roku? Rok?

— To jest optymizm, Marianna. Ja myślałam raczej o miesiącach, ale mogę się mylić, jestem tylko pielęgniarką. I uważam, że powinnaś być przygotowana na te bóle, bo będzie ich sporo, i dzwoń, kiedy tylko będzie potrzeba.

— A ona jak — pytam — domyśla się?

— Nie umiem jej rozgryźć, bywa, że żartuje, że „zaraz kipnie", a bywa, że snuje jakieś plany. Oczywiście jesteśmy z nią, optymistyczne i współpracujące! Przyjadę z witaminami i pokażę ci, jak robić zastrzyk, jakby co. Albo namówimy ją razem na noszenie plastrów ciągiem.

Gdy rano Lilka się obudziła, wyglądała normalnie. Przyczłapała do kuchni w kapciach, rozczochrana i zaspana. W piżamie i swetrze. Fakt, łepeczek ma mocno przerzedzony, dobrze, że obcinam jej włosy krótko. Lepiej to wygląda niż kilka włosów dyndających z łysej czaszki.

— Ale mnie sieknęło wczoraj — sarknęła i popatrzyła na mnie poważnie. — Ale nie bój się, siostro, jeszcze nie umrę. Dobrze się czuję i możesz mi zrobić normalne śniadanie!

— Normalne, znaczy co? Jajka czy parówki?

— Zjem jajko i bułkę! Całą! I kawę z mlekiem.

— Kobyliński powiedziałby, że ci idzie na życie, bo masz chcicę na żarcie. Idź do łazienki, a ja się zajmę resztą.

Przez kolejnych kilka dni nie było ataków. Plaster robił swoje, a ja z drżeniem serca zostawiałam ją samą w domu. Miała koło łóżka telefon domowy i komórkę, więc nie panikowałam, ale wolałam, gdy przychodziła Gala sprzątać albo Julka. Ona na szczęście zgodziła się zwyczajnie na pieniądze, więc nie miałam już żadnych oporów, żeby była u nas co drugi dzień do piętnastej.

Utwierdzana przez Lilkę, że powinnam żyć najnormalniej na świecie, dałam się namówić Marcinowi na randkę u niego. Napuszczała mnie i popychała, mówiąc, że jakby była zdrowa, sama by się koło niego zakręciła, że widać po nim, że facet jest dbający o siebie, zasobny i szarmancki. Obie z Julką mnie wręcz wypchnęły.

Zanim Lila mnie wypuściła z domu, poprzedniego dnia urządziła po południu salon urody i tym razem ja leżałam na tapczanie z głową na jej udach. Przez okulary na czubku nosa i przy jasnej lampie oglądała mi twarz, wyrywając kłaczki, regulując brwi i coś dłubiąc, klepiąc. Bałam się, że złamię jej kości udowe, bo ona teraz je ma jak kurczak, ale ofukiwała mnie, żebym leżała spokojnie. Potem zarządziła depilację nóg, ale spasowała, wiedząc, że to już nie na jej siły, więc zrobiłam to sama, gawędząc z nią i jeżdżąc sobie po nogach maszynką-straszynką albo „wyrywadłem", jak nazywamy depilator.

Gdy odpoczęła, dała radę pomalować mi paznokcie u stóp, pytając dobitnie, czy wzięłam ładne majtki. „Masz mi potem wszystko opowiedzieć"! — nakazała mi, grożąc palcem.

Nazajutrz w dzień randki zapomniałam o dłoniach, bo szykowałam kolację dla dziewczyn i pościel dla Julki, i poszłam z niepomalowanymi paznokciami, krótkimi zresztą i niezbyt atrakcyjnymi. Nie lubię długich, bo mi przeszkadzają, gdy klikam w klawiaturę. Włosy ułożyłam tylko lekko, bez szaleństw. Szczotkowałam je i gapiłam się w lustro, zastanawiając się, dlaczego taki przystojniak leci na mnie? Czemu nie na młodą laskę? Ach, dowiem się zapewne, a może jednak nie wszyscy faceci ślinią się do młodych? Może ten mój szpakowaty adonis wie, że wartość kobiety to nie tylko jej jędrne ciało i sterczące sutki? Może...?

Bo ten nasz flircik już się zarumienił, już pobrzmiewamy oboje inaczej, rozmawiamy, śmiejąc się i ściszając głos, i jest w tym ewidentny element uwodzenia. Zupełnie nie to samo co z Ofelią! Jaro mnie po prostu wziął pod prysznicem i było nam świetnie... A teraz szykuje mi się najnormalniej łóżkowa randka, no bo już nie kawiarnia, nie restauracja, nie bal... „Przyjedź do mnie, będzie fajny nastrój, kolacja, jak zechcesz — zostaniesz, co?" — zapytał otwarcie.

No to jadę. Li zostaje z Julką. Pościeliłam jej na swoim tapczanie, choć oponowała, że wystarczy jej połówka albo fotel. „No ale to nie jest szpitalny dyżur przy łóżku chorego, tylko towarzyska wizyta!" — powiedziałam to głośno, żeby moja siostra to usłyszała. Zamawiam taksówkę i jadę!

Niewielkie mieszkanie na Żoliborzu, w zamkniętym osiedlu. Ostatnie piętro, na które trzeba wejść z czwartego, bo to rodzaj poddasza. Marcin wita mnie pachnący lekko dobrym kosmetykiem. Jest w miękkich spodniach z szarej flaneli i lnianej, białej koszuli wypuszczonej na wierzch.

— Wybaczysz mi domowy strój? — pyta z prostotą.

Wybaczę, a jakżeby nie? Ja też mam na sobie miękkie jeansy, które oburzyły moją siostrę, i zwykłą bluzkę z szarym blezerem. Bez biżuterii. „Mogłabyś założyć pończochy, głupia! To seksowne, a nie spodnie! Ech, ale kto mnie słucha?" — pomstowała.

Marcin odbiera mi płaszcz i oprowadza po mieszkaniu. Fajne! Mały przedpokój, wielki salon z antresolą, na którą się wchodzi drewnianymi schodami.

Tam małe okno typu mansardowego i spore łóżko. Podobnie od strony kuchni jest osobna antresola, na jakieś już graty. Wszędzie czysto i pachnąco. To zdaje się pachnidełka z Indochin. W salonie szalenie nowoczesny kominek z metaloplastyki i masa pamiątek z podróży — zdjęcia z wielkimi rybami, z Masajami, na żaglowcu. No, no, no...

— Marcin, czy ty... — zaczęłam, żeby coś powiedzieć, gdy on dokładał do kominka, ale nie skończyłam. Zamilkłam, bo nie bardzo wiedziałam, co mówić. On usiadł koło mnie, uśmiechnął się nieśmiało i pocałował mnie najnormalniej na świecie! Jakbyśmy byli od lat kochankami.

O, jak miło! Bardzo, bardzo łagodny pocałunek, taki akurat na „dzień dobry, czy myśmy się umawiali na jakiś seks, czy tylko na czułostki?"

Popatrzyłam na niego zaskoczona, ale i zadowolona z takiego obrotu spraw. Nie musiałam się wysilać, uwodzić, bo już zostałam uwiedziona! Jak to dobrze, że nadajemy na tych samych falach! Jakiś koniaczek, jakieś gadanie o niczym. Marcin wstał, wyciągnął rękę i powiedział: „Chodź".

Żadnego rzucania się na siebie, dysząc jak lokomotywa, zdzierania ciuchów, słowem zero udawania.

Do sypialni na antresoli weszłam po schodkach z łazienki w ręczniku, bo jednak miło jest móc się odświeżyć i nie krępować może zbyt biologicznym zapachem. Nie każdy facet jest Napoleonem.

Moje uwolnione od steru ciało było łakome i chętne, on bardzo dbały o mój zachwyt, ale kiedy doszło do „już był w ogródku, już witał się z gąską", nie zaskoczyło. Znaczy Kolega Sympatyczny nie stanął... na wysokości zadania.

— Spokojnie, to się zdarza — szepnęłam.

Był spięty, i chyba wdzięczny za moją łagodną reakcję. Zwolniliśmy, zaczynając jakby od nowa, ale i tym razem coś szło nie tak.

— Marcin, pośpiechu nie ma, *don't worry*! — pocałowałam go i położyłam obok, podpierając się łokciem.

Rozmawialiśmy z cicha, on tłumaczył mi się, że to stresy, że od dawna nie był z kobietą etc.

— Żartujesz! Ty?... — pytałam zdumiona, bo sądziłam, że z jego urodą to on się ogania jak od natrętnych much!

— A co ja?! — roześmiał się — Ja nie jestem, jak to mówią, „jebaka"! Za kogo ty mnie masz?

— Za przystojniaka, który jest chyba ciut za skromny. Nie lubisz młodego ciała? Nie wierzę!

Mówił bardzo przekonująco o tym, że to nie tak, że owszem młode to ładne, ale w łóżku to on woli dojrzałość, bo sam wie, że nie ma dwudziestu lat i takie tam…

Postanowiłam dać mu wiarę, bo czemu nie?

Rozmawialiśmy sobie swawolnie o ciele, o bzykaniu, zeszliśmy nawet na jakieś małe świństewka, żeby poluzować i żeby mu puściło, moje usta delikatnie pieściły go w miejscach znanych jako „okolice erogenne" i jakoś tam doszło do tego, że w końcu wylądował w moim napalonym i ciepło-wilgotnym wnętrzu. Byłam podniecona i chętna, ale starałam się nie okazywać tego zanadto, żeby go nie spłoszyć, bo jednak jego narząd swawoli swawolny nie był. Raczej zawstydzony, przestraszony…

Ach, trudno! Jarek był maszyną doskonałą! Zatęskniłam do jego Jaśka Sztywniaka, miał facet to, co powinien, znaczy sprawny organ i umiejętności dawania kobiecie szczęścia. Jarek zawsze podążał tuż za mną i nigdy się nie puścił przodem, a tu… Oj, coś robimy nie tak!

Po tym jakby sztubackim seksiku Marcin tłumaczył mi, że to ja go onieśmielam, że ta moja kobiecość, że…

No, bywa, że mężczyzna ma gorszy dzień, ale cała reszta była naprawdę miła, więc w końcu zasnęłam zmęczona, bo noc już głęboka, a na więcej figli się nie zanosiło.

Rano dostałam pyszne śniadanie, okraszone przeprosinami i jakąś świetlistą perspektywą: „innym razem będzie lepiej, może za niedługo?".

Nie sprawiał wrażenia zawiedzionego, a raczej mającego nadzieję.

Ból

— Jak było? — Lilka czekała na mnie w piżamie i szlafroku sama. Jula właśnie pojechała, już wiedząc, że wracam. Zdążyłam zrobić zakupy w naszych delikatesach, a leniwa sobota była fajną perspektywą spokojnego i miłego dnia, po tej dziwnej nocy z moim nowym kochankiem.

Nie chciałam się przyznawać do tego, co się stało, tym bardziej że Lila się nakręciła i koniecznie chciała mnie wyswatać.

Na obiad zrobiłam risotto. Byłam zadziwiona apetytem, z jakim Lilka pochłonęła potężną porcję.

Jak to dobrze, że je, pomyślałam po staroświecku.

Mirek tłumaczył mi, jakie to nie do końca prawdziwe, że ważne jest, co się je, a nie ile, ale mnie cieszy każdy kęs, jaki ona zjada, bo już tak wychudła, że twarz jej się zrobiła jak u jaszczurki, a kości dłoni i ścięgna zaznaczają się ostro pod papierową skórą.

Po południu zaczepiła mnie koło śmietnika nasza dozorczyni.

— Dzień dobry, pani Marianno! Zaniosłam pani list, bo siedział w skrzynce u pani Woźniak. Źle z tą pani lokatorką, co? Przepraszam, że ja tak, ale otworzyła mi, to zobaczyłam…

— To moja siostra, pani Steniu. Źle, no źle!

— Zupełnie jak moja bratanica, jak ją raczysko żarło, też tak wychudła, ale pojechała do Prokocimia, bo tam przyjmował taki Filipińczyk, co robił te operacje bez krwi, że niby się przez skórę dostawał do środka.

— I co?

— A miała taki nawrót na życie, to się remisja nazywa, wie pani? I ozdrowiała na trochę.

— Na ile?

— Na jakieś pół roku, a potem to migiem ją wzięło! Zmarła jakieś trzy miesiące temu. Ale pół roku stargowała! Pani powie, to prawda z tym, że się ciało rozstępuje pod jego rękami, czy oszustwo? Bo wnuk mówił, że to sztuczka cyrkowa, żeby człowiek w coś uwierzył!

— Ano chyba tak właśnie jest, pani Steniu.

— Bidulka…

Pani Stenia westchnęła i poszła do swojej klatki.

Chciałabym, żeby nastąpił spektakularny cud! Żeby pojawił się jakiś nowy Harris albo jakiś Filipińczyk, może Grek, albo szaman z Syberii i uzdrowił cierpiących. Nie wiem. Dotykiem? Mistyfikacją? Ziołami czy wyciekiem ze skał typu Mumio, czymkolwiek, co przeoczyli lekarze. Chciałabym przełamać moją własną niewiarę w to, że będzie lepiej! Przecież bywają takie cuda, czemu one nie działają na moją Lilkę?

Pamiętam cud Leszka, naszego dalekiego kuzyna. Postawny, przystojny, mądry nauczyciel w Poznaniu. Nagle zaczął się źle czuć. Pół roku szukano przyczyny i nic. Był już półrośliną, jeździł na wózku, ślinił się i nie ruszał nawet ręką. Dramat! W końcu znajomi złożyli się na bilet lotniczy do Szwecji, do siostry jakiegoś znajomka, która obiecała konsultacje w szpitalu. Tam zrobiono multum badań z badaniem włosa włącznie i okazało się, że z przyczyn niewyjaśnionych organizm Leszka „zjadł" cały zapas miedzi. Niby to mikroelement, ale potrzebny do metabolizmu. A tu prawie zero! Zaczęło się uzupełnianie i obserwacja. Ustało ślinienie się i nastąpiła poprawa. Po roku rehabilitacji, oczywiście w Polsce, wrócił do sił, podniósł głowę i wstał z wózka. Cud? No, pod nazwą miedź.

Nie ma takiego cudu na raka. Cholera jasna!

Wieczorem Lilka rysowała i była milcząca, a po kolacji powiedziała mi, że w poniedziałek albo najlepiej we wtorek koniecznie chce pojechać ze mną do centrum handlowego. Nie, wszystko ma, ale chce „odetchnąć miastem" i zobaczyć sklepy. Nie umiem jej odmówić, ale ona nie przejdzie sama dwudziestu kroków, nie ma już właściwie mięśni, jest słaba! Zadzwoniłam do Mirka.

— Załatwię wam wózek — usłyszałam w słuchawce. — Jutro, dobrze?

Zapomniałam o tym, znaczy nie pomyślałam, że to już, że to już ten czas, gdy chory potrzebuje wózka!

— Liluś? To we wtorek, dobrze? Wrócę wcześniej i pojedziemy, do której galerii? A ty... dasz radę? Jak się czujesz?

— Mańka, słyszałam twoją rozmowę z Mirasem. Wózek to dobry pomysł, bo słaba jestem, faktycznie.

Powiedziała to normalnym, spokojnym tonem.

Snułyśmy sobie jakieś gadki o tych zakupach, o modzie, zwykłe wieczorne gadanie, ale kiedy chciałam jej pomóc w łazience, ofuknęła mnie, a potem wpadła w złość. Jak dotąd starała się sama dbać o czystość i sama kazała sobie do łazienki wstawić stołeczek. Szanowałam tę jej intymność, chociaż bałam się, że tam zemdleje, upadnie... Nadto było mi przykro, że Julka ją obsługuje nawet tam, a ja jestem wypraszana. Dzisiaj jednak widzę, jak bardzo jest osłabiona, więc zaproponowałam, że ją wykąpię. Oberwałam, bo byłam namolna, ale co poradzę, że widzę, jak wiele wysiłku kosztuje ją zwyczajne chodzenie po domu. A co dopiero wchodzenie i wychodzenie z wanny?! Była opryskliwa i ewidentnie zła na mnie za moje próby pomocy. Niepotrzebnie warknęłam na nią:

— Nie użalaj się nad sobą! Jesteś osłabiona, więc cóż to takiego, że ci pomogę?

— Odczep się! Daję radę, a ty się zajmij sobą! Święta Marianna! Nie zachowuj się, jakbym stała nad grobem! Bo chociaż może i stoję, to jeszcze nie umarłam! Jeszcze sobie radzę!

— Nie wątpię, sama zostajesz w domu, ubierasz się, ale to niebezpieczne tak być samej w łazience!

— A co mi się stanie? Potknę się i zabiję? To by było nawet lepsze niż ta cholerna egzystencja!

I już wiem, co będzie. Uciekła gdzieś Dzielna Lila, a wyszła z cienia Przerażona Lila. Płacz, drżenie na całym ciele, niemoc zrobienia kroku, więc prowadzę ją do łóżka zamiast do łazienki. Kładę, a ona zanosi się od płaczu, który odbiera jej całą moc. Jest jak pusty woreczek, sflaczała, lekka jak piórko i obojętna na wszystko. Teraz jest pod panowaniem strachu, rozpaczy, reszta się nie liczy. Siadam obok, a ona płacze już tylko bezgłośnie. Zasłania twarz i jest tak potwornie nieszczęśliwa! Jak jej pomóc? Gładzę ją po głowie małej jak u kota i nic nie mówię. Nagle ona zaczyna z wyrzutem:

— Ty tu sobie zostaniesz, będziesz romansować, pracować, jeść zupę koperkową, a ja? Pomyślałaś o tym?! Nawet nie zobaczę, czy będzie ten koniec świata, czy nie, co będzie modne za rok, wiosną, nie założę już tych szafirowych szpilek! Kurwa mać, jakie to niesprawiedliwe! Czemu ja? Dlaczego? Za co to?

Znów zanosi się płaczem.

— Lileńko, płacz cię wykańcza, przestań, kochanie!

— A właśnie że... gówno! Gówno, gówno! Chcę płakać! Zabronisz mi?! Mańka, czemu ja?! Co ja takiego zrobiłam, że ja? Nie puszczałam się, nie rżnęłam z byle kim, nie miałam żadnej choroby, nawet kobiecej, żadnej opryszczki, rzęsistka, kiły, nic! Ty wiesz, że... — zachłysnęła się własnymi łzami, śliną i kasłała długo.

Poklepałam ją po plecach, ale podniosła rękę, żebym przestała, i po uspokojeniu się mówiła dalej:

— Ja… Ty wiesz, kiedy ja się ostatnio bzykałam? Trzy lata temu! Nie — policzyła w pamięci — cztery! I tak mało, z takim kolegą artystą, miły taki, ale wyjechał do Gruzji. To dlaczego?! Powiedz, Mania! Dlatego że tamci mnie zgwałcili?! To jakaś kara?!

— Li, no coś ty? Jaka kara? To ruletka, tak się stało, no… Na pewno nie za karę.

— Katolik by mi powiedział, że to jakaś kara za grzechy, ale ja nie grzeszyłam, no nie więcej jak inni, paliłam trawkę, piłam wino i wódeczkę, pieprzyłam się z rzadka, ale tylko z fajnymi chłopakami i nie dla sportu, tylko myślałam, że może coś z tego będzie, ale mnie faceci nie brali na poważnie, wiesz? Mówiłam ci?

— Nie. Nie mówiłaś — koniecznie chcę, żeby mówiła, żeby się zagłębiła w jakiekolwiek opowiadanie, byle przestała płakać. — Opowiedz, jak to było, że nie znalazłaś nikogo?

Leżała i rozmazywała zasychające łzy. Nie patrzyła na mnie.

— A kogo to dzisiaj… — zaczęła i zamilkła.

Popatrzyła na mnie, przysunęła się bliżej i przytuliła do mojej ręki.

— Śmierdzę, czujesz? Nie zasnę taka cuchnąca, ale kompletnie nie mam siły na łazienkę. Umyjesz mnie? Proszę!

Ufff. Znaczy, że jej przeszło! Fakt, śmierdzi bardzo. Coś się takiego zrobiło, że jej pot, łóżko, pokój śmierdzą, dlatego często się myję, ale mimo to czuję to od jakiegoś czasu, gdy tu wchodzę. Lilka teraz siusia też w nocy, a i w dzień nie zawsze zdąży do łazienki i nie chce kaczki, basenu, więc albo zwieracze, albo brak siły i refleksu, albo wszystko naraz. Dywanik, pościel, piżamki zasiusiane mimo wkładek, czasem bywa, że nie dokręci woreczka i uleje się jego zawartość, i mimo sprzątnięcia, prania, wisi w powietrzu taki dziwny, niemiły zapach, który czuję, gdy wracam z dworu. Potem mniej, bo przywykam.

Przyniosłam miednicę z ciepłą wodą, gąbkę, ręczniki i mydło. Trochę niezdarnie mi szło, ale cel osiągnięty! Męczące to, mimo że ona teraz to takie piórko. Ma suchą skórę, trzeba w kilku miejscach położyć maść witaminową z takim ruskim kremem niezbyt ładnie pachnącym, ale dobrym na odleżyny, który przyniosła Jula.

— Ale śmierdzi! — marudzi Lilka.

— Zaraz cię natrę tamtym pachnidełkiem! Poczekaj!

Kupiłam jej tani jak barszcz, ale za to mocno pachnący wanilią krem nawilżający. Lubi go, może ta wanilia maskuje te jej biologicznie silne zapachy? Nakładanie kremu i masowanie to osobna całkiem pieszczota. Lilka ma niewiele już pod skórą i muszę być delikatna. Zbyt mocne wcieranie boli ją, a i ja się obawiam, że po prostu przetrę jej powłokę! Okropne. Staram się, ale i tak Lila mruczy „Auuu!".

Już czysta i pachnąca leżała teraz w świeżej piżamie. Zmieniłam jej plaster, woreczek sama sobie wymieniła, a owinięta w pasie miękkim szalem wydawała się grubsza w talii. Ten szal to żeby się jej lepiej spało ze stomią. Ma tak mało ciała!

Pocałowałam ją na dobranoc.

— Śpij, mała cholero moja — mówię najczulej jak umiem.

— Kiepsko sypiam, wiesz? — przeciąga rozmowę, jakby przepraszała. — Źle mi się śpi.

— Nic nie mówiłaś, czemu? Plasterki nie pomagają?

— Odgniatają mi się kości, skóra mnie boli. Nie mam siły się przekręcać i boli!

— Czemu nic nie mówiłaś? Materac przeciwodleżynowy, albo może wodny? Coś mięciuchnego ci załatwimy, zobaczysz! — mam już łzy w oczach; czemu ona mi tak mało mówi? Czemu się nie skarży?

— Och, daj spokój! Jutro — powiedziała cicho — ubierzesz mnie ciepło i zawieziesz do parku, jak Mirek przywiezie fotel na kółkach. Dobrze? A we wtorek sklepy! Obiecałaś, ja jeszcze żyję!

Nie żadne „przepraszam" po tej scenie, tylko że sklepy i park.

Było mi ciężko o tym myśleć, więc gdy upewniłam się, że zasnęła, zadzwoniłam do Agaty, ale ona nie miała czasu. Grzesia na Gadu-Gadu ani na Skypie nie ma, od dawna nie mam z nim kontaktu. Zadzwoniłam, ale okazuje się, że są w kinie z Igą, zadzwoni jutro.

Zostałam sama z moimi niewesołymi myślami.

Nie na długo. Lilkę obudził ból, mimo plasterka. Zajmowałam się masowaniem jej i uspokajaniem do późna.

Mimo że jestem z nią, że wiem, co i jak mam robić, stale czuję wstrętną bezsilność wobec tego bólu, którego nie powinno być! Jej płacz, jęk, zawodzenie cichutkie, jakby się wstydziła krzyczeć, jątrzy mnie i dobija! Julka radziła mi brać coś na uspokojenie, jakieś kalmsy czy coś, bo jak mówiła, mój komfort psychiczny przekłada się na dobrą opiekę.

Wygłaskana, z ciepłym termoforem Lila zasnęła wreszcie.

Ja wzięłam do łóżka laptopa, bo wiem, że nie zasnę. Jeszcze nie teraz.

Sama z siebie zaczęłam:

Antku,

czemu na Ciebie padło?

Nie znam Cię prawie, nie jesteś mi rodziną, znajomym ani Panem Romansowym, więc czemu Tobie zanoszę moje myśli?

Może właśnie dlatego?

Ojca muszę oszczędzać, Agata mnie zbyła, no, OK, miała pacjentkę albo co, Grzesiek żyje własnym życiem, po licho mam mu dokładać? A mój Romansowicz to... romansowicz i nie lubi chyba rozmów na tematy ciężkie. Jakoś tak... unika rozmów o Lilce, o jej chorobie. Może ma swoje powody? Może jest delikatny? A może nie powinnam go tym obarczać?

A Ciebie — czemu obarczam? To proste, bo jesteś daleko, bo jesteś jak ktoś z pociągu, bo nie musisz tego czytać i w razie czego klikniesz delete i już.

Lilka umiera. Wiem to od niedawna tak na dobre, a właściwie to zobaczyłam to w jej oczach dzisiaj. One są takie duże, a ona nigdy nie miała takich oczu! Zawsze małe, szare... Nie wiem, czy dałabym radę, gdyby mi nie pomagała Julka. Obie mnie wypychają, żebym odreagowała, „polatała sobie" — i korzystam!

Ostatnio byłam na najprawdziwszym balu z uroklíwym (podstarzałym, ale w dobrym stanie) Księciem i tylko pantofelka nie zgubiłam! Miewam wyrzuty sumienia, że zostawiam Lilkę. Tak niewiele nam zostało, a ja sobie randkuję!

Ach, co ja Ci tu wypisuję za bzdety! Jak z pensjonarskiego sztambucha!

Posłuchaj tego, przesyłam Ci linka — znakomicie dziewczyna śpiewa, prawda?

http://www.youtube.com/watch?v=3SMK-6EcgJE&feature=related

Nazywa się Adele. Bardzo lubię jej słuchać.

Marianna

PS. Dzisiaj miała straszne bóle. Biedna! A ja miotałam się w bezradności. To takie przykre uczucie, gdy nie jestem w stanie pomóc. Chyba czas na morfinę.

Poszperałam sobie jeszcze po necie, poczytałam wpisy na forach plotkarskich, swoją drogą, ile w ludziach jest nienawiści! Życie jest takie krótkie, kruche, a tu taki wylew żółci, kwasu, bo ta ma zbyt odsłonięte nogi, a ta za ładna, więc trzeba ją zniszczyć. Co to jest?! Nie mogę tego czytać! Chciałabym wrzasnąć do nich, że są głupi! Że ważne jest życie, dobro, miłość, ale przecież by mnie wyśmiali. Anonimowi Nienawistni. Precz z nimi! Kliknęłam na wiadomości, ale odechciało mi się. Skakałam po portalach, zawahałam się, czy przypadkiem nie założyć sobie konta na Facebooku, ale nie. Nie chce mi się. Wszyscy je mają. Muszę?

Tam można sobie jak przez otwarte okno gadać i gadać nawet nocą. Z kim tu pogadać? Kto mi ulży w tych ciężkich myślach?

Próbowałam zasnąć, kręciłam się, za oknem noc, ziąb, w głowie smutne myśli nie sprzyjają snom. W końcu jednak zmogło mnie. Bezsenność na szczęście mnie nie dotyczy. Owszem, miewam trudności z zaśnięciem, jakieś nerwy czy spadek nastroju, ale nie żebym chodziła nakręcona do rana.

Insomnia — ładniej brzmi!

— Insomnia, insomnia... — powtarzałam i zasnęłam.

Nazajutrz dostałam odpowiedź:

Kochana Marianno!

Kochana, taki zwyczajowy zwrot, a jak pomyśleć — nieprawdziwy, chociaż przyjęty ogólnie! Dear — piszą Anglicy do osób, których przecież nie kochają.

To jasne, że Cię nie kocham, pisząc „kochana", zaznaczam jednak jakąś serdeczność.

Tak — zwracam się do Ciebie serdecznie, Marianno. Trudno mi sobie wyobrazić taki rodzaj opieki nad kimś bliskim.

Nigdy tego nie robiłem, a z tego co czytam, nie jest to nic, co bym umiał!

Podziwiam Cię i współczuję.

To heroiczne opiekować się terminalnie (jak piszesz) chorą siostrą.

Borykać się z niemożliwością zahamowania bólu, z humorami (bo chora ma do nich prawo).

A nie myślałaś o hospicjum? Czy tam nie byłoby jej lepiej? Mogłabyś ją odwiedzać przecież. Wybacz, że o tym piszę, ale jak godzisz pracę i tę opiekę?

A życie? Zwyczajne życie?

O, chciałbym dopisać więcej, ale stuka do mnie ktoś na Skypie. Do
następnego razu i pisz, pisz, proszę.

Antek

Hospicjum?! Nawet o tym nie pomyślałam! I już, już chciałam go
zrugać za coś takiego, ale zdałam sobie sprawę, że nie mam prawa
go osądzać. Może chciał dobrze? Nie wie, jak jest z Lilą, i nie wie,
co nas łączy. Hospicjum, choćby najlepiej prowadzone, nie. Jeszcze
nie. Jak będzie całkiem źle, jak nie opanuję tego, co się dzieje, wtedy
pomyślę.

Życie to nie jest sprawiedliwe — lubię ten tekst.

Jula nie będzie już mogła przychodzić do Lilki. Znalazło się dla niej miejsce w klinice w Zurychu, gdzie kolega Mirka zrobi jej biodro jak nowe.

— Zaraz się rozejrzę — mówiła mi przez telefon — i znajdę kogoś do Lilki.

Niestety, moja siostra spanikowała. Wyglądała na zaskoczoną i podłamaną. Kręciła głową i powtarzała:

— Ja sobie dam radę, tylko błagam cię, nikogo mi tu nie sprowadzaj!

Tłumaczyłam jej, że nie może być sama, bo jest słaba, może się przewrócić czy co, i na razie, dopóki się nie wzmocni...

Lilka popatrzyła na mnie spokojnie, ale z bezbrzeżnym smutkiem w oczach i powiedziała:

— No co ty, przecież sama nie wierzysz w to, co mówisz. Mnie się już nie poprawi, a jak rymsnę, to szybciej pójdę do piachu...

— Zaraz cię palnę i wtedy faktycznie szybciej... — objęłam ją i dałam lekką blaszkę w rude loczki.

Aż mnie dreszcz przeszedł, za mocno ją chwyciłam i jakbym czuła cały jej kruchutki szkielet! Głaskałam ją i myślałam, co zrobić? To chyba faktycznie ostatnie miesiące, kazać jej znosić kogoś nowego? Obnażać się, pokazywać worek, dawać się myć, smarować, masować, wiedząc, że ciało już zżarte, żółtopergaminowe, że zapach czasem trudny do zniesienia, że humor kiepski, a jak już ból dopadnie, to tylko ja i Jula umiałyśmy ją tak ułożyć i masować delikatnie, a Jula najczulej robiła jakiś zastrzyk, po którym nie bolało i sen był mocny i długi.

Nie. Nie dam rady bez kogoś... Jak?

W końcu podjęłam decyzję i pojechałam do Reginy z podaniem o urlop.

— Oszalałaś? Teraz? Dziewczyny urobione po pachy, Jolka na zwolnieniu, Krysia na zwolnieniu... Ty nie mówisz poważnie! Nie, nie mogę!

Próbowałam ją przekonać, że mogę masę rzeczy robić w domu, że nie mogę teraz zostawić Lilki samej. I wiem, że kiedyś Regina zgodziłaby się, ale teraz coś było nie tak. Regina była rozdrażniona i kompletnie na „nie". Nakręciła się, nasza rozmowa była nerwowa i przykra. Dowiedziałam się, że ledwo przędę, że siadłam z pomysłami i zwyczajnie obniżyłam loty. Wtedy poszłam do biurka i napisałam podanie o zwolnienie.

Nie była zdziwiona, a przynajmniej udawała, że się tego spodziewała. Przeczytała, unosząc okulary, i zapytała mnie ostro:

— Na pewno wiesz, co robisz?

— Nie mam innego wyjścia, ona umiera!

— Marianna… — zaczęła, ale westchnęła tylko, opuściła okulary i… podpisała, mówiąc do kartki papieru: — Nie miej mi za złe, ale ja tu walczę o życie. Wasze życie — dodała i spuściła wzrok, bo chyba się jej zaszklił. — Rozwiążmy umowę za porozumieniem stron. Tyle mogę dla ciebie zrobić. Idź już!

W każdej innej sytuacji usiadłabym pogadać z nią, ale poczułam opór. Ścianę. Wiedziałam, że mnie zbędzie milczeniem, zresztą już sięgnęła po telefon. Wyszłam.

Z mojego biurka zgarnęłam swoje rzeczy do torby na zakupy. Czemu ją wzięłam? Przeczucie? Nie do tekturowego pudełka, jak na amerykańskich filmach. Do torby.

— Urlopik? — zapytała Dominika, nasz nowy narybek.

— A tak! — odpowiedziałam wesołkowato i puściłam oko do Ewy, korektorki.

Wpadnę tam, może jakieś jeszcze graty mam w biurku, ale teraz wyszłam, bo poczułam się jak nie na tym przyjęciu, na które mnie zaproszono. Dziwne.

Kiedy wsiadałam do samochodu, czułam wewnętrzny spokój. Co jest?! Przecież właśnie straciłam pracę!

Jadę do domu, w nosie mam fochy Reginy. Od dawna atmosferka u nas w firmie jak na rodzinnej stypie. Ja od jakiegoś czasu czułam się jak zadyszany pies z zaprzęgu, a to zupełnie co innego niż niegdysiejsze gorące dyskusje i czas, i spokojne tempo przygotowania numeru. Wtedy to było twórcze, poważne, ale i wesołe, czułam się jak w doskonałym towarzystwie, dokarmione zachętami, pochwałami albo tylko mruknięciem szefowej, chętnie robiłyśmy nasze pismo z fantazją, frajdą! A teraz to jest wyścig, wysiłek ponad to, co w ogóle możliwe. Wszystko wyżyłowane i takie przymilne anonimowej czytelniczce, przedstawicielce Słupka Czytelnictwa, która nagle stała się marudna, roszczeniowa i kapryśna. Czemu? „Taki jest rynek dzisiaj" — skwitowała to Regina. Wolałam prawdziwe czytelniczki od „rynku". Dla nich łatwiej mi się pracowało, a rynek jest bezduszny i nieprzewidywalny. Coraz dokładniej wiem, jak bardzo dużo racji miał Włodek! „Dziecko! Od zawsze, od kiedy zaczęto handlować informacją, w cenie była krew, sperma i łzy, a teraz do tego doszedł pospolity magiel, czyli obrabianie dupy celebrytom, i to wszystko w opakowaniu... Jak to się teraz mówi? Glamour!".

Racja.

Jadę, słucham, nie słucham radia, myślę, nie myślę, rozglądając się po Warszawie. Mokotowska, plac Trzech Krzyży, jeżdżę tędy od lat, a tak dawno tędy nie spacerowałam! Ja już w ogóle nie spacerowałam po Warszawie latami! Ona się zmieniła, założyła sobie korale z metra, są nowe budynki, knajpy, puby, a ja nic nie wiem! No tak, jest stacja metra koło Pałacu Kultury, ale... metrem jeszcze nie jechałam. Nie miałam potrzeby! Od lat już praca — dom, praca — dom i wyjazdy pod Otwock, do taty. Więcej nic! Głupio. Dla fantazji jadę dzisiaj Poniatowskim. Wąsko, ale nawet szybko się jedzie. Nowiutki stadion stoi sobie większy i piękniejszy niż ruiny starego Stadionu Dziesięciolecia. Czy za czterdzieści lat to też będzie ruina?

Pamiętam, jak chodziłam tu na szmatki, kiedy stadion to był jeden wielki ciucholand. Miałam swoje ścieżki, swoje stoiska. Na koronie z włoskimi butami, dwa po przeciwległych stronach, a na nich taniej znacznie ekstrapantofelki włoskie — jak zapewniała pani. I często kupowałam tu sobie ładne kolorowe czółenka, a na tym drugim stoisku zimą kolorowe kozaczki. Zawsze miałam kolorowe na zimę. Cholera mnie brała, że w Polsce w sklepach z butami jest jak w przedwojennej fabryce Forda.

„W jakim kolorze mogę kupić sobie forda w waszej fabryce? W każdym, łaskawa pani, pod warunkiem że to będzie kolor czarny!". I tak z butami! W Polsce obowiązuje żałoba narodowa pod tym względem — buty mogą być w każdym kolorze, pod warunkiem że to kolor czarny! No, czasem brązowy!

Pamiętam pierwsze moje kowbojki w kolorze malinowym właśnie ze stadionu i ochy w redakcji: „Pokaż? Pokaż? Jakie kapitalne! A czarne były?".

Po roku kupiłam krótkie, do jeansów, w kolorze jeansowym właśnie, na wyższym obcasie, i wysokie do spódnic, zielone z frędzlami, żeby było znów: „Aleś, Mańka, się ukolorowała!". Och, i bezmiar dostępnych i tanich kosmetyków, tych prawdziwych i podrób, i tanizny jakiejś odpustowej — brać wybierać!

Robiłam kiedyś z kolegą taki reportaż ze stadionu, a on zawlókł mnie do tych rejonów, w które nigdy nie weszłam. „Chodź, pokażę ci, jak są zorganizowani! Patrz, tu jest Wietnam Town". Alejka bez żadnych straganów. Bardzo mało ludzi, kilkoro Wietnamczyków właśnie wchodziło albo wychodziło z... „Andrzej, co to?". Pokazał mi palcem napisy zrobione na tekturowych tabliczkach po wietnamsku i po polsku. Czytam i oczom nie wierzę: fryzjer, poczta. „Dzisiaj połączenie z Ho Chi Minh taniej o 40 gr", dalej prawnik i chyba gabinet lekarza albo dentysty. Bez napisu. Małe miasteczko! Podobne zobaczyłam ciut dalej: Russia Town, Gruzja Town i Bulgar Town. Chińczycy mają gdzieś dalej swoje miasteczko, za ulicą Sokolą, za płotem.

Bardzo żałowaliśmy, że nie mieliśmy kamery. Scenka jak z Barei. W kontenerze — stoisku z koszulkami miotał się jakiś skośnooki. Może Koreańczyk? A szefem był czarniusieńki jak węgielek Malijczyk, Sudańczyk, Afrykanin, to pewne. Pokazywał, rozkazywał, kiedy byliśmy blisko, usłyszałam jego prawie nienaganną polszczyznę: „Ty, baranie, na górę! Czy ty, kurwa, po polsku nie rozumiesz?!".

Za moich czasów taką krainą handlową i nieco zakazaną był Bazar Różyckiego, a dla pokolenia mojego Grześka — Stadion Dziesięciolecia, ale nie jako obiekt sportowy, a wielki sklep. To były jednak fajne czasy! Wszystko w jednym miejscu, tanio i wygodnie. Tu kupiliśmy Grześkowi pierwszy rowerek!

O, właśnie, Grześ! Wyjmuję telefon i dzwonię:

— Grześ? No co ty, synu, zapomniałeś o nas całkiem?!

— Mama? Cześć, kurczę, no sorry, ale mamy tu taki młyn. U nas dobrze wszystko, tylko jesteśmy zapracowani. Tadzio zdrowy i tak się rozgadał! Nawija po szwedzku jak maszynka! Co u was?

— Ja... w porządku, dziadek się trzyma całkiem nieźle. Zima ma się chyba ku końcowi i... w ogóle, zadzwoniłam, bo się stęskniłam, łapserdaku! Myślałam, że choć czasem z dyżuru się odezwiesz!

— A, nie, nie mogę. Mam tu utrapienie z takim jednym, który mnie nie znosi. Nawet mi zorganizował niby awans, żebym na północ się ewakuował. Z lepszymi pieniędzmi i wiesz, skubany, jaki cwaniak? I to jest mamo, Polak! Mogłabyś o tym napisać.

— Ale że co? Nie rozumiem. Jaka północ?

— Ma kumpla na dalekiej północy, a tam brakuje lekarzy, i załatwił mi tam, no niby cud-miód, kasa jak się patrzy, żeby mnie wyrolować stąd!

— I...?

— No nie. Tam jest kraniec świata, ciemno, zimno i psy dupami szczekają, a nawet psów tam chyba nie ma. Coś ty! Nie pojadę, nie zrobiłbym tego za żadną kasę. Mamo, a co z ciocią Lilką?

— No wiesz, terminalne stadium.

Grześ milczy i nagle wymyśla:

— A może hospicjum?

— Co wy z tym hospicjum?!

— Jacy „wy"? Dziadek też tak uważa?

— Nie, Grześ, ona jest w dobrym stanie, nie w jakiejś śpiączce czy niebezpieczna dla siebie!

— Mamo, ale o ile wiem, Julka jest już po operacji i nie pomoże wam, a ty pracujesz, więc?...

No tak, Grześ nie wie, że ja już nie pracuję.

— Wzięłam urlop.

— To aż tak źle?! Mamo, jakby co, to dzwoń. Ucałuj ją od nas!

Co miał na myśli „jakby co"? Jakby umarła? Westchnęłam.

Skręcam we Francuską. Mijam Agnieszkę z brązu... Delikatesy na rogu, i zaraz skręt w Zwycięzców, w stronę domu.

Kiedyś cieszyłabym się, bo szczególnie w taką bezśnieżną zimę dom zawsze był moim lądem szczęśliwym, ale teraz nie. Od kiedy mam tu Lilkę, mój dom inaczej pachnie. Mieszanka leków, środków dezynfekcyjnych, czasem wręcz przykry zapach ludzkich wydzielin, szybko wietrzony, maskowany dezodorantami, ale... bywa okropny. Lilka stara się myć i czyścić woreczek, kiedy mnie nie ma, ale nie zawsze tak się da. A teraz nie zawsze ma na to siły. Bywa, że sporo śpi w dzień i tuż przed moim przyjściem w panice zaczyna ablucje. Jakoś przywykłam, a może to tylko akceptacja tego stanu rzeczy? Jednak każdy, kto przez przypadek wejdzie do nas, pociąga nosem dyskretnie i wiem, że nie o cudowny zapach bzu czy konwalii chodzi bynajmniej...

Dlatego prawie nikogo nie zapraszamy.

Wchodzę na klatkę schodową i otwieram drzwi kluczem. No, jest ten zapach, jest bez wątpienia. Trochę taki, jaki był, gdy pani Miecia umierała sobie po cichutku na starość tuż obok. Czuję zmęczenie, mimo że jest wcześnie. Dopiero pierwsza!

— Lilut, jesteś?

Cisza w takiej sytuacji spina mnie jak nikogo innego.

Brak odzewu u małego dziecka oznaczałby, że właśnie wycina wzory na nowych zasłonach albo pali papierosa. Gdybym miała w domu jakąś babcię Lilę, oznaczałby, że zasnęła w fotelu nad dzianą skarpetką, córka Lilka mogłaby płochliwie krzyknąć „jestem!" i rzucić narzeczonemu gatki lub otworzyć okno, wachlując dym z fajek czy trawki, ale cisza w domu, w którym jest moja chora siostra sama, to nie jest dobry znak. Oczywiście może spać, ale mogła zasłabnąć, mogła umrzeć i mnie przy niej nie było.

— Liiii!

— Jestem, nie drzyj się tak, trupa byś obudziła. Czytam, nie słyszałam cię.

Wchodzę do jej pokoju i widzę, że leży ze słuchawkami na uszach.

— Co robisz?!

— Czytam uszami! Słucham audiobooka. Wiesz, jak leżę, to książka jest za ciężka, niewygodna, a tu pani mi ładnie czyta! Cześć, kochana! Co się stało? Marianna?

Lilka zdejmuje słuchawki i ma zaniepokojony wyraz twarzy. Aż tak po mnie widać?!

— Nic, nic, tylko się nie odezwałaś, jadłaś już?

Znów nie ma apetytu, ale wstaje i siada ze mną. Dobrze, że jest w dresie, a nie w piżamie. Piżama permanentna to taki komunikat dla siebie samej: „jestem chooora"! I człowiek się do tego przyzwyczaja. Lilka rano stara się sama umyć i przebrać w dres. Zazwyczaj robiła to sama albo z Julą. Teraz Jula już nie może, więc ja jestem!

Jemy risotto i komunikuję jej zwyczajnie:

— Liluś, w mojej redakcji zmiany, więc mam teraz wolne. Będziemy sobie razem! Fajnie? — staram się być zwiewnie wesoła.

Widelec zastyga jej w ustach.

— Kurczę, stało się coś? Wywalili cię? Tylko mi nie mów, że wzięłaś urlop, bo jestem chora!

— Nie, aż taka Matka Teresa to ja nie jestem. Jest do bani, wiesz? Redukcje i zmiany obsady, a ja właśnie dojrzałam do tego, co mi mówił Włodek. Będę freelancerką!

— Dupa Jasiu — Lilka nie daje się zwieść. — „Free", ale nie „lancerka", ty tego nie umiesz.

— Czego?

— Sprzedawać się. Oesssuuu, to przeze mnie?

— Nie, poważnie, jakieś cięcia, Regina mnie zbyła, jakaś była zła i nierozmowna, atmosfera w redakcji jak w kamieniołomach, a mnie to szkodzi na cerę. Nie chcę już dłużej kręcić waty cukrowej na patyku!

— Żebyś nie wykrakała — mruczy Lila. — I co teraz?

— Nic, przejemy zapasy, a potem się zobaczy! Poszukam, coś się znajdzie! Idź spać, malutka! Pa.

Niby wraca do siebie słuchać audiobooka, ale ponieważ jej pokój jest ten ciemniejszy i od ulicy, po chwili przychodzi do mnie, mówiąc, że u mnie jest jej cieplej i u mnie posłucha, nie przeszkadzając mi. Może prawda?

Kurczę! Miałam zadzwonić do kilku znajomych, ale jakoś mi głupio przy niej. No trudno. Zadzwonię później, jak się Lilka wyniesie do łazienki albo spać.

Młoda kręci się i chyba nie jest jej wygodnie, i widzi, że nie jestem nastawiona czule, więc wstaje, przeciąga się teatralnie i jednak wraca do siebie.

Dzięki, Mała, muszę się zdefiniować, zdecydować, co ja czuję? Co mi jest?

Ciągle czuję się dziwnie, jak po znieczuleniu. Straciłam pracę, kurczę, no!

Jestem taka drewniana.

Do wieczora zamiast dzwonić, piszę maile do znajomych, że gdyby ktoś coś wiedział, to ja, owszem, za miesiąc, dwa mogę podjąć pracę.

Kiedy kąpię się, dzwoni Marcin, znów jest w Warszawie, będzie kilka dni, tęskni i czeka. Mam wziąć taksówkę i przyjechać! Śpiewa przebój Michnikowskiego. Cudownie sepleni i nawet nie fałszuje:

Przy Tobie będę pogodny, bo skąd bym smutek brać miał...
Przy Tobie będę podobny strukturą torsu do skał...
Jeżeliś w śnie — z pościeli wyjdź, przeciągnij się i... przyjdź!

Rozbawił mnie i wzruszył. Tak się wysilił, chyba mu naprawdę zależy... Lila jest dzisiaj taka spokojna, nie marudzi, nie narzeka. Plasterek ma od wczoraj świeży... Może dałaby mi na dzisiaj wieczór wolne?

Dała! Oceniała sytuację na plus. Wrócę koło północy! Zostawiam jej telefony, picie i buziaka na czoło. Jest wsłuchana w powieść i macha mi na do widzenia, a ja odpalona w wiśniowe koronkowe majtki i taki sam stanik, komplet od Mikołaja, który mam mieć „na specjalne okazje", wypachniona i, szczerze mówiąc, spragniona silniejszego przeżycia niż kupowanie wołowiny czy rozwieszanie prania w łazience, jadę samochodem, złapać tę cudną chwilę.

Marcin podoba mi się coraz bardziej. Zdystansowany do siebie, świata, wesoły i dowcipny. Wiem, że jest ogromnie zakręcony na punkcie tego swojego jachtingu, często podróżuje, ale to nie mąż, więc co mnie to…? Niezobowiązujący związek, seks, który mam nadzieję wyjdzie nam teraz znacznie lepiej niż ostatnio.

Taki mężczyzna i ciągnie do mnie! Miłe i zaskakujące, ale sam mówił mi, że nigdy nie rajcowała go młodość. „Owszem, lubię patrzeć na młode panny, na młodych chłopaków, na ich piękno i zwinność w ruchach, ale o czym rozmawiać? Oni są tacy zadziorni, chcą jak kozły wiecznie się przepychać z rozmówcą, są wszechwiedzący i wiesz, zwyczajnie nudni". Jego pierwsza dziewczyna była starsza od niego prawie o piętnaście lat! Jeśli mówi prawdę.

Schlebiał mi, mówiąc, że jestem taka spokojna, urokliwa, ciepła i kobieca. Niech nawet będzie to bajer, ale jak podany! Przecież nie szykuję się do narzeczeństwa, więc czemu mam nie spijać z jego ust tego miłego aperitifu?

No i… Było…

Wróciłam koło pierwszej. Weszłam do domu cichutko, prawie bezszelestnie. W kuchni zrobiłam sobie kanapkę, bo miałam wściekłą ochotę na śledzia z razowcem i koniak, albo jeszcze lepiej tequilę, bo pojechałam samochodem, więc żadnego picia!

Człap, człap, weszła moja bidusia, w piżamie w krokodyle, rozczochrana i lekko zaspana.

— Obudziłam cię? — spytałam lekko zdziwiona.

— Eee, lekko spałam i obudził mnie jakiś okropny sen, że jak Alicja, wpadałam gdzieś do jakiejś dziury w ziemi i leciałam, leciałam, aż mi brakowało tchu i chciałam cię zawołać, ale wiesz, we śnie nie umiesz krzyczeć, tylko taka męka z tego wychodzi… aż się obudziłam i usłyszałam, że chyba wchodzisz. Ale cicha jesteś! Daj gryza. Śledź! Kocham śledzia. Kup jutro marynowanego, jak było? — wszystko jednym tonem.

— Czekaj, mam ochotę na małą tequilę, on przygotował wino i kolację, a ja byłam swoim samochodem.

— Boś głupia! Mówiłam ci, żebyś w ogóle się mną nie przejmowała i została na noc! No, co mi się może stać? Najwyżej umrę!

Nie lubię, kiedy tak żartuje. Nie umiem zareagować, więc tylko daję jej ścierką po głowie i mówię, że mi się nie chciało zostawać.

— O... Znów nie wyszło? — Lila udaje współczucie, żując moją kanapkę ze śledziem. Robię sobie nową, siadam i opowiadam, bo ona to lubi:

— Kolacja zachwycająca, flambirowane naleśniki z wiśniami, dobre wino i nastrojowa muzyka. Znakomicie pogadaliśmy! Ty wiesz, tym razem gadałam i gadałam, a on słuchał, jakby go interesowało! I mam dla ciebie niespodziankę, mała!

Zajrzałam do torby i wyjęłam pakunek.

— To dla mnie? Od niego? Mówiłaś mu, że ci siostra choruje? Zwariowałaś?! Na randce? Ty jesteś kopnięta w samą głowę, Mańka! Zamiast się tam rzucić w jakąś orgietkę, fikać z nim po łóżku albo leżeć nago przed kominkiem i mruczeć jak jaka egipska westalka, to ty, ty smęcisz facetowi o chorej siostruni? To miała być gra wstępna? Ty jesteś głupsza, niż myślałam!

— Przestań jazgotać, piorunie jasny! Cichaj! Rozwiń.

Lilka rozwinęła pakunek i gwizdnęła przez zęby jak mały chuligan.

— O, kurczę... nie paliłam z dziesięć lat! — powąchała paczuszkę i westchnęła: — Ładnie pachnie! Paliłaś? — spytała mnie.

— Nie, jakoś nie. Mirek jest medykiem, więc nie. Ale Marcin opowiadał mi, że jego bliska przyjaciółka mająca raka czegoś tam, w Stanach, paliła marychę przepisaną przez lekarza.

— Ta... — z niedowierzaniem powiedziała Lilka i wyjęła bibułkę.

— No, tak mi mówił, zresztą podobno marihuana jest serwowana chorym onkologicznie, bo znosi ból, i jeszcze Marcin mi mówił, że podobno na inne schorzenia też jest lekiem, więc doszłam do wniosku, że jak tak nie lubisz zastrzyków, to... co tam! Narkomanką nie zostaniesz!

— No... Już chyba nie, a przynajmniej nie w tym życiu.

Znów oberwała ścierką, ale roześmiała się. Sprytnie zrobiła sobie cienkiego skręcika i zapaliła. Dym faktycznie aromatyczny, ona zaciąga się i trzyma w płucach, potem puszcza i uśmiecha się szelmowsko. Nie chciałam próbować.

— Mania, a ty wierzysz w te wszystkie „niebo — piekło"?

Zamyśliłam się. Wierzę? Nie wierzę? Co by powiedział Włodzio, stary domowy filozof?

— Nie w piekło — niebo. To jak w dowcipie — katolicy się taplają w smole, bo sobie to piekło wymyślili, a inne wiary nie mają czegoś takiego.

— A ty, dokąd pójdziesz po śmierci? Do piachu i turbo finito?

— Liluś, wmówiono nam, że po śmierci to tylko niebo, piekło i czyściec, ale… Ja pójdę… dokąd zechcę! Wymyślę sobie mój własny raj, świat po tamtej stronie.

— Ładne! A ja wybieram reinkarnację. Jak myślisz, kim będę?

— Rudą wiewiórą! Chodź już do łóżka.

Położyłam się koło niej.

— A jak już będziesz tą wiewiórą, to podbiegaj do mnie bez lęku, dobrze? Dam ci rodzynków.

Lilce zrobił się szklisty wzrok. Popatrzyła na mnie i szybko odwróciła głowę. Pocałowałam ją w resztki loczków.

Ziewnęłam przeciągle, żeby już nie deptać po tym grząskim gruncie.

Na szczęście tym razem Lila nie wypytywała mnie o szczegóły mojej randki.

Byłam rozczarowana. No kurczę! Cudownie nam się rozmawiało, wreszcie tak jakoś ciepło i serdecznie, Marcin pięknie uwodzi uśmiechem, komentarzami, dotykiem. Ma jedwabistą skórę i znakomite kosmetyki. Bawił się moją dłonią, palcami, całował. Wreszcie nawiązaliśmy dobry kontakt, a może tak mi się zdawało, bo Marcin zadawał pytania i zaangażował się jakoś w sprawę Lilki. Opowiedział mi o lekarskich zaletach marihuany i przekonał, żeby spróbowała. Dodał, że skoro plastyczka z Akademii Sztuk Pięknych, to prawie na pewno próbowała. No, nie wiem…

A potem kiedy już powoli bardzo i ostrożnie przeszliśmy do rzeczy, znów było no… właściwie fiasko. Znaczy niby wszystko w porządku, ale Wojownik Marcina okazał się nie w formie i próby szaleńczego bzykanka spełzły na niczym. Owszem, Marcin spisał się znakomicie, usiłując zadowolić mnie ustami, ale nie tym razem, ja nie umiałam się pogrążyć w pieszczocie Marcina i przestaliśmy. Przepraszał, okazywał doprawdy wielkie zakłopotanie, a ja zachowywałam się, jakby mi zdarzało się to częściej i jak dobra ciocia pocieszałam, że „Co tam! To normalne".

Swoją drogą, myślałam — ma chłopak jakiś feler i mimo randki nie poszedł do lekarza spytać, co się dzieje? Wstałam i machnęłam drugą tequilę, czułam, że prędko nie zasnę. Ki diabeł? Czemu tak jest?! Taką miałam ochotę na seks! Jak tak dalej pójdzie, zadzwonię do Ofelii!

Zachciało mi się z kimś pogadać. Usiadłam i wzięłam na kolana laptopa.

Cześć, odległy Antku!

Ty tam sobie pracujesz w pocie czoła, a ja tu... Nie pracuję. I nawet się tym nie przejęłam, wiesz?! Czuję się jak na urlopie i tyle. Jakoś to jest poza mną! Bardziej przejmuję się Lilą, ojcem i... moim nowym facetem Marcinem — pisałam Ci o nim?

Nie jesteś moim dobiegającym, to mogę Ci pisać o tym jak koleżance z kolonii!

Otóż boski jest! Fajnie nam razem, świetnie gotuje, jest elokwentny, ma wiedzę o świecie i delikatny, i w ogóle! Przystojny jak nie wiem co!

W czym mam problem?

Otóż właśnie, powiedz mi, Antoni, czy to prawda, że kobieta może mężczyznę aż tak onieśmielać czy co, że on ma kłopot ze wzwodem? Z immisją? ... Albo inaczej — co jest Twoim zdaniem problemem? Nie rzucam się na niego, gryząc i świszcząc przez zęby, nie dyszę i nie jęczę (jakby no... nawet nie mam szans), jestem normalna, a tu... klapa.

Jeszcze jedna tequila. Czy to nie głupio tak pisać do prawie nieznajomego? Kurczę, a z kim mam pogadać? Z ojcem, który nie praktykuje seksu już od lat? No, chyba nie praktykuje? Zamyśliłam się na chwilę. A do Włodka nie mam jak się odezwać, uciekł z tego świata i zostawił mnie samą. Koleżanki mam, ale żadnej się nie zwierzam. Agata... No nie, co ona ma do problemów Marcina? Nie. Agata nie.

Pozostaje Antoni, w razie czego wykpi się, zmieni temat.

Piszę dalej:

I Marcin zapewnia mnie, że to przejściowe, bo ma stresy. To aż tak reagujecie?

Jak nie urok, to...

Piszesz, że u Ciebie sezon na truskawki? Szklarniowe? U nas też można kupić hiszpańskie, wielkie i czerwone. Kupiłabym Lili, ale ona nie powinna surowizny.

Dostała od Marcina marihuanę, bo podobno dobra jest na bóle onkologiczne, i teraz w domu pachnie zamiast chorobą — słynnym zielem! Ładny ma zapach!

Antek, czy ja Cię nie zanudzam na śmierć tymi moimi...?

Czy Cię nie wkurza, że ja tak o sobie i o sobie? Ale ja Cię nie znam! Jesteś mi właściwie obcy, nie mamy wspólnej przeszłości, tylko ten pies na szosie.

Ale fajnie, że mogę z Tobą gadać, bo jakoś nie mam z kim, a nachodzi mnie wieczorami.

Ty tak (wybacz, to będzie wścibskie) tam SAM? Tak bez dam? Nie wcinam się w Twoje jakieś męsko-damskie życie? A zresztą, moje maile są czyste jak łza. Bez podrywu i nawet ze zwierzeniami o tym moim cudnym żeglarzu.

Chyba ululałam się tequilą, więc pa!
Marianna

Kliknęłam „wyślij", zanim pomyślałam. Może się zbłaźniłam tym mailem? Trudno. Spać!

Obudziłam się dopiero następnego dnia rano — noc bez niespodzianek — i uprzytomniłam sobie, że nie muszę się zrywać! Wypowiedzenie za porozumieniem stron, i oto jestem wolna jak sanki w lecie!

Nie widzę, nie słyszę...

Wszystko widzę i słyszę, co się dzieje w domu, z Lilką, a poza tym — nic! Opiekuję się siostrą na pełen etat. To znaczy megaetat.

Dni są piękne, zima odchodzi dość wcześnie, sporo słońca. Oczywiście może jeszcze wrócić z zawieruchą, śniegiem, zimnem, ale może nie?

Lilka słabiutka, ale wymusiła na mnie wymarsz do parku. Chce normalności. Centrum handlowe wybiłam jej z głowy. Że zimno, chlapowato, że ciężko będzie z wózkiem, i obiecałam jej, że wiosną to obowiązkowo pojedziemy na zimowe przeceny! Ubrałam ją ciepło i posadziłam na wózku.

Do parku nie dotarłyśmy. W połowie drogi moja siostra poprosiła, żebyśmy pojechały na Francuską. „Chcę pobyć z ludźmi, a nie z wiewiórkami, ja cały czas jestem sama!". Przełknęłam tę uwagę. Sama? A ja? Pchałam wózek. Lekki, bo ona jest lekka jak piórko, chociaż opatulona jak na Syberię.

Wkurzały mnie niektóre spojrzenia. Saska Kępa to dzielnica ludzi z klasą, ale... nie do końca. Żółtozielona, chuda i ewidentnie wyniszczona rakiem Lila wzbudza żałość i ciekawość na twarzach przechodniów. Przykre to, bo jednak nie wszyscy umieją się opanować.

W sklepie, do którego musiałam ją wtaszczyć po schodkach, Lila ogląda półki i wskazuje mi łakocie:

— Weź mi tego batonika, żelki, nie te! Te jogurtowe! I piwo, gdzie tu mają piwo?

Już widzę dziwny wzrok jakiegoś gościa i jego żony. Słyszę szept:

— Taka chora to nie powinna pić piwa.

Lilka momentalnie reaguje. Jej głos, mocny i dobitny:

— Ja nie jestem chora, droga pani! Ja jestem bardzo chora, właściwie umierająca, i mam prawo napić się piwa, nie sądzi pani? A co, może mi zaszkodzi?

Jestem po stronie Lili, ale nie znoszę ostentacji, więc nic nie mówię, tylko biorę do kosza dwa piwa wskazane przez moją buntowniczkę. Cieszę się, że tak reaguje, to znaczy, że jeszcze życie w niej nie zgasło, że ma chęć do walki! *À la victoire! En avant*, Li! Wychodzimy ze sklepu, dzwoniąc butelkami z piwem, bo ona nie lubi w puszkach!

Milczę, ona też, ale nagle wybucha:

— Co za ludzie! Czy to ktoś na wózku piwska nie może się napić? Albo i wódeczki? Niepełnosprawny to już nie, nie, nie? Mańka! Co za ludzie! Urżnęłabym się, wiesz?

O, myślę, że to znakomity temat — zwyczajne życie niepełnosprawnych, o ograniczeniach architektonicznych, o idiotycznym wyobrażeniu, że niepełnosprawni to już ani się nie napiją, bo co, nie mają takich potrzeb? Tylko się umartwiają? A seks? Już chciałam o tym pogadać z Lilką, ale zamknęłam dziób.

Marzłam już, mimo że środek dnia, słonecznie, ale jakoś mi się zrobiło chłodno. Poszłyśmy do Tea Roomu na kubek gorącej herbaty i rożki różane. Patrzę na Lilkę, jaka skupiona, ale taka... normalna, zjada rożek, brudzi się cukrem pudrem, parzy usta herbatą. Milczy, ale chyba jest zadowolona z wypadu. Nagle mówi:

— Wiesz, to był dobry pomysł. W galerii bym zwariowała. Ja zdziczałam, Mańka! Ja już nie jestem z tego świata! Dokąd tak ludzie pędzą? Czy oni się przez chwilę zastanawiają, po cholerę im ten pęd? Ta drygawica? Pieniądze, pieniądze, pieniądze, a potem regały, regały, regały i... co? A potem pewnego dnia okazuje się, że jesteśmy na zjeżdżalni i fiuuu! Zjazd do piekła!

— Do jakiego piekła, Li?

Patrzy na mnie przenikliwie, jakbym była przezroczysta. I mówi dalej:

— Masz rację. Piekło to oni mają tu, piekło egzystencjalne, wiem! Ja też w nim tkwiłam, aż zachorowałam, i to też jest rodzaj piekła. To cholerne „z dnia na dzień". Nic już nie planujesz, bo żyjesz „z dnia na dzień", jak dwanaście kroków alkoholika — ważne jest jutro. Tylko... oni wytrzeźwieją, a ja nie.

W takich chwilach nie wiem, co mówić. Milczę i mam taki wyraz twarzy, jakbym czekała na jej dalszy wykład. A ona ciągnie:

— Wiesz, że nie doczekam lata? Znaczy zapewne nie doczekam, nie wierzę w remisję, to zbyt długo trwa! Chociaż Julka mówiła, że widziała spektakularne wyleczenia! Mańka, Maryniu, powiedz, czy ja mam jakąś szansę? Jakiś cień, wierzysz w to?!

Wzdycham i odpowiadam:

— Wierzę. Ja chcę w to wierzyć, bo nie wyobrażam sobie, żebyś sobie nie poradziła! — Kłamię jak z nut! Mam to napisane jasną kredą na twarzy, takie hasło, w które sama staram się usilnie uwierzyć! Chcę

pokazać jej moją wiarę i wspierać ją, ale patrzę na te jej kości policz-
kowe wydatne jak nigdy dotąd, obciągnięte cienką skórą, wielkie oczy
jak nigdy dotąd i zapadnięte, wklęsłe policzki i wiary we mnie — za
grosz. Na chorobliwą cerę, piegi, plamy i żyłki na twarzy, matowe już
włosy, których ma mniej i które ukryła pod sporą i puchatą czapką.
Pomyślałam sobie, że ona niknie jak śnieżynka lodowa. Jeszcze trochę
i jej nie będzie!

Zimno mi się zrobiło tak wewnętrznie, więc szepnęłam:

— Chodź, wracamy.

I wtedy ona zwróciła się do mnie z wesołym uśmiechem:

— Ale ty się nie bój! Ja jeszcze żyję! Pomalujesz mi dzisiaj paznokcie na krwistą czerwień? Lubię zapach acetonu!

Już się ucieszyłam, że wstąpiło w nią nowe życie, że ten spacer ją odświeżył, natlenił! Zmęczyłam się, wtaszczając do domu wózek i podpierając Lilkę, która jak dziecko „sama, sama", ale ledwo się wspięła
na to nasze drugie piętro. W domu usiadła w przedpokoju na podłodze
i łapała oddech.

Wieczorem zmieniłam jej podsikaną pościel, podczas gdy ona,
„sama, sama", w łazience próbowała się myć i opróżniać woreczek,
co trwało i trwało. Wstawiłam pranie, zrobiłam jakiś obiad i nakre-
mowałam ją tym razem kokosowym kremem. Smarowanie jej nie jest
przyjemne, bo to już kościotrup! Nie ma mięśni, nic! Same kosteczki.
I delikatnie trzeba, bo wszystko ma delikatne, chore, obolałe. Padałam
już, gdy jeszcze poprosiła mnie o ten lakier.

Sama zrobiła sobie manikiur, gdy składałam suchą pościel i ręczniki, a teraz wyjęła pędzelek z buteleczki i wąchała z lubością krwisty
lakier. Mówiła, jak lubi ten zapach i że jak tylko polakieruje paznokcie,
zadzwoni do taty, bo go zaniedbujemy.

No trudno. Na razie nie będę mu mówiła, że nie pracuję. Żaden to
powód do chwalby!

Tatko jest inteligentny. Porozmawiał z Lilką, a do mnie zadzwonił
bardzo późno. Jak na niego, oczywiście, i coś za bardzo wypytywał
mnie o pracę, o ten niby urlop. Ma wpaść do nas, bo my do niego na
razie chyba jednak nie!

Marcin pojechał do Trójmiasta, potem leci do Włoch, też mi kawa-
ler! Kurczę, z kim pogadać? Do kogo się przytulić, bo tak mi ciężko
na duszy?!

Nieoczekiwanie zadzwoniła Jula z Zurychu. Pyta, jak sobie radzimy. Tyle w jej głosie troski! Jak od kogoś naprawdę bliskiego! A może ona jest już mi naprawdę bliska? Oddała telefon Mirkowi. On też z troską pytał, czego potrzebujemy — lekarstw, pieniędzy? Kiedy odłożyłam telefon, pomyślałam, że nikt z nich nie wie, czego potrzebujemy tak naprawdę — Żywej Wody, po którą w bajkach szło się przez siedem mórz i rzek, i siedem lasów, i strachów było po drodze co niemiara, i niosło się tę Żywą Wodę w glinianym garnku, i ucho mu się urywało, i ulewało dramatycznie, ale w końcu chora matka, siostra, żona piły z tego garnka i… zdrowiały. Tego potrzebujemy, kochani! Żywej Wody! Nadziei!

Głupio mi, bo Julę zdawkowo tylko zapytałam, co u niej. Operacja się udała, teraz leży z nogą w gipsie i za kilka dni Mirek zabierze ją do Polski. Tyle.

I już z nikim nie rozmawiam, bo nie chcę, nie umiem, nie mam siły i ochoty.

Klaustrofobicznie mi się jakoś zrobiło. Jedyne okno teraz na świat, do ludzi — to mój laptop. Nie chcę z nikim rozmawiać, „żuć szmat" — jak mówił Grześ. Nikt tego nie zrozumie, a poza tym wydaje mi się, że gdy tylko wyjdę z domu, coś złego się stanie, a w domu powtarzające się czynności do znudzenia zabijają mnie powoli.

Kierat, strasznie smutny i męczący.

Propozycja

Spotkania z Marcinem są jak kradzież, bo przecież Gala nie jest pielęgniarką, podczas mojej nieobecności może się stać dosłownie wszystko, więc jestem nerwowa i niespokojna. Ale wczoraj sprawa sama się rozwiązała.

Marcin przyjechał pod mój dom i zabrał mnie do Tea Roomu na szybką herbatę. Był niespokojny, jak nie on. Upewnił się niczym jakiś szpieg, że nikt nas nie obserwuje. Ludzi wkoło mało, właściwie nikogo, usiedliśmy w kącie salki i tam zaczął szeptać, trzymając mnie za rękę:

— Marianno, chcę ci coś zaproponować, tylko błagam, wysłuchaj mnie bez podejrzeń. Muszę się zwinąć z Polski. Właściwie to mnie tu już nie ma.

— Co ty mówisz? Co to za jakieś... Marcin, wygłupiasz się, prawda?

Nie uśmiechnął się.

Usłyszałam horror, o jakim tylko w telewizji słychać w programach interwencyjno-sensacyjnych. Sprawa z początku wydała mi się zwyczajna, nawet dość nudna i całkiem nie pasowała do mojego uroczego gentlemana, Marcina. Z tego, co zrozumiałam, jest zamieszany w jakąś aferę, w której według niego jest ofiarą spisku. Jego przeciwnik, kobieta, posługując się metodami pozaprawnymi, zrobiła bardzo wiele, żeby go usadzić.

— Marcin — odezwałam się, próbując obrócić wszystko w żart, bo wydawało mi się, że bardzo koloryzuje — jeśli to wyrafinowana próba odstraszenia mnie, zerwania, to nie musisz...

— Marianna! — syknął ostro. — Słuchasz mnie?! Grunt mi się pali pod nogami, bo jestem uczciwy frajer! Baba mnie załatwiła ze swoim adwokatem i nie mam żadnej drogi obrony! Czegokolwiek! Koniec!

— Jak to nie masz?!

— Nie mam, tłumaczyłem ci. Wrobili mnie idealnie i teraz nie mam tu w Polsce życia.

— Co to oznacza?

— Że wyjeżdżam na stałe, na zawsze.

— Marcin, musi być jakaś droga!

Milczał i patrzył na mnie zbolały, smutny, zrezygnowany.

— Dokąd? — spytałam.

— Kawałek drogi, spory. Na razie błagam, nie pytaj, ale ja się zapytam, czy jak się tam urządzę, przyjechałabyś do mnie?

Zatkało mnie. Za dużo, za szybko, za esencjonalnie! Taka ładna znajomość! Tak się powoli, lekko rozwijała...

— Marianno — przerwał mi moje myśli — mam zakneblowane usta i ci Ukraińcy...

— Jacy Ukraińcy?!

— Najpierw to były telefony, w których ktoś mówił coś do mnie po rusku, czy jakoś podobnie, a potem...

— Pobili cię?!

— Prawie. Na ulicy mnie dopadli koło mojego domu i postraszyli solidnie.

Jezus Maria... W co on wdepnął? — pomyślałam przerażona i naraz zdałam sobie sprawę, że i ja osądzam, ja uważam, że w coś wdepnął, a nie, że został wciągnięty. Powinnam jako... jego kobieta być po jego stronie! Jeśli jest niewinny, to powinnam!

Przerwał mi moje myśli:

— Teraz może lepiej zrozumiesz, dlaczego nam... mi... nie bardzo wtedy w łóżku. Ale ja pójdę do medyków, będę jak młody Bóg! Przyjedź! Mam dobrą pozycję w „National" i podjąłem rozmowy z kumplem, który mnie tam przyjmie do spółki, będę mógł ci zapewnić byt! Co ty na to?! Kraj ciepły i przyjazny. Co sądzisz? Jesteś dobra, kochana taka, o jakiej myślałem w kategorii „kobieta na resztę życia". No?

— Marcin, o czym ty mówisz? Ja mam Lilkę, ojca, dom. Znajdę pracę lada chwila i jak... mam rzucić to wszystko? Nie, teraz nie!

— Ja poczekam. Ile chcesz, załatw tu wszystko i przyjedź!

— Żartujesz. Nie rozumiesz! Ja nie wiem, ile Lilka będzie żyła, ile tatko, a on beze mnie umrze z tęsknoty! Ma już tylko mnie. To niemożliwe, a romans na odległość, no jak? Kiedy wyjeżdżasz?

— Pojutrze — powiedział głucho.

— Już? Jak to? A mieszkanie?

— Sprzedałem. Marianno... Nie, nie dam rady. Na razie wywiodłem w pole Ukraińców. Pilnują mnie pod Augustowem. Pojutrze lecę, a właściwie już dzisiaj...

Wracałam do domu sama. Chciałam się przejść, odetchnąć, zrozumieć. Nie rozumiałam.

W domu czekała Gala, zapach leków, sików i okropnej śmierdzącej maści na odleżyny. Mimo wietrzenia to przeszło ściany mieszkania. Zapach umierania.

— Pani Marianna, ja panią Lilkę nasmarowała maścią, zrobiły my „żółwia", na poduszce się ułożyła pani Lila, na brzuchu i leżała tak wygięta w kabłąk, bo mówiła, że od leżenia plecy ją mocno bol'iat. I poleżała tak ona pod kocem i potem ja ją ubrała w nową piżamę i teraz śpi. Poczekać, aż pranie się skończy?

— Nie, Gala. Dziękuję. Sama rozwieszę.

Mail od Antoniego:

Witaj, Marianno,
ululałaś się? A to ładnie! Szkoda, że nie wiedziałem, nie piłabyś sama!

Masz wątpliwości, czy pisać mi o swoich stanach duszy, o tym Twoim kłopocie (wybacz, że tak to ujmuję, dramacie — może to lepsze słowo?).

Pisać! W końcu, jak nie masz z kim o tym gadać, to gadaj ze mną.

Ja tego potrzebuję. Jakikolwiek temat jest lepszy od budowy statków, od doniesień z BBC czy CNN, od tego mojego tu Dnia Świstaka.

Wprowadzasz mnie w kompletnie inne sprawy, o których właściwie już zapomniałem. Moi rodzice już nie żyją, ja bez rodziny już kilka lat.

Sam?

Ha. No sam. Moja żona nie wytrzymała oddalenia. Kiedy wyjeżdżałem, jej firma była w upadłości, więc mój wyjazd za bardzo godziwe pieniądze był zrządzeniem losu. Pomógł jej bardzo mój przyjaciel. Tak bardzo, że dzisiaj są już małżeństwem, a ja jeleniem na emigracji.

Sam?

Stale zadaję sobie to pytanie, bo mieszkam sam, ale mam tu kolegów, a nawet koleżanki.

Czy mam na stałe partnerkę?

Jakieś romanse były po rozwodzie, nie powiem, ale się nie stały niczym więcej jak tylko romansami. Europejki oczekiwały jakiejś deklaracji, a ja niedeklaratywny jakoś, więc się skończyło. Miałem nawet krótki romans z Tajką. Nie, nie myśl sobie, żadna tam dziewczynka, pani nie pierwszej młodości, ale bardzo ładna, pracująca niedaleko tu, w barze, ale trafił się jej Niemiec o... wyższych dochodach, więc...

Ech! Życie. Chcę odpocząć już. Żadnych romansideł już nie potrzebuję. Kobiety dzisiaj są inne, niż ja może bym chciał. A może już mi się nie chce chcieć?

Stop! Bo już nudzę.

Jak Lila?

Zdumiała mnie wiadomość o marihuanie. Ten Marcin (wybacz) to jakiś jednak niepoważny gość, może Was wpędzić w kłopoty. Przecież to nielegalne.

A morfina nie pomaga?

Mądrzę się — przepraszam. Pozdrawiam i kończę, bo właśnie wpadł mój kumpel Rosjanin, a właściwie rosyjski Żyd, Żora, i idziemy na siłkę (tak się mówi w Polsce?).

A.

Antku!

Zazdroszczę siłki, Żory — kumpla Żyda, może pustki, którą wypełniasz mailami z jakąś beznadziejną babą z Polski, bo ja się czuję uduszona, taka jakaś jestem...

Lila stale marznie, więc kupiłam jej jakiś czas temu koc elektryczny, na którym śpi. Ale i tego mało, bo ją „powietrze studzi", więc i olejak stanął w jej pokoju. Ciepło tam jak w kurniku. I jak w kurniku — śmierdzi.

Nic nie poradzimy na to, ona stara się bardzo utrzymywać higienę, ja się staram, ale jest jak jest. Nie narzekam. Lila prawie nie wstaje. Czasem do toalety, czasem do mojego pokoju, ale zazwyczaj leży. Nie znosi telewizji. Jakby się odcięła od świata. Nic nie chce wiedzieć, co się dzieje, tylko wypytuje mnie o moje spotkania z Marcinem. A ja... zakończyłam ten romans i nie pytaj już o nic.

Jest noc. Padłam ze zmęczenia, ale nie mogę zasnąć. Ty zapewne w pracy.

Dobrego dnia!

M.

Kochana Marianno!

To prawdziwie serdeczne powitanie. Serce mi się ścisnęło. Nie zdawałem sobie sprawy z tego, jak żyjesz. Jaki macie smutny los.

Rzucił Cię? Wybacz, ale to żałosny dupek. Od początku wydawał mi się frajerzyną. Jak jest problem, to mu się stawia czoło, a nie ubiera *w to kobiety! Eeee! Podejrzany od początku! Dobrze się stało, że się nie zdążyłaś zakochać. Złamałby Ci serce i co robiłabyś ze złamanym? Na drzewo z tym palantem!*

Nawet nie pytam, czy znalazłaś pracę. No bo teraz — jak?

Masz problem, nie do pozazdroszczenia.

Mam nie tylko Żorę. Mam kilku znajomków. Nikosa — Greka, Niemca Klausa, Radżiwa — Hindusa (ale on jest pół-Anglik), Polaka Wieśka i jeszcze kilku. Nie jestem odludkiem, ale i nie żyjemy w komunie — każdy ma tu swoje sprawy, swoją samotność.

Niektórzy są z żonami, a niektórzy nie.

U nas już ciepło na całego! Żegnaj, ciepła bielizno i ciężkie buty!

Masz tu kilka zdjęć z mojego miasta. Na piewszym zwykłe morskie wybrzeże, skaliste, z redą w oddali.

Na tym drugim to ja na tle mojego statku. Ta ciemna ściana za mną to statek, który aktualnie budujemy. Wielki kontenerowiec.

Na trzecim taka tu świątynia koło stoczni, na wzgórzu. Prawda, że ładna?

Trzymaj się ciepło.

A.

Zaczynam go lubić. Najpierw pisałam z nim te maile tak, dla zabicia czasu, ale jak widzę, nie jest to amator kwaśnych jabłek. Nie uwodzi, nie zgrywa Adonisa, bohatera, chyba faktycznie nie ma z kim pogadać. Rozczarował mnie tylko tą obcesową oceną Marcina, ale nie dziwię się. Mężczyźni tak mają. Nawet nie będę mu wyjaśniać, bo po co? Jestem potwornie zmęczona i przestraszona. Co to będzie, gdy Lila już…?

Witaj, Antku!

Znów noc ciemna, a ja padam z nóg.

Pojawia się nam kolejny problem — sikanie. Za mało. Jutro lekarz, a ja się obawiam, że to nerki przestają pracować. Uremia?! Lila ma drobne wybroczyny na udach i plecach, na razie wmawiam jej, że to odleżyny, śmierdzi amoniakiem, pije, ale prawie nie wydala.

Wymiotuje, śpi. To najważniejsze, bo kiedy nie śpi — płacze cicho. Bezgłośnie. Leży zwinięta i gapi się w ścianę, a z kącików oczu lecą jej łzy strumieniem.

Ona już wie.

Mój ojciec też w kiepskiej formie. Serce, leżał chory na grypę, potem miał zapalenie oskrzeli — nic mi nie powiedział! Na szczęście zajmowała się nim córka serdecznego sąsiada.

Praca? Nic w tej sprawie się nie dzieje, poza tym, że właśnie dzisiaj zadzwoniła do mnie moja szefowa Regina, że została zwolniona. Na jej miejsce przyszedł młody i prężny chłopiec (zaledwie 30), a zastępczynią jest jakaś laska z konkurencji. Zarząd wywalił ją (Reginę), bo „pismo nie trzymało należytej linii i nie było wydajne". Czy coś takiego. Znaczy za mało kolorowe, za mało plotek i zaglądania celebrytom do majtek, za mało cukru — lukru. Regina spada w otchłań, bo gdzie ją przyjmą? Ma 57. I tak się utrzymała długo. Teraz jak nie masz 30 lat — nie masz czego szukać w redakcjach!

Ja nie mam złudzeń.

Może jako freelanserka, bo właśnie zadzwonił kolega Włodka (mojego wieloletniego kumpla) z prośbą o wywiad z żoną świeżo rozwiedzionego pana milionera.

Odmówiłam z żalem, bo z Lilką jest już tak źle, że nigdzie nie wychodzę. Najwyżej szybki skok do delikatesów, ale to zazwyczaj koło 14.00. Przeczytałam, że to u terminalnie chorych czas dobry. Najbardziej boję się nocy — ludzie zwykle umierają nad ranem — wtedy podobno organizm jest najsłabszy.

Sprawdziłam to na biorytmach znanych mi osób, które umarły „na śmierć" i... zgadza się!

W nocy budzę się często i sprawdzam, czy Lila oddycha.

Jutro rano lekarz. Błagam! Niech ona się zsika wielką kałużą do łóżka!

Obiecuję, że nie będę marudziła. Liluś, no!

Wybacz mi, Antek, ledwo to znoszę. Zaraz wypiję małe piwo, żeby przysnąć.

Pisz o sobie, o Korei, o stoczni, kolegach, o truskawkach i o słońcu, które chyba poszło do Ciebie, bo tu go nie ma. Pisz o czymkolwiek, zajmuj moje myśli duperelami!

Teraz potrzebuję tego.

Pa.

M.

Marianno!

Doprawdy żałuję, że nie mogę Ci pomóc w żaden sposób.

Skoro jednak piszesz, że Cię rozprzężają zwykłe pogaduchy, dupe-rele (naprawdę nie masz z kim popaplać tak po babsku?!), to służę!

Otóż dzisiaj było wodowanie statku i z tej okazji kolacja w knaj-pie stawiana nam przez szefostwo. Opiszę ci, bo to nie wygląda jak u nas.

To się powtarza za każdym razem, gdy statek opuszcza suchy dok, wtedy jest taka kolacyjka jak dzisiaj.

Knajpiszon typowo azjatycki, klasa lekkopółśrednia. Znaczy, że lokal jest na piętrze, tam są boksy na tyle osób, ile trzeba, żeby towa-rzystwo było w swoim sosie.

Na podłodze rozstawione niskie stoły i do tego poduszki, żeby usiąść. To koreańskie party, więc zwyczaje też koreańskie.

Siadamy po turecku (?), a właściwie po azjatycku (jak Azja długa i szeroka to ulubiony sposób siedzenia), a na stole stoją już zakąski — pikle różnego rodzaju.

Kiszonki, czyli kimczi — piekielnie ostra kapusta kiszona z papry-ką, czosnkiem i imbirem, a też masa innych kiszonek równie ostrych — z białej rzepy, z ogórków, wodorostów i z... cholera-wie-czego. Do tego różności w rodzaju marynowanych na słodko orzeszków ziemnych, ziaren lekko ugotowanej fasoli, małych ususzonych rybek wielkości 3 centymetrów, plastry cebuli i pokrojone ząbki czosnku. Sos sojowy wymieszany z olejem sezamowym — taka maczanka, bo nic nie jest tu solone (oprócz marynat). I oczywiście do picia soju (sodźu — alkohol ryżowy — nie bardzo...) i piwo. Całkiem niezłe! Kiedy się usadowi-my, obsługa wnosi stołowe grille — najczęściej na węgiel, a czasem gazowe. Do tego przynoszą nam masę różnych liści i mięso surowe w niewielkich kawałkach. Zazwyczaj jest to boczek.

I już!

Znaczy zaczyna się przyjęcie. Nasz szefunio Koreańczyk wznosi to-ast i kłania się nam, my się odkłaniamy i po pierwszym toaście zaczyna się opiekanie mięsa. Obsługa czasem zagląda i przewraca szczypcami mięso tudzież kroi je nożyczkami (ciekawe i fajne, że nożyczki tu są normalnym narzędziem kuchennym) na mniejsze kawałeczki. Teraz już, gdy jest upieczone i chrupiące, pałeczkami nabiera się je na zielony liść sałaty (mają tu tego mnóstwo rodzajów) lub kapusty, bitwiny i jeszcze nie mam pojęcia czego, troszkę ostrej pasty (zapomniałem o niej — stoi sobie gdzieś na stole). To mięsko macza w sosie, zawija w liść i wkła-da sobie do ust. Pycha! Zapewniam Cię, że to jest smaczne i całkiem *zjadliwe. Pogryzajki, które wymieniłem, mogą mniej smakować Europejczykom, ale smażony boczek z ostrą pastą i sałatą — doprawdy fajne! Żadnych frytek ani chleba! Ostre to, więc cały czas przepijamy do siebie, czym kto lubi.*

I... cześć! Żadnych więcej szaleństw. Gadamy, żartujemy, oczywiście po angielsku — to obowiązujący język w stoczni.

Ciekawe to, co piszesz o biorytmach — sprawdzę swoje!

Nudzę, co? Nie wiem, czym Cię rozweselić.

Może tym — przesyłam ci serię zdjęć z morskiego wybrzeża. Może nie jest to jakaś wielka sztuka, ale tak widzę tutejsze morskie brzegi.

Pozdrawiam serdecznie Ciebie i Lilę.

Też jej życzę (można?) tego co i Ty (tej... kałuży), żeby to był tylko drobny problem, a nie blokada nerek. Ech! Zdrowia!

A.

Czytałam tego maila, wyjąc z zazdrości, że nieznany mi Antek ma normalne życie, że siada po turecku, pije toasty, gada z kumplami. Wysyła mi zdjęcia, opisuje bzdurki, a ja trzęsę się ze strachu. Jest bardzo źle, a ja nie mam komu wypłakać mojego zmęczenia, strachu, niezgody na cierpienie Lilki. Widzę w jej oczach, że ona się poddała. Myślę, że powinna już nie cierpieć. Nie chodzi mi o ból, odleżyny, mocz we krwi, a o jej psychikę. A ja? Jak ja bym reagowała, gdybym miała tę jej świadomość, że gniję w środku, że rak mnie zwyciężył i już nie ma światełka w tunelu? Jest czekanie.

Antku!

Niestety dramat się rozwija. Nerki odmówiły posłuszeństwa, a te wybroczyny na ciele to okazało się uremia — miałam rację. Mirek przyjechał rano z kolegą i zabrali Lilkę na dializę.

Było tak — przyjechał lekarz obiecany nam przez zaalarmowanego doktora J. i prychnął, że to się (rozumiesz? TO) nie nadaje na transport i dializę, że sądził, iż to się da jakoś rozgonić furaginem albo czym tam i już, a tu...

To spojrzenie pełne obrzydzenia, ten ton, pretensja, że go zawołałam! I że nie ma dla terminalnie chorych miejsca u nich na dializie i... wywaliłam go i pobeczałam się. Zadzwoniłam do Mirka, zaraz przyjechał z kolegą prywatną karetką i zabrali Lilę.

Nie pozwolił mi jechać, kazał się ogarnąć i odpocząć.

Powiedział, że mi ją odwiozą za 24 godziny i mam w tym czasie się wyspać.

Powiedz, Antek, co za ludzie?! Jak tak można było? Ona wszystko słyszała, nawet głosu nie ściszał ten dupek!

Poczekaj, mam telefon.

Zadzwonił Mirek na spokojnie.

Nie pocieszył mnie. Podłączyli ją w prywatnym szpitalu, o kosztach w ogóle nie chce rozmawiać, miłe, ale powiedział mi też, że to nerki się poddały. Lilka za słaba na wożenie jej na dializy, i że to już niedługo potrwa.

Paradoksalnie pisanina mnie uspokaja. To rodzaj terapii. Podobno dobre jako odciążenie psychiki, tym razem mojej.

Jestem w domu z umierającą siostrą, sama. Nie chcę nikogo, drażnią mnie telefony. Nie odbieram większości. Mało śpię. Boże, jak ja bym się wyspała!

Marianno,

„Mania?" — tak mówi do Ciebie Lila? Ładnie. Nie zastanawiałem się nigdy nad zdrobnieniem. Mania to miała na imię żona Pawlaka, a on mówił do niej „Mania nie boj-ś"! Fajne to było! Aż sobie dzisiaj zapuszczę Pawlaka i Kargula!

Jak Lila po dializie? Ciekaw jestem.

Jakoś się zaangażowałem i sekunduję Jej. Naprawdę nic się nie da zrobić?! Nic?

Bywają przecież remisje, ozdrowienia. Ja kompletnie nie wierzę w cuda, ale próbowałyście?

U mnie niewiele, więc przybliżę Ci postacie moich kumpli.

Żora. Lat 50. Jak pisałem Żyd, ma na nazwisko Lief, ale po prawdzie, to on je sobie skrócił. W Rosji nazywał się Lifszyc. Nie mnie oceniać, ale dość przystojny brunet, przechodził w Rosji jakieś dramaty rozwodowe, ale się uwolnił i jak tylko się dało, nawiał do brata do Stanów, a tu ściągnął go kolega. W Stanach Żora poznał swoją obecną żonę Anię, płowowłosą Żydówkę, też Rosjankę. Lat 40. Ładna, taka zwiewna, delikatna, z warkoczem. Ona uczy tu angielskiego i rosyjskiego. Żorek (ja tak do niego mówię) jest elektrykiem.

Wiesiek i Karol, to jest para kumpli, którzy przyjechali tu jakiś rok temu. Klaus, nasz wspólny kumpel Niemiec, załatwił im prace na offshorze, kurczę, o mały włos, a bym się z nim skłócił, bo to było moje marzenie. Wiesiek jest z nas chyba najstarszy, więc mu się udało! Pracował z Karolem w Turku, w Finlandii. Postawny, siwawy, dobrze zbudowany. Karol niby w podobnym wieku, ale wygląda młodziej, smagły, ciemnooki, bardzo tu się podoba kobietom, bo singiel i podrywacz. Wiesiek — jak ja, spokojny i mamy chyba ze sobą kilka wspólnych cech.

Historyjka: Kiedy Wiesiek z Karolem przyjechali i Klaus zaprosił ich na wieczór taki, no... integracyjny, sądziliśmy, że to geje. Trzymali się razem, mieli masę wspólnych powiedzonek, razem wybuchali śmiechem... Knajpa była bardzo eropejska, „Western Bar" z morzem whisky, ginu, tequili, piwska i dobrej myzyki. Dziewięćdziesiąt procent gości to białasy. Oni pod obstrzałem naszych oczu, lekko spięci — Wiesiek bardziej, Karol mniej, bo zaraz machnął trzy szybkie i się rozruszał.

Szczęki nam opadły, gdy do Wieśka przyjechała jego Ola. Bardzo fajna babka, Finka, taka 40+, z polskimi korzeniami. Mówi po polsku z takim śpiewnym akcentem. Ola z koleżanką otworzyły rodzaj przedszkola dla maluchów.

Karol pozostaje singlem, ale już wiemy, że jest podrywaczem! Lubi kobiety! Zdecydowanie!

Tu na zdjęciu nasza ekipa w pracy — ja w białym kombinezonie w kasku, a Żora to ten z kaskiem w ręku. Po prawej nasz kierownik pan Wang.

Fajnie, że mogę Ci to wszystko opisywać.

Głupio mi, że nie na temat i że może nudzę? Jakby co, ochrzań mnie.

Życzę Wam wiesz czego.

Antek

Wyspałam się. Podczas pobytu Lilki w szpitalu spałam jak kłoda. Sen jest cudowny! Budziłam się i natychmiast zasypiałam, mlaszcząc, jakbym jadła najsmaczniejsze jedzenie! Utopiłam się w tym śnie, zapadłam i tak znakomicie mi się spało! Wstałam, nie wiem o której, silniejsza, normalniejsza, wyspana! Z mety mam inny nastrój! Może ta dializa oczyści Lilkę porządnie, może wzmocni się moja mała siostra, może poczuje wolę walki?! Niech się stanie cuuuuud! Niech! Zaraz mi ją przywiozą, bo Lila nie chce zostać w szpitalu.

Antku, Antoni!

Ale masz imię niewspółczesne! Już Cię widzę w bonżurce!

Wiesz, jakiś czas temu zaczęłam pisać książkę „Gotujemy, jemy, jemy, czyli rozmowy z sybarytami", ale odłożyłam ad acta. Nie mam weny, czasu. Może do niej wrócę kiedyś?

No, mam już Lilkę w domu. Jest po dializie i w całkiem dobrej formie. To znaczy jęcząca, roszczeniowa, „Nasmaruj mi tu", „Zobacz, czy nie mam tam odleżyny?", „Umyj mnie, nie czujesz, jak śmierdzę?!" (czuję, jasna cholera, czuję jak nie wiem co!).

I wiesz co? Jeszcze jej nie zamordowałam.

Zjadła filiżankę zupy cytrynowej z ryżem! A potem zachciało się jej samego ryżu z masłem i pieprzem. Ale nie zmogła nawet filiżanki.

Tak się cieszę, że je!

Pojutrze znów dializa. Mirek nic nie mówi, jak to załatywił, powiedział, że znów po Lilkę przyjedzie, jak poprzednio.

Miałam z nią dzisiaj krzyż pański. Kazała mi siedzieć koło siebie, nastawić Streisand i rozmawiała ze mną o śmierci. Jak to będzie, jak ona umrze?

Podziwiam jej spokój i opanowanie.

No bywało, że mi robiła sceny, wynikały wtedy z lęku, z niezgody na to, że umiera, ale teraz jest taka pogodzona! Nawet powiem świętoszkowata, bo mówi takie, wiesz, banały, że śmierć to wyzwolenie, że odejdzie i nie będzie już cierpieć, i mnie ulży, że to naturalne... Spodziewałam się więcej buntu i wściekłości! A może ona już nie ma siły na wściekłość?

Siedzę i słucham jej, ale jakaś taka głucha.

Od kilku tygodni kompletnie zamknęłam się w naszym tu moim i Lilkowym świecie. Odcięłam się od znajomych, telewizji, nawet od tatki, którego zwyczajnie nie chcę denerwować i smucić. Między mną a nim jest jak w tym żydowskim dowcipie — znasz?

W przedziale siedzi dwóch rabinów. Pociąg dojeżdża do Krakowa, a siedzący z nimi pasażer mówi:

— Dziwne! Takich dwóch, wydawać by się mogło mądrych Żydów, a podczas całej drogi nie wypowiedzieli żadnego zdania!

Na co jeden z nich odpowiedział:

— Proszę panu, ja wszystko wiem, on wszystko wie, więc po licho mamy sobie strzępić język po próżnicy?!

No, wszystkiego nie wiem, ani ja, ani ojciec, ale o czym mamy gadać?

— że mój syn odsunął się od nas i woli swoją obecną rodzinę, inny kraj...? Z punktu widzenia kosmopolitycznego to dość normalne, a pretensje to ja bym mogła mieć do siebie, albo gdyby porzucił rodzinę! No ale nie porzucił.

— że Lila umiera? No comments.

— że jest jak jest? No comments.

— że jestem zła, rozczarowana, a może po prostu boję się, że niedługo kolej ojca i wtedy zostanę sama jak palec?!

— że się starzeję i życie mi umknęło jakoś?

Żebyś Ty wiedział, że tak się czuję. I tak boję się śmierci bardziej niż Lila. Jej śmierci.

A Ty tyle czasu sam, ale masz ich — tych swoich Żorków, Nikosów, Wacków i Karolów.

Ja nie zadbałam o grono przyjaciółek. Nie czuję potrzeby — czy to znaczy, że jestem jakaś poparana?

M.

PS. Mam jakieś duszności. Jakby ciepły ziemniak w piersi. Histeria?

Mój ciepły ziemniak. Fakt. Ciężko mi się oddycha, znów jestem niedospana, zmęczona. Lila dużo śpi. Leki. A ja... czekam. Jestem na siebie taka zła, czekam na cud, już nie. Na śmierć. Na piękną kobietę z obrazów Malczewskiego, cycatą, z ciemnymi skrzydłami, kosą i czułym spojrzeniem, która obejmie ją i utuli, zabierze w wieczny niebyt, w niecierpienie. Czy ja jestem nieczuła?

Oj! Marianno!

Jak Ci pomóc?

Może tym, że będę całkiem normalny, nieużalający się (bo zwyczajnie nie umiem).

Imiona popaprałaś — prawda, a poza tym poparana nie jesteś. (Chyba że czegoś nie wiem, a mam prawo nie wiedzieć wielu rzeczy, bo przecież właściwie wcale się nie znamy!). Ciepły ziemniak? Może z lekka serce Ci mówi — uspokój się, ale skoro masz takie problemy i nie składasz ich na ramiona przyjaciółek?

U mnie doprawdy wiosna w pełni. Z Żorikiem i Wieśkiem chętnie teraz trzepiemy w tenisa, niedaleko nas jest wielki ośrodek, a wstęp niedrogi.

Zakwitły drzewa owocowe, jakieś dzikie wiśnie, a od lutego kwitną kamelie. Masz tu na zdjęciach kwiaty.

Na ostatnim ptaszek, który pozował mi na skalistym wybrzeżu. Zwykła mewa, ale jaka kokietka!

Ślę Ci wizytownik. Taki, jakich tu... o, właśnie — niewiele. Pani w Seoulu, w sklepie z pamiątkmi na ulicy Insa-dong słuchała mnie uważnie, a potem zajrzała w głąb swoich skarbów i wyjęła ten — dość wyjątkowy. Przetłumaczyła mi też krótki wiersz, więc pędem Ci go wysyłam.

Trzymajcie się, dziewczyny, mocno trzymam kciuki!
A.

Antku!

Przepraszam za to dłuższe milczenie.

Właśnie przyszedł listonosz z prezentem od Ciebie. Jaki piękny ten wizytownik! Piękny motyw w tej masie perłowej. I wiersz o kobiecie — chryzantemie jesiennej, ładny. Szkoda, że nie znamy oryginału, może to jest koreańskie haiku? Ale i tak ładny. Jakie wizytówki tu włożę? „Marianna Roszkowska...." Kto to jest? Kim ja jestem? Nie wiem. Rozjechałam się jak na górskim stoku. Chociaż dzięki Twojemu wizytownikowi przynajmniej to wiem, że jestem kobietą jesienną. Prawda!

Dziękuję!

A ten drugi, z kwiatami... niestety za późno.

Lilka zmarła, wiesz?

Tak bardzo się tego bałam! Była słaba i niemiła cały dzień. Marudziła, było jej niewygodnie, narzekała na wszystko — na prześcieradło, na mnie, na poduszkę, na mnie, na okno i przeciąg, i znów na mnie. Kaprysiła, no zaczepiała i narzekała na wszystko. Miała nudności, chyba gorączkę, ale nie chciała mierzyć. Z powodu tej uremii miała niesmak w ustach i wszystko jej śmierdziało i nie smakowało, płakała, że jej nie umiem dać czegoś smacznego i nawet tarte jabłko... Wieczorem się uspokoiła. Kazała mi iść do siebie i zająć się sobą. Poszłam, potrzebowałam odpocząć. Wykąpałam się i przebrałam, zjadłam pieczonego kurczaka, który według Lilki miał smak ścierki, wypiłam zielonej herbaty, a potem koniak. Zajrzałam do niej.

— Chooodź, już będę dobra — powiedziała i dodała: — Sama się obsprawiłam z workiem, wiesz? I nic nie czuć, nie?

— Byłaś w łazience? Sama?!

— Byłam! Na czworaka, żeby cię nie wołać! Dałam radę. Ja jeszcze nie umarłam! — uśmiechnęła się dziwnie, obnażając żuchwę w takim przykrym, trupim uśmiechu.

Mój Boże, jaki to wysiłek dla niej!, pomyślałam i zadumałam się nad tą jej twarzą. Teraz to już czaszka obleczona skórą. Jak ona się zmieniła! Dobrze, że ojciec jej nie widzi.

Faktycznie miała mokre włosy, czułam od niej płyn do płukania zębów i chyba rzeczywiście opróżniła worek. — Przepraszam, że byłam niegrzeczna — szepnęła z uśmiechem.

Teraz zażyczyła sobie, żeby opowiedzieć jej o naszych wakacjach. O tym, jak pomagałyśmy Kobylińskiemu w sianokosach. Już wiem, o co jej szło!

Ona nie brała udziału w żadnych sianokosach, to kiedyś ja jej opowiadałam, jak mnie Kobyliński poprosił o pomoc, i teraz ona zapragnęła być tam, w tej krainie słońca i dzieciństwa.

Opowiedziałam, opiszę Ci, bo mnie to uspokaja:

— Pamiętasz, Liluś, jak przyjechałaś do nas na wakacje, na całe lato? Miałaś jakieś osiem lat, a twoja mama była chyba w sanatorium. To było gorące, słoneczne lato. Przyjechałaś — taka mała pchła.

Wieczorem zjadłaś z apetytem miskę ziemniaków ze skwarkami, których nie znosiłaś w domu, i popiłaś zsiadłym mlekiem. (A twoja babcia mówiła, że nienawidzisz kefiru!) Wypięłaś swój mały brzuszek w stronę mojej mamy.

— Patrz, ciociu Wandziu, jaki jestem grubas po tej kolacji!

Mama puściła oko do taty i do mnie, wszyscy potwierdziliśmy, że tak, grubasisko!

U nas zawsze, Lileczko, jadłaś, aż ci się uszy trzęsły! W domu podobno marudziłaś, wydziwiałaś, a u nas pożerałaś wręcz chleb ze smalcem albo z cukrem, kluski ziemniaczane z gęstą śmietaną, ziemniaki ze skwarkami, naleśniki z dżemami, i tylko zup nie lubiłaś, bo u was to podobno tylko zupy i zupy...

— Omiń to, przejdź już dalej — prosi Lilka.

— Od rana mama zaganiała nas najpierw do pracy, bo mówiła, że nie dostaniemy obiadu, jak nie opielimy grządek. Ty nawet chętnie pieliłaś, a już szczególnie jak przechodził tatko i mówił, że jesteś jak mały kombajn i że masz takie zgrabne rączki! Byłam zazdrosna, bo przecież też się starałam! Ale szybko zrozumiałam, o co chodzi! Nie umiałaś się

skupić nad jedną czynnością i te pochwały sprawiły, że byłaś znakomi-
tą... pielarką? Jest takie słowo? Pielarką!... Pielownicą!

— Pielicą! — mruknęła Lilka — pielaczką — i dodała: — To ja
byłam taki pracuś?

— Byłaś. Wtedy — kiwnęłam głową i pogładziłam ją po włosach.
— Potem w nagrodę szłyśmy nad Świder taplać się w wodzie. Zakła-
dałaś taki zielony kostiumik z baskinką wiązany na szyi, z kretonu —
pamiętasz? I skakałaś do wody jak żaba. Mogłaś pół dnia przesiedzieć
w wodzie, aż ci usta siniały! Moja mama pomstowała, że ci się pęcherz
zaziębi.

— I nie zaziębiał! — Lila wtrąca dumna z siebie.

— Któregoś dnia tatko zapytał nas, czy chcemy zarobić, więc krzyk-
nęłaś, że taaaak! Okazało się że Kobyliński, który wtedy jeszcze po-
magał nie tylko mojemu ojcu, ale też teściowi w gospodarce, miał
sianokosy. Teraz trzeba było poprzewracać siano.

Rano mama nas obudziła szarówką i ubrała w długie spodnie i ka-
pelusze. Takie słomiane z odpustu. Zajechał Kobyliński wozem. Jego
żona była już w bardzo wysokiej ciąży i nie zabierał jej w pole. Wsia-
dłyśmy na ten jego drabiniak i spuściwszy nożyny luzem, pojechałyśmy
wyposażone w kanapki i butlę kompotu z rabarbaru. Pamiętasz?

— Jasne! — Lilka miała szklisty wzrok. Słuchała mnie całą sobą.
— Mów dalej!

— No i dojechałyśmy na ich pole. Tam leżało siano Kobylińskich
w równiutkich rządkach, suche z wierzchu, a od spodu jeszcze wilgot-
ne. Kobyliński dał nam długie kije jak od szczotki, zaostrzone na końcu
i gładkie, bo wiele rąk nimi pracowało przez wiele lat. Pokazał, jak
mamy podwijać siano i odwracać „na plecy”. Było niby łatwo, ale cza-
sem za dużo się brało i lekko nie było. Sapałaś z wysiłku! Pomagałyśmy
sobie. Kobyliński pracował swoim tempem, a my swoim. Pamiętasz,
jak pokazałam ci skowronka?

— Nie, opowiedz.

— On był bardzo wysoko i piał te swoje trele i piał, a ty spytałaś
„co to?”. Więc ci pokazałam, ale ty go wcale nie widziałaś i złościłaś
się, że cię zwodzę.

— Był wysoko... — Lilka miała zamknięte oczy.

— No i wreszcie zobaczyłaś. A wieczorem w domu rozczarowanie,
kiedy moja mama wyjęła encyklopedię i pokazała ci skowronka. „Taki
mały?!” — myślałaś, że ptaszek, który tak treluje, musi być większy

i mieć inny dziób. „Jaki?", pytała mama, a ty na to: „Taki... pozwija-
ny!". Mała mądrala!

No. A potem na tym polu był obiad — usiadłyśmy pod wozem, bo
Kobyliński rozwiesił na nim taką kapę i zrobił się cień, a na drugiej
kapie usiedliśmy. On wyjął chleb i słój ze smalcem, w którym miał
zatopione jakieś mięsne kawałki, i spory termos z herbatą. Mówił, że
w upał nie trzeba pić zimnego. A ty zjadłaś swoje kanapki...

— Z czym? — przerwała mi Lilka.

— Z... jajkiem na twardo — szybko wymyśliłam i mówiłam dalej —
...i przymówiłaś się Kobylińskiemu o kawał chleba z tym smalcem. Dał
ci dupkę, bo odkroił ją. Matko, ja nie wiem, skąd u ciebie taki apetyt był?
Potem przewracałaśmy wolniej, bo już byłyśmy zmęczone, ale pole nie
było za wielkie, więc koło piątej skończyliśmy. Koń powoli człapał, a Ko-
byliński rzucił na wóz trochę siana z brzegu, „...żebyś sobie, Chuderlino,
kości nie odsiedziała" — jak powiedział. Narzucił kapę i umościł nam
miękkie siedzenie. Jak wracaliśmy, to zasnęłaś, tak się uharowałaś!

— I... co dalej? — szepnęła, prawie śpiąc.

— Następnego dnia rwałaś się znów pomagać Kobylińskiemu, choć
cię bardzo łapy bolały. On cię za to bardzo lubił. Lubi — poprawiłam
się szybko. — I dostałyśmy od niego po dziesięć złotych, i przepuściły-
śmy to na odpuście w Otwocku, na jakieś pierścionki, kogutki.

—— I lizaki — powiedziała — ...migdałowe — zamyśliła się, pa-
trząc na mnie przytomna, nieprzytomna? Jakby chciała zapamiętać
moją twarz?

Nagle powiedziała całkiem przytomnie:

— Maniu, jak ty jesteś podobna do ojca.

— Do Michała?! No jak?

I wtedy Lila machnęła ręką, jakby odganiając niewidzialną muchę.

— Do naszego... Wiesz? Masz jego nos i oczy. Jak na zdjęciu.

Zamknęła oczy. Zasypiała, więc o nic już nie pytałam.

Potem jakby zasnęła. Coś mruczała, mówiła? Przez sen.

Zadzwoniłam do Mirka, a on mi powiedział, że postara się po dy-
żurze przyjechać.

Zostałam przy niej tej nocy.

Siedziałam w fotelu i nawet nie byłam senna. Spała. Czasem oddy-
chała jak jakaś mysz, bezszelestnie, normalnie. Przykładałam ucho — czy
na pewno oddycha? Czułam mocz w jej oddechu. Potrzebna nam dializa
— pomyślałam. Chyba się zdrzemnęłam, bo obudził mnie jej chrapliwszy

nieco oddech. Leżała nadal na boku i miała otwarte oczy. Oddycha-
ła nieswoiście, inaczej. Patrzyła na mnie, ale chyba mnie nie widziała.
Wstałam i położyłam ją na plecach, bo sądziłam, że tak będzie się jej lżej
oddychało, ale jak ją już ułożyłam, to nie oddychała. I to był koniec.

Ty wiesz, że normalnie sprawdziłam jej na aorcie, czy faktycznie
zmarła? I na przegubie? I lusterkiem.

Siedziałam tak odrętwiała, nie myśląc nic.

Potem zerwałam się, bo może powinnam podać jej tlen jakiś czy
co? Ale gdy się zerwałam, poślizgnęłam się na podłodze (nie ma w jej
pokoju żadnych dywaników, nie lubiła) i rymsnęłam na ziemię. Bole-
śnie walnęłam się w tyłek, w kość ogonową i dopiero wtedy zapłakałam
— trochę tylko, bo uświadomiłam sobie, że trzeba jakieś pogotowie
czy co?

Zadzwoniłam do Mirka, a on właśnie wchodził po schodach.

Resztę już on załatwiał.

W czasie pogrzebu ani ja, ani ojciec nie ryczeliśmy jak woły. Może
głupio, ale na cmentarzu — nie. Ja właściwie nie odpłakałam jej wcale.
Jej po prostu nie ma.

Cały czas mam wrażenie, że jej tylko nie ma. Nie, że umarła. Jakby
wróciła do siebie, na Starówkę, czy co? Nie ma jej pościeli, łóżka,
ciuchów, niczego, a mimo to nie czuję dramatu śmierci. Wydaje mi
się, że ona stale tu jest. A najbardziej czuję jej obecność przy jabłonce
u ojca, pod którą tak lubiła siedzieć i malować.

Agata, moja znajoma psychoterapeutka, uważa, że powinnam ją
w miarę szybko odpłakać, odpuścić w zaświaty, bo nie wierząc, że
umarła, „trzymam ją" tu. Proponuje mi taki seans.

Bzdety? Jak sądzisz?

Jestem potwornie zmęczona. Nie pomaga mi sen. Nie mam ochoty
wychodzić z domu, z nikim nie chce mi się rozmawiać. Grzesiek, mój
syn, nawet nie przyjechał... Kwiaty przysłał, mają remont w domu,
masę pracy w klinice. „Mamo, nie dam rady".

Jakimś cudem daję radę pisać, może dlatego, że zapisywanie wra-
żeń, rozmów, opisywanie rzeczywistości mam we krwi? Może też dla-
tego, że mimo wszystko (musisz mi wybaczyć) jesteś w jakiś sposób...
no name. Przecież to znajomość wirtualna!

Paradoksalnie mail do Ciebie z dokładnym opisem Jej odejścia
to moja pierwsza aktywność od dwóch tygodni. Niby to takie „gadał
dziad do obrazu".

Wybacz, tak mi się napisało głupio.

Cześć.

Marianna

* * *

Jaka cisza...

Już po wszystkim. Nie rozumiem tego, co się stało. Nie umiem myśleć, roztrząsać, nie chce mi się. Ojciec trzyma się jako tako, a nawet
zadziwiająco dobrze! Ma u siebie jakąś parę studentów z SGGW, więc
to zajmuje mu trochę czasu, uwagi. Nie chce mi się go słuchać, nie
rozumiem, co z tymi jabłoniami... Wiem, że cierpi po śmierci Lilki po
swojemu. Dobrze, że ma ten swój sad. Ja nie umiem się nawet uczesać.
Po co to wszystko? Żeby umrzeć? Wszyscy mnie zostawiają — mama,
Pela, Mirek, Gieniuś, Lila, a i tata nie jest wieczny. Grześ i Tadzio są
daleko i nie wrócą. Co ja mam tu robić, sama? Jak mam dalej żyć?

A może ojciec ma rację? „Żyje się dalej", powiedział mi, że jestem
zdrowa, mam wielki potencjał i muszę się dźwignąć. Do czego?

Może wyjadę do Marcina?

Może sprzedam wszystko i pojadę w wielką podróż?

Może zacznę pracować w hospicjum?

Może napiszę książkę o śmierci Lili?

Może wydam pamiętniki Włodka?

Może... Katmandu i klasztor, aśram, w którym stanę się znów
sobą?

Albo nie sobą?

Ach, gdyby Lilka żyła, zaraz kopnęłaby mnie porządnie w tyłek
i ofuknęła, że się roztkliwiam, że jestem mazgaj, i ustawiłaby mnie
do pionu! Fryzjer, porządny ciuch, uśmiech, pierś do przodu i jakbym
słyszała jej głos: „Żyjesz, siostra, żyjesz! Miej marzenia, plany! No,
rusz dupę — życie czeka!".

Co ja bym dała za to!

Nagle zdaję sobie sprawę, że nie mam żadnego jej zdjęcia, które
powiesiłabym sobie jako memento. Jako moją osobistą ikonę Lilki
— mojej opiekunki, mojego anioła. Wtedy, jak byłyśmy u tatki, malowała nam portret, jest chyba u taty w sypialni na ścianie. Chciałam
jej pstryknąć zdjęcie, ale bałam się, że ją speszę. I teraz mam ją tylko
w oczach, w pamięci, taką marną i gasnącą.

Zaraz, ona powinna coś mieć!

Gorączkowo przeszukuję jej rzeczy przywiezione kiedyś ze Starówki. Nic. Żadnych zdjęć. Gdzie by je trzymała. Przecież jej mieszkanie już nie istnieje. Otwieram jej torebkę. Może tu... Musi mieć, choćby jakieś zdjęcia do dowodu, paszportu... Powiększę sobie i powieszę!

W portfelu Lilki, w kieszonce, tylko wytarte, stare i ze stemplem jakimś zdjęcie naszego ...ojca. Nosiła je tyle lat? Dziwne... Podobna? Ja? Do tego pana? Hmm. No, nie wiem. Odkładam na bok i szukam dalej. Nie ma. Nie ma! Nic, kurczę, może w laptopie? Też nie. W folderach są jakieś, ale z dawnych czasów, z jakimiś ludźmi... Cholera jasna! Oczy napływają mi łzami ze złości i zawodu. Jaka jestem głupia, głupia! Tak jej kiedyś nie znosiłam, a teraz kocham ją najczulej, tyle mi dała, i nie mam żadnej możliwości, żeby powiesić jej buziaka koło zdjęcia mamy!

Za jej łóżkiem stoi spora paczka owinięta płótnem i przewiązana sznurkiem. Jakieś podobno niedokończone dziełka Lili. Otwieram bez nadziei, że znajdę tam coś ciekawego, ale skoro są...

I nagle spomiędzy dwóch zaczętych szkiców w jej stylu wypada mały blejtram, z którego uśmiecha się do mnie nieśmiało... moja Lila. Autoportret, nieskończony. Są jej oczy, figlarnie skrzywiona głowa, jakby raziło ją słońce, ręce zaplecione na niej, rude loczki falują pastelami — brązem, pomarańczem, i jakieś maźnięcia kolorowe, jej sukienka, a dalej, niżej nic, po lewej stronie pusto, tylko białe płótno, jakieś dwie kreski, jakby niechciane plamki zostawione jej ręką.

Niedokończony jak w piosence, wpół urwany, czekający na niedoszły dalszy ciąg.

Wyciągam młotek, gwóźdź, wbijam go koło mamy i zawieszam. Schodzę z tapczanu i patrzę. Łzy spływają mi po twarzy, ale nie czuję dramatu! To dobre łzy, gorące, czyste jak kryształ, a tam ona, moja śliczna Lilka, taka, jaka była, letni motyl, zanim nie zeżarła jej rdza Kostuchy.

Otwieram okno, biorę wdech aż po same koniuszki płuc — jak lekko! Mogę oddychać! Żadnego ciężaru na piersi!

Dobrze, moja kochana! Będę żyła!